Notions
de philosophie

II

SOUS LA DIRECTION DE

Denis Kambouchner

Gallimard

Le lecteur trouvera à la fin du troisième volume de Notions de philosophie *un index général des noms et œuvres.*

Ont contribué à ce volume :

Jocelyn Benoist, professeur à l'Université Paris I.

Anissa Castel-Bouchouchi, professeur de Première Supérieure au lycée Fénelon (Paris).

Pierre-Henri Castel, directeur de recherche au CNRS.

Vincent Descombes, directeur d'études à l'École des hautes études en sciences sociales.

Pascal Engel, directeur d'études à l'École des hautes études en sciences sociales.

Pierre Guenancia, professeur à l'Université de Bourgogne.

Jean-François Kervégan, professeur à l'Université Paris I.

Alain Petit, assistant à l'Université de Clermont-Ferrand II.

Yves Schwartz, professeur émérite à l'Université d'Aix-Marseille I.

Claudine Tiercelin, professeur au Collège de France.

LES CROYANCES

> « Une règle d'or . ne pas juger les
> hommes sur leurs opinions, mais sur
> ce que leurs opinions font d'eux. »
>
> *Lichtenberg.*

Une affaire embarrassée

Il y a un peu plus d'un siècle, Victor Brochard écrivait, à propos de la notion de croyance :

« Aucune philosophie ne devrait s'en désintéresser; presque toutes la négligent ou l'esquivent... il n'est même pas facile de dire dans quelle partie de la philosophie cette question devrait trouver sa place. Les psychologues ne s'en occupent guère, parce qu'il leur apparaît qu'elle appartient aux logiciens. Les logiciens... la renvoient aux métaphysiciens. Mais les métaphysiciens ont bien d'autres visées. Pressés d'arriver aux conclusions qui leur tiennent à cœur, ils l'oublient ou l'ajournent. C'est pourtant par là qu'il faudrait commencer[1]. »

1. Victor Brochard, « De la croyance », in *Études de philosophie ancienne et de philosophie moderne*, Vrin, 4e éd. 1974 Voir, du même auteur, *De l'erreur*, Alcan, 1879.

Il n'y a aujourd'hui pas grand-chose à changer à ces lignes. Même si l'abondance des analyses contemporaines de la croyance les dément en partie, on n'a toujours pas une idée très claire de la place que cette notion devrait occuper sur le territoire philosophique, malgré (et sans doute à cause de) son ubiquité.

Il y a en effet plusieurs sens du mot « croyance » Au sens le plus large, une croyance est un certain état mental qui porte à donner son *assentiment* à une certaine représentation, ou à porter un *jugement* dont la vérité objective n'est pas garantie et qui n'est pas accompagné d'un sentiment subjectif de certitude. En ce sens, la croyance est synonyme d'*opinion*, qui n'implique pas la vérité de ce qui est cru, et s'oppose au savoir, qui implique la vérité de ce qui est su. À la différence d'un savoir ou d'une connaissance, qui sont en principe *absolument* vrais, la croyance comme opinion est *plus ou moins vraie*, et peut ainsi désigner un assentiment à des représentations intermédiaires entre le vrai et le faux, qui ne sont que *probables*. Parce que la vérité de ce qui est cru est seulement possible, et que l'adhésion de l'esprit au contenu d'une croyance peut être plus ou moins forte, le sens de la notion varie selon le degré de garantie objective accordé à la représentation et selon le degré de confiance subjective que le sujet éprouve quant à la vérité de cette représentation. 1) Quand la garantie objective d'une opinion est très faible, ou nulle, bien que celui qui l'affirme puisse éprouver une conviction très forte du contraire, « croyance » est simplement synonyme d'*opinion fausse ou douteuse*, et se décline comme *préjugé, illusion, enchantement* ou *superstition*. Ainsi les idées entretenues au sujet de phénomènes surnatu-

rels ou magiques, comme des guérisons mira
culeuses, des pouvoirs extralucides ou de sorcellerie,
ou encore au sujet d'êtres ou d'événements merveil-
leux ou mythiques tels que fées, farfadets, fantômes
ou rencontres du troisième type. 2) Quand les
croyances sont susceptibles d'être vraies ou d'avoir
un certain fondement objectif, ou sont en attente de
vérification ou de justification, on parle de *soupçons*, de *présomptions*, de *suppositions*, de *prévisions*, d'*estimations*, d'*hypothèses* ou de *conjectures*.
3) Quand on veut désigner des croyances reposant
sur un fort sentiment subjectif mais dont le fondement objectif n'est pas garanti, on parle de *convictions*, de *doctrines* ou de *dogmes*. 4) On parle enfin
de croyance en un dernier sens, pour désigner une
attitude qui n'est pas, comme l'opinion, proportion-
née à l'existence de certaines données et de certaines
garanties, mais qui va *au-delà* de ce que ces données
ou garanties permettent d'affirmer. C'est en ce sens
qu'on parle de la croyance *en* quelqu'un ou en quelque chose, pour désigner une forme de confiance ou
de *foi*. Dans ce cas, le degré de certitude subjective
est très fort, bien que le degré de garantie objective
puisse être très faible. La question de savoir si les
croyances religieuses appartiennent à cette catégorie
ou aux autres est affaire de doctrine. Font-elles partie des croyances fausses ou douteuses ? Ou bien
relèvent-elles d'un type de vérités distinctes ? Les
« vérités » de la foi peuvent susciter une adhésion et
un sentiment de certitude *en dépit* de leur absence de
garantie objective selon les critères usuels de la raison et de l'expérience commune. Le croyant (ou du
moins un certain type de croyant) sait que les données qui peuvent confirmer sa croyance, en Dieu par
exemple, sont loin d'être attestées. Mais il s'en tient

nonobstant à sa croyance, soit parce qu'il la pense confirmée par une évidence supérieure, soit parce qu'il décide de la tenir pour vraie *contre* toute évidence et précisément en vertu du fait qu'elle est telle (*credo quia absurdum*).

La classification des modes de la croyance que donne Kant recoupe dans une large mesure ces distinctions[1]. Il appelle la croyance au sens générique *assentiment* ou *tenir-pour-vrai* (*Fürwahrhalten*), qui représente *subjectivement* quelque chose comme vrai, qui donne lieu à des *jugements*, et l'oppose à la connaissance (*Wissen*), qui est un jugement ayant pour propriété *objective* la vérité. L'assentiment a deux espèces, la *certitude*, liée à la conscience de la nécessité, et l'*incertitude*, liée à la conscience de la contingence. Cette dernière se subdivise en incertitude subjectivement et objectivement insuffisante, ou *opinion*, et en incertitude objectivement insuffisante mais subjectivement suffisante, ou *foi* (*Glauben*). Une croyance qu'on peut communiquer et juger valable pour chaque individu rationnel est une *conviction*, et une croyance qui n'est valable que pour un sujet (qui n'a de causes subjectives que dans l'esprit qui juge) est une *persuasion*.

Comme on le voit, un trait essentiel des croyances (ou du moins de quelque chose qui les accompagne) est qu'elles sont susceptibles de degrés : les représentations auxquelles on accorde sa créance sont *plus ou moins* garanties, et on croit *plus ou moins* fermement ce que l'on croit, avec un sentiment subjectif qui peut aller de l'incertitude complète à la certitude totale. La dimension philosophique principale d'analyse de la croyance qui ressort des sens usuels de la

1. *KrV, Canon de la raison pure*, III, *Logique*, IX.

notion et de la taxinomie kantienne est la dimension *épistémologique* et *normative*. Elle met l'accent sur la vérité ou la fausseté des croyances, et sur l'absence ou la présence de raisons ou de justifications objectives de celles-ci. De ce point de vue la question principale est : les croyances ont-elles des *raisons*, ou bien n'ont-elles que des *causes* ? Si l'on soutient qu'elles n'ont que des causes, elles sont nécessairement irrationnelles ; comme le dit Wilhem Busch : « Les affaires de croyance sont des affaires d'amour. Il n'y a pas de raisons pour ou contre cela[1]. » Ce qu'elles appellent alors n'est pas vraiment une épistémologie, mais une étiologie de l'erreur. C'est là un thème classique du rationalisme : la seule vraie connaissance est celle que peut nous fournir la raison, et tout ce qui n'est pas vérité d'entendement tombe nécessairement dans le domaine de la *doxa* et de l'illusion. Si au contraire les croyances ont des raisons, elles peuvent être rationnelles. S'il peut être rationnel de croire des vérités qui ne sont au mieux que probables, et s'il existe un intermédiaire entre la certitude absolue et l'ignorance ou le doute, la croyance cesse de s'opposer à la connaissance. En ce sens la tâche de l'épistémologie ou de la théorie de la connaissance n'est pas de séparer le bon grain — la connaissance — de l'ivraie — la croyance —, mais plutôt de déterminer ce qu'il faut de plus à celle-ci pour acquérir une validation objective. Toute théorie de la connaissance doit se fonder sur une théorie de la croyance.

Pour répondre à ces questions il est nécessaire

---

1. *So Spricht der Weise, Geflügelte Worte und Reime*, Bechtle Esslingen, 1981, p. 85 ; cité par J. Bouveresse in *Le Philosophe chez les autophages*, éd. de Minuit, 1984, p. 99.

d'analyser la croyance dans ses autres dimensions, sur un plan descriptif plutôt que normatif. La notion de croyance est ambiguë, désignant tantôt l'état mental ou l'attitude du sujet qui croit (le croire), tantôt le contenu ou l'objet de la croyance (le cru). On peut, avec Ramsey[1], appeler le premier le facteur *mental* ou *psychologique* et le second le facteur *objectif* ou *propositionnel*. Du point de vue du facteur psychologique, les croyances sont des états mentaux que nous avons, et que nous nous attribuons à nous-mêmes et aux autres, avec d'autres états mentaux, non seulement pour exprimer nos attitudes cognitives, mais aussi pour expliquer le comportement et les actions. Quand on demande pourquoi Brutus a tué César, on répond que c'est parce qu'il croyait que César était un tyran et désirait en débarrasser Rome. Nous tenons les croyances (et les désirs) pour les causes ordinaires du comportement. Le facteur mental est donc étroitement lié à une caractéristique *causale* de notre concept usuel de croyance, liée à nos actions. On fait référence à l'autre facteur, objectif, quand on parle de la *proposition* qui fait l'objet de la croyance et qui représente le monde comme étant tel ou tel, c'est-à-dire qui constitue le contenu *sémantique* ou *intentionnel* de l'état mental correspondant. En ce sens les croyances font partie des états mentaux que les philosophes appellent, depuis Russell[2], des *attitudes propositionnelles*, au même titre que les désirs, les regrets ou les souhaits. Les contenus propositionnels des croyances sont articulés en *concepts*, et sont susceptibles d'être affirmés

1. F.P. Ramsey, « Facts and Propositions » (1927), in *Philosophical Papers*, Cambridge, 1990.
2. *The Philosophy of Logical Atomism* (1924) trad. fr. J.-M. Roy, in *Écrits de logique philosophique*, PUF, 1990.

comme vrais ou faux dans des *jugements* [1]. La capacité de croire ou de juger que p est quelquefois attribuée aux animaux et aux enfants au stade prélinguistique, mais la capacité d'asserter que p leur est refusée. Chez les humains adultes, l'expression usuelle de la croyance est l'assertion, et elle est essentiellement dépendante du langage. Ces faits pychologiques et logiques soulèvent toutes sortes de questions. Quelles sortes d'états mentaux sont les croyances? Est-ce que ce sont des états conscients ou des états non nécessairement conscients, des dispositions plus durables? Que sont les contenus ou propositions? Des entités psychologiques, composées d'idées ou de représentations dans l'esprit, ou bien des entités abstraites indépendantes de représentations mentales? Sont-ils des entités linguistiques, des phrases composées de symboles? Ou les propositions sont-elles des entités objectives, des faits du monde, composés d'objets ou de propriétés réelles avec lesquelles l'esprit entre en relation? Il est difficile de répondre à ces questions sans prendre parti sur des problèmes métaphysiques très généraux: celui de la nature de la pensée, et de sa relation à la réalité et au langage. Que le lecteur se rassure: je ne toucherai pas ici à ces dernières questions. Mais on comprend pourquoi Mill disait que le problème de la croyance est « l'un des plus embarrassés de la métaphysique [2] ».

Comment le facteur mental s'unit-il au facteur

1. La notion de concept employée ici désigne tout constituant élémentaire d'une « proposition » complexe. Les concepts en question peuvent être vagues. Je soutiendrai en fait ci-dessous qu'ils le sont sans doute la plupart du temps.

2. J. S. Mill, *A System of Logic*, trad. fr. L. Peisse, rééd. Bruxelles, Mardaga.

propositionnel de manière à produire l'attitude que
nous appelons « croyance » et ses contenus variés ?
La clef semble résider dans ce que Kant appelle
assentiment ou *tenir-pour-vrai*, et que les philosophes ont appelé tantôt *suncatathesis* (stoïciens),
assensio (Descartes), *consentement* (Pascal), ou plus
traditionnellement *jugement*. Qu'est-ce que donner
son assentiment à certaines représentations ?
Qu'est-ce que tenir certaines propositions pour
vraies ? Deux conceptions ici s'opposent traditionnellement. Selon la première, l'assentiment donné
par l'esprit à un contenu possible de jugement est un
acte volontaire et libre de l'esprit, par lequel il
affirme la vérité de ce que lui présentent les sens ou
l'entendement. La connaissance ne peut reposer que
sur une activité de l'esprit. Selon la seconde conception, l'assentiment est une tendance de l'esprit,
échappant au contrôle de la volonté, qui le conduit à
poser comme vraies certaines représentations. En ce
sens, la croyance et la connaissance sont fondées sur
une réception *passive* de l'esprit. Les deux conceptions divergent quant au rôle qu'on doit assigner à la
volonté dans la formation du jugement. Cette
volonté peut s'exercer de deux manières : d'une part
dans l'acte d'affirmation d'un contenu de jugement
(l'assentiment proprement dit), et d'autre part dans
l'acte d'adhérer à ce que l'on croit, de *vouloir croire*
ce que l'on croit déjà. Pour la première conception,
que l'on peut appeler *volontarisme*, il est naturel de
donner son assentiment (volontaire) à ce que l'on
croit, alors que pour la seconde il est paradoxal de
dire que la croyance, comme état essentiellement
passif, pourrait être le produit d'un acte volontaire
ou d'une décision. Pour le volontarisme il est possible d'exercer sa volonté sur une croyance, en vou-

lant croire ce que l'on croit, alors que pour la seconde une volonté de croire est une sorte de contradiction dans les termes. La question de savoir quelle peut être la part de la volonté dans la formation des croyances et des jugements est l'un des problèmes fondamentaux pour toute analyse de la croyance comme phénomène psychologique, mais également pour toute évaluation de leur rationalité ou de leur irrationalité supposée. Car, s'il ne semble pas y avoir de difficulté à admettre que l'esprit puisse vouloir affirmer ce qu'il tient comme vrai ou seulement probable, il est bien plus étonnant, de prime abord, qu'il puisse vouloir souscrire à ce qu'il tient comme faux ou improbable, et s'aveugler volontairement. Et pourtant cette capacité semble essentielle pour comprendre les phénomènes de croyance : comment les gens peuvent-ils croire non seulement des choses incroyables mais aussi des choses qu'ils *savent* être telles ? Pourquoi préfèrent-ils croire quand ils ont les moyens de savoir ? Pour rendre compte de la variété et de la complexité des formes de croyance, il est nécessaire d'envisager toute la gamme possible des types d'assentiment, de faire ce que le cardinal Newman appelait une *grammaire de l'assentiment* [1].

Ce n'est que quand on aura répondu à toutes ces questions qu'on pourra expliquer les croyances comme phénomènes non seulement individuels, mais aussi collectifs. L'homme est un animal social, qui croit rarement seul. Un trait fondamental des croyances est qu'elles se transmettent, que les opi-

---

1. J.H. Newman, *An Essay in Aid of a Grammar of Assent* (1870). Parti d'une visée apologétique, Newman écrivit l'un des plus grands livres sur la croyance.

nions sont reçues, véhiculées, diffusées. La plupart
des croyances que nous avons ne nous appartiennent pas en propre, et parmi celles qui ont pu
naître dans la « solitude » de notre esprit, il y en a
bien peu que nous n'éprouvons pas le besoin de
communiquer et de répandre. Elles finissent par
constituer des ensembles — mythes, légendes, idéo-
logies, visions du monde, opinions publiques — qui
paraissent obéir à leur « logique » propre. Sociologues et anthropologues sont alors tentés de les
considérer comme les manifestations principales
d'une « construction sociale de la réalité » autonome. Mais, si fasciné que puisse être le visiteur de
Lourdes, de Salt Lake City, ou simplement le spectateur d'une émission télévisée, par l'étrangeté de ce à
quoi il assiste, on ne doit pas oublier que la réalité
sociale et collective est aussi une réalité mentale et
psychologique qui reflète ce qui se passe dans
l'esprit des individus, et que, si bizarres que puissent
être les croyances des humains, elles reposent sur
des mécanismes qui ne doivent pas différer vraiment
de ceux de la formation des croyances les plus
banales.

Croyances et dispositions à agir

Quelles sortes d'états psychologiques sont les
croyances ? Est-ce que ce sont des états de la partie
sensitive ou de la partie intellectuelle de notre
esprit ? La réponse célèbre de Hume est que la
croyance est un état du premier type, une sorte de
sentiment inanalysable qui « n'est rien d'autre qu'une

idée forte et vive dérivée d'une impression présente et en connexion avec elle[1] » :

« La croyance [...] consiste non dans la nature ni dans l'ordre de nos idées, mais dans la manière dont nous les concevons et dont nous les sentons (*feel*) dans l'esprit. Je ne peux, je l'avoue, expliquer parfaitement ce sentiment, cette manière de concevoir. Nous pouvons employer des mots qui expriment quelque chose d'approchant. Mais son véritable nom, son nom propre, c'est *croyance*. Ce terme, chacun le comprend dans la vie courante. En philosophie nous ne pouvons rien faire de plus que d'affirmer que l'esprit *sent* quelque chose qui distingue les idées du jugement des fictions de l'imagination. Cela leur donne plus de force et d'influence ; les fait apparaître de plus grande importance, et les constitue comme principes directeurs de toutes nos actions[2]. »

Hume ne fait pas de différence entre le *belief*, la croyance, et l'*assent*, ou la propension de l'esprit à affirmer ce qu'il conçoit, et il ne distingue pas ceux-ci explicitement du jugement comme pouvoir de liaison et de séparations d'idées. Il ne fait pas, comme Descartes et la *Logique de Port-Royal*, de distinction entre concevoir, ou avoir des idées dans l'esprit, et juger[3]. Cette analyse a plusieurs implications. Tout d'abord, pour Hume, le jugement (ou la

---

1. *Traité de la nature humaine*, trad Leroy, p. 183.
2. *Ibid.*, p. 173-174.
3. « On appelle *concevoir* la simple vue que nous avons des choses qui se présentent à notre esprit... On appelle *juger* l'action de notre esprit par laquelle joignant ensemble diverses idées, il affirme de l'une qu'elle est l'autre, ou nie de l'une qu'elle soit l'autre. » (*Logique de Port-Royal*, Flammarion, 1970, p. 59)

croyance) ne comporte pas nécessairement d'union
ou de séparation des idées. Ainsi, le jugement d'existence ne consiste pas à attribuer une idée d'existence
séparée de l'objet conçu : concevoir, c'est concevoir
comme existant[1]. Ensuite, il n'y a pas de différence
autre que de degré entre les idées propres aux jugements sur des faits (*matters of fact*) et les fictions de
l'imagination. Enfin, les croyances ne sont pas sou-
mises, contrairement à ce que sont les jugements
pour Descartes, à une forme de contrôle volontaire.
Elles échappent largement au contrôle du sujet :
« La croyance est plutôt un acte de la partie sensitive
que de la partie cogitative de nos natures[2]. » Hume
remarque que, si la croyance était une forme d'union
d'une idée à une autre, plutôt qu'une idée plus vive,
« il serait au pouvoir d'un homme de croire ce qui lui
plaît[3] », ce qui n'est pas le cas. Toutes ces caractéristiques de la croyance se rattachent étroitement à un
trait essentiel : leur lien avec nos actions. Le rôle des
croyances est de produire, conjointement avec des
désirs, des actions. Cette conception naturaliste de la
notion de croyance comme idée vive associée à une
impression présente et comme propension à l'action
s'applique particulièrement au cas des croyances qui
reçoivent le plus d'attention de la part de Hume, les
croyances causales portant sur des *matters of fact* : à
partir de l'impression de la cause ou de l'effet, on
forme, par association, une idée de l'effet ou de la
cause, qui fait que l'esprit s'attend à ce que cette
association se reproduise. Cette tendance, fondée
sur l'habitude, est la croyance. L'originalité de la

1. Voir D. Schulthess, « Psychologie et épistémologie de la
croyance selon Hume », *Dialectica*, 47, 2-3, 1993, p. 255-267
2. *Traité...*, Selby-Bigge éd., p. 183 ; trad. fr., p. 271.
3. *Traité...*, appendice, éd. angl., p. 623-624.

théorie humienne de la croyance ꞩient d'abord au fait que les croyances ne sont pas pour lui formées par une forme de décision volontaire soumise à la partie rationnelle de notre esprit, mais par l'effet de mécanismes naturels dont la base est constituée par les impressions reçues par l'esprit[1]. Il s'ensuit que les croyances ne peuvent pas être montrées rationnelles au sens où une conception rationaliste le requiert : aucune croyance ne peut être justifiée par la raison ou le raisonnement seul. Mais les croyances portant sur l'expérience ne peuvent pas plus être justifiées, puisque cette justification ferait appel à un principe fondé sur l'expérience elle-même (selon le célèbre argument de la circularité de toute justification des inférences causales et inductives). Il s'ensuit que, au sens rationaliste du terme, on ne peut pas avoir, selon Hume, de *raisons* de croire ce que l'on croit, mais qu'on peut seulement être *conduit causalement* à le croire. Hume tempère néanmoins ces « doutes sceptiques » par une « solution sceptique » : nos inductions passées nous fournissent des raisons (non déductives) de croire, et nous pouvons évaluer plus ou moins la valeur de nos croyances[2].

La conception humienne porte principalement sur les croyances empiriques. Mais si on devait la généraliser pour fonder une théorie générale des croyances (c'est-à-dire si elle devait porter aussi bien sur les croyances portant sur des *matters of fact* que

1. Je néglige ici les détails du mécanisme par lequel les impressions produisent des idées, et la distinction entre impressions de sensation et impressions de réflexion.
2. En ce sens, Hume admet bien qu'il existe une forme de contrôle volontaire sur nos croyances, comme le remarque justement D. Schulthess, *op cit.*

sur des croyances portant sur des objets auxquels nous n'avons pas de relation empirique), elle soulèverait de grandes difficultés. En premier lieu, on pourrait lui reprocher d'associer les croyances exclusivement à la partie sensitive de l'esprit. Hume fait certes une distinction entre les impressions et les idées plus ou moins vives qui en dérivent, mais son rapprochement systématique entre les croyances, d'une part, et les sensations et les expériences, d'autre part, fait problème. Car ces croyances distinguent les sensations ou les expériences par trois traits. *Primo*, une croyance, par exemple *que César est un tyran*, a un contenu propositionnel vrai ou faux ; mais ma sensation de chaleur ou de froid, ou mon expérience d'un objet rouge, bien qu'elles aient un contenu n'ont pas un contenu propositionnel vrai ou faux en ce sens. *Secundo*, la croyance *que César est un tyran* est composée des *concepts* de César et de *tyran*, et des concepts ne sont pas simplement des idées associées les unes aux autres. Ma sensation de chaleur, ou mon expérience du rouge, ne sont pas articulées en concepts. Je peux avoir cette sensation et cette expérience sans avoir les concepts correspondants de *chaleur* ou de *rouge*. On ne croit pas simplement parce qu'on sent ou éprouve une idée : on croit *que*... Hume voit bien que croire n'est pas la même chose qu'avoir une idée, même plus forte, qu'il y a une différence entre croire et sentir, et entre croire et concevoir, et que croire n'est pas seulement une opération de juxtaposition des idées. Il ne veut voir pourtant qu'une différence de complexité entre concevoir « César », « la mort de César », et « la mort de César dans son lit », de même qu'entre ces combinaisons d'idées et le jugement *que César est mort dans son lit*. Il n'est capable de rendre compte ni de la complexité logique des contenus de croyances ni de la combinaison de leurs éléments. *Tertio*, les sensations et les expériences sont des états conscients : je ne peux pas, du moins dans les cas normaux, avoir une sensation ou une expérience sans être conscient de cette sensation ou de cette expérience, alors que je peux croire *que Paris est plus grand que Caen* ou *que les amanites sont vénéneuses* sans y penser expli citement ou être conscient de ces croyances. Il y a certes des croyances explicites et « occurrentes » — que l'on peut avoir fugitivement en en ayant directement conscience (« J'ai cru qu'on tirait un coup de fusil, mais j'ai réalisé que c'était le pot d'échappement d'une voiture ») — mais un grand nombre de nos croyances — peut-être la majorité — ne sont pas de ce type : ce sont des croyances habituelles, ou persistantes, et auxquelles nous n'avons pas nécessairement un accès conscient. Je peux, quand j'entends la pluie tomber, cesser momentanément de *penser* que la pluie tombe, mais je ne peux pas cesser de *croire* que la pluie tombe. Il est utile en ce sens de distinguer *avoir la pensée* que *p*, ou *remarquer* que *p*, qui est un état occurrent, et *croire* que *p*, qui est un état durable. Quand je crois que *p*, cet état est généralement *tacite* ou *implicite*. Il peut, certainement, devenir explicite, et « me venir à l'esprit », comme quand je prends brusquement conscience que j'ai un rendez-vous ce matin. Mais une pensée qui me traverse soudainement l'esprit n'est pas une croyance tant qu'elle n'est pas sous-tendue, dans mon esprit et dans mes actions, par un état durable. Les croyances sont-elles pour autant des états *inconscients*, au sens où ils pourraient ne jamais être conscients, parce que soumis à un système indépendant de la conscience comme (par exemple) l'inconscient freu-

dien ? S'il y a des croyances inconscientes en ce sens,
de deux choses l'une : ou bien elles ont toutes les
propriétés des croyances au sens usuel, auquel cas
ce sont seulement des croyances d'un type spécial,
ou bien elles n'ont pas ces propriétés, auquel cas il
est impropre de les appeler des « croyances ». Les
croyances « freudiennes » semblent tomber dans le
premier cas : elles sont supposées avoir des contenus
et se manifester dans des actions. Les états que les
psychologues cognitifs appellent « subintention-
nels » ou « subdoxastiques », comme les processus
inconscients responsables du traitement de l'information visuelle, ou de la connaissance grammaticale
d'une langue, relèvent plutôt du second cas. Ils n'ont
pas de contenu propositionnel et ne sont pas des
habitudes d'action au même sens que les croyances
usuelles peuvent en avoir [1].

En ce sens on doit s'accorder avec la conception
humienne de la croyance comme habitude et son
insistance sur le pouvoir causal des croyances dans
la production des actions. Une théorie qui assimile
les croyances à des épisodes nécessairement
conscients ne permet pas de comprendre le fait
banal qu'un sujet peut *avoir* ou entretenir une
croyance sans que son contenu soit directement
présent à l'esprit. Seule une théorie des croyances
comme *dispositions* a des chances de rendre compte
de ce fait. Ce thème (d'origine aristotélicienne :
l'âme est un ensemble de *facultés*) a été avancé dans
la philosophie contemporaine par Peirce et par

---

1. Chomsky et ses disciples parlent en ce sens de « connaissance tacite » de la grammaire. Sur la notion d'état « sub-
doxastique », voir S. Stich, « Belief and subdoxastic states »,
Australasian Journal of Philosophy, 1978.

Ramsey, et repris par Ryle notamment[1]. Une disposition, comme la solubilité ou l'élasticité d'un objet, est une propriété que possède cet objet, mais qui ne se manifeste que dans certaines circonstances que l'on exprime par un conditionnel irréel ou « contrefactuel » : dire que le sucre est soluble c'est dire que *s'il était* plongé dans l'eau, il se dissoud*rait*. Mais la disposition n'entraîne pas sa manifestation : un sucre peut être soluble sans jamais fondre. Quelle sorte de disposition serait croyance ? On pourrait dire que croire que *p* est une disposition à *penser* ou à avoir des idées vives au sens humien. C'est en ce sens qu'une croyance seulement tacite peut devenir explicite. Mais la manière la plus usuelle de manifester des croyances dispositionnelles n'est pas de les avoir à titre de pensées réfléchies, mais d'agir conformément à elles. Le meilleur moyen de s'assurer qu'un individu croit *que les amanites sont vénéneuses* est encore de voir si, quand on lui propose un plat d'amanites, il les distingue d'autres champignons et les mange. C'est ce que soutient Peirce, qui définit la croyance comme une *disposition à l'action*, « quelque chose sur la base de quoi un homme est prêt à agir », une « habitude » qui inclut en ce sens un élément de généralité, puisqu'une habitude ne peut s'acquérir que relativement à un *type* d'action[2].

On adresse en général les objections suivantes à la

1. Bien qu'on la trouve chez Hume et Reid, on fait habituellement remonter l'idée à Bain (*The Emotions and the Will*, Aberdeen,1859), qui a influencé directement Peirce. Voir « La fixation de la croyance » et « Comment rendre nos idées claires » (1877), in Peirce, *Textes anticartésiens*, Aubier, 1984 ; Ryle, *The Concept of Mind*, Hutchinson, Londres, 1949.

2. Peirce, *Collected Papers*, Harvard, 1931, vol. 2. 148. Voir sur ce point les commentaires de C. Tiercelin in *La Pensée signe. Études sur Peirce*, J. Chambon, Nîmes, 1993, p. 340 *sq*.

théorie dispositionnelle des croyances. Tout d'abord, elle semble suspecte de behaviorisme et réduire les croyances à des classes de comportements observables. Mais elle n'implique pas qu'une croyance se manifeste dans une classe particulière d'actions *effectives* : il y a de nombreuses manières *potentielles* d'agir conformément à la croyance que *p*, c'est-à-dire « comme si » *p* était vrai. Ma croyance que les amanites sont vénéneuses peut se manifester par mon refus d'en manger, mais aussi par mon action de les récolter en vue d'empoisonner ma belle-mère, etc.[1]. La variété des circonstances est telle qu'il n'est pas possible, comme le soutient le behavioriste, de délimiter la classe d'actions *réelles* et observables de l'agent qui « définirait » la croyance. La théorie dispositionnelle ne soutient donc pas que le contenu d'une croyance est déterminé *univoquement* par une certaine classe d'actions. Certains auteurs[2] soutiennent que les croyances sont des dispositions à un type d'actions particulières, en l'occurrence des actes de langage tels que des assertions, des ordres ou des avertissements. En ce sens, croire que *p*, c'est être disposé à *dire* (ordonner, etc.) que *p*. Cette théorie a l'avantage de concilier la conception dispositionnelle avec le fait que les croyances (du moins chez les humains) ont un lien essentiel à la capacité d'exprimer les pensées linguistiquement. Mais un individu peut croire que *p* sans jamais avoir l'occasion d'exprimer ou de dire que *p*, même si cette expression est la manifestation normale de la croyance. Ce trait est cependant parfaitement conciliable avec la

1. « Truth and Probability », *op. cit.*
2. Voir par exemple P. Geach, *Mental Acts*, Routledge, Londres, 1957.

théorie dispositionnelle, si l'on admet que les actions qui manifestent une croyance peuvent être *de diverses sortes*. Il n'y a pas de raison de les limiter à des actions *linguistiques* particulières.

En second lieu, on objectera que la définition d'une croyance particulière, ou d'un type de croyances par une disposition ou un type de dispositions à agir, est circulaire, pour la raison suivante. Ma croyance que les amanites sont vénéneuses ne peut être « définie » (par exemple) par mon action de ne pas en manger qu'en présence de ma *croyance* que ces champignons sont des amanites, que les champignons sont comestibles et qu'en présence peut-être de mon *désir* de manger des champignons. Il n'est pas possible de définir une croyance comme une disposition à agir de telle(s) ou telle(s) manière(s) sans supposer l'existence d'*autres* croyances, et d'autres états mentaux, tels que des désirs, et il n'est vraisemblablement pas possible de définir ceux-ci à leur tour comme des dispositions à agir sans postuler encore d'autres états mentaux. Cela ne fait que confirmer l'impossibilité d'une définition *stricte* des croyances au moyen de dispositions. C'est pourquoi Ryle préférait parler, plutôt que d'*une* disposition unique associée à une croyance, de dispositions *à multiples entrées* (*many track*). Les manifestations de ces dispositions ne peuvent elles mêmes être identifiées comme des manifestations des croyances qu'en faisant référence à ces croyances mêmes.

On peut aussi objecter que la notion de croyance *tacite* est problématique. Qu'est-ce qu'une croyance qui n'est que tacite ? Je crois, en ce sens, sans doute que *les éléphants ne portent pas de pyjamas*, ou que *le lobe de l'oreille gauche de Kant était plus petit que le port de Königsberg*. Mais si on n'attire pas mon attention sur ces « croyances » (par exemple dans un jeu de devinettes ou dans une émission télévisée), personne ne songera à me les attribuer. De même si je crois — cette fois consciemment — que *Falaise est plus petit que Caen*, je crois aussi, par implication, que *Caen est plus grand que Falaise*. L'existence de représentations « tacites » de ce genre fait sans doute partie de mon savoir et de ce que les psychologues appellent la « mémoire à long terme », mais tant qu'elles ne jouent pas de rôle actif dans ma cognition, il est douteux qu'il s'agisse réellement de croyances. Si nous avons ce genre de croyances, et en particulier celles qui sont des implications logiques de nos croyances, nous en avons une infinité. Mais comment un esprit fini pourrait-il stocker un nombre infini de représentations de ce genre ? Cet argument est souvent invoqué par ceux qui veulent que les croyances soient des états nécessairement conscients, ou au moins potentiellement tels [1]. La réponse du partisan de la conception dispositionnelle doit être la suivante : les croyances tacites ne sont des croyances que par prétérition tant qu'elles ne jouent pas un rôle dans nos actions et dans nos états cognitifs. Dans le contexte où, par exemple, je raconte à un enfant une histoire de Babar, je peux avoir la croyance tacite que Babar dans la savane — avant de rencontrer la Vieille Dame — n'a pas de pyjama ; mais une fois notre éléphant civilisé, la croyance en question « fait sens ».

---

1. Voir par exemple J. Cohen : « Une croyance tacite ou implicite n'est pas plus une croyance qu'un soldat de plomb n'est un vrai soldat », (*An Essay on Belief and Acceptance*, Oxford University Press, 1992, p. 28-31). Sur les difficultés de la notion de croyance tacite, voir W. Lycan, « Tacit Belief », in R. Bogdan éd., *Belief*, Oxford University Press, 1985.

Seules les croyances tacites susceptibles de s'actualiser dans des actions ou des processus mentaux réflé-
chis sont d'authentiques croyances. Dans le premier
cas, elles sont, comme on l'a dit, non nécessairement
conscientes. Dans le second, elles le sont potentiellement.

Enfin, la définition de la croyance comme une disposition à agir dans certaines circonstances semble
faire reposer celle-ci seulement sur ses manifestations potentielles, c'est-à-dire dans les propriétés
relationnelles de l'individu qui a la disposition en
question. Mais on peut objecter qu'une disposition
d'un objet (par exemple la fragilité d'un verre) suppose aussi des propriétés *non relationnelles*, à savoir
un certain *état* qui est la cause, dans des circonstances particulières, de ces manifestations (par
exemple le bris du verre). Cet état sera, pour un
verre, sa structure moléculaire, potentiellement responsable de tout bris du verre. De même, une
croyance doit reposer sur un certain état du sujet qui
est la cause de ses manifestations dans des actions.
Quel type d'état ? On peut le présumer : tout état
causalement responsable de ces manifestations qui
en sont les effets, et vraisemblablement un certain
type d'état physique ou neurophysiologique[1].

Le partisan d'une théorie dispositionnelle de la
croyance peut donc répondre à ces objections en les
intégrant à sa propre conception. Il soutiendra
d'abord que les croyances sont déterminées par des
actions non pas au sens étroit (behavioriste) de
comportements observables, mais au sens large où
les actions sont elles-mêmes les produits de

---

1. Voir D.M. Armstrong, *Belief, Truth and Knowledge*, Cambridge, 1973.

croyances et d'autres états mentaux, tels que des
désirs. Il admettra aussi que leurs manifestations
peuvent être multiples et inclure, outre des actes non
verbaux, des actes de langage, tels que des assertions. Et il admettra que les croyances ne s'identifient pas seulement à ces manifestations diverses,
mais aussi aux états qui les causent. La théorie psychologique qui permet le mieux de développer la
définition dispositionnaliste est la conception *fonctionnaliste* proposée par des auteurs contemporains
comme Putnam, Fodor, Lewis et Dennett notamment[1]. Selon cette conception, un état mental est
identifié par son rôle causal ou fonctionnel, dans un
système défini par ses entrées d'information et ses
sorties comportementales. Une croyance en particulier est un état qui sert de transition, *moyennant*
des désirs et d'autres états mentaux, entre des
entrées d'information (par exemple des perceptions)
et des sorties comportementales (par exemple des
actions ou des énonciations) ou d'autres états mentaux. Une croyance doit donc être définie par les dispositions à l'action qui lui sont normalement associées et par les états mentaux (surtout les désirs)

1. Putnam, « Minds and machines », in *Philosophical
Papers*, II, Cambridge University Press, 1975; J. Fodor, *The
Language of Thought*, MIT, Cambridge Mass., 1975; D. Lewis,
« Psycho-physical and theoretical identifications », *Journal of
Philosophy*, 1966; D. Dennett, *Brainstorms*, MIT Press, Cambridge Mass, 1978. Il y a évidemment des différences importantes entre les thèses de chacun de ces auteurs, et il y a plusieurs sortes de fonctionnalisme, dont certaines sont associées
à l'idée que les états fonctionnels sont des états *computation-
nels*, ou des états d'une machine de Turing. Mais la version
défendue ici n'a pas nécessairement cette implication. Elle
correspond à ce que l'on appelle « psychofonctionnalisme ».
Voir P. Engel, *Introduction à la philosophie de l'esprit*, La
Découverte, 1994, chap. I.

normalement associés à ces dispositions et à cette croyance. On donnera la définition suivante :

(C) X croit que *p* = X est disposé à agir de telle façon
que les désirs de X seraient satis-
faits si *p* était le cas.

(Exemple : Eusèbe croit qu'il fait beau = Eusèbe est disposé à agir de telle façon que son désir d'aller en pique-nique serait satisfait s'il faisait beau — par exemple en partant pique-niquer.)

Il y a une analyse conjointe du désir :

(D) X désire que *p* = X est disposé à agir des
manières dont X croit
qu'elles feront que *p* est le
cas.

(Exemple : Isidore désire boire un verre de calva = Isidore est disposé à agir de la manière dont il croit qu'elle fera que cette ingestion d'un verre de calva aura lieu — en l'occurrence en avalant un verre de calva.)

Les croyances sont ainsi définies en termes de désirs et de dispositions à l'action, et les désirs en termes de croyances et de dispositions à l'action. Mais il n'y a là aucune circularité : les croyances et les désirs se définissent en termes les uns des autres, et en termes d'autres états mentaux et des actions qu'ils produisent. Le résultat est ce que l'on peut appeler la conception *dispositionnelle-fonctionnaliste* de la croyance (D-F). Elle est extrêmement souple, en ceci qu'elle définit comme une croyance *tout état qui occupe un rôle fonctionnel déterminé dans la pro-duction de certaines actions et de certains états men-*

taux. Cela rend compte de la grande variété et de la plasticité des états pychologiques que nous appelons des croyances. Certaines croyances sont perceptuelles et se définissent par rapport à des informations sensorielles principalement. D'autres, la plupart, impliquent l'existence d'inférences, déductives et inductives (comme la plupart des croyances au sujet de *matters of fact* au sens humien). La croyance de Sherlock Holmes que *c'est Moriarty qui a fait le coup* peut être fondée sur des états et des inférences très complexes. Est une croyance tout état qui occupe le *rôle causal* correspondant, qui conduit Holmes à adopter telle attitude, à croire, à désirer ou à souhaiter d'autres choses, et à agir de diverses façons, en prolongeant son enquête, en prévenant la police, etc.

La conception DF est sans doute celle qui rend compte le mieux de ce que nous avons appelé le facteur psychologique dans la croyance. Elle a l'avantage de lier les croyances aux désirs et aux actions, et de s'accorder avec le sens commun, pour qui ces états sont des causes du comportement. Elle permet de comprendre comment la croyance n'est pas un état psychologique nécessairement conscient, mais qui peut l'être. Enfin, elle explique pourquoi la croyance est en général soustraite au contrôle volontaire. Les croyances ne sont pas volontaires parce qu'elles sont essentiellement des états cognitifs, qui produisent des actions mais qui ne sont pas elles-mêmes des actions volontaires. Pourquoi ne puis-je pas, dans la minute qui suit, *décider* de croire que *le Dalaï-Lama est un dieu vivant* ? Parce que, d'une part, une croyance est un état qui est causé par des données empiriques ou des témoignages à leur sujet : je ne peux pas, dans le cas normal, dans la minute *vouloir librement* croire que *p* si je ne suis pas *causé* par un état du monde, à croire que *p*, quand bien même je *désire* fortement croire que *p*, par exemple si vous me payez très cher pour le croire. Parce que les croyances sont des états vis-à-vis de la *vérité* de certaines propositions, et que la vérité n'est pas quelque chose que nous pouvons nous-mêmes créer *ad libitum*. Parce qu'elles impliquent certaines habitudes, elles ne peuvent pas être produites en un instant. Je peux certes *décider* de prendre une drogue qui me fera croire que *p*, ou de me laisser hypnotiser. Mais ces stratagèmes n'auront qu'une influence sur la manière dont certaines données affectent ma croyance ; ils ne modifieront en rien le fait que j'ai tendance à croire en vertu d'une relation causale entre mon esprit et l'environnement. Quand bien même j'appellerais le Malin Génie pour qu'il me trompe, il ne pourrait pas altérer cette façon usuelle dont mes croyances sont acquises. Il modifierait mon accès aux données ou ces données elles-mêmes, mais pas la relation générale que j'ai à elles. La possibilité du scepticisme radical ne fait donc que confirmer le fait que les croyances sont typiquement causées par l'environnement[1]. La théorie DF en rend compte : les croyances sont les états qui assurent la transition causale entre les entrées d'information du monde extérieur et les actions, conjointement avec d'autres états mentaux qu'elles produisent. En *ce* sens la croyance est bien, comme le disait Hume, un état passif de notre cognition.

1. Voir Bernard Williams, « Deciding to Believe », in *Problems of the Self*, Oxford, 1971.

Croyance et intensionnalité

Les philosophes contemporains ont consacré une énergie considérable à analyser nos façons usuelles d'attribuer des croyances, en particulier au moyen du langage. Ils admettent en général que les attributions de la forme « X croit que *p* » ont comme caractéristique logique principale d'être *intensionnelles*. Une phrase extensionnelle est une phrase vérifonc tionnelle (sa vérité est fonction de celle des phrases qui la composent) et qui autorise la substitution *salva veritate* des termes de même référence (qui préserve la valeur de vérité des phrases où ces termes figurent). Par exemple, s'il est vrai que Jean fume un cigare, et si un cigare est un objet nauséabond, alors il est également vrai que Jean fume un objet nauséabond. À la différence des contextes logiques extensionnels, les attributions de croyance (et d'attitudes propositionnelles) de cette forme sont intension nelles, car elle ne sont pas vérifonctionnelles, et elles ne permettent pas, dans les contextes linguistiques gouvernés par « croire que » (ou « désirer que »), la substitution *salva veritate* de termes de même référence. Autrement dit, si X croit que *p*, la vérité de cette attribution n'est pas fonction de la vérité ou de la fausseté de *p* (non vérifonctionnalité), et de *X croit que a est F*, on ne peut inférer, si *a = b* que *X croit que b est F* (non-substituabilité). Par exemple, si Jules croit que Cicéron est un orateur, et si Cicéron est Tullius, il ne s'ensuit pas que Jules croit que Tullius est un orateur. C'est ce que Quine appelle l' « opacité référentielle » des contextes d'attribution de croyance, et celle-ci semble propre à toute attribu-

tion d'états *intentionnels*, c'est-à-dire de représentations dirigées vers un certain objet, ou ayant un certain *contenu*[1]. Elle semble liée au fait que quand
nous attribuons à Jules la croyance que Cicéron est
un orateur, nous ne savons pas « sous quelle description » Jules se représente Cicéron : sous la représentation « Cicéron » ou sous la représentation « Tullius » ? C'est pourquoi aussi nous ne pouvons pas
inférer de notre attribution que *À propos de Cicéron,
Jules croit que c'est un orateur*, précisément parce
que nous ne savons pas si c'est bien *au sujet de Cicéron*, tel que *nous* nous le représentons, que Jules a
cette croyance que nous rapportons dans *notre* langage, et s'il donne le même sens que nous à ces mots.
Ces ambiguïtés et ces indéterminations de nos attributions usuelles de croyance semblent refléter
l'indétermination même du contenu des croyances,
la difficulté qu'il y a à être sûr que nous nous représentons les choses de la même manière que ceux
auxquels nous attribuons ces représentations. Comment, dans ces conditions, déterminer le facteur *propositionnel* des croyances ? C'est le problème de
toute *interprétation*, du discours ou des contenus
mentaux d'autrui.

La conception DF nous offre, comme on l'a vu,
une analyse satisfaisante du facteur mental et causal. Mais rend-elle compte du facteur propositionnel
et intentionnel ? De prime abord oui, puisque les
définitions (C) et (D) ci-dessus définissent la
croyance que *p* d'un agent comme un état psychologique impliquant une certaine relation à une proposition *p* dont les conditions de vérité sont réalisées

---

1. Quine, « Reference and modality », *From a Logical Point
of View*, Harvard, 1953.

si et seulement si l'agent est disposé à agir de manière à ce que ses désirs soient satisfaits. Ramsey a une image superbe : la proposition qui forme le contenu de la croyance est « une carte qui nous sert à nous diriger dans l'espace environnant[1] ». Ce que représente la carte, le contenu propositionnel associé à la croyance, détermine nos actions, mais est aussi déterminé par elles.

Mais la notion de « proposition », comme contenu d'une pensée ou d'un jugement, ou comme signification d'une phrase, est notoirement obscure : quand deux jugements ou deux phrases expriment-elles la même proposition[2] ? La conception DF ne peut répondre à cette question qu'en supposant que le contenu de la proposition est déterminé par une capacité à produire un certain type d'actions. Mais nous avons vu quelles difficultés cette thèse soulevait. Selon ce critère, deux individus qui sont disposés aux mêmes actions devraient normalement entretenir les mêmes propositions. Par exemple deux individus également disposés à s'avancer sur un lac gelé devraient normalement croire tous deux que *la couche de glace est assez épaisse pour y marcher*. Mais le premier peut s'avancer parce qu'il a cette croyance, alors que le second peut s'avancer avec la croyance contraire, s'il se trouve qu'il désire aussi montrer sa bravoure. Comment, sur la base des seules actions, réelles et potentielles, d'un individu, peut-on déterminer le contenu de ses croyances *et* de ses désirs ? Ramsey propose la méthode suivante. Elle se fonde sur le fait, déjà noté,

---

1. Ramsey, « Truth and Probability », *op. cit.*
2. Pour une analyse classique de ces difficultés, voir Quine, *Philosophie de la logique*, Aubier, 1970, chap. i.

qu'une croyance n'est pas seulement un état psychologique consistant à tenir une proposition comme vraie, mais comme vraie avec un certain *degré de probabilité*. Il fait l'hypothèse, reprise par la plupart des théoriciens contemporains de la probabilité et de la décision, que le degré de probabilité (ou de croyance) subjective en une proposition *p* est mesurable sur une certaine échelle, comprise entre 0 (l'incertitude complète ou la croyance en la fausseté de *p*) et 1 (la certitude complète, ou la croyance en la vérité absolue de *p*). On supposera pareillement que les désirs d'un agent sont mesurables sur une échelle d'*utilité* ou de *désirabilité* subjective. Le degré de croyance d'un agent en *p* sera déterminé à la fois par son degré de désirabilité subjective et par ses actions, et son degré de désirabilité par son degré de croyance et ses actions. Si l'on sait ce que désire un agent, et si l'on sait quelles actions il accomplit, la solution est aisée. Mais le problème auquel nous sommes confrontés est plus difficile : comment, à partir des seules *actions*, déterminer le degré de croyance et de désirabilité ? La solution consiste à prendre appui sur un certain type d'action, le *pari*. Un agent pariera d'autant plus sur la vérité d'une proposition, et en ce sens agira comme s'il tenait cette proposition comme vraie, qu'il tiendra celle-ci comme plus probable, et l'état de choses auquel elle correspondra comme plus désirable. Ramsey a montré comment, en définissant certaines propositions vis-à-vis desquelles l'agent est indifférent, on peut déterminer une échelle de mesure unique de ses probabilités et de ses désirabilités[1]. La méthode ne sup-

---

1. Ramsey, « Truth and Probability », *op. cit.* Sur la théorie de la décision, voir Jeffrey, *The Logic of Decision*, Chicago University Press, 1965, 2ᵉ éd. 1980.

pose pas que les paris effectués par les agents aient lieu effectivement : le pari est un acte volontaire, qu'un agent peut ou non décider d'accomplir. Cela n'interdit pas de considérer toute action fondée sur une croyance comme une forme de pari. Comme le dit Ramsey, pendant toute notre vie nous parions : si je vais à la gare prendre un train, je parie sur le fait que le train sera à l'heure, si je mange des champignons, je parie sur le fait qu'ils ne sont pas empoisonnés. Même si je ne parie pas consciemment, on peut considérer mes actions comme les expressions de telles attitudes de pari[1].

Le problème auquel est confronté Ramsey est celui de toute théorie naturaliste de la croyance et de la pensée en général : comment, quand on ne dispose que des données causales et physiques qui affectent un organisme et son environnement et des données comportementales, peut-on déterminer le contenu des *représentations* que se fait cet organisme de cet environnement, c'est-à-dire de ses états *intentionnels* à propos de certains états de choses du monde ? C'est aussi le problème des « sciences cognitives », qui font de l'organisme une sorte de « boîte noire » qui traite des informations et produit des comportements. Contrairement au behaviorisme, le modèle fonctionnaliste sur lequel reposent la plupart des conceptions « cognitivistes » admet que les données purement *externes* et physiques ne peuvent rendre compte du fait que l'esprit (ou le cerveau) véhicule des contenus d'information *internes*. Mais ces conceptions se heurtent à la même difficulté que la conception DF qui les inspire : comment isoler les contenus d'information en question sans présuppo

Ibid.

ser la donnée d'*autres* contenus d'information déjà
connus? De même, comment déterminer le contenu
d'une croyance sans savoir avec quels désirs, et avec
quels autres états mentaux elle est susceptible de
causer certaines actions? La notion d'action elle-
même présuppose celles d'intention, de croyance et
de désir. L'impossibilité d'isoler un contenu de
croyance d'autres contenus est ce que l'on appelle,
dans la littérature contemporaine, le *holisme* des
croyances[1]. On peut l'illustrer par un exemple clinique. Une patiente sénile, atteinte de troubles de la
mémoire, se souvient d'avoir assisté, dans sa jeunesse, à l'assassinat du président des États-Unis
McKinley. Mais quand on lui pose la question, elle
est incapable de dire qui était McKinley, s'il est
encore en vie, ce qu'est un président des États-Unis,
ou ce qu'est un assassinat. Croit-elle ou ne croit-elle
pas que McKinley a été assassiné[2]? Si nous admettons qu'une croyance ne peut s'identifier que sur le
fond de la *trame* des liaisons épistémiques et conceptuelles auxquelles elle appartient (par rapport à ce
que le sujet sait ou croit par ailleurs et par rapport
aux autres concepts qu'il a), nous serons tentés par
une réponse négative. Mais si nous voulons identifier la trame en question, où devrons-nous nous
arrêter? Quelles sont les liaisons épistémiques qui
définissent la croyance concernée? Les mêmes difficultés affectent toute tentative d'attribution de

---

1. Le holisme a été avancé, dans la philosophie contemporaine, principalement par Quine et par Davidson. Voir *Inqui-
ries into Truth and interpretation*, Oxford, 1984, trad. fr.:
Enquêtes sur la vérité et l'interprétation, J. Chambon, Nîmes,
1993, p. 291, chap. XII.
2. S. Stich, *From Folk Psychology to Cognitive Science*, MIT
Press, Cambridge Mass., 1983. Voir P. Engel, *op. cit.*, chap. IV.

« croyances » à des animaux ou à des enfants. Nous disons que Fido croit que son maître va bientôt revenir. Mais Fido a-t-il la notion de ce qu'est un *maître* ? Ne faudrait-il pas qu'il ait aussi la notion d'*obéissance* ? Il ne fait pas de doute que si nous attribuions la « même » croyance à l'esclave Épictète, par exemple, nous ne le ferions pas au même sens, nous ne dirions pas que c'est la *même* croyance. Mais qu'est-ce qui peut compter comme l'attribution de la *même* croyance ?

Le partisan d'une conception naturaliste des croyances cherchera à répondre à cette question en identifiant d'abord les états physiques causalement responsables des dispositions à l'action et à la pensée, et en cherchant ensuite à dériver leurs contenus intentionnels de structures elles-mêmes physiques et causalement efficaces. Car toute cause efficace est une cause physique et, sans causalité physique efficace, ces structures ne pourraient pas causer le comportement. (C'est notamment l'obstacle que rencontrent toutes les théories des contenus de croyance qui feraient de ceux-ci des objets abstraits, tels que des propositions platoniciennes : elles ne permettraient pas de comprendre comment ces propositions peuvent causer des comportements). Fodor a proposé une conception de ce type[1]. Reprenant la vieille conception occamiste et hobbésienne de la pensée comme calcul sur des signes mentaux, et s'inspirant du modèle contemporain du cerveau comme ordinateur, il compare les états mentaux intentionnels comme les croyances aux états d'un

---

1. J. Fodor, *Psychosemantics*, MIT Press, Cambridge Mass., 1987. Sur les antécédents occamistes de cette théorie, voir C. Panaccio, *Les Mots, les concepts et les choses*, Vrin-Bellarmin, 1992.

programme ou « logiciel » qui peuvent être décrits indépendamment de leurs réalisations physiques dans le « matériel » de la machine, mais dont les transitions « computationnelles » sont néanmoins réglées par les transitions entre les symboles *physiques* auxquelles obéit la machine. Cette conception est fonctionnaliste : les croyances sont comme des « boîtes » définies par leurs relations causales avec d'autres « boîtes » (à désirs, à espoirs, etc.). Mais ces « boîtes » contiennent des représentations, qui sont les *phrases* d'un langage symbolique interne encodé dans le cerveau, le « langage mental » ou le « langage de la pensée ». Ainsi, quand je crois qu'*il pleut*, il s'inscrit, quelque part dans mon cerveau, une « phrase mentale » (ou cérébrale) qui signifie qu'il pleut. Cette théorie suppose que la phrase en question a cette signification en vertu des seules structures physiques du cerveau et des relations causales qu'il a avec son environnement, indépendamment d'un sujet ou d'un observateur qui lui donnerait cette signification. Elle suppose aussi que l'on ait réglé la difficulté concernant le holisme des croyances, et que le contenu de la phrase mentale en question puisse être déterminé, de manière *atomistique*, indépendamment de la signification des autres phrases mentales que l'organisme pourrait entretenir. Enfin, et plus généralement, elle suppose que les sciences cognitives, dont les progrès principaux ont été réalisés sur les processus périphériques de traitement de l'information sensorielle de « bas » niveau (vision, audition, etc.), puissent faire des progrès comparables sur les processus « centraux » ou de « haut niveau » de pensée, d'inférence et de croyances, alors même que Fodor soutient que ceux-ci constituent la partie la plus difficilement connaissable de la cognition humaine, et admet leur autonomie par rapport aux systèmes sensoriels[1]. D'autres conceptions naturalistes de l'intentionnalité, qui cherchent toutes à dériver les contenus mentaux de structures physiques et biologiques des organismes qui varient causalement avec les propriétés de l'environnement, ont été proposées, mais elles se heurtent à des difficultés similaires[2].

Il faut se résoudre à admettre qu'on ne peut pas fournir une théorie complètement naturaliste (c'est-à-dire réductionniste) des contenus intentionnels. Pour qu'une telle théorie soit correcte, il faudrait que les contenus des croyances et des autres états mentaux d'un organisme soient *entièrement* fixés par les structures physiques et causales de traitement de l'information dans cet organisme, et par ses relations causales (physiques, biologiques) avec son environnement, indépendamment de l'*interprétation* que peut donner un interprète extérieurement à l'organisme. Or un système physique tel qu'un ordinateur ne peut pas « croire », par exemple, que $2 + 2 = 4$ si celui qui l'a programmé n'a pas assigné une certaine signification aux symboles qu'il manipule : il dispose d'une syntaxe de signes, c'est-à-dire de règles de manipulation de symboles, mais pas d'une sémantique, c'est-à-dire des règles par lesquelles ces symboles sont supposés représenter quelque chose, et encore moins d'une histoire individuelle acquise au contact d'un environnement changeant. Dans le cas d'un organisme vivant, on peut supposer que l'évolution et la sélection natu-

1. *The Modularity of Mind*, MIT, 1983, trad. fr. : *La Modularité de l'esprit*, éd. de Minuit, 1986.
2. Voir par exemple F. Dretske, *Explaining Behaviour*, MIT Press, Cambridge Mass., 1988.

relle ont « programmé » la sémantique interne du système. Mais d'une part, nous n'avons encore aucune idée de la manière dont les processus causaux de l'évolution pourraient accomplir cela, et d'autre part, dans le cas des humains une bonne partie, sinon la totalité des contenus intentionnels et des significations que nous pouvons attribuer le sont sur la base du langage et de l'interaction linguistique. Un individu peut certes avoir toutes sortes de croyances sans jamais les exprimer ni les communiquer, mais le meilleur moyen de savoir ce qu'il croit est encore de voir ce qu'il dit. C'est donc à partir d'un processus d'*interprétation*, qui passe principalement par l'interprétation linguistique, que l'on peut déterminer les contenus des croyances. Or, quand nous interprétons les actions ou les phrases qu'énonce quelqu'un, et que nous lui assignons des croyances et des désirs, nous ne pouvons reconnaître un geste comme une action, ou une phrase comme exprimant une croyance, que si nous admettons certaines normes très générales de rationalité : que les croyances d'un individu sont *en général* non contradictoires, que l'individu agit *en général* de manière à obtenir ce qu'il juge être le meilleur, etc. Il y a bien entendu des exceptions, des cas de comportement de prime abord bizarres ou « irrationnels » : les gens se contredisent quelquefois, agissent à l'encontre de leurs désirs les plus forts, croient des choses qu'ils n'ont aucune raison fondée de croire, etc. (et ces exceptions sont évidemment très importantes pour une théorie de la croyance, comme on le verra). Mais le fait que l'on interprète des comportements à partir de normes « générales », et qu'on ne sache pas bien quand on a affaire à des exceptions montre qu'on ne peut pas s'appuyer sur des *lois* strictes du comportement intentionnel. Et si l'on ne peut disposer de lois de ce genre, comment pourrait-on espérer réduire ces lois à des lois du fonctionnement physique des organismes? Ce que l'on a appelé le holisme des croyances est aussi un obstacle à une détermination précise de leur contenu : je ne peux attribuer à quelqu'un la croyance *que la glace est mince* que si je lui attribue d'autres croyances, d'autres désirs, et il restera toujours un résidu d'indétermination. Déterminer le contenu d'une croyance est donc une question d'interprétation, et l'interprétation n'est pas une procédure exacte, comme peut l'être la détermination des gènes responsables d'une maladie héréditaire. Doit-on en conclure que, s'il n'y a pas d'états physiques réels de la cognition correspondant à ce que notre psychologie commune appelle des « croyances » ou des « désirs », il n'y a tout simplement pas de croyances ni de désirs, que ces entités ne sont que des fictions utiles postulées à titre heuristique pour l'interprétation et l'explication des actions, et qu'une science du cerveau devra s'en passer[1]? Non, parce qu'il n'est pas nécessaire d'identifier les croyances et leurs contenus à des structures physiques précises pour admettre leur réalité. L'existence de telles structures n'est pas en cause : quand je crois que ma grand-mère a des pantoufles mauves, il y a certainement des événements physiques dans mon cerveau associés à cette croyance;

---

1. D. Dennett est souvent considéré comme un représentant d'une forme d'instrumentalisme de ce genre. Voir *The Intentional Stance*, MIT Press, Cambridge Mass., 1987, trad. fr. : *La Stratégie de l'interprète*, Gallimard, et en particulier le chap. « Au-delà de la croyance ». La version plus radicale est l'éliminativisme de P. et P.S. Churchland : voir P. Engel, *op. cit.*, chap. III.

mais si ces structures sont nécessaires pour que j'aie cette croyance, elles ne sont pas suffisantes ; je dois aussi vivre dans un environnement social, accomplir certaines actions, et être capable de communiquer cette croyance linguistiquement pour l'avoir. Elle ne laisse pas d'être réelle, et de correspondre à des trames de mon comportement, qui sont *en général* déterminables (par exemple si mère-grand m'envoie lui acheter une nouvelle paire de pantoufles de couleur différente, je n'en achèterai pas des mauves). Comment néanmoins déterminer leur contenu ? À nouveau, le meilleur moyen est de partir de ce que les gens disent, et de répérer les phrases qu'ils *tiennent pour vraies* ou auxquelles ils donnent leur assentiment réfléchi. Nous les confronterons alors à celles que nous tenons pour vraies nous-mêmes, en partant du principe qu'un accord minimal existe, et que les individus sont rationnels. Cela suppose un monde partagé, sans lequel nous ne pouvons pas commencer à comprendre autrui. Le comportement verbal d'assentiment est l'équivalent du comportement de pari à partir duquel la méthode de Ramsey permettait de déterminer les degrés de croyance et de désir. Sur la base de ce comportement, nous pouvons commencer à interpréter, en révisant progressivement nos hypothèses initiales quand elles sont infirmées par des données contraires. Nous ne pouvons pas faire plus, et nous ne pouvons pas non plus faire mieux[1].

---

1. Davidson, *op. cit.*, est le défenseur de cette théorie de l'interprétation. Voir P. Engel, *Davidson et la philosophie du langage*, PUF, 1994.

Grammaire de l'assentiment

Tout ceci suppose que nous ayons une idée plus claire de ce qu'est l'assentiment et de sa relation à la croyance, et de ce point de vue la conception dispositionnelle est insuffisante. Croire que p semble impliquer au moins une attitude mentale d'approbation d'une proposition par laquelle le sujet tient cette proposition pour vraie. Mais, comme on l'a vu, cette attitude mentale n'est pas nécessairement réfléchie et consciente, et peut rester tacite : celui qui croit que les amanites sont vénéneuses peut être dans cet état sans approuver « explicitement » p. Il ne donne son « assentiment » à cette proposition que dans la mesure où il se comporte « comme si » p était vraie. Mais il n'a pas la « pensée » (occurrente) que p. Mais peut-on penser que p en ce sens sans penser qu'on pense que p ? Il faut distinguer les croyances dispositionnelles ou croyances *du premier ordre*, qui sont des représentations, des croyances réfléchies du *second ordre*, qui sont des *croyances sur des croyances* ou des métareprésentations. Les croyances du premier ordre constituent ce que l'on peut appeler *le plus bas degré de l'assentiment* ou ce que j'appellerai *assentiment dispositionnel*, par opposition à l'*assentiment* proprement dit, que j'appellerai *jugement*. La condition nécessaire pour que l'on puisse juger que p, à titre d'*acte mental*, est qu'on puisse considérer p, ou l'avoir « devant son esprit[1] ».

1. Newman, *op. cit.*, appelle « assentiment simple » ce que j'appelle l'assentiment dispositionnel, « assentiment complexe » le jugement ou assentiment volontaire, « appréhension » la saisie du *sens* de ce qui fera l'objet de l'assentiment complexe.

Il est assez naturel de concevoir l'acte mental d'assentiment comme un équivalent de l'*acte de langage* d'affirmation (ou de négation) ou d'*assertion* d'une proposition. L'expression habituelle de la croyance (dispositionnelle) est l'assertion. Il y a une association *régulière* entre la croyance et l'assertion : croire que *p*, comme on l'a vu, c'est au moins être disposé à asserter que *p*, et dans bien des cas, il est difficile de savoir ce que les gens pensent tant qu'ils n'expriment pas verbalement leurs pensées. Et en général asserter que *p* présuppose que l'on croit que *p*. Le « paradoxe de Moore » — « Il pleuvra demain, mais je ne crois pas qu'il pleuvra demain » — est un paradoxe non pas parce qu'il est une contradiction logique, mais parce qu'il viole ce que Grice appelle une « implicature conversationnelle » de l'assertion[1] : si l'on dit que *p*, c'est en général parce que l'on croit que *p*, et qu'on croit que *p* est vrai. Mais l'assertion n'est pas une condition nécessaire de la croyance : on peut croire que *p* sans jamais asserter ou dire que *p*. Si certains individus sont si expansifs qu'ils tendent à vous dire tout ce qu'ils croient, d'autres sont si secrets qu'ils ne disent pratiquement jamais ce qu'ils pensent. Ce n'est pas non plus une condition suffisante : on peut asserter que *p* sans croire que *p*, par exemple si l'on fait une assertion non sincère. Il semble donc qu'il soit possible en principe de dissocier l'acte de langage d'assertion de l'état mental de croyance. La question se pose alors de savoir si cet état mental lui-même implique ou non une forme d'affirmation d'une proposition qui

---

1. Voir H.P. Grice, « Logic and conversation », in *Studies in the Ways of Words*, Harvard, 1990, trad. fr. partielle in *Communications*, 1980.

ne serait pas linguistique (externe) mais seulement mentale (interne).

Supposons donc (provisoirement) que l'assentiment à un contenu propositionnel soit un acte mental intérieur à l'esprit, similaire à l'assertion linguistique, mais distinct de celle-ci précisément parce qu'il ne serait que mental. Si nous nous en tenons à la définition de la croyance comme état dispositionnel-fonctionnel, il nous faut distinguer nettement cet état de croyance de l'acte d'assentiment ou de jugement intérieur. Tout d'abord, la croyance, telle que nous l'avons définie, est un état persistant ou une habitude d'action, alors que l'assentiment ou le jugement est un événement daté, qui ne survient qu'à un moment déterminé. Ensuite, comme on l'a vu, la croyance est susceptible de degrés, alors que le jugement comme acte n'est pas affaire de degrés : on juge ou pas que p, et non pas que p à tel ou tel degré. Enfin, si le jugement est un acte de l'esprit, il semble être sous le contrôle volontaire du sujet, alors que nous avons considéré la croyance comme un état essentiellement involontaire et non contrôlé. C'est là le contraste fondamental : la conception DF de la croyance tient celle-ci comme *causée* dans l'esprit, et non pas comme étant le produit d'un acte mental réfléchi et conscient. Il semble donc qu'il nous faille distinguer nettement la croyance dispositionnelle du jugement ou de l'assentiment.

Cette distinction est au cœur de la conception cartésienne du jugement et de l'erreur. L'esprit, en jugeant, donne son assentiment (*assensio*) volontaire à des perceptions de l'entendement, et ne doit juger que quand ces idées sont claires et distinctes. L'erreur est due à un excès de la volonté sur ce que représente l'entendement, à un mauvais usage de la faculté de juger. La croyance, la *persuasio*, ou l'opinion, est généralement liée aux premières impressions de l'enfance et aux préjugés que nous avons acquis dès l'enfance et que renforce notre allégeance au langage. C'est à ces préjugés que s'adresse la rhétorique, qui manipule la persuasion et exclut le jugement fondé sur l'évidence. Cela n'implique pas qu'il faille, selon Descartes, distinguer la croyance du jugement selon le seul critère que la première serait involontaire et passive, alors que le second serait volontaire et actif. Car la science véritable, obtenue par les jugements, n'est pas dénuée de persuasion, mais elle doit être l'objet d'une persuasion fondée sur une évidence véritable[1]. Et il existe des assentiments qui ne sont pas guidés par l'évidence. Il faut distinguer deux usages de la volonté dans le jugement. Le bon usage est celui de la volonté qui donne son assentiment à ce que lui soumet l'entendement, et le mauvais usage est celui de la volonté qui affirme ce qui lui plaît. En ce sens, il y a bien des croyances qui sont volontaires — celles que nous affirmons vraies parce que nous voulons seulement qu'elles le soient — et la volonté n'est pas l'apanage du seul jugement. On retrouve en partie ce thème chez Pascal :

« Personne n'ignore qu'il y a deux entrées par où les opinions sont reçues dans l'âme, qui sont ses deux principales puissances, l'entendement et la volonté. La plus naturelle est celle de l'entendement, car on ne devrait jamais consentir qu'aux vérités

---

1. Voir Gouhier, *La Métaphysique de Descartes*, Vrin, 1969, p. 91-104. Voir aussi la distinction de Thomas d'Aquin entre *assentire* et *consentire*. Le premier est volontaire, le second est plutôt une appréhension de l'esprit. Voir Gilson, *Index Scholasico cartésien*, Vrin, 1979, p. 28-30.

démontrées ; mais la plus ordinaire, quoique contre la nature, est celle de la volonté ; car tout ce qu'il y a d'hommes sont presque toujours emportés à croire non par la preuve, mais par l'agrément. Cette voie est basse, indigne et étrangère : ainsi tout le monde la désavoue. Chacun fait profession de ne croire et de n'aimer que ce qu'il sait le mériter[1]. »

Parmi les puissances qui « nous portent à consentir », seul l'entendement est légitime. Comme Descartes, Pascal admet que certaines croyances sont volontaires, mais ce ne sont pas de *bonnes* croyances.

Pour Descartes, par conséquent, tout ce qui est cru est objet d'assentiment et tout ce qui est cru est l'effet d'un acte volontaire de l'esprit. C'est en ce sens que Descartes est un volontariste au sens indiqué plus haut, et je parlerai de psychologie « cartésienne » du jugement en ce sens général (sans vouloir préjuger de la lettre de sa doctrine). Pouvons-nous souscrire à la psychologie et à l'épistémologie cartésiennes de la croyance ? Commençons par la psychologie. Nous pouvons l'accepter dans la mesure où il nous faut bien faire une distinction entre croyance, ou disposition à l'assentiment, et assentiment ou jugement, puisque nous pouvons croire que *p* sans donner notre assentiment conscient à *p* ou asserter que *p*, et faire ces choses sans avoir la croyance correspondante. La distinction est correcte dans la mesure où il faut, comme le recommandait Frege, distinguer, d'un point de vue logique, le contenu d'un jugement ou d'une pensée *p*

1. *De l'esprit géométrique*, III, 2, Bibliothèque de la Pléiade, p. 592. Je dis qu'on le retrouve en partie, car Descartes n'admettrait pas d'opinions reçues dans l'entendement, dans la mesure où la volonté intervient toujours.

et l'assertion de ce contenu, que Frege marquait par la « barre de jugement » (*Urteilsschrift*) : $\vdash p$ [1]. Mais la psychologie cartésienne du jugement fait problème si elle suppose que l'on puisse, d'un point de vue psychologique, effectuer une distinction nette entre la part volontaire et la part involontaire de l'assentiment, et entre ce qui relève d'une disposition à agir et ce qui relève d'un *acte* de l'esprit. Tout d'abord, qu'est-ce que cet acte mental de la volonté consistant à affirmer le contenu d'une proposition et qui ne serait ni exprimable dans des mots ni manifestable dans un comportement? Wittgenstein, Ryle et en général tous les partisans de la théorie dispositionnelle des croyances ont critiqué l'idée qu'il pourrait y avoir des actes mentaux de ce genre. Ils doutent à juste titre que l'on puisse abstraire la pure pensée et le pur acte mental d'assentiment à cette pensée de leurs manifestations. Ce qu'ils critiquent n'est pas tant le caractère « privé » et incommunicable de cette pensée que le fait qu'on puisse isoler un tel acte mental indépendamment des dispositions publiques qui le manifestent [2]. Ensuite, même à supposer qu'il y ait des actes de ce genre, par lesquels

1. G. Frege, *Begriffsschrift* (1879) et *Écrits logiques et philosophiques*, Le Seuil, 1970. La distinction est essentielle quand il s'agit d'analyser certains raisonnements. Dans un *modus ponens* « si *p* alors *q*, or *p*, donc *q* », la première occurrence de *p* n'est pas assertée, alors la seconde l'est. C'est ce que Geach appelle *the Frege point*.
2. Voir Wittgenstein, *Philosophische Untersuchungen*, Blackwell, Oxford, 1953; Ryle, *op. cit.*; Geach, *op. cit.*; et Jacques Bouveresse, *Le Mythe de l'intériorité*, éd. de Minuit, 1976. Descartes lui-même admet qu'un acte de la volonté de ce genre a des conséquences notables, et c'est pourquoi ces critiques visent plutôt une certaine épistémologie d'inspiration cartésienne que Descartes lui-même.

l'esprit prend une sorte de recul sur ce qu'il croit, et n'affirme que ce qu'il conçoit clairement et distinctement, il reste un élément passif dans la volonté. Descartes le reconnaît puisqu'il dit que c'est pour l'âme une « passion » que d'« apercevoir qu'elle veut[1] ». La vraie difficulté ne vient pas de là, mais du fait que Descartes suppose qu'il est toujours possible de distinguer ce qui est douteux, ce qui provient de la *persuasio* de ce qui ne l'est pas et provient de l'entendement seul, et que l'on peut assimiler tout ce qui est cru ou opiné à ce qui est faux. La difficulté vient de ce que Descartes ne reconnaît pas qu'il y peut y avoir de *plus ou moins bonnes raisons* de donner son assentiment à une proposition ou d'en douter[2]. Les critiques du doute méthodique cartésien, comme Leibniz, l'ont bien vu : plutôt que de douter de tout ce qui est incertain, il vaut mieux « à propos de chaque chose considérer le degré d'assentiment ou de réserves qu'elle mérite, ou plus simplement considérer les raisons de chaque assertion[3] ».

La notion d'assentiment visée ici par Leibniz n'est pas celle d'un acte pur de la volonté qui affirmerait ce qui est définitivement certain ou soustrait au doute, mais celle d'un assentiment fondé sur des raisons, dans un certain contexte. L'idée cartésienne d'un doute méthodique ou systématique est une chimère : nous pouvons avoir de plus ou moins

1. *Passions de l'âme*, I, 19.
2. Il le reconnaît certes dans sa morale provisoire. Mais une chose est pour lui cette morale, autre chose est la recherche de la vérité dans la science. La critique visée ici est qu'il aurait dû admettre pour le domaine de la connaissance ce qu'il admet pour la morale par provision.
3. « Remarques sur la partie générale des Principes de Descartes », Schrecker éd., Vrin, 1969, p. 17.

bonnes raisons de suspendre notre jugement et de douter, tout comme nous pouvons avoir de plus ou moins bonnes raisons d'assentir. Appelons *acceptation* cette forme d'assentiment à une proposition dans un contexte épistémique[1]. Un sujet qui accepte une proposition accomplit bien un acte volontaire, en *décidant* de tenir cette proposition pour vraie, de la prendre comme prémisse pour des inférences d'autres propositions à partir de celles-ci, c'est-à-dire d'adopter une certaine politique fondée sur la vérité de cette proposition. En ce sens une acceptation peut faire partie d'une délibération pratique. Elle correspond alors à ce que Kant appelle « foi pragmatique[2] », et elle n'implique pas que le sujet ait la *certitude* de ce qu'il accepte. Ainsi, le médecin peut accepter de tenir la maladie dont il observe les symptômes chez son patient comme étant le choléra, bien qu'il *croie* que ce n'est que *probable*. Mais il admet néanmoins ce fait, parce que accepter la proposition contraire pourrait avoir des conséquences fatales. Dans ce cas, l'acceptation est compatible avec la simple probabilité — dans un contexte donné — d'une proposition. Mais il y a aussi des cas où l'on accepte des propositions dans des contextes de délibération pratique *à l'encontre de* ce que l'on croit. Par exemple, l'avocat peut accepter, pour les besoins du procès, que son client est innocent, alors même qu'il croit probable ou a l'intime conviction qu'il est coupable, ou l'homme politique peut accepter

1. Ceci correspond à peu près à ce que L.J. Cohen appelle *acceptance* (*An Essay on Belief and Acceptance*, Oxford University Press, 1992).
2. Kant, *KrV*, *Canon de la raison pure*, III. L'exemple du médecin est celui de Kant. Kant remarque que l'expression usuelle des croyances pragmatiques est le pari.

devant les caméras que le chômage n'augmentera pas, et l'asserter, alors même qu'il croit le contraire. L'acceptation n'est cependant pas limitée à ces contextes pratiques. Elle peut aussi intervenir dans des délibérations épistémiques, à titre de *présomption*, de *supposition*, ou d'*hypothèse*. Ainsi, un savant peut accepter une certaine théorie en vue d'en établir les conséquences, et pour voir si elles sont confirmables, et la traiter *comme si* elle était vraie, sans pour autant croire en sa vérité. Dans tous ces sens, la notion d'acceptation n'implique pas que les propositions assertées soient l'objet d'une certitude fondée sur une évidence au sens cartésien : elles peuvent être révisées et infirmées par des données ultérieures. On peut donc souscrire à l'épistémologie cartésienne en tant qu'elle distingue croyance et assentiment, croyance et acceptation. Mais au sens où on l'entend ici, l'acceptation, à la différence de l'*assensio* cartésienne, est fondée sur des raisons qui peuvent se révéler bonnes ou mauvaises selon les contextes, sur des raisons révisables.

Il est clair que les acceptations, en ce sens, se distinguent des croyances, d'abord parce que celles-ci sont involontaires alors que celles-là sont volontaires. De ce point de vue, les animaux (supérieurs) ont sans doute des croyances dispositionnelles, bien qu'il soit douteux qu'ils puissent juger, et encore plus qu'ils puissent asserter quoi que ce soit. Mais ils sont sans doute aussi incapables d'acceptations, au sens où celles-ci conduiraient à des délibérations pratiques ou épistémiques contrôlées. En revanche, des organisations collectives ou des institutions, comme des firmes, des syndicats ou des partis politiques, peuvent très bien avoir des acceptations, parce qu'elles ont des politiques, mais il est douteux

qu'elles aient des croyances, au sens dispositionnel
de cette notion. Un parti peut peut-être « croire »
aux lendemains qui chantent, ou une Église à la vie
éternelle, à supposer que tous leurs membres aient
ces croyances, mais il est douteux qu'ils aient, en
tant qu'entités *collectives*, autre chose que des acceptations. En général nous ne nous tenons pas pour
responsables de nos croyances, mais nous le
sommes de nos acceptations.

Nous avons vu que la croyance n'est ni une condition nécessaire ni une condition suffisante pour
l'assentiment ou le jugement (et l'assertion). On
vient de voir qu'elle n'est pas non plus une condition
nécessaire ni une condition suffisante pour l'acceptation. Mais peut-on néanmoins dissocier totalement les deux types d'états ? En général nous donnons notre assentiment à ce que nous croyons, et
nous avons tendance à croire ce à quoi nous donnons notre assentiment. Nous avons aussi tendance
à asserter ce à quoi nous donnons notre assentiment
(et par transitivité ce que nous croyons). C'est sur
ces liens que se fondent les méthodes de suggestion
(« lavage de cerveau ») ou d'autosuggestion
(« méthode Coué ») ou les pratiques des sectes, des
partis, ou des Églises qui obligent leurs membres à
énoncer leurs croyances, à prêter des serments, etc.
C'est parce que ces liens sont réguliers qu'on fonde des
espoirs en ces méthodes — un croyant, un fidèle est
d'abord celui qui *dit* ce qu'il croit — et c'est parce que
ces liens ne sont pas nécessaires que ces méthodes
échouent souvent[1]. De même, nous avons tendance

1. Il y a toutes sortes de manières de mimer la croyance,
tout en étant un mécréant. Voir le beau livre de Lucien Febvre,

à accepter ce que nous croyons, et à croire ce que nous acceptons. Dans quelle mesure peut-on accepter sans croire ? Comme on l'a vu, il y a, dans les contextes pratiques, toutes sortes de raisons prudentielles de ne pas accepter ce que l'on croit, d'accepter ce que l'on ne croit pas, ou de feindre d'accepter ce que l'on ne croit pas. Dans le domaine de l'action, il est parfaitement possible de mettre entre parenthèses un sous-ensemble de ses croyances, et de suspendre son jugement, tout comme il est possible, bien qu'on les tienne pour douteuses, « de suivre les lois et les coutumes de son pays », « et de ne suivre pas moins constamment les opinions les plus douteuses, lorsqu' [on s'] y serait une fois déterminé, que si elles eussent été très assurées », comme Descartes lui-même le recommande dans sa morale provisoire. Mais est-il possible dans l'action, de soustraire son acceptation à *l'ensemble* de ses croyances ? Le médecin peut certes accepter que son patient a le choléra, mais il n'a aucune raison de le faire s'il ne le *croit* pas. Sans quoi il serait tout simplement irrationnel, et dangereux. Dans le domaine de la connaissance, le lien entre la croyance et l'acceptation est encore plus étroit. Même si le savant peut accepter une hypothèse à laquelle il ne croit pas, pour l'infirmer et établir l'hypothèse contraire, ou le mathématicien poser une proposition et chercher, en raisonnant par l'absurde, à démontrer la proposition contraire, ces acceptations sont provisoires : le but ultime de l'enquête scientifique n'est-il pas de parvenir à des

---

Rabelais et le problème de l'incroyance au xvıᵉ siècle, Albin Michel, Paris 1968. Il y a aussi toutes sortes de manières de paraître être mécréant, alors qu'on ne l'est pas nécessairement sous la forme incriminée, comme Salman Rushdie et bien d'autres en ont fait la désagréable expérience.

théories qu'on accepte parce qu'elles sont *vraies* et parce qu'on *croit pour de bonnes raisons* qu'elles sont vraies ? L'épistémologie cartésienne souscrit à la première condition *si* les théories en question sont certaines. Mais elle rejette la seconde, parce qu'elle tient tout ce qui est objet de croyance pour faux ou incertain. Mais peut-on dissocier totalement savoir et croire ?

« *Probability is the very guide of life* »

Revenons à la définition classique de la connaissance, celle du *Théétète* de Platon : *croyance ou opinion* (doxa) *vraie justifiée* (pourvue de raison, *logos*). On sait que *p* si et seulement si 1) on croit que *p*, 2) *p* est vrai, et 3) *p* est justifié. Il y a deux manières de lire cette définition. Selon l'interprétation usuelle, la condition (1) de croyance signifie seulement qu'un certain contenu propositionnel est considéré, qui doit répondre aux critères de vérité et de justification pour être une connaissance. Cela semble être l'interprétation de Platon lui-même : la connaissance (*épistémè*) exclut absolument la croyance (*doxa*). Croire ce n'est pas savoir, et savoir ne peut pas non plus se fonder sur croire : il faut une rupture radicale entre la *doxa* et l'*épistémè*. Mais, selon une autre interprétation, croire que *p* est une condition nécessaire mais insuffisante pour savoir que *p* : pour savoir il faut au moins croire. Le savoir n'exclut pas la croyance, mais doit en un sens reposer sur elle. Selon toute une tradition philosophique, le *dogmatisme*, seule la première interprétation est correcte. Toute connaissance peut être absolument justifiée, et tout savoir qui s'appuierait sur la croyance et l'opinion s'annulerait, et verserait dans le *scepti-cisme*, ou le *pyrrhonisme*, thèse selon laquelle le savoir est impossible et se réduit à l'opinion. Tout ce qui nous reste à faire est de suspendre notre juge-ment, comme Montaigne : « Que sçay-je ? ». Mais l'alternative entre le dogmatisme et le scepticisme pyrrhonien n'est pas la seule. Il existe une autre option, qui remonte au moins à Carnéade et à la Nouvelle Académie, le *probabilisme* : à défaut d'être absolument et certainement vraies, nos croyances et nos opinions sont au moins probables, et nous devons donner notre assentiment à celles dont la probabilité est la plus élevée, et nous abstenir de le faire pour celles qui sont moins probables[1]. En ce sens l'assentiment, comme la croyance, est suscep-tible de degrés, et il se règle sur ce que nous croyons. La probabilité n'est pas une règle seulement pour nos connaissances, mais aussi pour nos actions. Comme le dit Cicéron, le sage qui s'embarque en bateau avec une mer très calme et un bon pilote tien-dra pour probable qu'il arrivera à bon port. Quand il sèmera, prendra femme, aura des enfants, que fera-t-il d'autre que se fier aux probabilités ? Comme le dira plus tard l'évêque Butler : « Rien de ce qui est un objet possible de connaissance, passé, présent ou futur, ne peut être probable pour une intelligence infinie ; car elle ne peut pas faire autre chose que la discerner comme elle est en elle-même, certaine-ment vraie, ou certainement fausse. Mais pour Nous, la probabilité est le guide même de la vie[2]. » Le dogmatisme assimile le probabilisme à un scepti-cisme, parce qu'il assimile toute opinion probable, y

1. Cicéron, *Premiers Académiques*, II, XXXI-XXXV, in *Les Stoïciens*, Bibliothèque de la Pléiade, p. 232-238.
2. J. Butler, *The Analogy of Religion*, Londres, 1736.

compris celles dont la probabilité est très élevée, à une opinion fausse et injustifiée. Ainsi Descartes, dans sa deuxième *Règle pour la direction de l'esprit*, entend rejeter « toutes les connaissances qui ne sont que probables » et « décider de ne donner son assentiment qu'à celles qui sont parfaitement connues et dont on ne peut douter. » Il admet bien qu'il s'agit de *connaissances*, au sens où nous pouvons avoir des raisons et des justifications de les affirmer. Mais il ne les tient pas pour des connaissances authentiques. Le probabilisme, au contraire, les tient pour des connaissances authentiques, bien qu'elles ne soient fondées que sur des croyances.

La tradition probabiliste en philosophie a une longue lignée. Elle ne devient vraiment affirmée qu'au XVIIᵉ siècle, à partir du moment où, avec Pascal, les Bernouilli et Huygens, naît le calcul des chances et des probabilités. Le fameux argument pascalien du pari peut être considéré comme la première tentative explicite pour appliquer ce calcul aux règles de décision et à la mesure des degrés de croyance, en particulier pour les croyances religieuses. Dans sa première partie (j'examinerai la seconde à la section suivante), cet argument dit à peu près ceci. Puisque la probabilité que Dieu existe est non nulle, et puisque le gain de celui qui croit en l'existence de Dieu sera infiniment grand si cette croyance est vraie, et si la mise est finie, un agent qui voudra maximiser son gain aura tout intérêt à croire en l'existence de Dieu. En d'autres termes, même si notre degré initial de croyance en l'existence de Dieu est très faible, la désirabilité de l'acte de parier sur l'existence de Dieu est si forte qu'elle recommande cet acte[1]. Pascal applique ici la règle que la théorie

1. Pascal, *Pensées*, 418 (éd. Brunschwig, 233).

contemporaine de la décision appellera de « maximisation de l'utilité subjective » qui prescrit d'agir en fonction de ce que l'on juge être le plus utile et le plus probable, et une probabilité basse peut être contrebalancée par une utilité élevée. Ce n'est cependant qu'à la fin du XVIIIᵉ siècle que les règles du calcul des probabilités furent appliquées au problème de la probabilité des hypothèses et de la confirmation des croyances empiriques. Dans sa célèbre critique du raisonnement inductif, Hume montre que nos raisonnements sur des faits empiriques et des causes ne peuvent se fonder sur le principe de l'induction parce que ce principe lui-même n'est fondé que sur nos inductions passées. Il s'ensuit que toutes nos croyances empiriques sur des *matters of fact* ne sont que probables, et qu'elles ne se fondent que sur un principe de la nature humaine, l'habitude[1]. Mais Hume ne propose pas que l'on mesure numériquement le degré de croyance ou de confiance en une hypothèse causale ou inductive. Ce n'est qu'avec l'*Essay Towards Solving a Problem in the Doctrine of Chances* (1763), du révérend Thomas Bayes, que l'idée apparaît nettement et reçoit une expression calculatoire. Bayes se demande quel degré de probabilité on peut accorder à une hypothèse H, sur la base de données E qui la confirment. Il propose la règle des probabilités *conditionnelles* suivante : la probabilité de H, étant donné E (probabilité conditionnelle de H par rapport à E), est égale à la probabilité non conditionnelle de H, multipliée par la probabilité de E étant donné H, divisée par la probabilité non conditionnelle de E. La « règle de

---

1. Hume, *An Inquiry into Human Understanding*, trad. fr. M. Beyssade, GF-Flammarion, 1983.

Bayes » prescrit donc qu'une personne rationnelle doit avoir un degré de croyance en H, étant donné E, plus grand que son degré de croyance non conditionnel en H, en d'autres termes qu'une information nouvelle doit accroître le degré de croyance et de confirmation en une croyance ou une hypothèse antécédente. Il faudra encore attendre plus d'un siècle, avec les travaux de Ramsey, déjà mentionnés, de De Finetti et de Savage[1], pour qu'on envisage une représentation complète des degrés de croyance par le calcul des probabilités, et pour que soit fondée la théorie « bayésienne » moderne de la confirmation et de la décision. Selon cette théorie, la probabilité mesure les degrés de croyance *subjective* en une proposition, et, avec la règle de maximisation de l'utilité subjective, elle permet de fonder la théorie de la décision et du choix rationnel. Le probabilisme de Ramsey et de De Finetti est donc la contrepartie épistémologique de la théorie psychologique dispositionnelle de la croyance : nos croyances sont d'autant plus rationnelles qu'elles sont plus probables et nous conduisent à des actions réussies.

Selon le probabilisme radical, il peut être rationnel de seulement *croire* une proposition à un certain degré, et d'agir sur la base de cette croyance, à condition qu'elle soit suffisamment probable et que nos actions maximisent notre utilité subjective. À la limite, il n'est même pas nécessaire pour un agent de *donner son assentiment* à une proposition, ou de

1. Voir B. de Finetti, « La prévision, ses logiques et ses sources objectives », in *Annales de l'Institut Henri-Poincaré*, 1927 ; J. Savage, *The Foundations of Statistics*, Dover, 1956. Pour une analyse contemporaine du courant probabiliste, voir R. Jeffrey, *Probability and the Art of Judgment*, Cambridge University Press, 1992.

juger qu'elle est vraie, pour agir et croire rationnellement. Autrement dit, il suffit d'avoir ce que Ramsey
appelle des croyances *partielles*. Car l'assentiment et
le jugement, à la différence de la croyance, ne sont
pas affaire de degrés. Mais cette position se heurte à
plusieurs objections, qui font écho à celles que nous
avons déjà rencontrées ci-dessus. En premier lieu, il
y a certaines propositions — celles de la logique et
des mathématiques — que nous ne semblons pas
croire à un certain degré, mais absolument. Le bayésien peut répondre qu'elles ont un degré de probabilité de 1 si elles sont crues vraies (ou de 0 si elles sont
crues fausses). Mais que dire des autres ? Est-il possible d'assigner à *toutes* nos croyances des degrés de
probabilité et de mesurer le degré d'utilité de nos
actions ? Dans un grand nombre de cas, nous n'assignons pas de mesure précise à nos hypothèses. Nous
les tenons seulement pour *plausibles*, ou *vraisem-
blables*, sans impliquer une mesure précise. Et s'il
fallait, pour croire et agir rationnellement, calculer
systématiquement nos gains en confirmation ou en
utilité, ces calculs risqueraient d'excéder nos capacités finies et friseraient, dans certains cas, l'explosion
combinatoire quand un assez grand nombre de facteurs entrent en cause. En second lieu, si les degrés
de croyance doivent être appliqués à des situations
de choix, comment peuvent-ils l'être sans que l'agent
juge, de manière non conditionnelle ou absolue, qu'il
est confronté à tel ou tel ensemble d'options ? Enfin,
les exemples d'acceptations et d'hypothèses que
nous avons examinées dans la section précédente
montrent qu'il y a des cas où il est rationnel de donner son acceptation à une proposition même quand
elle est crue fausse ou improbable. C'est l'objection
principale qu'adressent des philosophes des sciences

comme Popper au probabilisme bayésien et à l'inductivisme en général : si le but de la science était de parvenir à des théories dont le degré de probabilité subjective est le plus élevé, et de n'accepter que des théories de ce type, pourquoi les savants ne se contentent-il pas d'accepter les tautologies de la logique, dont la probabilité est égale à 1 ? Selon Popper, il est inhérent à l'enquête scientifique qu'elle recoure à des hypothèses risquées, dont la probabilité est très faible. Seules ces hypothèses, qu'il appelle des « conjectures audacieuses », ont des chances d'être *réfutées*, et le degré de « corroboration » d'une théorie est d'autant plus grand qu'elle a de chances d'être « falsifiée » (qu'elle a de « falsificateurs potentiels[1] »). Pour Popper, qui est en cela un rationaliste et un antiempiriste, le but de la science n'est pas de *croire* les théories les mieux confirmées inductivement, mais de produire les explications les plus profondes, y compris quand elles sont improbables.

Il est indéniable que nombre de découvertes scientifiques n'auraient pu être faites, ni nombre de théories importantes proposées, si les savants s'étaient contentés d'accepter des hypothèses seulement *crédibles*. Il est nécessaire, dans toute enquête, scientifique ou non, d'aller au-delà de ce que l'on croit et de faire des conjectures qui ne sont pas proportionnées à l'évidence. Il est clair qu'en ce sens accepter n'est pas croire, ni n'implique croire, et nos raisons d'accepter ne sont pas identiques à nos raisons de croire. Mais s'ensuit-il qu'il n'est rationnel que d'*accepter* des théories empiriques sans *croire*

---

1. Voir K. Popper, *Conjectures and Refutations*, Routledge, Londres, 1969, trad. fr., Payot, 1985.

qu'elles sont vraies? La position la plus radicale qui
va dans ce sens est celle de l'instrumentalisme en
philosophie des sciences[1] : le seul but de la science
est de « sauver les phénomènes », de produire des
théories qui soient empiriquement adéquates et
rendent compte des données observables. Nos théories, selon cette position, n'ont pas besoin d'être
crues *vraies* ni de « correspondre » à la réalité pour
être *acceptées*. Pour l'instrumentalisme, le savant n'a
pas besoin de cesser de croire pour accepter une
théorie, mais il doit limiter cette croyance à l'adéquation empirique, et non à la vérité. Il ne peut, au
mieux, que faire *comme si* elle était vraie.

Les reconstructions poppérienne et instrumentaliste de l'enquête scientifique exagèrent l'opposition
entre croyance et acceptation. Pourquoi ces deux
attitudes seraient-elles exclusives l'une de l'autre?
Pourquoi, en particulier, les savants ne pourraient-
ils pas *à la fois* viser des théories qu'ils ont de bonnes
raisons de croire et qui sont l'objet de conjectures
audacieuses? S'il est vrai que nombre de propositions doivent être acceptées en l'absence de confirmations inductives et indépendamment du degré de
probabilité que nous leur assignons, il demeure en
général vrai aussi que nous acceptons les propositions que nous tenons pour les plus probables, c'est-
à-dire qui sont bien proportionnées à l'évidence

---

1. Berkeley, Duhem (*La Théorie physique*, Paris, Rivière,
1906), et plus récemment B. Van Fraassen (*The Scientific
Image*, Oxford, 1981, et *Laws and Symetries*, Oxford University
Press, 1989) en sont des représentants. Van Fraassen insiste
dans ce dernier livre sur la distinction entre croyance et acceptation, et recommande la position « volontariste » selon
laquelle on ne doit croire qu'à proportion de ce que l'on *veut*
croire, conformément à la thèse de James (voir *infra*).

empirique dont nous disposons. Il faut, en ce sens, distinguer les acceptations *provisoires* ou contextuelles que l'on peut faire dans l'enquête scientifique, qui peuvent aller contre ce que croit la communauté scientifique à un moment donné, et revêtir en ce sens le statut d'hypothèses, de conjectures, etc., et l'acceptation *ultime* ou *finale* d'une théorie scientifique. Par exemple on a en astronomie accepté provisoirement l'hypothèse de l'univers en expansion bien avant que la théorie du Big-Bang ait conduit à son acceptation définitive. Quand il y a une croyance répandue, dans la communauté scientifique, en la vérité d'une théorie, on ne peut pas dire que la théorie soit acceptée définitivement, même si elle peut l'être provisoirement par un individu ou par un groupe donné, dans un contexte particulier. Mais le but ultime de l'enquête scientifique est bien une acceptation définitive, et on voit mal comment celle-ci ne reposerait pas sur *la croyance en la vérité* ultime de cette enquête. On répondra évidemment qu'il n'y a peut-être pas d'acceptation et de vérité définitive d'une théorie scientifique, car nos croyances scientifiques, comme nos acceptations, sont *faillibles* : une théorie peut toujours, en principe, être fausse, et c'est bien ce que signifie la position réaliste minimale du scientifique. Mais cela n'implique pas que ce que vise l'enquête scientifique ne soit pas, comme le dit Peirce, la croyance en la vérité « à la limite de l'enquête ». Nos théories, en attendant, ne peuvent être que *probables*. Mais cette probabilité n'est pas nécessairement mesurable, comme le voudraient les bayésiens. Elle peut répondre à ce que Cournot appelait, pour la distinguer de la probabilité mathématique, la *probabilité philosophique* : « La probabilité philosophique

repose sans doute sur une notion générale et géné-
ralement vraie de ce que les choses doivent être; mais dans chaque application, elle est de nature à changer avec l'état de nos connaissances selon les variétés individuelles qui font qu'un esprit se distingue d'un autre[1]. »

La meilleure épistémologie de la croyance est sans doute celle de Peirce. Peirce tient d'abord, comme on l'a vu, la croyance comme un état dispositionnel, une habitude passive d'action. En ce sens, le fond de notre connaissance des choses repose sur nos croyances. La plupart de nos croyances de base sont, comme chez Hume, des croyances instinctives, qui ont été infusées dans l'espèce humaine au cours de l'évolution biologique. Nous ne les mettons pas en cause, parce que la question ne se pose même pas de savoir si nous croyons — et *a fortiori* savons — que, par exemple, la Terre est sous nos pieds, que la nuit succède au jour, ou que le pain nourrit[2]. Il est inutile de chercher à justifier ces croyances, parce qu'elles n'ont pas de raisons, pas plus que n'a de sens le doute radical à leur sujet. Pourtant l'espèce humaine n'a pas seulement, comme les animaux, des croyances instinctives, elle a aussi la capacité de contrôler ses croyances et de transformer ses habitudes en *règles* d'action. C'est en ce sens que s'insère un élément volontaire (*limité*) et un élément de doute (*motivé*) dans nos croyances, l'élément où elles

1. Cournot, *Essais sur les fondements de nos connaissances*, Pariente éd., Vrin, 1975, p. 61.
2. Ce thème a été repris par Wittgenstein (*Über Gewissheit*, Blackwell, 1968, trad. fr. : *De la certitude*, Gallimard, coll. Tel) et, avec des accents transcendantaux, par Husserl. Dans *Expérience et jugement* (PUF, 1967), Husserl a bien vu l'élément de passivité qui sous-tendait tout jugement.

se lient à ce que nous avons appelé l'assentiment et l'acceptation. Peirce nous incite à nous méfier des doutes « de papier » : « Ne doutons pas en esprit de ce dont nous ne doutons pas réellement dans nos cœurs. » Mais toutes les règles que se donnent les humains pour croire ne sont pas également rationnelles. Il y a, selon Peirce, quatre méthodes principales de « fixation de la croyance ». La première est la méthode de *ténacité*. Elle consiste à accepter tout ce que nous croyons déjà, et toutes les croyances que nous recevons d'autrui, sans chercher à les mettre en doute. Elle n'est pas seulement irrationnelle, elle se heurte aux instincts sociaux : le fait que les autres ne croient pas seulement *comme nous*, mais aussi puissent croire *différemment de nous* doit ébranler la confiance en ce que nous croyons. La seconde méthode essaie de réagir contre cette tendance ; c'est celle d'*autorité*, qui consiste à essayer de croire ce que des partis, des Églises, ou des États nous enjoignent de croire, l'orthodoxie. Ses succès sont indéniables. Les pyramides, les cathédrales, Angkor auraient-elles été construites sans elle ? Ses défauts sont encore mieux connus. Mais pour la même raison que la première, cette méthode est incapable de légiférer sur toutes les opinions. On a essayé aussi la méthode *a priori* : croire ce qui est *agréable à la raison*, sans tenir compte des infirmations que peut nous fournir l'expérience. C'est la méthode favorite des métaphysiciens et de la théologie rationnelle. Mais elle se heurte aux mêmes obstacles que les deux premières. La seule bonne méthode, selon Peirce, est la méthode *scientifique* : elle proportionne nos acceptations aux croyances que nous acquérons à partir de notre expérience, mais elle est prête également à les rejeter si l'expérience ou l'opinion d'autrui exercent une pression sur elles. Elle instaure ainsi un équilibre fécond entre l'« irritation du doute », sans laquelle il n'est pas d'enquête, et la nécessaire recherche d'une *stabilité* de nos croyances, sans laquelle il n'est pas possible de parvenir à une connaissance d'une réalité indépendante. Peirce peut ainsi concilier l'élément passif de notre nature (le fait que nous ne puissions *décider* de croire contre l'évidence) avec l'élément actif (le doute, et le fait qu'il puisse être rationnel *aussi* de ne pas accepter ce que nous croyons). Peirce rejoint Kant et les penseurs des Lumières : nos croyances sont rationnelles à proportion de leur *intersubjectivité*, de leur *publicité* (*Offentlichkeit*) de la capacité de *critique* des autorités acquises. Mais il est aussi rationnel de suivre notre nature, qui est de *croire*.

La volonté de croire

Contrairement à ce que soutient la version dogmatique du rationalisme, il y a des croyances *rationnelles*, et ce qui constitue, aux yeux de la plupart des esprits critiques, l'irrationalité des croyances — leur caractère passif — est une source de leur rationalité. Une croyance n'est pas simplement irrationnelle parce que c'est une croyance. Elle est, selon ce critère, irrationnelle si c'est une croyance que l'on *veut* croire. Comme le dit Leibniz, « il arrive souvent que les hommes finissent par croire ce qu'ils voudraient être la vérité, ayant accoutumé leur esprit à considérer avec le plus d'attention les choses qu'ils aiment », mais il tient cette manière de croire comme « indirecte » et « oblique[1] ». Ou, comme le dit Pascal, croire « par agrément » est une voie « basse, indigne et étrangère ». C'est ce que reconnaît bien la seconde partie de l'argument du pari. Le libertin, même porté à croire en Dieu par la raison (s'il admet le pari), reste « impuissant à croire ». Pascal lui recommande alors d'imiter ceux qui croient vraiment, sans y être portés par la raison, de prendre de l'eau bénite, de faire dire des messes. « Cela vous fera croire et vous abêtira[2]. » Pascal implique bien ici que ce n'est pas la bonne manière d'induire une croyance : on ne peut pas s'inciter, ou inciter quelqu'un, à croire directement, pas plus que, comme on l'a déjà vu, un individu ne peut décider de croire quelque chose de la même manière qu'il peut décider, par exemple, de partir en week-end. Tout ce que l'on peut faire, c'est éventuellement créer des conditions similaires à celles de la croyance authentique en manipulant les types d'actions auxquelles elles conduisent habituellement. Ces remarques de Pascal nous fournissent le modèle principal d'explication des *causes* de croyances douteuses ou illusoires : ce sont les désirs et les passions qui font, comme le dit La Rochefoucauld, que « l'esprit est la dupe du cœur ».

C'est l'explication usuelle de ce que les moralistes classiques appelaient l'« aveuglement volontaire » et de ce que les philosophes contemporains appellent la *self-deception*, et qu'on tient comme un cas paradigmatique d'irrationalité. La *self-deception*, ou duperie de soi, est l'équivalent, pour les croyances, de ce qu'Aristote appelait *akrasia*, ou faiblesse de la

---

1. Leibniz, *Remarques sur Descartes*, *op. cit.*, sur l'article 6, sur l'article 31.
2. *Pensées*, 418 Lafuma, éd. Brunschwig, 233 b.

volonté, pour les actions. Un agent dont la volonté est faible agit à l'encontre de ce qu'il juge être le meilleur (*video meliora, deteriora sequor*) et il est en cela irrationnel : comment peut-il avoir décidé qu'une action est la meilleure et néanmoins ne pas accomplir cette action, et faire le pire ? De même, un agent qui « se dupe lui-même » a les meilleures raisons de croire quelque chose, mais il entretient la croyance inverse[1]. L'explication usuelle de ces circonstances est la passion : la volonté de l'agent intempérant, ou *akratès*, est faible parce qu'elle est soumise à un désir plus fort, et l'agent qui se trompe lui-même le fait parce que, ayant une certaine croyance, il désire avoir la croyance opposée. C'est la même explication que l'on donne pour nombre de croyances fausses. Pourquoi Othello croit-il que Desdémone est infidèle ? Parce que sa jalousie, sa passion l'emporte. Mais le cas de l'aveuglement volontaire est plus problématique, parce que sa description même semble contradictoire. Un amoureux transi croit que la jeune fille qu'il aime ne l'aime pas, et il a de bonnes raisons de le croire (elle lui renvoie ses lettres, refuse de le voir, etc.). Mais il croit nonobstant qu'elle l'aime, et s'obstine à lui écrire, à envoyer des fleurs, etc. Dans ce cas, l'agent croit que non p et que p en même temps. Il s'ensuit qu'il croit que non p et p. Mais comment est-il possible, pour un même sujet, d'avoir consciemment et sincèrement une croyance contradictoire ? L'explication

---

1. Sur la faiblesse de la volonté, voir D. Davidson, « How is weakness of the will possible ? » (1969), in *Essays on Actions and Events*, Oxford, 1980, trad. fr. PUF, 1993 ; sur la *self-deception*, voir, du même auteur, « Deception and division », trad. fr. in Davidson, *Paradoxes de l'irrationalité*, Combas, L'Éclat, 1991.

classique par le désir ou par la passion nous satisfait en général, parce qu'elle nie en fait l'existence d'une contradiction dans ces cas : le jeune homme amoureux a simplement « mis entre parenthèses », ou repoussé la croyance que l'objet aimé ne l'aime pas, et « mis en avant » la croyance qu'elle l'aime. Mais ce que ces métaphores occultent est le caractère *intrinsèquement* irrationnel des croyances en question, le fait que l'agent, dans ces circonstances, puisse croire une proposition et puisse *continuer de croire* la proposition contradictoire. Comment un seul et même esprit peut-il entretenir ces deux croyances ? On est tenté alors de scinder l'esprit en deux et de supposer que l'une des deux parties « trompe » l'autre. L'explication freudienne, qui postule l'existence, dans l'esprit, de deux systèmes de croyances, l'un conscient et l'autre inconscient, nous satisfait, de même que l'explication classique par la passion, parce qu'elle suppose que l'une des deux croyances contradictoires a été refoulée et soustraite à la conscience. Mais si l'on s'en tient à la manière courante dont on comprend ce genre d'explication (l'une des croyances a simplement été supprimée et évacuée de la conscience), elle est problématique car elle court le risque de traiter le sous-système inconscient qui trompe le système conscient comme un petit menteur, un petit « homoncule » à l'intérieur de l'esprit (bien qu'il ne mente pas, comme le menteur usuel, de manière délibérée). Il est plus efficace de décrire la situation de *self-deception* comme incluant non seulement deux *croyances* mais également deux *attitudes* distinctes du sujet vis-à-vis de ces croyances : l'une des croyances est non volontaire et causée par l'évidence empirique (la jeune fille n'aime pas le jeune homme), alors que l'autre est volontaire et fait l'objet d'une *acceptation* (la jeune fille l'aime). C'est le fait de *vouloir* croire la seconde croyance, contradictoire par rapport à la première, qui est irrationnel dans la situation concernée. Il se peut que cette volonté soit irrationnelle — tout comme il est en général irrationnel de « prendre ses désirs pour des réalités » — parce qu'elle a, selon l'explication classique et psychanalytique, des causes (la passion, les désirs inconscients). Mais cette volonté n'est pas *nécessairement* irrationnelle parce qu'elle peut avoir des *raisons* subjectives. Il est certes tout aussi impossible de croire par l'effet d'une volonté, d'une décision, ou d'une contrainte (et de faire croire autrui) que de se faire rire volontairement, ou de décider d'être naturel. Mais si nous gardons à l'esprit la distinction proposée ci-dessus entre croyance et acceptation, il est tout à fait possible de donner son assentiment volontaire à des propositions que l'on ne croit pas, pour de bonnes raisons. Il en est de même dans les remèdes que l'on trouve pour contrer la faiblesse de la volonté : tout comme Ulysse qui s'attache au mât pour ne pas réagir au chant des sirènes[1], le fumeur qui veut arrêter de fumer se contraint à ne pas passer devant les bureaux de tabac, à éviter la fréquentation d'autres fumeurs, etc. De même pour les cas de croyance « volontaire » : l'épouse qui veut sauver la paix du ménage peut décider d'ignorer volontairement les taches de rouge à lèvres qu'elle découvre sur les chemises de son mari, le couard qui veut prouver aux autres qu'il peut accomplir un acte héroïque peut décider d'ignorer les dangers de la

---

1. Voir John Elster, *Sour Grapes*, Cambridge, trad. fr. partielle in *Le Laboureur et ses enfants*, Paris, Minuit, 1986.

mission qu'il se propose en prenant une drogue qui le rendra insensible à ces dangers, etc. Il peut y avoir des cas d'irrationalité *locale*, voulue, qui relèvent cependant d'une stratégie globalement rationnelle. Le conseil donné par Pascal aux incroyants tombe dans cette catégorie. Mais son ironie vis-à-vis des croyances provoquées par les génuflexions ou l'eau bénite montre bien que ce n'est pas ainsi qu'il conçoit la croyance religieuse véritable : celle-ci vient du cœur, non de la raison. Il y a cependant des passages dans lesquels Pascal admet que l'induction de la croyance par l'effet d'habitude est légitime, au même titre que les procédés de coercition volontaire que s'impose le fumeur :

« Car il ne faut pas se méconnaître : nous sommes automate autant qu'esprit : et de là vient que l'instrument par lequel la persuasion se fait n'est pas la seule démonstration. Combien y a-t-il peu de choses démontrées ! Les preuves ne convainquent que l'esprit. La coutume fait nos preuves les plus fortes et les plus crues ; elle incline l'automate, qui entraîne l'esprit sans qu'il y pense [...] enfin il faut avoir recours à la coutume quand une fois l'esprit a vu où est la vérité, afin de nous abreuver et nous teindre de cette créance, ce qui nous échappe à toute heure ; car d'en avoir toujours les preuves présentes, c'est trop d'affaire. Il faut acquérir une créance plus facile, qui est celle de l'habitude, qui, sans violence, sans art, sans argument, nous fait croire les choses, et incline toutes nos puissances à cette croyance, en sorte que notre âme y tombe naturellement. Quand on ne croit que par la force de la conviction, et que l'automate est incliné à croire le contraire, ce n'est pas assez. Il faut donc faire croire nos deux pièces, l'esprit, par les raisons, qu'il suffit d'avoir vues une fois en sa vie ;

et l'automate, par la coutume, en ne lui permettant pas de s'incliner au contraire[1]. »

Si le procédé est condamnable quand l'esprit n'a pas reçu la lumière de la vérité, il est parfaitement sain quand il l'a reçue. Le modèle alors est plutôt celui de l'*hexis* aristotélicienne, qui s'acquiert par la pratique. Pascal reconnaît ici parfaitement le caractère dispositionnel et habituel de la croyance.

La distinction entre croyance passive et acceptation active est aussi de nature à éclairer la question de la croyance religieuse, à laquelle s'appliquent la plupart des remarques faites précédemment à propos de l'épistémologie des croyances « ordinaires ». Si l'on suit le modèle usuel des raisons épistémiques de croire, les croyances religieuses ne peuvent être fondées que sur trois sortes de raisons. Les premières, dans la religion révélée, seraient produites par les témoignages de ceux qui ont « vu », les prophètes, les mystiques, ou les témoins de miracles. Les secondes, dans la théologie rationnelle, s'aident des démonstrations de la raison, et visent à apporter des preuves rationnelles de l'existence de Dieu : *fides quaerens intellectum*. Les troisièmes, dans la théologie naturelle, s'appuient sur le raisonnement analogique, et cherchent dans l'arrangement et l'harmonie du monde la raison de croire en l'existence du « Grand Horloger ». Seules les premières font appel à la croyance, en l'espèce sous la forme de l'ouï-dire. Les secondes et les troisièmes recourent au raisonnement, déductif ou inductif. Quand Hume, dans les *Dialogues sur la religion naturelle*, confronte les trois formes de raisons de croire en la religion, et en énumère les insuffisances, il ne fait, en un sens, que

1. *Pensées*, 821 (éd. Brunschwig, 252).

répéter les conclusions du sens commun : il n'y a pas de preuves évidentes de l'existence de Dieu, et la foi religieuse est au mieux seulement probable, d'une probabilité très faible. Saint Thomas ne croyait que ce qu'il voyait. Nous aussi. La plupart des théologiens médiévaux affirment que la foi est un acte de la volonté, et que si elle peut s'aider des données de l'expérience ou de la raison, elle repose soit sur la volonté individuelle de croire, soit sur l'autorité. Si l'on comprend la « volonté de croire » au sens d'une volonté qui affirme ce qu'elle *désire* croire contre l'évidence, la foi religieuse sera une forme d'aveuglement volontaire, et pourra se prêter aux diagnostics causaux qui ne la distinguent pas de la superstition, et recevra la sanction d'auteurs comme Clifford qui rejette solennellement toute croyance de ce type comme contraire à l'« éthique de la croyance » :

« C'est profaner la foi que de l'accorder sans preuve et sans discussion à des affirmations pour le soulagement et le plaisir personnel du croyant [...] ; si une croyance était accueillie en dépit d'une évidence insuffisante — et alors même qu'elle se trouverait être vraie — il y aurait là un plaisir volé [...], un plaisir coupable parce qu'il serait volé au mépris de notre devoir envers l'humanité. Ce devoir consiste à nous garder de telles croyances comme d'une maladie contagieuse qui peut rapidement envahir notre corps et se propager à travers toute la ville... C'est un tort pour tous, partout et toujours que de croire quoi que ce soit sur une évidence insuffisante[1]. »

Le moins qu'on puisse dire est que le tort est si

---

1. W. K. Clifford, « The ethics of belief », in *Lectures and Essays*, Londres, 1879.

partagé que ce genre d'injonctions risquent fort d'être aussi efficaces que celles des ligues antialcooliques au temps de la prohibition.

Mais si nous comprenons la « volonté de croire » au sens d'une volonté qui affirme ce qu'elle *accepte* de croire, il reste place pour une foi qui procède d'une forme de stratégie rationnelle. Il y a, selon Kant, deux variétés de foi de ce genre. La première est la foi *doctrinale*, qui est l'expression d'une « modestie au point de vue objectif, mais d'une ferme confiance au point de vue subjectif ». La croyance en l'existence de Dieu relève, selon Kant, de ce genre de foi, parce qu'elle nous fournit « un fil conducteur pour la connaissance de la nature ». Mais la foi doctrinale garde quelque chose de théorique, et en ce sens elle est « chancelante ». La *foi morale*, en revanche, qui obéit à la loi morale et qui se fonde sur les postulats de la raison pratique, est inébranlable. Elle repose sur la certitude non pas logique, mais *morale* : « Je ne dois pas dire : *il est* moralement certain qu'il y a un Dieu, etc., mais : *je suis* moralement certain, etc.[1] » Toute foi religieuse en un sens peut se recommander de la formule kantienne : « Je dus abolir le savoir pour faire place à la croyance. » Mais il y a deux manières de comprendre cela. L'une consiste à faire de la foi une forme de connaissance d'un ensemble de faits mystérieux qui doivent être tenus pour vrais parce qu'ils sont tels, selon l'expression de Tertullien : *Credo quia absurdum est*. Comme le dit Musil, c'est une forme de « rationalisme avec un préfixe négatif ». « Même

---

1. Kant, *KrV, Canon de la raison pure*. Voir aussi l'opuscule *Qu'est-ce que s'orienter dans la pensée ?* trad. fr. Philonenko, Vrin, 1972, p. 83 *sq*.

le Christ a fait une concession désespérée au rationalisme humain : "Si vous ne croyez pas en moi, croyez tout de même à mes œuvres[1]." » L'autre façon de comprendre la formule kantienne dissocie radicalement le savoir de la foi. La foi n'a pas besoin du savoir, parce qu'elle n'est pas un *savoir*. Elle est plutôt quelque chose comme une règle d'action et de vie. C'est en ce sens que William James entend prendre au sérieux la recommandation que Pascal adressait ironiquement aux incroyants. Quand on a affaire, nous dit James, comme dans le cas religieux, à des croyances qui pourraient être fausses mais dont nous ne sommes pas sûrs qu'elles le soient, l'éthique de la croyance nous prescrit non pas de chercher à éviter l'erreur, mais de *ne pas risquer de perdre la vérité* et de vouloir croire en l'absence de l'évidence : « Une règle de pensée qui m'empêcherait radicalement de reconnaître certains ordres de vérités si ces vérités se trouvaient réellement présentes, serait une règle irrationnelle[2]. » L'argument de James serait absurde s'il autorisait, par exemple, en présence de la possibilité de croire en l'existence du monstre du Loch Ness, à adopter cette croyance de peur, au cas où le monstre existerait, de perdre une vérité. Mais James ne veut considérer que les croyances qui sont pour nous des « options vivantes », ou vitales, comme le sont les croyances religieuses. À la différence du cas du monstre du Loch Ness, si la religion était fausse, nous perdrions,

1. Musil, *Tagebucher*, I, p. 362, trad. fr. : *Journaux*, Le Seuil, I, p. 447 ; cité par Bouveresse in *L'Homme probable*, Combas, L'Éclat, 1992, p. 271.
2. *The Will to Believe* (1896), trad. fr. Flammarion, 1920, p. 49. Voir aussi *The Varieties of Religious Experience*, trad. fr. : *L'Expérience religieuse*, Alcan, 1906.

en refusant de croire, un « bien vital[1] ». Ce point se rattache à sa conception pragmatiste de la vérité comme intrinsèquement liée à l'utile. La religion n'a pas besoin d'être vraie au sens où pourrait l'être un savoir scientifique, il suffit qu'elle ait une vérité pratique fondamentale.

Dans une conception comme celle de James, la foi peut être à elle-même son propre objet : on ne voit même pas pourquoi elle devrait croire *quelque chose* puisqu'elle est bonne *en tant que* foi. La conception de James serait manifestement fausse si elle revenait à dire que l'on peut, dans le domaine de la croyance religieuse comme dans celui des croyances scientifiques sur la nature, après avoir accepté provisoirement une hypothèse contre l'évidence ou contre la croyance de la majorité, confirmer cette hypothèse par des données ultérieures. Or dans le domaine religieux il n'y a rien de tel : sauf s'ils devaient arriver l'an prochain, nous ne pouvons pas attendre la fin des temps et le Jugement dernier pour vérifier les croyances que nous avons « voulu croire » par le type d'engagement auquel pense James[2]. Mais les croyances religieuses n'ont pas besoin d'être *vérifiées* d'un point de vue cognitif, parce que si James a raison, ce sont des croyances qui *s'autovérifient* de manière pratique. Elles sont en ce sens aussi para-doxales que ce que les sociologues et les économistes

---

1. Les *neffies* (sectateurs de l'existence du Monstre) désap-prouveront sans doute. Les gens qui croient aux UFO, au Yéti, aux sorciers, etc., jugent sans doute eux aussi leurs croyances « vitales ». L'une des difficultés de la thèse de James est qu'on ne sait pas bien quel critère il donne des croyances vitales ou particulièrement utiles à l'espèce humaine.

2. D'où la sagacité des sectes qui annoncent la fin du monde pour dans deux ans ou trois et qui, la date venue, la décalent seulement un peu.

appellent des « prophéties autoréalisatrices », des prévisions qui deviennent vraies du simple fait que les réactions qu'elles engendrent les réalisent (comme quand le fait de prédire qu'une action chutera en Bourse conduit les porteurs à la vendre, et fait chuter l'action)[1]. La vraie preuve de ma foi, c'est que je crois. Durkheim approuve James sur ce point : « Le premier article de toute foi, c'est la croyance au salut par la foi[2]. » Pour Durkheim comme pour James la valeur des croyances religieuses tient à l'expérience qu'elle procure d'une force et d'un sentiment d'appui, qui n'a de comparable que la force et le soutien que l'homme éprouve de sa participation à un ensemble social. Les forces religieuses sont des forces sociales, et les croyances qu'elles promeuvent n'ont de valeur que parce qu'elles sont partagées. Mais c'est admettre par là même que la foi religieuse ne peut pas tant être *justifiée* par des raisons épistémiques comme peut l'être un savoir, qu'*expliquée*, par les causes sociales qui la produisent et par les effets sociaux qu'elle produit en retour. La foi morale au sens de Kant, la volonté de croire au sens de James, ou la religion comme processus d'intégration sociale selon Durkheim, si différentes soient-elles, sont quand même bien des variantes de la méthode que Peirce appelait de *téna-*

1. Voir le sociologue R. K. Merton qui a le premier attiré l'attention sur ce phénomène. Voir J.-P. Dupuy, *Introduction aux sciences sociales*, Ellipses, X, Paris, 1992, chap. xi. Durkheim remarque un fonctionnement similaire des croyances magiques : on fait des danses pour la pluie à des moments où la pluie est susceptible de tomber, et la croyance en l'efficacité magique du rite se trouve ainsi prouvée par l'existence du rite lui-même (*Les Formes élémentaires de la vie religieuse*, PUF, coll. Quadrige, 1990, p. 513 *sq.*
2. *Durkheim, op. cit.*, p. 595.

cité : « L'autruche, lorsqu'elle enfonce la tête dans le sable à l'approche du danger, tient vraisemblablement la conduite qui la rend la plus heureuse[1]. »

Les croyances collectives

Pour Durkheim, les croyances religieuses sont nécessairement des croyances collectives, parce que la religion est l'expression même, dans un ordre « sacré », des aspirations à l'idéal que le monde « profane » ne peut par lui-même fournir. Selon la célèbre formule de Durkheim, « une société ne peut ni se créer ni se recréer sans, du même coup, créer de l'idéal[2] ». L'idéal qu'elle crée est d'abord un idéal social, et l'idéal religieux en est le relais. À la différence de Feuerbach et de Marx, Durkheim considère ces idéaux collectifs comme *sui generis*, et non pas comme des reflets ou des traductions des formes matérielles et des nécessités vitales immédiates. En ce sens la religion n'est pas une *idéologie*, ou une représentation illusoire de la réalité dans un réel transcendant. « La conscience collective est autre chose qu'un épiphénomène de sa base morphologique [...] Pour qu'[elle] se produise, il faut que se produise une synthèse *sui generis* des consciences particulières [...], qui a pour effet de dégager tout un monde de sentiments, d'idées, d'images, qui, une fois nés, obéissent à des lois qui leur sont propres[3]. » La foi individuelle, la croyance *in foro interno*, n'est elle-même qu'un effet en retour de la croyance collective.

1. « Comment se fixe la croyance », *op. cit.*, p. 277.
2. Durkheim, *op. cit.*, p. 603.
3. *Ibid.*, p. 605.

Les croyances individuelles ne sont « actives que quand elles sont partagées ». Il est donc de l'essence de la croyance de se *répandre*. Mais une croyance collective n'est pas seulement pour Durkheim une croyance individuelle qui s'est transmise dans un certain nombre d'esprits ; et c'est plus que la somme des croyances individuelles. Elle a un caractère impersonnel parce qu'elle est sociale. En ce sens les catégories logiques, les concepts de la science même ont une origine collective et reposent sur des représentations collectives. Durkheim transpose la conception kantienne du jugement comme synthèse de représentations sous une unité au jugement social, conçu comme « synthèse des représentations individuelles[1] ». Mais il ne nous dit pas comment s'opère cette synthèse.

Cette célèbre analyse de la religion et des croyances collectives de Durkheim pose au moins deux sortes de problèmes, étroitement liés. Le premier est celui de savoir en quel sens on peut vraiment parler de croyances *collectives*. La notion ordinaire de croyance de la psychologie commune fait corps avec d'autres notions « intentionnelles », comme celles de désir, de volonté, d'intention ou de décision. Mais si nous n'avons pas de difficulté à attribuer à un individu ce genre d'attitudes propositionnelles, il est beaucoup plus douteux de les attribuer à des entités collectives ou sociales. Si cela pose moins de problèmes pour des entités dont l'essence même est d'avoir un comportement collectif, comme des partis, des firmes ou des institutions, c'est parce que, comme nous l'avons vu, on peut leur attribuer des actions collectives qui sont des *acceptations* ou

1. *Ibid.*, p. 637.

des *objectifs* dans la mesure où ces entités sont supposées représenter leurs membres. Mais en quel sens
peut-on parler, par exemple, de la *croyance* des Français que *Balladur ferait un bon président* ou de la
croyance d'une tribu mélanésienne *que son chef a du
mana* ? La réponse de Durkheim est que si l'on peut
parler de croyances collectives en ce sens, ce n'est
pas au *même* sens que celui où l'on parle de
croyances dans l'explication psychologique individuelle : les représentations collectives obéissent à
des régularités distinctes de celles de la psychologie
intentionnelle usuelle. C'est en général la leçon
qu'ont tirée, au XIXe siècle, les sociologues et les sta-
tisticiens qui se sont mis à étudier les régularités du
crime, des maladies, du suicide (Durkheim lui-
même, avec son enquête célèbre sur *Le Suicide*), ou
les mouvements des foules : ces régularités statistiques ne coïncident pas avec celles de la psychologie
individuelle et relèvent de déterminismes qui sont en
général non accessibles à la conscience des agents[1].
C'est ici que se pose le second problème. Si l'on
admet que les représentations collectives obéissent à
« des lois qui leur sont propres », distinctes des régularités de la psychologie individuelle, c'est qu'on suppose qu'elles peuvent être des *causes* du comportement des individus et des groupes, indépendamment
des *raisons* que ceux-ci peuvent donner de ces
croyances. *Raisons* ici doit s'entendre non seulement
au sens de raisons *objectives*, mais au sens de raisons
subjectives, que les agents donnent eux-mêmes de
leur propre conduite. Dire que les agents ont des

---

1. Sur l'histoire des conceptions statistiques, voir en particulier I. Hacking, *The Taming of Chance*, Cambridge University Press, 1991.

croyances collectives en vertu de leur adhésion, en vertu d'un mécanisme causal inconscient, à des représentations auxquelles ils n'ont pas accès, c'est dire que le processus de formation de ces croyances est non rationnel, voire irrationnel.

Des conceptions de la société comme celle de Durkheim sont caractérisées en général comme « holistes » parce qu'elles supposent que les entités sociales sont autonomes et indépendantes des individus, s'opposent en général à des conceptions « individualistes » (ou « individualistes méthodologiques ») pour lesquelles seuls les individus sont réels. Les tenants des secondes objectent aux premiers que les entités collectives auxquels ils font appel sont mystérieuses. Les partisans des premières reprochent aux secondes de ne pas comprendre la logique des phénomènes collectifs. Je n'entrerai pas ici dans ce débat-fleuve, et j'admettrai sans discussion qu'une certaine forme de holisme est correcte, et qu'un individualisme, un atomisme ou un nominalisme radical, qui nierait d'entrée de jeu que la notion de croyance collective ait un sens, se condamnerait d'emblée à ne pas comprendre que des faits comme celui de la distribution et de la propagation des croyances sont possibles dans un corps social[1]. La tradition de l'individualisme méthodologique, qui trouve son origine chez Hobbes, Hume et Smith, et qui s'épanouit à la fin du XIXe siècle et au XXe siècle dans la conception parétienne de l'*homo œconomicus* comme agent rationnel abstrait, mû par des croyances et des désirs individuels qui règlent ses choix, trouve ses limites typiques dans

---

1. L'admission de ce holisme n'implique en rien que la notion de croyance collective ne soit pas problématique.

des remarques comme celle de Hume, quand il se demande comment des partis politiques fondés sur un principe spéculatif abstrait sont possibles : on peut comprendre l'intérêt commun, ou l'affection, mais les partis reposant sur des principes sont incompréhensibles[1]. La véritable difficulté, pour une position holiste, ou du moins une position qui admet l'existence de représentations et de croyances collectives, n'est pas tant ontologique et ne porte pas tant sur le type d'entités qu'elle peut reconnaître que sur les modes d'explications qu'elle adopte à leur sujet. On peut distinguer deux grands types de modèles explicatifs des croyances collectives : les uns par les *causes*, les autres par les *raisons*[2]. Les modèles causaux supposent qu'il existe des causes mentales, dont les sujets n'ont pas nécessairement conscience, qui sont responsables de leurs croyances. Ces causes peuvent être affectives, comme pour les croyances dont Pascal dit qu'elles sont produites par l'« agrément », ou comme pour les superstitions dont Spinoza dit qu'elles sont produites par la crainte[3], et en général, comme on l'a vu, pour les classiques. Elles peuvent être aussi intellectuelles, comme les croyances « primitives » selon Lévy-Bruhl, qui sont le produit d'une mentalité spécifique dont les règles « logiques » diffèrent des nôtres[4]. Selon le modèle causal, les croyances collec-

---

1. Hume, *Essays, Moral, Political and Literary*, trad. fr. : *Essais politiques*, Vrin 1972 ; voir les commentaires de R. Boudon, *L'Art de se persuader*, Fayard, 1990, et Le Seuil, coll. Point, 1992, p. 381 *sq*.
2. Voir Boudon, *op. cit.*, chap. i.
3. *Éthique*, IV, LXIII, scholie, *Traité théologico-politique*, préface.
4. Lévy-Bruhl, *La Mentalité primitive*, Paris, 1922.

tives en général, et les croyances religieuses en particulier, sont le produit d'une représentation fausse de
la réalité, ou d'une illusion. Dans une large mesure,
la théorie marxiste de l'idéologie repose sur ce genre
d'explication : l'idéologie est une vision du monde
déformée par une « fausse conscience » de la réalité.
Lorsque les agents donnent, selon ce modèle, des
raisons de leur comportement, ces raisons ne sont
pas les raisons réelles, ce sont de pseudo-raisons, ou
des rationalisations illusoires. Les croyances collectives sont donc nécessairement irrationnelles. Selon
le second modèle, les croyances collectives doivent
être comprises par des *raisons*, qui ne sont pas distinctes de celles que les agents donnent eux-mêmes
de leur comportement. C'est le modèle de Max
Weber : le but du sociologue est de comprendre les
croyances collectives en découvrant en quoi elles
peuvent être rationnelles. Une explication par les raisons ne diffère pas des explications usuelles que
nous donnons d'un comportement en termes de
croyances et de désirs quand nous voulons le rendre
rationnel à nos yeux. Nous cherchons en quoi ce
comportement peut être rationnel aux yeux de
l'agent. Pourquoi les calvinistes ont-ils développé le
capitalisme ? Parce qu'ils *croyaient* au dogme de la
prédestination et parce qu'ils *désiraient* trouver ici-
bas les signes de leur élection dans l'au-delà[1].

Une partie assez considérable de la littérature
sociologique contemporaine porte sur la question de
savoir lequel de ces modèles est le bon. Mais nous
n'avons pas nécessairement besoin de choisir, parce
que les deux modèles sont compatibles. Tout

1. Max Weber, *L'Éthique protestante et l'esprit capitaliste*
(1906), trad. fr., Plon, 1964.

d'abord, pour des raisons théoriques. Davidson a montré, contre les philosophes qui, comme Wittgenstein, soutiennent qu'il y a une incompatibilité entre l'explication par les raisons et l'explication par les causes, que ces deux types d'explications n'étaient pas incompatibles, notamment parce qu'on peut parfaitement redécrire une action qu'on a expliquée en termes intentionnels et téléologiques en termes causaux non intentionnels[1]. Ce qui nous conduit à refuser l'assimilation des raisons aux causes est que cette assimilation est en général associée au modèle positiviste selon lequel toute explication causale implique l'existence de *lois* causales, et que l'assimilation impliquerait par là même l'existence de lois intentionnelles. Mais nous avons vu précisément qu'en raison du holisme des croyances, cette dernière thèse devait être rejetée. Mais rien n'interdit d'identifier les raisons et les causes si les explications par les raisons donnent des explications causales *singulières*, contextuelles, comme le soutenait d'ailleurs Weber. Ensuite, les deux modèles sont compatibles parce qu'il se peut très bien que l'un soit correct pour un certain type de croyances collectives, alors que l'autre le serait pour des croyances d'un autre type. C'est ce qu'admet Durkheim implicitement[2]. Il donne une explication causale des croyances totémiques : elles sont des expressions de la manière dont la société exprime sa cohésion et son autorité sur les individus, par une pression qui transcende leur conscience individuelle. Mais il donne une explication des croyances magiques qui

1. Davidson, « Actions, reasons and causes », in Davidson, *op. cit.*
2. Comme le remarque Boudon, *op. cit.*, p. 35-38.

s'apparente nettement aux explications par les raisons : la magie a des fins instrumentales, qui sont directement proportionnées aux objectifs que cherchent à atteindre les primitifs et à leur savoir. Les savants occidentaux recourent à d'autres méthodes que les sorciers, mais c'est seulement parce que leur savoir et leurs techniques sont plus développés[1]. Enfin, les deux types d'explications sont compatibles parce qu'il se peut fort bien qu'elles ne conviennent pas au même type de phénomènes de représentations collectives, et parce qu'on applique les deux modèles de manière trop étroite. C'est ici que la distinction entre croyance et assentiment, et entre croyance et acceptation peut nous être à nouveau utile. Nous avons admis qu'il existait un ensemble de croyances dispositionnelles, qui ne donnent pas nécessairement lieu à un assentiment réfléchi de la part des agents, et qui se distinguent des assentiments ou des aveux de croyances que font les gens quand on leur demande de dire ce qu'ils croient, ou quand ils disent spontanément ce qu'ils croient (quand ils donnent leur « opinion » sur un sujet). Les premières correspondent à des schèmes d'action et de pratiques, alors que les secondes sont plutôt des expressions de ces schèmes et pratiques tels que les sujets les conçoivent ou les interprètent. Cela correspond, dans la religion, à la distinction effectuée par Durkheim entre les *rites* et les *croyances* proprement dites[2]. Les croyances dispositionnelles sont en général associées aux pratiques religieuses, aux rites et aux formes de culte, tels que les cérémonies, les sacrifices, etc. Les croyances pro-

---

1. Durkheim, *ibid.*, p. 297-298.
2. *Ibid.*, p. 50 *sq.*

prement dites, dont les rites sont l'expression, sont plutôt des formes de classification et de catégorisation (entre sacré et profane, en particulier). Dans une société laïcisée, comme le sont les sociétés contemporaines, les croyances collectives ne sont pas l'expression de rites au sens religieux proprement dit, mais de ce que l'on peut appeler, avec Pierre Bourdieu, des *habitus*. Bourdieu a montré, par exemple, comment les goûts esthétiques, qui s'expriment typiquement dans des croyances-opinions esthétiques, sont associés à des *habitus* ou à des *hexeis* de groupes sociaux déterminés[1]. La notion d'*habitus* correspond ici assez étroitement à celle de disposition à agir et à juger de la conception DF. Le modèle explicatif auquel elle correspond est le modèle causal-fonctionnel : les agents n'ont pas nécessairement conscience des déterminants habituels de leurs croyances-habitus. Ce modèle causal a ceci de commun avec les explications marxistes de l'idéologie que les croyances-opinions qu'expriment les agents ne sont pas nécessairement l'expression de leurs croyances-habitus. C'est ainsi que les sondages d'opinion publique, qui sont conçus aujourd'hui comme les principales mesures de ces croyances, produisent des résultats fallacieux. Les sondages supposent qu'il existera nécessairement une correspondance terme à terme entre les croyances-dispositionnelles et les croyances-opinions ou assentiments des agents, et qu'il y aura une uniformité de ces

1. *La Distinction*, éd. de Minuit, 1979. On accuse souvent la notion d'*habitus* d'être aussi vide, explicativement, que celle de disposition ou de *vertu* (Molière). Mais si, comme le soutient la conception DF, les dispositions correspondent à des états causalement responsables du comportement, cette notion n'a rien de circulaire.

croyances à travers les groupes sociaux. Mais ce n'est pas évident. Les gens n'avouent pas nécessairement tout ce qu'ils croient (dispositionnellement ou habituellement), ils n'ont pas nécessairement accès au contenu de toutes leurs croyances et ils n'interprètent pas toujours les questions de la même manière que les sondeurs. C'est pourquoi les réponses aux sondages aboutissent souvent à des attributions de croyances contradictoires (au moins en apparence), comme quand on apprend que 90 % des sondés pensent que le pays est bien gouverné, mais qu'à 90 % ils n'ont pas une bonne opinion de l'action du gouvernement[1]. On peut aussi envisager des explications causales d'un autre type, qui ne seraient pas liées spécifiquement à des positions sociales ou à des *habitus* au sens de Bourdieu, mais à des schèmes de pensée *logiques* spécifiques. Ce type d'explication s'apparente à celui que donnait Lévy-Bruhl pour la mentalité primitive, quand il disait que le sentiment de « participation » sur lequel elle repose conduit les primitifs à obéir à une « logique » différente de celle des « civilisés ». Ici, les déterminants sont *pychologiques*, et ce sont les travaux de psychologie sociale qui en fournissent les illustrations principales. Ainsi, les psychologues D. Kahnemann et A. Tversky ont montré que les opinions des agents sur la probabilité de certains événe-

1. Voir Bourdieu, « L'opinion publique n'existe pas », in *Questions de sociologie*, éd. de Minuit, 1980; et P. Champagne, *Faire l'opinion*, éd. de Minuit, 1990. Cela n'entraîne pas que les sondages soient inutiles. Ils ont des effets d'un autre type que de stricte information, qui sont rendus possibles par un trait persistant des croyances humaines : le fait qu'elles soient contagieuses, et que l'on tende à croire ce que les autres croient.

ments étaient sytématiquement « biaisées » par des schèmes de raisonnement fallacieux mais répandus. Par exemple, on croit souvent que la probabilité de la conjonction de deux événements est plus élevée que la probabilité d'un seul de ces événements (contrairement à un axiome élémentaire du calcul des probabilités), parce que l'on tient ces deux événements comme similaires ou associés d'une manière ou d'une autre[1]. Ici, ce sont les schèmes de pensée logique des sujets qui se révèlent en apparence irrationnels.

Ces faits semblent conforter la thèse selon laquelle nombre de croyances collectives, ou la plupart, doivent être pensées comme des *illusions* de jugement produites par des déterminants sociaux et psychologiques. Mais est-ce nécessairement incompatible avec un type d'explication par les raisons? Typiquement les assentiments et les acceptations des agents correspondent aux raisons qu'ils donnent eux-mêmes de leur comportement. Mais celles-ci ne sont pas nécessairement des rationalisations après-coup de leurs croyances dispositionnelles. Elles peuvent correspondre à des stratégies et à des choix *rationnels* qu'ils adoptent. C'est en ce sens que le modèle du choix rationnel est correct. On critique en général ce modèle parce qu'il est abstrait, et on l'accuse de construire fictivement des individus qui seraient *parfaitement* rationnels, c'est-à-dire qui obéiraient aux lois de la logique et qui seraient de parfaits « bayésiens ». De fait, les modèles de la théo-

_____

1. Voir D. Kahneman, P. Slovic et A. Tversky éd., *Judgment Under Uncertainty, Heuristics and Biaises*, Cambridge University Press, 1978; et R. Nisbett et L. Ross, *Human Inference*, Englewood Cliffs, 1980. Voir Boudon, *op. cit.*, qui entreprend un catalogue de ces erreurs logiques usuelles.

rie de la décision, dont celui de Ramsey évoqué ci-dessus est le prototype, sont *idéalisés*. Mais comme l'a soutenu Weber, cette méthode de l'« idéal-type » n'implique pas que les individus soient *de fait* rationnels, et Weber distinguait nettement la *Zweckrationalität*, ou rationalité instrumentale étroite, de la *Wertrationalität*, ou rationalité des valeurs large. La méthode « rationaliste » implique seulement que l'on *présume* que les agents sont rationnels, et on ne s'interdit pas de rejeter les hypothèses de rationalité initialement postulées. En fait, les modèles de rationalité postulés par les sociologues « individualistes méthodologiques » ne sont pas des modèles de rationalité parfaite, mais de rationalité « limitée[1] ». Ils supposent que les agents agissent en situation d'incertitude, avec des contraintes et un savoir fini, etc. Ces modèles restent abstraits, mais ils n'impliquent pas que les choix des agents soient nécessairement *de facto* parfaitement rationnels. Dans cette perspective, il est possible de combiner les vertus d'un modèle causaliste d'explication des croyances collectives et d'un modèle « compréhensif », ou en termes de « choix rationnel ». Considérons, par exemple, la croyance, rapportée par l'historien W. Laqueur : « Alors que de nombreux Allemands pensaient que les juifs envoyés dans des camps de concentration n'étaient pas vivants, ils ne croyaient pas nécessairement qu'ils étaient morts[2]. » Cette croyance était-elle, comme elle semble l'être, contradictoire et irrationnelle ? Elle peut avoir des causes pychologico-logiques en termes de « biais »

---

1. C'est principalement H. Simon qui a proposé cette notion de rationalité limitée ou contrainte. Voir *Models of Bounded Rationality*, Cambridge University Press, 1982.
2. *The Terrible Secret*, New York, 1980, p. 31-32.

au sens de Kahneman et Tversky, qui rappellent que les gens tendent à majorer la probabilité des intersections d'événements et à minorer celle des réunions. Elle pourrait être irrationnelle aussi au sens où une croyance produite par *self-deception* ou aveuglement volontaire est irrationnelle : les Allemands *croyaient* bien que les juifs étaient morts, mais ils *ne voulaient pas* croire non plus qu'ils le soient. Mais on comprend bien aussi en quoi cette croyance en apparence contradictoire est rationnelle : il peut être rationnel de *ne pas avouer* un « secret terrible » s'il est particulièrement terrible, parce que les effets de l'aveu pourraient être pires que ceux du secret. Ce que les psychologues sociaux appellent la « dissonance cognitive » (en gros le fait de prendre ses désirs pour de réalités) *peut* être dans certains contextes une stratégie rationnelle. Un freudien peut interpréter ceci comme une forme de rationalisation. Mais la rationalisation, comme son nom l'indique, *peut* être une stratégie rationnelle. Des remarques semblables pourraient s'appliquer à des croyances qui durent pendant de longs siècles, comme la croyance au caractère miraculeux du toucher des écrouelles étudiée par Marc Bloch dans *Les Rois thaumaturges*[1]. Cette histoire remarquable concentre la plupart des difficultés que nous avons rencontrées. Bloch montre tout d'abord que la croyance au pouvoir magique de guérison des rois n'était pas la même selon qu'il s'agissait du peuple, des membres de la cour, des gouvernants, ou des religieux, autrement dit que l'intensité du *croire*, et de la participation aux rituels qui lui sont associés, est variable selon les groupes ou les milieux sociaux.

---

1. Plon, 1924, rééd. Gallimard, 1990.

Il montre ensuite que son contenu — ce qui est cru — varie selon la nature des maladies désignées sous le nom d'« écrouelles », qui était très variée, et avec l'évolution des connaissances médicales. En ce sens, il n'est pas sûr que l'on ait eu affaire, à différents moments de l'histoire, à une *même* croyance. À un certain stade de cette histoire, montre Bloch, on a affaire proprement à une « illusion collective », du type de celle que Fontenelle stigmatise dans le fameux épisode de « La dent d'or », rendue possible par la nature de la foi religieuse et de la croyance en l'efficace du pouvoir royal. Mais à partir d'un certain moment, la croyance commence à coexister avec le doute à son sujet : l'efficacité du toucher royal devient moins évidente. Elle commence à être discutée, à donner lieu à des opinions divergentes. Ce mouvement est associé à celui de la critique de la foi religieuse au XVIe siècle et la contestation progressive de l'absolutisme. Puis la croyance finit par devenir purement diplomatique et, à la fin du XVIIIe siècle, elle n'est plus qu'un rite vide, et les érudits « n'y croient plus ». On peut ainsi ne plus y « croire » que par calcul, comme quand Charles X essaie de raviver la croyance pour des objectifs politiques évidents. Ainsi les croyances naissent et meurent; et c'est une chose que de feindre de les accepter et de les accepter vraiment[1]. L'efficacité des croyances n'est donc pas la même selon qu'elles sont dispositionnelles ou selon qu'elles donnent lieu à des assentiments ou à des acceptations. Disposition et acceptation ont différentes causes et différents effets. On peut dire qu'en général leur part d'irrationalité provient de la

---

1. Voir Paul Veyne, *Les Grecs ont-ils cru à leurs mythes ?* Le Seuil, 1983.

première composante, et que leur part de rationalité provient de la seconde. Mais les choses ne sont pas aussi simples : la disposition à croire est un facteur de rationalité comme elle peut être un facteur d'irrationalité[1]. Pour reprendre une image employée par Quine dans un autre contexte, le tissu de la croyance n'est pas fait de fils entièrement noirs ou entièrement blancs, mais d'un entrecroisement gris de fils noirs et blancs.

Tradition et raison

Quand on considère la variété et la diversité des croyances, d'une culture à une autre, d'un groupe social à un autre, d'une époque à une autre, et la diversité des raisons de les accepter et de les recevoir, on peut se demander si elles ne font pas nécessairement partie de cadres, ou de schèmes, auxquels elles sont *relatives*, et si la part de croyances *communes* aux humains ou aux groupes n'est pas extrê-

---

1. Il est très important de garder à l'esprit cette différence. Elle permet d'éviter des diagnostics unilatéraux comme celui que Wittgenstein porte sur l'interprétation des croyances primitives par Frazer (*Remarques sur « Le Rameau d'Or »*, in Jacques Bouveresse, *L'Animal cérémoniel*, L'Âge d'homme, 1986. Wittgenstein reproche à Frazer de ne pas comprendre les croyances des primitifs en portant des jugements intellectualistes sur elles (Frazer considère ces croyances comme des *erreurs*). Wittgenstein insiste au contraire sur le caractère rituel et sur le rôle pratique de ces croyances, et il refuse que l'on puisse les comprendre de l'extérieur du « jeu de langage » dans lequel elles apparaissent. Mais si ce qui précède est correct, les croyances religieuses primitives n'ont pas seulement un caractère rituel ; elle sont aussi l'expression du jugement des indigènes. Elles ne sont pas seulement dispositionnelles, mais font aussi l'objet d'acceptations.

mement mince ou inexistante. Cette opposition recouvre en partie celle des modèles « causaux » et des modèles « rationnels » que nous venons d'examiner. Les premiers tendent à conforter une position relativiste, selon laquelle les croyances varient à proportion de la diversité des facteurs causaux qui les produisent. Ainsi l'hypothèse lévy-bruhlienne de la mentalité primitive est-elle tenue souvent comme l'un des premiers modèles relativistes[1]. Les modèles rationnels, en revanche, sont en général tenus pour les représentants d'une conception universaliste, postulant des individus soumis à des croyances et à des intérêts identiques, procédant d'une rationalité instrumentale commune. Mais tout dépend de la nature des hypothèses de rationalité que l'on adopte. Durkheim ne croyait pas, à la différence de Lévy-Bruhl, qu'il y ait nécessairement une coupure entre la rationalité scientifique, qui procède par concepts, et la pensée magique ou religieuse des primitifs. Et Lévy-Bruhl s'est vu reprocher de présupposer une norme de rationalité logique universelle, à laquelle n'obéirait pas la « logique » des primitifs[2]. Les anthropologues contemporains comme Lévi-Strauss lui ont opposé l'idée que les classifications primitives pouvaient obéir à une logique qui n'est pas moins rationnelle que celle des civilisés[3].

Sans essayer de trancher dans le débat entre universalisme et relativisme, nous pouvons essayer de suggérer une réponse dans les termes mêmes que nous avons employés ici. Ce qui rend incohérente l'affirmation d'un relativisme radical est le fait que

1. Voir R. Needham, *Language, Belief and Experience*, Oxford, Blackwell, 1972.
2. Bien qu'il l'ait nié plus tard dans ses *Carnets*, Plon, 1939.
3. C. Lévi-Strauss, *La Pensée sauvage*, Plon, 1962.

nous ne puissions pas interpréter des contenus de croyance, chez un individu ou dans une communauté, en dehors de certains principes minimaux de rationalité, comme le principe que Davidson a appelé « principe de charité », qui nous prescrit de tenir un contenu de croyance comme étant en général vrai, rationnel au sens où il est clos sous des principes de déduction logique, et comme conduisant à des actions conformes aux canons de la rationalité instrumentale. Toute irrationalité, qu'elle soit cognitive ou comportementale, doit en ce sens apparaître relative à un fond de rationalité minimale. Parce qu'un interprète *doit* tenir ceux qu'il interprète comme ayant en général raison, et comme fiables dans leurs croyances, il doit présupposer qu'ils partagent avec eux une masse de croyances vraies. C'est ce qui rend incohérente l'« idée même de schème conceptuel », ou de relativisme culturel complet[1]. Mais cela n'implique pas, comme nous l'avons vu, que la rationalité des croyances soit un trait propre seulement aux seules procédures d'interprétation. Le principe de charité s'applique seulement à un ensemble de croyances empiriques, précisément celles sur lesquelles un accord majoritaire peut exister. Il s'applique beaucoup plus difficilement à des croyances théoriques, éloignées de l'observation. Nous pouvons supposer que ces croyances sont susceptibles de variations importantes, même si elles relèvent de mécanismes communs de formation. On peut, à cet égard, proposer l'image d'ensemble suivante.

Il y a toutes les raisons de penser que les

1. Davidson, *op. cit.*, 1984.

croyances dispositionnelles des humains relèvent de traits communs aux individus, parce qu'elles sont régulièrement associées aux perceptions et aux inférences qui forment la base de l'équipement cognitif. C'est en ce sens que, comme le disait Peirce, elles sont largement certaines et soustraites au doute. Mais les humains n'ont pas seulement des croyances de ce type. Ils ont aussi des croyances à propos de leurs croyances, et la possibilité de représenter leurs représentations, par des métareprésentations, ainsi que celle de contrôler leurs représentations de manière plus ou moins volontaire, en les acceptant. C'est notamment en vertu de cette capacité qu'ils pensent, au moyen du langage, donner leur assentiment à des croyances, et les rendre publiques. En ce sens elles peuvent se répandre à l'intérieur d'un groupe, et former des représentations que l'on appelle culturelles, comme les croyances religieuses, les mythes, ou les savoirs de diverses sortes, y compris scientifique. Bien que les croyances dispositionnelles qui font partie du fonds commun soient largement universelles, innées et fixes, les croyances culturelles, nées de la transmission orale et de l'ouï-dire, sont susceptibles de variations. On pourrait ainsi proposer un modèle de type évolutionniste, dans lequel les croyances collectives sont autant de strates ajoutées à un fonds évolutionnaire commun, selon des variations adaptatives. Le biologiste Richard Dawkins a suggéré que, de même qu'il existe une évolution et une transmission des gènes, il existe une évolution et une transmission de ce qu'il appelle des *mèmes*, qui sont des entités culturelles ou des idées, des « bons trucs » évolutifs qui se transmettent facilement parce qu'ils assurent la survie de l'espèce. Ainsi, le mème de la religion, celui de la *foi*

elle-même serait un « bon truc[1] ». Mais si sédui-
santes que puissent être ces explications naturalistes, elles ne permettent pas d'expliquer l'origine et
la diffusion de types de croyances particulières. S'il y
a un trait général qui permet de comprendre la diffusion des croyances, c'est le suivant. Comme nous
l'avons vu, il y a un lien conceptuel nécessaire entre
la croyance et la vérité : croire que p c'est croire que
p est vrai, et si l'on admet que nous interprétons les
croyances d'autrui au moyen d'un principe de charité, il y a une forte présomption pour qu'une
croyance exprimée par autrui soit en général vraie.
Cette présomption peut être l'une des raisons pour
lesquelles nous sommes, en général, si crédules :
parce que nous supposons que les croyances d'autrui
sont en général vraies, nous avons tendance à croire
ce que les autres croient, et à les considérer comme
fiables. Ceci n'implique évidemment pas que
nombre de croyances soient fausses, et peu fiables.
La mise en commun des croyances est à la fois la
source de leur diffusion et le correctif critique qui les
accompagne. La question de savoir si la plupart de
nos croyances sont *en fait* (et non plus par hypothèse) vraies parce que l'évolution maximise le
nombre des croyances vraies de l'espèce humaine,
reste encore une spéculation naturaliste non établie[2].

1. *The Selfish Gene*, Oxford 1976, trad. fr., A. Colin, 1986.
Voir aussi D. Sperber, « Anthropology and psychology :
towards an epidemiology of representations », *Man*, 1985.
Voir également la présentation de ces idées par Daniel Dennett, *Consciousness Explained*, Little Brown, New York, 1990;
trad. fr. O. Jacob, 1993.
2. Pour une discussion de ces questions, voir S. Stich, *The
Fragmentation of Reason*, MIT Press, Cambridge Mass., 1990.

À l'époque des Lumières est née l'idée que toutes les croyances procédaient d'un même type de causes, fondamentalement irrationnelles, et qu'il fallait les abandonner au nom d'une raison, supposée universelle. Le romantisme, au contraire, a réhabilité les croyances et a vu en elles l'expression de traditions de pensée qui étaient foncièrement bonnes en elles-mêmes. Mais si nous restons fidèles à la conception peircienne de la « fixation de la croyance », ce conflit, comme celui de la rationalité et du relativisme, est largement vain. La croyance, comme habitude, procède d'un fonds humain universel et vise à se stabiliser dans des dispositions d'action. Cela constitue la part dogmatique de nos natures. Mais en se répandant, en se publicisant, la croyance éveille en nous la fibre critique et conduit à la déstabilisation. Elle ne peut revenir à la stabilité qu'en devenant savoir scientifique, c'est-à-dire croyance transformée. (Ceci n'implique pas que le seul mode légitime du croire soit le croire scientifique.) La croyance est ainsi à la fois forte et fragile*.

Pascal Engel

BIBLIOGRAPHIE

Cette bibliographie ne contient que les textes classiques et contemporains essentiels, et pas les références occasionnelles faites dans le cours du texte.

* Je tiens à remercier Daniel Schulthess pour ses remarques pénétrantes sur ce texte.

TEXTES CLASSIQUES

PLATON, *Théétète*, trad. Robin, Gallimard, Bibliothèque de la Pléiade.

CICÉRON, *Premiers Académiques*, trad. Bréhier *et alii*, in *Les Stoïciens*, Gallimard, Bibliothèque de la Pléiade.

DESCARTES, *Discours de la méthode, Règles pour la direction de l'esprit*, in *Œuvres*, Adam et Tannery éd., Vrin-CNRS.

PASCAL, *De l'esprit géométrique, Pensées*, in *Œuvres*, Gallimard, Bibliothèque de la Pléiade.

T. BAYES, *An Essay Towards Solving a Problem in the Theory of Chances*, in Kyburg et Smolker éd.

HUME, *Treatise on Human Nature*, Selby-Bigge éd., trad. fr. Leroy, Aubier, Oxford.

C.S. PEIRCE, « Comment se fixe la croyance », *Revue philosophique*, déc. 1878, p. 553-569, et « Comment rendre nos idées claires », *Revue philosophique*, janvier 1879, p. 39-57, articles repris in Peirce, *Textes anticartésiens*, J. Chenu éd., Aubier, 1984, et *À la recherche d'une méthode*, G. Delledalle éd., Presses universitaires de Perpignan, 1993; *Collected Papers*, C. Hartshorne et P. Weiss éd., 8 vol., Harvard University Press, 1931-1935; *Writings of C.S. Peirce, a Chronological Edition*, M. Fisch, C. Kloesel, E.C. Moore et D.D. Roberts éd., 5 vol. parus, Indiana University Press, 1982.

REID, *Essays on the Intellectual Powers of Man*, éd. W. Hamilton, Edinburg, 1895, vol. I.

MILL, *A System of Logic*, Londres, trad. fr. Louis Peisse, *Système de logique*, Mardaga, Bruxelles, 1986.

NEWMAN, *An Essay in Aid of a Grammar of Assent*, Londres, 1879, rééd. Oxford, Clarendon Press, 1984.

TEXTES CONTEMPORAINS

D. ARMSTRONG, *Belief, Truth and Knowledge*, Cambridge University Press, 1973.

R. Bodgan éd., *Belief*, Oxford University Press, 1985.

L.J. Cohen, *An Essay on Belief and Acceptance*, Oxford University Press, 1992.

D. Davidson, *Essays on Actions and Events*, Oxford University Press, 1980, trad. fr. P. Engel, *Actions et événements*, PUF, 1993.

D. Dennett, *Brainstorms*, Bradford Books, Cambridge Mass., 1978; The Intentional Stance, MIT Press, Cambridge Mass., 1987, trad. fr. P. Engel, *La Stratégie de l'interprète*, Gallimard, 1990.

J. Dokic et P. Engel, *Ramsey : Vérité et succès*, PUF, Paris, 2001.

P. Engel (dir.), *Believing and Accepting*, Dordrecht, Kluwer, 2000.

J. Fodor, *The Language of Thought*, MIT Press, Cambridge Mass., 1975; *Representations*, MIT Press, Cambridge Mass., 1980.

P. Gardenfors et N.E. Sahlin éd., *Decision, Probability and Utility*, Cambridge University Press.

A.P. Griffiths éd., *Knowledge and Belief*, Oxford University Press, 1967.

H. Kyburg et H. Smolker éd., *Studies in Subjective Probability*, Huntington, New York, 1964.

H.H. Price éd., *Belief*, Oxford, Clarendon Press, 1969.

W.V.O. Quine et J. Ullian, *The Web of Belief*, Harvard University Press, 1966.

F.P. Ramsey, *Philosophical Papers*, D.H. Mellor éd., Cambridge University Press, 1990.

B. Russell, *Problems of Philosophy*, Londres, 1910, trad. fr.

F. Rivenc, Payot, 1988; *Lectures on Logical Atomism*, in *Logic and Knowledge*, R.C. March, Allen et Unwin éd., 1956, trad. fr. J.-M. Roy, in *Essais de logique philosophique*, PUF, 1986; *An Inquiry into Meaning and Truth*, Allen & Unwin, 1940, trad. fr. P. Devaux, Flammarion, 1970.

S. Soames et N. Salmon, éd., *Propositions and Attitudes*, Oxford University Press, 1992.

S. Stich, *From Folk Psychology to Cognitive Science, the Case Against Belief*, MIT Press, Cambridge Mass., 1983.

B. Van Fraassen, *Laws and Symetry*, Oxford University Press, 1989, trad. fr. C. Chevalley, *Lois et symétrie*, Vrin, 1994.

L'ACTION

En un sens, il n'est pas une seule question philosophique qui ne puisse être posée du point de vue pratique, c'est-à-dire du point de vue de la question « que faire? ». Dans ce chapitre consacré à l'action, il faut accepter de restreindre le sujet, sauf à devenir obscur ou superficiel. Une façon d'entrer dans le sujet de l'action sans l'élargir outre mesure est de discuter la différence que fait la philosophie contemporaine entre deux concepts : *avoir un comportement* et *accomplir une action*. Je commencerai par introduire cette distinction. Elle permet de poser ce qu'on peut appeler le « problème critique de l'action », comme on parle du « problème critique de la connaissance ». Tout comme le « problème de la connaissance » est, selon les théoriciens de la connaissance, le problème de savoir de quel droit nous tenons certaines de nos représentations pour des connaissances (et non pour de simples représentations), le « problème de l'action » sera de savoir ce qui nous permet de dire que certains épisodes de nos biographies respectives sont des actions (et non de simples mouvements et événements dont nous serions seulement le siège).

Du point de vue de l'histoire des idées, on peut

suivre la formation du problème critique de l'action
dans la philosophie moderne. Tout commence avec
les difficultés rencontrées par les philosophes cartésiens, en raison de la distinction réelle qu'ils posent
entre l'âme et le corps. Le problème n'a cessé depuis
de figurer dans les sujets dont la philosophie doit
traiter, jusqu'au matérialisme contemporain qui se
présente comme une solution au problème de l'interaction entre le mental et le physique.

Sous le titre de « philosophie de l'action », la plupart des contemporains proposent en effet une solution au problème critique de l'action. Toutefois, il y a
lieu de se demander si la philosophie de Wittgenstein ne conduit pas à abandonner cette façon de
réfléchir sur l'action (tout comme elle conduit aussi,
en un sens, à détrôner la « théorie de la connaissance » de la place éminente qu'elle avait au XIXe siècle dans l'ensemble de la réflexion philosophique).
Dans ce cas, la tâche principale d'une philosophie de
l'action ne serait pas de se demander si notre
comportement est plus qu'un simple événement physique (à savoir, une action intentionnelle). Elle
serait, ici comme ailleurs, d'éclaircir le système des
concepts qui nous servent quand nous parlons des
réalités pratiques (ceux de but, de moyen, de résultat, d'échec et de succès, d'intention, de circonstances, de motif, d'excuse, de volontaire, de responsabilité, de mérite, etc.).

La question critique de l'action

Dans la philosophie contemporaine, le mot
« action » s'emploie généralement pour l'action
humaine. Il s'agit là d'une restriction stipulée par

des philosophes, restriction que ne connaissent ni la langue ordinaire, ni les façons de parler des artisans ou même des sciences naturelles descriptives[1].

Cette restriction nous signale déjà que, dans une philosophie moderne, le fait de l'action ne va plus de soi. La notion même d'une chose agissante est critiquée, puisqu'il se trouve des philosophes pour soutenir qu'il ne saurait être question d'action que de la part d'un être capable de viser un résultat. Notre langage semble prêter un agir aux choses matérielles : le couteau coupe, le vent fait tomber la tuile, le solvant dissout la couche de peinture. Mais il pourrait n'y avoir là qu'un anthropomorphisme. Qui plus est, il ne va plus de soi que les êtres humains soient capables d'agir. La tâche fixée à une philosophie de l'action est justement de prouver, contre des sceptiques, qu'il y a bel et bien des choses faites par nous, que nous avons la capacité d'agir. Ou encore, pour l'exprimer dans la terminologie des philosophes de la tradition idéaliste : que nous sommes des « sujets » (et non pas seulement des « choses » ou des « objets »)[2].

Ainsi posée, la question critique de l'action — « qu'est-ce qui nous rend si sûrs d'être des sujets

1. Rien d'incongru, du point de vue de la correction linguistique ou de l'intelligibilité, à parler de l'action d'un acide ou d'un détergent, ou du rayon d'action d'un appareil.
2. Il est vrai que le vocabulaire alors utilisé suggère qu'il pourrait y avoir *de* l'action qui ne soit pas *notre* action. Pour l'idéalisme, la doctrine à combattre est le matérialisme qui conçoit l'être humain comme un objet et non comme un sujet. Mais si l'alternative est d'être le *sujet* de ce qui se fait ou d'en être l'*objet*, alors il faut malgré tout concevoir ce qui se fait comme une action, la seule question étant de savoir si elle est celle par laquelle nous transformons le monde extérieur ou celle par laquelle le monde extérieur agit sur nous.

agissants ? » — semblera d'abord saugrenue. Que
font donc les gens toute la journée, sinon des
actions ? Mais il va de soi que la question philosophique n'est pas vraiment une question de fait,
une question d'existence (comme si l'on demandait
ce qui nous prouve qu'il y a des poissons dans telle
rivière). La question est conceptuelle. Il s'agit de
savoir en quels termes nous voulons décrire et expliquer ce que font les gens : dans les termes que ces
gens utilisent eux-mêmes, donc en termes d'*action*,
ou bien dans des termes à définir dans une théorie
plus rigoureuse ou plus conforme aux normes d'une
méthode scientifique, donc en termes de *comportement*.

On retrouve alors la controverse classique sur la
méthode des sciences humaines : cette méthode
doit-elle être calquée sur celle des sciences naturelles, ou bien doit-elle inclure le fait que les gens
ont des raisons de faire ce qu'ils font ? Ou encore,
pour reprendre les termes consacrés par l'usage, le
but d'une science humaine est-il d'*expliquer* (comme
le soutiennent les partisans de l'unité de la science)
ou bien de *comprendre* (comme le disent les adversaires du positivisme) ?

Action et comportement

De même que le concept d'action est pris dans un
sens spécial par les philosophes, de même, le mot
« comportement » est utilisé comme un terme technique, dont le sens est précisé par la philosophie des
sciences : ce mot désigne les transformations qui
affectent une chose dans certaines conditions. Mais
cela peut s'entendre de deux façons, selon la teneur

de la philosophie à laquelle on fait appel. Dans une philosophie réaliste de la science, ces conditions sont expérimentales : si nous sommes réalistes (en matière d'explication causale), nous étudions le comportement d'une chose en regardant ce qui lui arrive lorsqu'elle est placée (par nous) dans un milieu extérieur dont nous avons nous-mêmes fixé la composition. Ou bien encore, nous intervenons pour perturber son fonctionnement spontané, et nous observons les effets de cette intervention. La notion de comportement s'explique donc en faisant appel à une manipulation contrôlée, donc à une action de la part de l'expérimentateur. Autrement dit, lorsque cette notion est ainsi définie, elle ne saurait servir à éliminer du vocabulaire de notre description du monde le mot « action » puisqu'elle fait elle-même appel, dans sa propre définition, à des notions pratiques.

En revanche, dans une philosophie purement positiviste des sciences, le mot « comportement » ne reçoit pas son sens dans un contexte pratique. Le mot s'emploie en fait comme un équivalent du mot « phénomène », avec toutefois une précision décisive : il n'y a de phénomènes, au sens scientifique du mot, qu'observables publiquement ou intersubjectivement. Lorsque la psychologie est définie dans l'école béhavioriste comme « science du comportement », elle reçoit pour objet d'étude ce qui peut être aperçu par des observateurs extérieurs. Cela revient à exclure que les expériences vécues (« en première personne ») constituent des phénomènes dont la description (au moins à des fins scientifiques) soit possible. Dans une optique positiviste, l'accent n'est pas mis sur le côté pratique de l'épreuve, sur le fait que le système réagit ou répond quand nous agissons sur lui. L'accent est mis sur le fait qu'il y a des phénomènes observables à la surface du système, phénomènes qui sont régulièrement associés à d'autres phénomènes survenant dans le milieu environnant. La notion d'agir a donc disparu, cédant la place à celle d'observation contrôlable.

Ainsi, la philosophie de l'action veut savoir si quelque chose nous retiendra de redécrire les actions humaines comme des comportements, au sens positiviste du terme. L'action, ou plutôt ce qui est ordinairement décrit comme une action, ne peut-il pas être redécrit comme ce qui se produit chez des êtres tels que nous, lorsque ces êtres sont placés dans telles et telles circonstances extérieures? Pour les philosophes, la difficulté est la suivante. Si nous redécrivons l'action de quelqu'un comme un comportement, nous éliminons dans notre description toute allusion au fait que quelqu'un a *agi*. L'explication du comportement se fera par les circonstances extérieures précédant son apparition, et non plus par une puissance de faire propre à l'acteur. Il y a donc l'apparence d'une *alternative* : ou bien ce qui se produit est un comportement, ou bien c'est une action. Si c'est un comportement, l'explication doit être demandée à une science naturelle, puisque ce sera une explication par un mécanisme ou par des facteurs extérieurs. Si c'est une action, l'explication relève d'une compréhension des motifs, du sens, des intentions.

Or il est difficile d'en rester à cette alternative. On voit mal comment éviter qu'elle ne se change en *dilemme* : quelle que soit la réponse, il faudra finalement éliminer l'action au profit du comportement. En effet, remarquera-t-on, quelqu'un qui agit doit faire quelque chose dans ce monde. Si l'action consiste par exemple dans une opération hautement intentionnelle et signifiante, comme celle de tenir un discours dans une assemblée, cette action n'aura été faite que si des paroles ont été prononcées. Les paroles auront été prononcées à condition que des sons aient été produits par des mouvements appropriés du larynx, de la langue, des poumons, etc. Or ces mouvements sont manifestement naturels. Puisque l'action n'a pas lieu si les mouvements physiques qui la constituent n'ont pas lieu, et puisque les mouvements physiques doivent être expliqués de toute façon par les causes physiques d'une science naturelle, on ne voit pas quelle place il reste à des concepts pratiques : quelles sont les fonctions de l'agent, de ses intentions, de ses buts, de ses calculs, etc. ?

Les questions à poser sont donc :

I. À quel titre chacun de nous peut-il revendiquer pour lui-même la qualité d'acteur ou de sujet actif de ses actes ? C'est la question de *la causation de l'action*.

II. Nous parlons d'action faite de façon intentionnelle, mais quelle sorte de propriété est-ce là ? Comment l'intentionnalité doit-elle figurer dans un récit des événements de l'histoire du monde ? C'est la question de la place des intentions dans *la structure de l'action*.

I. LA CAUSATION DE L'ACTION

« Je lève mon bras »

Dans un passage célèbre des *Investigations philosophiques*, Wittgenstein pose une question qui

donne la clé de la philosophie de l'action :
« N'oublions pas ceci : lorsque "je lève mon bras",
mon bras se lève. Et le problème surgit : que reste-
t-il, si je soustrais le fait que mon bras se lève du fait
que je lève le bras ? » (§ 621). Il s'agit ici, comme
dans tous les écrits de Wittgenstein sur la « philosophie de la psychologie », d'une « remarque grammaticale » et non d'une observation de psychophy-
siologie. Le point de cette remarque n'est
évidemment pas d'enrichir notre connaissance d'un
phénomène (que se passe-t-il quand je lève le bras ?).
Il est d'attirer notre attention sur la naissance d'une
petite mythologie psychologique à partir d'un usage
trivial du langage. Car il semble tout d'un coup que
nous ayons affaire à deux faits distincts, dont la
conjonction constante devient une coïncidence merveilleuse ou un grave problème théorique. D'une
part, il se trouve que mon bras se lève : c'est, dira-
t-on, un fait de comportement, un événement public
observable dans le monde. D'autre part, je dis « je
lève le bras », par une déclaration qui paraît subjective : car c'est ma conscience qui m'avertit de ce
que c'est bien moi qui suis la cause de ce lever de
mon bras. Une dualité a été instaurée, dont la position caractérise ce qu'on peut appeler la tradition
des *philosophies de la conscience*.

Je sais que je lève le bras (quand je le lève). Comment est-ce que je le sais ? Je le sais par une source
infaillible : ma conscience. Toute la philosophie de
la conscience est dans cette exigence de pouvoir dire
« *je sais* que je suis dans tel état d'esprit », par
exemple dans l'état de quelqu'un qui veut lever son
bras. Mais prenons-y garde : qu'est-ce que ma
conscience me garantit quand je sais par elle que je
lève le bras ? Est-ce qu'elle peut m'apprendre que

mon bras se lève? C'est impossible. Tout ce qu'elle atteste est que, encore une fois, je lève le bras, autrement dit que je fais ce qui doit être fait par moi pour que mon bras se lève. Et ce qui doit être fait par moi pour que mon bras se lève, c'est — semble-t-il — de le vouloir. Ma conscience me donne la certitude que je fais quelque chose pour lever le bras (j'accomplis l'acte de vouloir lever le bras), mais elle ne sait pas si mon bras se lève ou non. Dans une telle philosophie, le problème de l'action est donc posé comme un problème relatif à la *volonté.* Or cette décomposition de l'acte de lever le bras en deux épisodes, la volonté du mouvement et le mouvement physique lui-même, nous place dans une situation intellectuelle où la remarque grammaticale de Wittgenstein n'est plus incongrue. Car un philosophe de cette tradition s'exprime volontiers comme s'il était concevable que je lève le bras sans qu'il se lève, dès lors qu'il a échangé « je lève le bras » contre une autre formule plus explicite à ses yeux « je veux qu'il se lève et il se lève ».

Nous lisons par exemple dans le *Traité des passions* de Descartes cette description de nos volontés concernant notre corps : ce sont des actions de l'âme « qui se terminent en notre corps, comme lorsque de cela seul que nous avons la volonté de nous promener, il suit que nos jambes se remuent et que nous marchons » (I, 18). *De cela seul..., il suit que...* : la décomposition philosophique de « nous marchons » en « nous avons la volonté de nous promener » et « nos jambes se remuent » suggère fortement qu'un lien doit être trouvé entre le fait d'avoir une volonté et le fait que le mouvement se produise. Mais s'il est besoin de lier, c'est que volonté et mouvement corporel sont des réalités différentes. Dans ce cas, il est inévitable de se demander si ce lien ne pourrait pas être rompu et ce qui nous assure qu'il soit toujours donné. Une dissociation est concevable, au moins en principe, entre la *réalité de la volonté* (« je veux marcher ») et la *réalité de l'événement physique* (« les jambes se remuent »). L'action, ramenée à ce qui peut en être donné de façon directe au sujet conscient de soi, est donc la volonté de faire quelque chose : que l'agir suive ou non, cela dépend du pouvoir qu'il convient de reconnaître à un sujet de volonté tel que nous.

Ainsi se trouve posée (dans la philosophie moderne, c'est-à-dire postcartésienne) la question de savoir à quel titre je puis prétendre à la qualité d'acteur.

Position de la question critique

L'exemple que prend Wittgenstein n'est pas choisi au hasard. C'est un exemple mille fois discuté dans la tradition des philosophies de l'action. Nous pouvons remonter jusqu'à Malebranche pour assister à l'émergence d'une « question critique » relative à l'action. On parle d'habitude de « question critique » en référence à la philosophie de la connaissance, puisque la question porte d'abord, comme on sait, sur la validité du concept de causalité. Mais, comme nous allons le voir, cette question de la causalité « phénoménale » ne se poserait pas si on n'avait pas d'abord posé une question critique relativement à l'action. Il n'y a donc au fond qu'une seule question critique.

Si je prends une action, et que je retire du tout de l'action la partie *physique*, ce qui reste est le *mental*.

Chez Malebranche, l'argument qui opère cette soustraction est au service d'une théologie : il s'agit en
effet de savoir si la puissance d'agir appartient aux
créatures (causes secondes) ou au Créateur (cause
première). Nos sens nous invitent à développer une
philosophie païenne des natures, mais notre raison
nous enseigne une philosophie chrétienne de la
toute-puissance divine. S'il y a un Dieu unique et
infini, c'est lui qui fait tout ce qui se fait. Si nous
pouvions faire quoi que ce soit, nous serions nous-
mêmes des causes premières (quoique finies), autrement dit des êtres divins.

La thèse que Malebranche veut établir est que
nous ne sommes pas des causes premières. Nous ne
sommes pas véritablement des acteurs, nous donnons seulement à la véritable puissance l'*occasion* de
produire des effets (thèse dite de l'occasionalisme).
Cette thèse va être posée par un raisonnement tiré
du principe même de la nouvelle physique (cartésienne). Malebranche interprète en effet le principe
d'inertie dans le sens de la double assertion suivante : aucun corps n'agit sur un autre, aucun corps
n'est capable de se mouvoir lui-même. Ainsi,
l'impuissance humaine sera établie comme un cas
particulier de cette élimination radicale de tout
agent naturel.

Selon Malebranche, il n'y a pas de place pour des
agents naturels dans une physique instruite par la
raison. Les notions d'agir, d'opération naturelle, de
puissance, d'efficacité, relèvent d'une philosophie
païenne qui se fiait aux sens plutôt qu'à la raison.
« Quand je vois une boule qui en choque une autre,
mes yeux me disent ou semblent me dire, qu'elle est
véritablement cause du mouvement qu'elle lui
imprime; car la véritable cause qui meut les corps

ne paraît pas à mes yeux[1]. » Tout se joue ici dans le passage d'une philosophie où l'on *voit* une boule de billard en mettre une autre en mouvement (pour l'avoir choquée) à une autre philosophie où on *ne le voit plus* vraiment : les yeux « semblent » le dire, mais le philosophe qui consulte sa raison comprend qu'ils ne disent pas cela. Tout ce que disent les sens, c'est qu'il y a eu un choc de la boule en mouvement contre la boule au repos, événement qui a été suivi, comme il l'est toujours, d'un passage de la seconde boule de l'état de repos à l'état de mouvement. Nos yeux n'ont pas vu (et ne sauraient voir) une action de la première boule sur la seconde. Bref, la causation n'est pas une donnée sensible, car « la véritable cause qui meut les corps ne paraît pas à mes yeux ». (Il reviendra à la philosophie critique proprement dite, celle des kantiens, de dire que la causalité, n'étant pas perçue, est ajoutée par l'esprit aux données des sens, et de se demander à quelles conditions une telle addition, loin de déformer la représentation que nous nous formons du monde, lui donne son objectivité.)

Ainsi, Malebranche propose ce que les philosophes appelleront plus tard une « analyse du jugement de causalité ». En vertu d'une telle analyse, nous n'avons aucune expérience proprement dite de la causalité (au sens où nous constaterions qu'une chose s'est transformée *sous l'action* d'une autre). Lorsque nous appliquons le concept de cause à un événement du monde, c'est en vertu d'une association constante entre ce type d'événement et d'autres :

---

1. Malebranche, *De la recherche de la vérité*, XVe *Éclaircissement*, in *Œuvres*, Gallimard, Bibliothèque de la Pléiade, 1979, t. I, p. 974.

ce n'est pas parce que nous aurions perçu une action ou parce que nous aurions compris en quoi une chose pouvait produire un effet sur une autre. Il ne reste plus qu'à appliquer cette analyse aux mouvements de notre corps dont nous disons qu'ils sont volontaires. Nous commençons par croire, à tort, que « la volonté de l'âme est la véritable, et la principale cause du mouvement du bras », d'abord parce que nous observons « que nos bras sont remués presque toutes les fois que nous le voulons », ensuite parce que « nous ne voyons point sensiblement quelle autre chose pourrait être la cause de ces mouvements[1] ». Mais ensuite, notre raison nous détrompe : car elle n'aperçoit pas de rapport de causalité entre le fait de vouloir remuer le bras et ce mouvement physique.

Dans les *Entretiens sur la métaphysique* (VII, 13), Malebranche donne une ampleur étonnante à cette pensée. Théodore, représentant de l'auteur, s'adresse à Ariste, homme de bonne volonté qu'il s'agit de convaincre des thèses de la nouvelle philosophie. Le principe d'inertie des corps vient d'être accepté par les trois participants de l'entretien : « les corps ne peuvent se mouvoir eux-mêmes ». Le philosophe occasionaliste estime que le principe de la physique moderne exige notre paralysie.

« THÉODORE : [...] Donc, Ariste vous ne pouvez de vous-même remuer le bras, changer de place, de situation, de posture, faire aux autres ni bien ni mal, mettre dans l'Univers le moindre changement. Vous voilà dans le monde sans aucune puissance, immobile comme un roc, stupide, pour ainsi dire, comme une souche. »

1. *Op. cit.*, III, II, 3, p. 330.

La suite de l'argument est qu'il ne sert à rien d'ajouter à ce corps inerte une âme : car ce qui peut mettre en mouvement ce corps, c'est une force physique (pour Malebranche, un flux d'esprits animaux, aujourd'hui pour nous, un influx nerveux). Une volonté, si l'on entend par là une opération mentale, n'y suffit pas. Le représentant de Malebranche poursuit ainsi :

« THÉODORE : Comment ferez-vous pour lever seulement le bout du doigt, pour prononcer seulement un monosyllabe ? Hélas, si Dieu ne vient au secours, vous ne ferez que de vains efforts, vous ne formerez que des désirs impuissants. Car, un peu de réflexion, savez-vous bien ce qu'il faut faire pour prononcer le nom de votre meilleur ami, pour courber ou redresser celui de vos doigts dont vous faites le plus d'usage ? »

Nous voyons ici apparaître l'argument tiré de la conscience : le sens commun dit que nous avons conscience de bouger le doigt, mais en fait, nous avons seulement conscience de *vouloir* le bouger. Nous ne sommes nullement conscients d'utiliser tel ou tel procédé pour le mouvoir. L'absence d'une conscience d'opérateur de la machine qu'est notre corps doit nous avertir que nous ne sommes pas les opérateurs de cette machine. (Malebranche ne reconnaît de « savoir-faire » que là où il y a un « savoir comment faire ». Et, en ce sens, il est juste de dire que nous ne « savons » pas bouger le doigt ou le bras, puisque nous ne pouvons pas expliquer quelle méthode nous appliquons, à quelles suites d'opérations nous procédons dans ce but.)

L'interlocuteur de Théodore, devant cette déduction de l'inefficacité des causes secondes, s'avoue converti : tout doit passer par Dieu, seul capable de produire un quelconque effet.

« ARISTE : [...] Je ne sais pas même quelles doivent être les dispositions des organes qui servent à la voix pour prononcer les paroles que je vous dis sans hésiter. Le jeu de ces organes me passe. La variété des paroles, des tons, des mesures, en rend le détail comme infini. Dieu le sait ce détail : lui seul en règle le mouvement dans l'instant même de mes désirs. Oui, c'est lui qui repousse l'air qu'il m'a fait respirer lui-même [...] En effet, ce n'est pas moi qui respire ; je respire malgré moi. Ce n'est pas moi qui vous parle ; je veux seulement vous parler » (VII, 14).

Chez Malebranche, la question correspondant à celle de la « soustraction » chez Wittgenstein est donc celle-ci : comment puis-je dire que mon bras se lève quand je lève mon bras, alors que je dois renoncer à prétendre que mon bras se lève *parce que* je le lève ? Un tel « parce que » exigerait que je sois cause de ce que mon bras se lève, et chez Malebranche, les prétendues causes naturelles ne sont jamais que l'*occasion*, pour la véritable cause efficiente, de produire ses effets. À la question posée par Wittgenstein, un partisan de l'occasionalisme sait donc quoi répondre. Ce qui reste quand on retire l'événement physique de l'acte, c'est une simple volonté, un simple désir auquel il aurait manqué (par impossible) l'efficace de la puissance divine. Notre volonté, par elle-même, ne peut rien : mais dans l'ordre des choses voulu par Dieu, la puissance divine entre en jeu pour remuer les corps et mouvoir les organes, exactement comme nous le voulions. « Dieu a voulu que mon bras fût remué dans l'instant où je le voudrais moi-même » (VII, 13).

Le système occasionaliste peut sembler baroque et loin de nous. Il ne l'est pas tant que cela, puisqu'il prépare les positions du positivisme, doctrine aujourd'hui bien vivante. On peut même penser qu'il le fait de façon plus cohérente, donc plus philosophique, car Malebranche a anticipé les objections qui seront plusieurs fois opposées par la suite à l'élimination de l'agir humain, et qu'il a écarté d'avance les solutions de compromis avancées par les penseurs qui voudraient conserver une philosophie de l'action humaine sans pour autant souscrire à une philosophie « païenne » de la physique. Contre la négation de toute efficace à notre vouloir, des philosophes invoqueront la morale. Comment soutenir que nous ayons la responsabilité de nos actes si nous ne sommes pas vraiment les auteurs de ces actes, si c'est une autre puissance qui agit là où le langage vulgaire nous désigne comme les agents de ce qui arrive ? D'autres philosophes, comme Maine de Biran, invoqueront l'expérience intérieure de l'acteur, la conscience de l'effort. Malebranche leur a répondu d'avance. Tout se passe comme s'il avait en quelque sorte reconnu le terrain avant nous, et indiqué d'avance les fausses portes de sortie.

Il note d'abord que « la principale preuve que les philosophes apportent pour l'efficace des causes secondes se tire de la volonté de l'homme et de sa liberté[1] ». La principale objection est donc tirée de la morale : une philosophie de la causalité qui nous permettrait de nous déclarer d'avance irresponsables de tous les effets de nos mouvements serait par là même réfutée.

Sur ce point, Malebranche est déjà *compatibiliste* : il ne perçoit pas de contrariété entre le fait que nous soyons impuissants à faire quoi que ce soit par nous-

---

1. *De la recherche de la vérité*, XVe *Éclaircissement, op. cit.*, p. 988.

mêmes et le fait que nous soyons responsables de ce que nous faisons. On appelle aujourd'hui « compatibiliste » la thèse selon laquelle le déterminisme naturel et le libre arbitre ne sont pas mutuellement exclusifs[1]. Pour un compatibiliste, il n'y a pas contradiction à juger qu'un certain mouvement de mon corps est à la fois un phénomène naturel (soumis au déterminisme universel) et une chose qui peut m'être imputée comme chose faite par moi. La solution de Malebranche tient en deux points. D'abord, nous sommes libres de vouloir. « Notre esprit veut, il agit, il se détermine ; je n'en doute nullement. Nous en sommes convaincus par le sentiment intérieur que nous avons de nous-mêmes[2]. » Ensuite, il y a un ordre dans la volonté divine. Dieu agit par des lois générales, de sorte qu'il veut que soit faite la chose que nous voulons faire quand nous la voulons. Ces lois générales donnent son contenu au nouveau concept de nature : elles forment ce qu'on entend désormais par « ordre naturel » — à savoir, un cours régulier des choses. En vertu de cet ordre l'événement du mouvement du corps succède toujours à l'événement de la volonté de ce mouvement.

On voit que la solution compatibiliste de Malebranche suppose une théologie que les compatibilistes plus récents répugneraient sans doute à embrasser. Mais il se pourrait que la cohérence

---

1. Bien entendu, Malebranche ne parle pas, tel un philosophe des Lumières, du déterminisme universel de la nature. Ce qui lui importe est d'accorder la liberté humaine et la puissance divine. Son compatibilisme tient dans son explication de la thèse : nous sommes libres (donc susceptibles d'être punis ou récompensés), bien que Dieu fasse tout.

2. *De la recherche de la vérité*, XVe *Éclaircissement, op. cit.*, p. 989.

d'une solution compatibiliste soit à ce prix. D'abord, il est indispensable que le vouloir consiste dans des actes accomplis hors du monde : il ne saurait être question de soutenir que mon *vouloir* lui-même soit à la fois libre et déterminé. Ensuite, il faut que se tienne, derrière l'enchaînement des conditions naturelles de la production des phénomènes, la providence divine (ou, comme on préférera dire à partir du xviiie siècle, la Nature). S'il n'y a pas un tel agent divin pour coordonner mon acte de vouloir lever le bras et le mouvement du bras, alors c'est *par hasard* que mon bras se lève quand je veux lever le bras : et je ne suis évidemment pas responsable de ce qui se produit dans le monde du fait des mouvements de mon bras, si ces mouvements se produisent par hasard au moment même où j'exerce ma volonté. Il est donc permis de se demander si le positivisme ne se condamne pas à l'incohérence lorsqu'il accepte la conception malebranchiste des causes secondes, mais sans reprendre sa doctrine théologique de la cause première.

Il est une autre objection promise à un grand avenir : l'objection tirée de l'expérience intérieure, du sentiment que nous avons de produire des effets. Un tel sentiment sera le « fait primitif » sur lequel Maine de Biran construira sa doctrine : dans l'effort, je m'éprouve moi-même sujet libre exerçant une force (spirituelle) sur le corps. Ici encore, Malebranche a prévu l'objection :

« Mais dira-t-on, je connais par le sentiment intérieur de mon action que j'ai véritablement cette force ; ainsi je ne me trompe point de le croire. Je réponds, que lorsqu'on remue son bras, on a sentiment intérieur de la volonté actuelle par laquelle on le remue ; et l'on ne se trompe point de croire qu'on a cette volonté. On a de plus sentiment intérieur d'un certain effort qui accompagne cette volonté, et l'on doit croire aussi qu'on fait cet effort. Enfin je veux qu'on ait sentiment intérieur que le bras est remué dans le moment de cet effort[1]. »

Toutefois, répond Malebranche, le fait qu'on ait le sentiment de faire un effort ne prouve rien quant à la causation du mouvement physique. La conscience ne nous dit pas comment un sentiment d'effort (qui est, dans les termes de Malebranche, un « sentiment de l'âme », ou, comme dirait un phénoménologue, un « vécu de conscience ») peut « donner du mouvement aux esprits animaux » (ou, comme nous dirions aujourd'hui, activer le circuit nerveux correspondant au mouvement voulu). Qu'est-ce que je peux affirmer en me fondant sur les « données immédiates » de ma conscience (donc sur ce donné privilégié où l'être et l'apparaître coïncident)? Que je suis la cause de ce mouvement dont, semblait-il, toute l'initiative me revient? Malebranche écarte d'avance ce dogmatisme d'une philosophie fondée sur l'expérience intérieure. Tout ce que je sais « par sentiment intérieur ou par conscience », c'est : 1) que j'ai la volonté de remuer le bras; 2) que j'ai le sentiment de faire un effort pour lever le bras; 3) et que j'ai le sentiment d'un mouvement du bras. Mais tout cela ne suffit pas à m'établir comme la cause de ce mouvement, puisque tout cela pourrait être donné (la volonté, l'expérience de l'effort et le sentiment d'un mouvement de mon bras) *sans que* mon bras se soit levé le moins du monde (de même que le sentiment intérieur d'une douleur dans le bras ne prouve, ni que mon bras soit blessé, ni même que

1. *Ibid.*, p. 990-991.

j'aie un bras). Autrement dit, le privilège des « données » de la conscience — d'être immédiates — est aussi ce qui les empêche de me faire savoir quoi que ce soit sur la cause réelle du mouvement physique en question.

La psychologie de la volonté

La physique des premiers philosophes modernes est, comme on sait, mécaniste. On y a éliminé, avec les « formes substantielles », l'idée même d'un agent naturel. (Il suffit ici de penser aux plaisanteries sur la vertu dormitive de l'opium ou la vertu apéritive de la clé, donc sur l'idée qu'une chose puisse exercer ses pouvoirs dans une action sur une autre chose.) Puisque les corps n'agissent pas, il ne faut plus parler de leurs opérations naturelles. Ces dernières seront redécrites comme des comportements physiques. Chez ces philosophes, il reste toutefois une place, sinon pour une action physique de l'homme, du moins pour une action de son âme ou de son esprit : l'exercice de la volonté, dans un acte qu'on appelle une *volition*[1].

---

1. Le mot « volition » doit s'entendre comme un terme technique des philosophes : la volition est l'acte par lequel la faculté de vouloir d'un sujet est déterminée, ou se détermine, en volonté de tel objet plutôt que d'autre chose. Certains philosophes, mais non tous, soutiennent qu'il s'agit d'un événement observable de la vie mentale, d'une « donnée de la conscience ». La *doctrine des volitions* soutient qu'il y a toujours un tel acte à l'origine d'une action volontaire. Bien entendu, il n'est pas nécessaire qu'un philosophe use du *mot* même de « volition » pour soutenir une doctrine des volitions. Il suffit qu'il offre cette définition d'une conduite volontaire : une conduite sera tenue pour volontaire si elle résulte d'un

Pourtant, le statut de la volonté va devenir à son tour problématique dès qu'on en viendra à se demander comment des exercices de volonté peuvent déterminer les mouvements physiques. À peine essaie-t-on de trouver une place, dans une même histoire, pour l'acte (« je veux lever le bras ») et pour le mouvement physique (« mon bras se lève ») que la volonté subit le sort qui avait été celui de l'action : elle devient un phénomène, un « comportement mental », soumis, lui aussi, à un déterminisme. Malebranche affirmait encore que « notre esprit veut, il agit, il se détermine », c'est-à-dire qu'il transférait à un nouveau sujet, « notre esprit », les opérations du sujet pratique. Voilà précisément ce qui est devenu problématique : si ce n'est pas moi qui lève mon bras quand je le veux (puisqu'il s'agit d'un mouvement physique déterminé), ce n'est pas moi non plus qui fais que ma volonté se porte à lever le bras quand elle s'y porte (puisqu'il s'agit d'un mouvement mental déterminé).

Un dualisme tranché du spirituel et du matériel permettait de placer l'esprit en dehors du monde gouverné par les lois inflexibles de la nature (des lois qui expriment, pour le cartésien, la « volonté générale » de Dieu, ou bien qui constituent, pour un philosophe des Lumières, l'« ordre naturel »). Pourtant, les choses se compliquent lorsqu'on dépasse le simple acte volontaire « je veux lever le bras » et qu'on se demande, non plus pourquoi mon bras se lève, mais cette fois pourquoi je *veux* le lever.

Le problème posé est maintenant celui du *motif*. C'est un problème qu'on peut dire « psychologique »,

---

acte (mental) par lequel le vouloir du sujet est déterminé en volonté de se conduire comme il le fait.

au sens où nous disons que nous connaissons la
« psychologie » de quelqu'un si nous savons ce qui le
conduit à agir comme il agit.

En posant cette question, nous ne nous demandons plus si les agents humains ne seraient pas physiquement constitués comme des horloges. Nous
nous demandons plutôt s'ils ne seraient pas comparables, du point de vue moral, à des animaux. L'animal-machine doit avoir des ressorts physiques, mais
il doit avoir aussi des ressorts qui aient une signification psychologique (quoi qu'il en soit d'ailleurs du
statut physiologique à donner à ce psychisme animal). Lorsque le chien de chasse se jette à l'eau en
poursuivant un gibier, ce n'est pas comme s'il tombait dans l'eau pour avoir glissé ou pour y avoir été
poussé. Personne ne l'y a contraint de l'extérieur, ni
agent extérieur, ni force de gravité. Ce chien s'est
jeté à l'eau de lui-même, dans un but, et donc, en ce
sens, *volontairement*. L'animal-machine n'est pas un
corps physique constitué sur le modèle de la boule
de billard, car il présente une complexité de
construction qui vient compliquer « de l'intérieur »
la réponse qu'il va donner à la sollicitation extérieure. Une conduite qui répond ainsi à une inspiration interne plutôt qu'à des pressions externes est
« libre » au sens de l'absence de contrainte (*libertas a
coactione*). Mais du même coup, une inquiétude
nous saisit : il se pourrait que nos actions volontaires ne soient pas autre chose que des actions
motivées conformément à notre nature ou à notre
dressage (à notre « seconde nature »).

Tant que nous ne l'avons pas doté de ressorts psychologiques, l'animal-machine ne suscite pas la
question troublante de savoir si nous n'aurions pas,
nous aussi, une psychologie comme les animaux. Le

problème du déterminisme psychologique va se poser chaque fois qu'on croira devoir retranscrire une *téléologie* en termes d'*efficience*. Si le chien court après le lapin, c'est pour essayer de l'attraper. Mais comment une telle fin peut-elle expliquer les mouvements ? Si nous raisonnons en philosophes modernes, nous nous empressons de transcrire la poursuite d'un but en termes de causalité efficiente : le chien court parce qu'il *croit* pouvoir attraper le lapin s'il lui court après et qu'il *désire* l'attraper. La finalité de la conduite est attribuable à l'efficacité du motif, lequel sera conçu comme la résultante de deux vecteurs psychologiques, le vecteur cognitif (croyances) et le vecteur appétitif (désirs).

La conduite motivée est ainsi, semble-t-il, une conduite expliquée par un fonctionnement mental et ce n'est pas à ce titre qu'elle peut passer pour une manifestation de liberté. Une « mécanique de l'esprit » (ou psychologie) ne laisse pas plus de place à une libre initiative de notre part dans ce monde que ne le faisait la physique malebranchiste des corps. On notera ici que le seul déterminisme qui importe dans les sciences humaines est le déterminisme *psychologique*. Ainsi, la doctrine du « matérialisme historique » soutient que l'action humaine est déterminée par des facteurs économiques (les conditions matérielles de la production des moyens de subsistance). Les hommes font l'histoire, mais ils ne la font pas librement, dans la mesure où ce qu'ils font est déterminé par leurs conditions matérielles d'existence. À moins d'en rester à une hypothèse de type astrologique sur l'influence des conditions de vie sur les actions, le matérialiste historique doit supposer que les conditions matérielles de la vie déterminent la conduite des gens par l'intermédiaire d'un mécanisme idéologique. Ces conditions se reflètent dans les idées des gens, idées en fonction desquelles ils agissent. Pour qu'il y ait déterminisme économique ou sociologique, il faut donc finalement que les conditions extérieures déterminent les motifs d'agir, et que les motifs d'agir déterminent la conduite. En définitive, le matérialisme historique s'accorde avec les philosophies idéalistes ou spiritualistes pour juger qu'un motif reçu de l'extérieur (par exemple dans l'éducation ou dans la participation à la vie sociale) est un facteur par lequel l'agent se trouve contrôlé (déterminé) par son milieu.

Y a-t-il une place pour un agir humain dans notre conception générale des choses? On peut objecter d'abord qu'une élimination matérialiste de l'acteur ne tient pas devant l'expérience intérieure (tenue pour incontestable) que l'acteur a d'être l'auteur de son action. Mais nous avons vu comment le partisan de la thèse d'une impuissance physique de l'acte mental avait déjà prévu cet argument et lui avait répondu (voir *supra*, p. 121). La conscience atteste que nous avons le sentiment de vouloir, elle ne dit pas si notre volonté est efficace. Qui plus est, la conscience que nous avons de vouloir ne nous dit pas si c'est librement que nous avons les volontés qui sont les nôtres. La conscience ne me dit pas *qui* est à l'origine du mouvement de mon bras, et elle ne me dit pas non plus *qui* est à l'origine de ma volonté (on reconnaît la classique « question du sujet »). Reste la voie déductive : on peut objecter que le matérialisme ruine les conditions d'un ordre moral. Le philosophe doit alors construire un argument pour montrer comment les concepts d'action, d'intention, etc., tirent leur validité, non d'une expérience psychologique, mais de leur fonction dans la constitution d'un statut moral de l'humanité.

De la détermination de soi par soi

Faute de pouvoir établir la liberté et la causalité efficace des actes de volonté par la voie positive d'une expérience intérieure, il reste la solution de les postuler. On dira alors : sans la position, à l'origine d'un mouvement, d'un acte de volonté libre, il serait impossible de tenir ce mouvement pour l'action d'un acteur. Sans cet acte, ce ne serait qu'un comportement.

Au point de départ de cet effort pour restaurer le sujet dans son statut pratique, il y a une observation qui est tout à fait juste. Ce qui manque dans la conception de l'esprit qui en fait une machine mentale (dont le fonctionnement doit à son tour contrôler celui de la machine physique qu'est l'organisme), c'est la possibilité de tenir les motifs pour *discutables*. Il appartient pourtant à un motif de conduite de pouvoir être évalué : la « grammaire » des motifs, pour parler comme Wittgenstein, comporte qu'on puisse les dire honorables ou indignes, sérieux ou futiles, nobles ou ignobles. Mais un motif qui a été évalué n'est plus un « facteur » qui aurait une « influence » sur la conduite, c'est une *raison* d'agir. À un système organisé dont la complexité serait celle d'une machine psychologique, il manquerait encore quelque chose pour simuler l'être humain : la capacité d'examiner des motifs entrant en concurrence et de choisir d'agir en fonction de l'un d'entre eux, à l'exclusion donc des autres.

Les philosophes de la conscience ne s'attardent pas sur la privation de liberté qui consiste à être physiquement empêché de faire certains mouvements ou physiquement contraint d'en faire. Ce qui nourrit leurs spéculations est plutôt l'hypothèse d'un contrôle de notre volonté elle-même. Ils usent donc d'un concept de volonté tel que mon action pourrait être volontaire, et pourtant m'être imposée, en ce sens qu'un observateur pénétrant pourrait prédire toutes mes actions s'il connaissait ma psychologie. Dans une psychologie mécanique de la volonté, il n'est pas exclu qu'une action soit volontaire et pourtant en même temps prédéterminée par les antécédents biographiques de l'agent. Il suffit pour cela que le vouloir de l'agent — l'acte qui s'exprime dans le « je veux lever le bras » — soit lui-même sujet au déterminisme.

Dans la ligne d'une philosophie de la conscience, il y a une façon classique de restaurer l'être humain dans le statut d'un agent qui soit pour quelque chose dans ce qui lui arrive au cours de son existence terrestre : c'est de recourir à une version ou une autre de la doctrine de la *détermination de soi par soi*. On reconnaît ici la solution de la « philosophie de la liberté » ou, plus simplement, la solution *idéaliste*.

On peut introduire ainsi ce concept. Nous partons ici encore de la notion de la volonté comme cause du comportement volontaire. Mes jambes se remuent parce que je veux marcher. La marche est volontaire parce qu'elle résulte, à titre d'effet, de ce vouloir. On s'interroge ensuite sur ce vouloir lui-même : quelqu'un qui veut marcher est-il quelqu'un qui éprouve en lui cette motivation ? Ou bien est-il quelqu'un qui se la donne à lui-même ? Première doctrine (empirisme) : vouloir, c'est éprouver l'impression d'une motivation. Dans ce cas, quelqu'un qui veut marcher n'est pas libre de ne pas marcher, puisqu'il marche s'il le veut et qu'il veut justement marcher. Dans cet argument captieux, vouloir marcher, c'est être dans un état tel qu'il s'ensuit nécessairement que nous marchons. Bien entendu, l'état de vouloir marcher, comme tout état de notre histoire, demande à être expliqué, et il y a donc une cause de notre état de vouloir à chercher dans les antécédents de cette série de nos états. Deuxième doctrine (idéalisme) : quelqu'un qui veut marcher est quelqu'un qui *s'est placé lui-même*, par un acte libre de détermination de soi par soi, dans cet état de causer le mouvement de ses jambes par sa volonté de marcher (au lieu d'y avoir été placé par une puissance extérieure). Dans ce dernier cas, le vouloir est déterminé par le vouloir, et nous pouvons parler d'une détermination de soi par soi. Quelqu'un qui veut marcher doit marcher (si la volonté est agissante), mais reste libre de ne pas marcher puisqu'il aurait pu se placer dans un autre état de motivation.

L'argument idéaliste nous demande de postuler un acte libre de déterminer son vouloir à l'origine des actions imputables au sujet. Faute de postuler un tel acte, nous cesserions, dit-il, de considérer l'être humain comme un sujet pratique. L'inconvénient de la réponse idéaliste à la difficulté soulevée par le matérialisme, c'est qu'elle prouve trop. En effet, même si nous accordons le postulat, nous ne savons toujours pas pour autant *quelles* actions sont imputables au sujet pratique. Est-ce toute action émanant de lui qui trouve son origine dans une libre détermination de soi par soi ? Puisque le philosophe a renoncé à comprendre la connexion entre l'acte libre de vouloir et la conduite « phénoménale » du sujet, il n'y a aucune différence discernable entre les mouvements de l'agent qui semblent échapper à son contrôle rationnel et ceux qui ont l'air d'être par-

faitement contrôlés. Le sujet est autant responsable
de ses manies que de ses actes délibérés. Même
lorsque le sujet subit ce qui lui arrive, il est responsable de cette passivité : c'est lui-même qui s'est posé
comme renonçant à se poser activement.

On a vu comment il y avait, aux origines de la
« question critique », cette pensée : nous ne sommes
peut-être pas *aussi* actifs que nous le pensions
quand nous suivions le sens commun du vulgaire. Il
se pourrait même que nous ne le soyons pas du tout,
tant il est vrai que nous ne comprenons pas comment nous pourrions l'être. Mais l'idéalisme, pour
rétablir (comme il est juste de le faire) notre statut
d'agent, est amené à soutenir que nous sommes
beaucoup plus actifs que nous ne le pensions, et que
nous sommes même, au fond, entièrement agissants
(puisque nous sommes responsables de nos propres
passivités). Or ce qui nous importe, je crois, n'est pas
d'être responsables de toute chose, mais d'être responsables de ce qui peut pratiquement relever de
nous : de ce sur quoi nous pouvons et devons former
un jugement pratique.

Si la seule façon de nous reconnaître une responsabilité quelconque, c'était de décréter que nous
sommes en principe responsables de tout ce qui
arrive, il serait difficile de ne pas conclure à un
échec de cette tentative philosophique, dont l'intention était de nous restituer le statut de sujets pratiques. Pourtant, la doctrine de la détermination de
soi par soi n'est pas à rejeter sans plus. Elle cherche
à dire quelque chose qui doit en effet être accordé : à
savoir, qu'il y a des choses qui dépendent de nous. Et
parmi les choses à faire qui dépendent de moi, il en
est qui commandent ce que je vais être. Par exemple,
dans certaines circonstances extrêmes, il m'appar-

tient de faire ou de ne pas faire telle action (comme de m'opposer aux prétentions d'un tyranneau), et selon ce que je ferai, je serai en effet un pleutre ou un citoyen digne de ce nom. Ainsi, *ce que je suis* peut dépendre de *ce que je fais* : il y a donc bien quelque chose comme une détermination de soi par soi. Toutefois, l'école idéaliste a eu le tort de chercher à retrouver une place dans l'histoire du monde pour le sujet pratique dans les termes d'une *doctrine des volitions*. Elle n'a pas remis en cause le principe cartésien inaugural : le mouvement volontaire par lequel je lève le bras a pour cause la volition par laquelle j'accomplis ma volonté de le vouloir. Du coup, elle ne peut faire mieux que d'offrir une conception « dialectique » (ou délibérément contradictoire) de la volition : l'acte de volonté doit être déterminé (pour pouvoir causer le mouvement du corps) et indéterminé (pour être au pouvoir du sujet). Cet acte semble déterminé, et doit *apparaître* ainsi (pour pouvoir avoir le statut d'un événement capable de causer le mouvement du corps). Mais en même temps, de façon « complémentaire » bien qu'à première vue incompréhensible (si nous raisonnons selon la logique du simple « entendement »), cet acte doit être en lui-même indéterminé. En effet, dirait peut-être un dialecticien, mon acte de vouloir marcher maintenant est un acte de *vouloir* marcher maintenant. S'il l'est, c'est parce que j'aurais pu aussi bien *vouloir* ne pas marcher maintenant, et que ma volonté n'est pas d'emblée volonté de marcher maintenant (qu'elle n'est pas naturellement déterminée comme volonté de marcher maintenant). Ainsi, cette volonté de ne pas marcher maintenant, que je n'ai pas choisie, doit être également présente (à titre de possibilité réelle), en concurrence avec la volonté de

marcher maintenant, car elle en est la condition de
possibilité. Sans elle, la volonté de marcher maintenant, que j'ai choisie, ne serait pas une volonté libre,
mais une simple tendance naturelle. L'acte de vouloir doit donc être simultanément déterminant et, si
l'on peut dire, indéterminant. La solution proposée
est donc que l'acte de vouloir librement consiste
dans une unité « contradictoire » de la détermination et de l'indétermination (unité que la « raison
dialectique » nous invite à concevoir comme l'exercice du pouvoir de sortir d'une indétermination initiale — entre vouloir marcher et vouloir ne pas marcher —, l'acte de se déterminer soi-même à se
vouloir *voulant marcher maintenant* plutôt que *ne
pas voulant marcher maintenant*). Il faudrait donc,
pour rendre compte de l'acte de vouloir librement,
remonter jusqu'à ce mystère d'une libre autoposition
du sujet.

Il est permis de juger que cette dialectique reflète
plutôt l'enfermement de la réflexion dans la doctrine
des volitions qu'une contradiction inhérente à la
chose même. L'expression « se déterminer soi-
même » a un sens légitime, mais qui suppose seulement qu'il y ait des *futurs contingents* [1] pour le sujet

---

1. La logique des futurs contingents a été discutée pour la
première fois par Aristote au chapitre IX de son traité *De
l'interprétation*. Il y défend la position que voici, en prenant
l'exemple de l'éventualité d'une bataille navale qui aurait lieu
demain : il est aujourd'hui vrai *qu'il y aura demain une bataille
navale ou qu'il n'y en aura pas*, mais il n'est pas aujourd'hui
vrai *qu'il y aura demain une bataille navale*, et il n'est pas non
plus vrai aujourd'hui *qu'il n'y aura pas demain une bataille
navale*. Pour autant que ni l'un ni l'autre ne sont encore vrais
aujourd'hui (bien que l'un des deux, et seulement l'un des
deux, doive l'être demain), le futur est contingent, autrement
dit, indéterminé du point de vue logique.

pratique. Pour reprendre l'exemple donné ci-dessus :
à supposer que je doive affronter un tyran demain, il
n'est pas déjà vrai aujourd'hui que je ferai preuve
demain de courage, et il n'est pas déjà vrai non plus
que je ferai preuve demain de poltronnerie. Si la
chose n'est pas encore décidée, c'est qu'il dépend
(encore) de moi de faire que l'un des deux portraits
moraux soit vrai de ma personne plutôt que l'autre.
(Toutefois, après-demain, il sera trop tard : les
choses aujourd'hui indéterminées auront été entre-
temps déterminées.) En ce sens, il est exact que ce
que je vais faire, et qui n'est pas déterminé encore,
déterminera ce que je serai, qui n'est pas non plus
déterminé : ce qui est la formule même d'une détermination de soi par soi, ou encore de l'*être* par l'*agir*.
Or tout ce que demande cette détermination de moi-
même par moi-même est une action effective de ma
part : résister au tyran ou lui céder. La machinerie
mentale des volitions, et sa version spéculative, la
dialectique de l'autoposition, ne sont pas nécessaires
à l'établissement de ce fait moral : vous serez jugé
(après-demain) selon ce que vous aurez fait
(demain), et rien de tout cela n'est déjà déterminé
(aujourd'hui)[1].

1. La solution idéaliste est supérieure à la solution empiriste, dans la mesure où elle voit qu'il faut concevoir un mixte
de détermination et d'indétermination pour rendre compte de
l'acte libre. Mais la liberté de l'action n'exige pas qu'il y ait une
seule et même chose (un seul et même événement) qui soit
déterminé et indéterminé, simultanément et sous le même
rapport. Les aspects du déterminé et de l'indéterminé doivent
être *datés* : l'événement futur de la bataille navale n'est pas
déterminé à se produire ou à ne pas se produire de façon
intemporelle, il le devient progressivement. Il vient un
moment où il est trop tard (pour empêcher la bataille d'avoir
lieu tout à l'heure, ou, le cas échéant, pour la livrer à l'adversaire maintenant). On notera que le recours aux futurs contin-

*La critique des actes de volonté
dans la philosophie contemporaine*

Dans la psychologie des philosophes modernes (au sens de postcartésiens), les « actes de volonté » (ou volitions) ont pour fonction de permettre la distinction entre le comportement et l'action. Qu'est-ce qui manque à un simple mouvement corporel pour être mon action ? Il lui manque d'avoir été causé par un acte mental spécifique de ma part, un exercice de ma faculté de vouloir. On ne confondra pas ces volitions avec un autre type d'acte mental, l'acte de se décider. Une *décision* est un acte par lequel nous terminons une activité intellectuelle de délibérer au sujet de ce qu'il convient de faire. Nous délibérons lorsque nous voulons faire quelque chose, mais que nous ne savons pas comment agir, ou bien quand, ou bien dans quel sens, etc. La notion d'une conduite délibérée, réfléchie est beaucoup plus étroite que celle d'une conduite volontaire. Par exemple, c'est volontairement que j'ai écrit chacun des mots de la phrase précédente, mais il se trouve que je n'ai pas délibéré à leur sujet. Et lorsque nous demandons si un acte est ou non volontaire, notre question n'est pas de savoir si elle a été précédée d'une activité mentale de délibération aboutissant à une résolution. Elle est de savoir si l'événement de l'acte aurait eu lieu quand bien même le sujet n'aurait pas voulu accomplir cet acte. La doctrine classique n'est pas

gents suppose évidemment qu'on donne une réponse *incompatibiliste* à la question de savoir si un événement futur peut être entièrement prédictible à partir de l'état présent du monde et pourtant tenu pour libre.

que toute action volontaire soit causée par l'événement d'une délibération arrivant à sa conclusion. Elle est qu'une action est volontaire en tant qu'elle est causée par l'événement mental d'un acte de vouloir faire cette action, ou en bref, par l'événement mental d'une volition.

La doctrine des actes de volonté n'a pas résisté aux critiques de Wittgenstein et à sa suite de Ryle. On peut rassembler la substance de ces critiques sous trois chefs principaux : l'irréalité psychologique des volitions (point de vue de l'expérience), leur inutilité théorique (point de vue des conditions de possibilité d'une action), leur inanité conceptuelle (point de vue de la grammaire des concepts psychologiques).

D'abord, les actes de volonté sont introuvables dans l'expérience subjective. L'acte de vouloir est défini comme un événement mental. Nous cherchons donc parmi les épisodes de la vie mentale ceux qui pourraient jouer le rôle d'une « volition » et nous ne les trouvons pas. Les « impressions » ou « sentiments » de vouloir ne font pas l'affaire, parce qu'ils n'ont pas l'intentionnalité nécessaire (vouloir n'est pas éprouver une certaine impression de tension, c'est vouloir qu'une certaine chose se fasse). Quant à ces actes pris en eux-mêmes, personne ne peut rien en dire. Quand, combien de temps, au prix de quel effort ai-je exercé la volonté de lever le bras ? Il suffit, pour manifester la teneur mythique des actes de volonté, de poser à leur sujet les questions qu'on pourrait ordinairement poser à propos des activités mentales ordinaires (par exemple, celle de faire un calcul ou celle de retrouver le nom de l'auteur d'un livre dans sa mémoire) : quand m'y suis-je mis ? combien de temps cela m'a-t-il pris ? ai-je été interrompu ? y suis-je arrivé du premier coup ? etc. Aucune de ces questions ne trouve la moindre réponse quand il s'agit de l'acte pur de vouloir.

Reste à dire que ces actes doivent être postulés au nom d'une théorie, et non cherchés dans le vécu de conscience. Mais on observe alors que de tels actes, même si on les postulait au nom d'une argumentation transcendantale (en disant qu'ils doivent avoir lieu dans le cas où il y aurait des actions libres), ne pourraient résoudre le problème qu'en ayant lieu *toujours ailleurs* que là où il nous faut agir (donc ailleurs qu'ici où nous sommes). C'est l'objection de la régression à l'infini. Nous voulons savoir pourquoi tel geste est fait volontairement : la réponse est que ce geste résulte d'un acte de ma volonté. L'objection fait alors observer que la volonté peut, comme dit Descartes, « se terminer en l'âme[1] ». Je peux vouloir retrouver un souvenir, faire un calcul mental, porter mon attention sur un objet. De tels actes mentaux pourraient être involontaires. Qu'est-ce qui les rend volontaires dans le cas où ils sont faits volontairement ? La réponse sera, ici encore, qu'ils sont l'effet ou la suite d'un acte de volonté. Mais puisque la question peut toujours être posée de savoir si un acte (physique ou mental) a été fait volontairement ou non, la question ne peut manquer de se reposer au sujet de l'acte de vouloir lui-même : il faudra donc vouloir que l'acte de vouloir soit posé (faute de quoi cet acte se dégrade en « motif psychologique[2] »).

1. *Traité des passions*, I, 18.
2. Leibniz avait relevé ce danger d'une régression à l'infini : « Nous voulons agir, à parler juste, et ne voulons pas vouloir ; autrement nous pourrions encore dire que nous voulons avoir la volonté de vouloir, et cela irait à l'infini » (*Essais de théodicée*, n° 51).

La troisième ligne de la critique est peut-être la plus intéressante. Elle consiste à contester la façon dont les concepts psychologiques sont employés dans la philosophie de la conscience (qu'elle soit ou non déterministe). L'hypothèse du déterminisme repose sur la possibilité qu'on se donne d'envisager deux sortes d'événements : des événements physiques (« nos jambes se remuent ») et des événements mentaux (« nous voulons marcher »). Il y aurait déterminisme psychologique si les événements mentaux, causes des événements physiques, formaient eux-mêmes une série soumise à un déterminisme. Il y aurait liberté si un acte de vouloir pouvait être posé sans figurer lui-même dans une série causale d'événements mentaux. Or la question de savoir si une suite d'événements mentaux forme une série obéissant à des « lois » cesse de se poser lorsque nous y voyons une pure construction théorique. De façon générale, les concepts psychologiques n'ont pas pour domaine un monde mental séparé du monde public des actions. Ils s'appliquent aux mêmes événements. Quelqu'un qui veut marcher (maintenant) n'est pas quelqu'un dont l'esprit est le théâtre d'un procès mental (l'événement de vouloir marcher) qui causerait le mouvement des jambes. Quelqu'un qui veut marcher maintenant est quelqu'un qui marche maintenant sans y être contraint, ou qui s'efforce maintenant de marcher en dépit des obstacles qui lui sont opposés. Le fait que quelqu'un marche sans y être contraint n'est pas l'*effet* d'une cause mentale (la volonté de marcher). C'est, pour employer un concept de Wittgenstein, le *critère* que nous utilisons pour donner un contenu au concept de vouloir. Les jambes qui se remuent ne sont pas le signe que quelqu'un veut marcher comme la fumée est le signe du feu : ce qui serait pourtant le cas si les concepts psychologiques servaient à poser des procès internes (cachés) derrière les procès physiques (manifestes). Mais si le mouvement des jambes était seulement le symptôme de la volonté, on pourrait envisager qu'il y ait la volonté sans l'action, comme il peut y avoir le feu sans la fumée. Or nous ne comprenons pas de quelle volonté nous parlerait quelqu'un qui dirait : je veux marcher, rien ne m'en empêche, et pourtant j'ai beau m'appliquer à le vouloir, mes jambes ne se remuent pas.

II. LA STRUCTURE DE L'ACTION

Le débat contemporain sur l'action

L'abandon de la notion de volition nous fait passer à la philosophie contemporaine. Comment y pose-t-on le problème critique de l'action ? Il y a un problème critique, on s'en souvient, dès qu'il semble nécessaire d'ajouter quelque chose aux mouvements corporels pour pouvoir les considérer comme une action et non comme un simple comportement. Un simple comportement n'a pas besoin d'explication psychologique : l'état physique du monde (y inclus l'organisme) suffit à expliquer les mouvements corporels. Pour qu'il y ait *action*, il faut ajouter « ce qui reste quand on retire du fait que je lève le bras le fait que mon bras se lève ».

Aujourd'hui, nous trouvons des philosophes pour nous dire que le problème critique se pose toujours, et d'autres pour nous dire qu'il a heureusement disparu, qu'il n'aurait jamais dû être posé. Les premiers soutiennent que le problème critique doit être posé, mais sous une forme plus satisfaisante : nous avons désormais compris (peut-être pour avoir lu Wittgenstein) que l'élément à ajouter pour changer les simples mouvements corporels en action n'était pas une expérience interne de vouloir ou de faire un effort. Nous devons donc concevoir cet élément additionnel d'une autre façon. Ces philosophes restent donc mentalistes, si le mentalisme consiste à dire qu'un mouvement de votre corps est une action de votre part dans le cas où ce mouvement de votre corps est causé par l'état de votre esprit. La doctrine des nouveaux mentalistes est souvent appelée *théorie causale* de l'action, pour marquer le rôle qu'ils donnent à la causation mentale dans la caractérisation de l'action humaine. En revanche, les partisans de Wittgenstein considèrent que le problème de l'interaction entre le mental et le physique est l'exemple même d'une difficulté qui appelle non pas une solution théorique, mais une émancipation intellectuelle à l'égard de certaines façons canoniques de parler et de certains modèles explicatifs qui nous fascinent. Pour ces philosophes, ce qui fait de certains de vos gestes une action dont vous êtes le sujet n'est pas que ces gestes soient un événement physique causé par un événement mental dans votre tête, mais qu'ils aient, pris ensemble, une structure intentionnelle. Autrement dit, ces gestes peuvent être décrits selon le schéma logique d'une inférence des moyens à partir de la position d'un but à atteindre. Je parlerai pour me référer à cette école de la *théorie structurale* de l'action, afin de souligner qu'on y explique le concept d'action en faisant appel à la structure de subordination permettant de justifier un comportement par le résultat qu'il est censé avoir[1].

Pour la théorie causale, la structure de l'action est celle d'une *chaîne causale* ordinaire. Autrement dit, le concept d'intentionnalité est pris pour un concept causal. On parle d'une action faite intentionnellement pour signifier que quelqu'un a fait quelque chose *parce que* cette personne avait des raisons de le faire. Il faut donc trouver, d'une façon ou d'une autre, une relation de causalité entre ces raisons et cette action.

Pour la théorie structurale, la structure de l'action est un *ordre de subordination*. Autrement dit, l'intentionnalité est un concept structural. Il ne peut pas être question d'intentionnalité là où nous ne trouvons pas un matériel auquel appliquer le schéma formel du genre « en faisant la chose A, l'agent essayait de faire la chose B » ou « c'est pour faire la chose B que l'agent se donne la peine de faire la chose A ». La causalité des intentions n'est en aucune façon efficiente, elle est finale ou téléologique.

Avant d'entrer dans ce débat des deux écoles, il convient de préciser que l'une et l'autre récusent les principes de la *philosophie de la conscience*. Nous

1. Pour exposer la théorie causale, je me référerai à l'œuvre de Donald Davidson. Pour la théorie structurale, j'utiliserai les écrits des auteurs de la tradition wittgensteinienne, principalement E. Anscombe, G.H. von Wright, A. Kenny. Dans les limites du présent exposé, je ne puis tenir compte des différences entre ces trois penseurs, ni chercher à reproduire leurs terminologies respectives. C'est Kenny qui, élaborant pour son propre compte certaines distinctions introduites par von Wright, parle d'une « structure hiérarchique » s'appliquant généralement à tout ce qui se présente comme une action (*Will, Freedom and Power*, Oxford, Blackwell, p. 55).

avons déjà eu l'occasion de caractériser la position des philosophes de la conscience (voir *supra*, p. 110). Il convient maintenant de dire quelle est celle de ceux qui se réclament de la « philosophie analytique », autrement dit de la *philosophie du langage*. Pour ce qui nous importe en philosophie de l'action, la divergence entre philosophes de la conscience et philosophes du langage porte sur le mode d'acquisition des concepts psychologiques. Comment savons-nous ce que c'est qu'agir, ce que c'est que vouloir, ce que c'est qu'être conscient ? Il y a ici, en effet, deux positions possibles : ou bien nous tirons ces concepts d'une expérience, ou bien nous les tirons des formes de description que nous fournit un langage que nous avons appris. Pour un philosophe de la conscience, je sais ce que signifient les concepts d'action et de vouloir parce que je puis me reporter à mon expérience d'agir et à mon expérience de vouloir[1]. Pour un philosophe du langage, je sais ce que signifient ces concepts pour autant que je sache construire des phrases dans lesquelles ils figurent. Pour le premier, éclaircir les concepts d'action ou de vouloir, c'est décrire ces expériences décisives dont

1. Merleau-Ponty exprime très bien la thèse des philosophes de la conscience quand il écrit : « Quels que puissent être les glissements de sens qui finalement nous ont livré le mot et le concept de conscience comme acquisition du langage, nous avons un moyen direct d'accéder à ce qu'il désigne, nous avons l'expérience de nous-mêmes, de cette conscience que nous sommes, c'est sur cette expérience que se mesurent toutes les significations du langage et c'est elle qui fait que justement le langage veut dire quelque chose pour nous » (*Phénoménologie de la perception*, Gallimard, p. X). On notera toutefois que la philosophie analytique du langage ne s'occupe pas tant du mot « conscience » que de la structure logique des phrases exprimant des faits quelconques de conscience.

ils tiennent leur contenu. Pour le second, éclaircir ces concepts, c'est décrire une façon de parler, c'est-à-dire proposer une analyse des phrases narratives rapportant une action ou des phrases descriptives attribuant une volonté à quelqu'un.

La controverse contemporaine sur la structure de l'action opposent des philosophes du langage à d'autres philosophes du langage. Notre enquête s'en trouve facilitée : tout ce que nous avons à faire est de demander, aux uns et aux autres, d'expliquer les analyses qu'ils proposent des discours de narration historique. Analyser la proposition narrative d'une action, c'est proposer une « phrase analytique » qui lui corresponde. On appelle phrase analytique une paraphrase de l'énoncé initial, paraphrase dont le but est d'articuler explicitement la *forme logique* de l'expression de l'action. De ce point de vue d'une analyse philosophique du langage, deux conceptions de l'action sont incompatibles si et seulement si les phrases analytiques proposées sont incompatibles.

Historiquement, les théories structurales ont été formulées les premières, dans le sillage de l'enseignement de Wittgenstein (un enseignement qui a émancipé ceux qui l'ont reçu des préjugés cartésiens de la philosophie traditionnelle). Ensuite sont venues les nouvelles théories causales. Nous nous demanderons jusqu'à quel point on peut parler d'une restauration du mentalisme des classiques de la philosophie moderne. En effet, le style analytique de la philosophie contemporaine n'empêche nullement les philosophes de prendre tout à fait au sérieux les problèmes, et souvent les solutions, proposées dans le passé. À cet égard, on notera que les partisans d'une conception causale font usage d'un concept empiriste de causalité (qu'on qualifie de « néohumien », pour indiquer qu'ils se séparent de Hume par leur souci de distinguer entre une authentique régularité et une uniformité fortuite). De leur côté, les philosophes de la conception structurale se réfèrent volontiers à Wittgenstein, mais ils ont aussi des affinités avec Aristote, ce qui fait qu'on a pu parler de « néo-aristotélisme ».

La conception structurale de l'action

Le point de départ de l'analyse est ici : les transformations que quelqu'un produit autour de lui sont une action intentionnelle de sa part si on peut leur appliquer la structure de subordination d'un moyen à une fin du sujet. La forme de description d'une action est donc : l'acteur fait ce qu'il juge devoir être fait (ici, indiquer le moyen utilisé par l'acteur) pour obtenir le résultat visé (ici, indiquer le nouvel état du monde que l'acteur compte produire par son intervention dans le cours des choses). Autrement dit, l'acteur fait qu'il arrive que p afin d'obtenir par là qu'il arrive que q (les lettres « p » et « q » servant ici à noter des descriptions d'états du monde résultant de l'action).

Cette forme de description fait appel, en français, au verbe « faire ». Les linguistes disent que le verbe « faire » (ou son équivalent syntaxique dans une autre langue) est ici utilisé comme un verbe auxiliaire causatif. Nous pouvons donc dire que, pour la théorie structurale de l'action, le moyen de faire ressortir la structure de l'action est justement de faire appel à un opérateur causatif du genre « faire que », « faire en sorte que » (*bringing it about that* en anglais, *lassen* en allemand, etc.). Pour mieux comprendre les fonctions de cet opérateur, nous pouvons nous adresser à un linguiste qui en a présenté une théorie particulièrement claire. Ce n'est sans doute pas un hasard si ce linguiste, Lucien Tesnière, est l'auteur d'une syntaxe structurale.

Tesnière compare la phrase organisée autour d'un verbe d'action à un « petit drame[1] » : on y trouve, comme dans un drame théâtral, un « procès », des « acteurs » et des « circonstances ». Du point de vue de la syntaxe, le procès dramatique correspond au verbe, les acteurs aux compléments d'objet, d'agent et d'attribution, les circonstances aux compléments de lieu, de temps, de moyen, etc. Soit par exemple la phrase : « Arthur ouvre la porte. » Cette phrase est un drame en miniature, non pas bien sûr parce qu'elle rapporterait un événement pathétique, mais parce qu'elle met en place des partenaires linguistiques (que Tesnière appelle des « actants ») : le sujet qui fait l'action et l'objet qui la supporte. Nous expliquons le « drame » en dégageant la « structure actancielle » du verbe. Ainsi, le verbe « ouvrir » a la structure actancielle d'un verbe à deux actants.

Qu'y a-t-il ici de suggestif pour le philosophe ? On doit se donner, plutôt qu'une phrase isolée, une phrase contenant un verbe d'action avec le *système verbal* dont ce verbe fait partie. Dans une grammaire scolaire, on lira que le verbe « ouvrir » est un verbe transitif, puisqu'il se construit avec un complément d'objet. Dans l'exemple ci-dessus, le verbe « ouvrir » possède en effet la structure actancielle d'un verbe à deux personnages. Mais qui dit structure actancielle dit série de verbes qui sont rangés dans un ordre

---

1. *Éléments de syntaxe structurale*, Klincksieck, 2e éd., 1988, p. 102.

croissant de complexité actancielle, selon qu'ils ont zéro, un, deux ou trois actants. À quel système le verbe « ouvrir » appartient-il ? On dégage ce système en regardant comment engendrer d'autres phrases narratives, en ajoutant ou en retirant des actants à la phrase (en augmentant ou en diminuant le nombre des « personnages » du « drame »). Le linguiste distingue deux opérations syntaxiques inverses : l'opération récessive et l'opération causative.

1) L'opération *récessive* : « La porte s'ouvre. » Ici, nous explique Tesnière[1], l'emploi du réfléchi n'a pas une valeur réfléchie (ce n'est pas la porte qui tourne sa propre clenche), mais une valeur récessive. Cette construction permet de dire ce qui arrive sans avoir à désigner l'agent du procès. Une nouvelle opération récessive fait disparaître toute mention d'un actant (agent ou patient) : *On ouvre*, sur le modèle de *Il pleut*. Les phrases impersonnelles effacent entièrement la considération de l'agent. (Dans un matérialisme des actions, qui est une philosophie du « procès sans sujet », cette forme syntaxique devient canonique, surtout dans l'ordre de la description psychologique : « il pense en moi », « ça parle », etc.).

2) L'opération *causative* : « Martin fait ouvrir la porte par Arthur. » En faisant appel à un verbe auxiliaire causatif comme le verbe « faire », nous pouvons ajouter un actant au « drame ». Au verbe « ouvrir » correspond le causatif « faire ouvrir », tout comme le verbe « tomber » a pour causatif « renverser » (= « faire tomber »), et comme « voir » a pour causatif « montrer » (= « faire voir »)[2].

---

1. *Ibid.*, p. 273.
2. *Ibid.*, p. 259 *sq.*

À partir de là, il est possible de développer une analyse *causative* et non plus *causale* de l'action. La théorie classique de l'action, chez les philosophes postcartésiens, est le plus souvent une théorie causale : elle appelle l'action le mouvement du corps qui est causé par l'esprit ou la volonté. Mais l'analyse causative de l'action, quant à elle, conçoit l'action elle-même comme la *causation* d'un résultat (et non plus du tout comme l'*effet* d'une causation mentale).

L'analyse causative de l'action est, plus précisément, l'analyse causative de l'*expression* de cette action dans une proposition narrative. Nous avons bien affaire ici à une philosophie analytique de l'action, puisque l'analyse porte sur le langage dans lequel nous donnons la description de ce dont il s'agit. Pour faire ressortir la forme logique d'une phrase narrative rapportant l'action de quelqu'un, on peut alors schématiser ainsi : « A fait que *p*. » Ce schéma s'interprète comme suit :

1) La lettre « p » indique que la narration contient une place à remplir par la description d'un état de choses. (Si vous racontez l'histoire de ce que quelqu'un a fait, vous devez dire d'abord ce qui, dans l'histoire du monde, est arrivé de son fait.)

2) Un opérateur de causation, « faire que », est appliqué à cette description pour indiquer que cet état de choses, s'il est obtenu, est l'œuvre d'un agent.

3) Une lettre « A » figure la désignation de l'agent de cette action.

4) Les détails supplémentaires dont on peut enrichir la narration se répartissent en deux classes : d'un côté, les *circonstances extérieures* à l'action, de l'autre, les *conditions de possibilité* de cette action. Par exemple, pour demander la parole au cours d'une assemblée, il suffit de lever le bras (attirant

ainsi l'attention du président de la séance). Le fait de participer à une assemblée délibérative est une circonstance extérieure à l'acte de modifier la position de son bras, mais c'est une condition de possibilité qui doit être satisfaite pour qu'on ait accompli l'acte de demander la parole. La forme grammaticale du gérondif marque cette relation de condition à conditionné : c'est en levant le bras qu'on lui donne la position « levé » et, en vertu d'une convention, c'est en lui donnant cette position qu'on demande à prendre la parole.

La phrase narrative, par définition, rapporte un épisode de l'histoire du monde. Mais tout phrase narrative n'est pas pour autant une phrase rapportant une action dans le sens spécial et restreint que les philosophes donnent aujourd'hui à ce mot. Pour avoir une phrase racontant une *action humaine* (ou intentionnelle), il faut maintenant donner une dimension psychologique à notre récit et dire comment l'agent opère dans un but ou avec une intention. Une complication s'introduit alors dans le récit : tantôt il y a coïncidence entre le résultat *visé* et le résultat *obtenu* (et c'est le cas d'une action qui réussit), tantôt il y a un écart entre les deux (et c'est le cas d'un échec).

On demandera ici quelle est la place grammaticale du concept d'intention. Où intervient, dans la proposition narrative, la précision consistant à dire que son action est intentionnelle ? Le schéma proposé montre que l'intentionnalité est adéquatement exprimée si nous ajoutons à la phrase un nouvel opérateur (adverbe) venant modifier l'auxiliaire causatif, tout comme l'auxiliaire causatif venait modifier la description du changement enregistré dans le monde. Ce qui donne, en prenant pour base le

schéma introduit plus haut : « A a fait intentionnellement que *p* », ou « C'est intentionnellement que A a
fait que *p* ». De même que l'opérateur causatif modifie la description de ce qui arrive (en le présentant
comme le résultat de l'action de quelqu'un, ou
comme son fait, « ce qu'il a fait »), de même un opérateur intentionnel peut enrichir (le cas échéant) la
description de l'action en la présentant comme une
action qui a été faite « exprès » ; autrement dit, en
présentant la description donnée de cette action
comme une description que l'agent pourrait
reconnaître lui-même comme l'expression de ce qu'il
s'est proposé d'accomplir.

On peut d'ailleurs décider ici d'introduire une distinction, puisque nous disposons en français de deux
formes causatives, « faire » et « faire en sorte que ».
On stipulera que l'opérateur « faire que » sera
réservé à l'expression d'une causation simple, sans
imputation d'une intention ou d'un projet. En
revanche, l'opérateur modifié « faire en sorte que »
exprimera une causation intentionnelle, dans la
mesure où il est suggéré que l'agent *prend les moyens*
qu'il juge propres à obtenir le résultat par lui *visé*.

L'introduction dans le récit de la dimension intentionnelle revient, comme on vient de le voir, à préciser si l'acteur, en faisant ce qu'il fait, arrive ou non à
ses fins. La question de l'intentionnalité surgit donc
lorsque nous nous intéressons à la différence entre
réussir et *échouer*.

Quelle différence y a-t-il entre un premier voyageur A qui n'arrive pas à sa destination parce que,
ayant oublié de mettre son réveil, il est encore dans
son lit en train d'y dormir et non pas dans le train
qu'il aurait dû prendre, et un deuxième voyageur B
qui, lui non plus, n'arrive pas à destination parce

que, ayant mal lu les signaux affichés à la gare, il a pris le train de Massy-Palaiseau au lieu de prendre le train d'Étampes ? Aucun des deux n'a fait ce qu'il aurait fallu faire pour arriver au but. Mais seul B a échoué, alors que A n'a rien fait du tout. En nous servant du schéma proposé ci-dessus, on dira que A ne fait pas en sorte que sa position soit changée, alors que B fait qu'il soit transporté de Paris à Massy-Palaiseau (mais non de Paris à Étampes comme il le voulait et comme il croyait avoir fait en sorte de l'être).

Comprendre l'intentionnalité pratique (ou la structure logique de l'action), c'est d'abord comprendre que l'acteur qui réussit et l'acteur qui échoue ont en commun d'avoir fait quelque chose. D'où vient la différence entre eux ? Prenons un troisième voyageur C qui est arrivé par le train, comme il le voulait, à la gare d'Étampes : il a réussi à se lever en temps utile pour prendre un train, il ne s'est pas trompé de train, le train qu'il a pris n'a pas été détourné de sa route par des pirates du rail, etc. Nous disons que C a fait l'action de se rendre à Étampes (et nous précisons éventuellement qu'il y a été en train). L'action que nous lui attribuons est ici déterminée par son résultat : quelqu'un qui n'est pas arrivé en train à Étampes n'a pas fait l'action d'aller à Étampes en train. L'arrivée de C en gare d'Étampes fait partie, de façon essentielle, d'une action d'aller en train à Étampes. Pour le philosophe, cela veut dire que cette action du voyageur C est constituée, d'une part, par les initiatives de l'acteur (se lever à temps, monter dans le train, etc.), mais aussi, d'autre part, par des circonstances extérieures à ces initiatives considérées comme de simples mouvements corporels. Comme l'illustre la mésaventure du voyageur B, il est possible de faire les mouvements corporels de quelqu'un qui prend le train, et donc de prendre un train, sans pour autant faire l'action projetée, celle de prendre le train pour se rendre à sa destination.

En quoi une tentative se distingue-t-elle d'une action qui réussit? Peut-être par rien du tout (si la tentative réussit). C'est donc une question de description. Lorsque nous disons ce que quelqu'un essaie de faire, nous décrivons sa conduite par le résultat qu'elle aura si elle réussit. La précision « si elle réussit » renvoie à une condition *extérieure* à l'action. Comparons deux situations :

a) le voyageur C a accompli l'action d'aller en train à Étampes s'il a pris un train et s'il est arrivé par ce train à Étampes;

b) le voyageur B a accompli l'action de *tenter* d'aller en train à Étampes s'il a pris un train et s'il a cru qu'en prenant ce train il arriverait à Étampes.

Arriver à destination est une condition de possibilité pour l'attribution de l'action de se rendre à cette destination, mais c'est une circonstance extérieure à l'action d'essayer de s'y rendre.

La conclusion philosophique à tirer est la suivante : l'action humaine est affligée d'une fragilité constitutive, puisqu'on peut normalement y discerner deux composantes, l'initiative prise par l'acteur et les circonstances qui ont fait que cette initiative a été couronnée de succès.

Y a-t-il malgré tout des actions *atomiques*, indivisibles, indécomposables, qui échapperaient par principe à la condition de fragilité? Des actions qui ne seraient pas analysables en une tentative de l'acteur et une circonstance extérieure favorable? On parle d'*action primitive* pour une action qu'il est en mon pouvoir immédiat de faire, sans qu'il puisse être question ici de tentative, de succès ou d'échec. Toute analyse de l'action doit distinguer les actions qui constituent des succès pour l'acteur et les actions qu'il a simplement faites sans plus, et qui sont donc primitives. Il n'est pas possible que toute action soit le succès d'une tentative. En effet, l'essai de faire X consiste à faire Y dans l'intention ou l'espoir d'avoir fait X rien qu'en faisant Y. Il faut donc bien qu'on arrive à une action qui ne soit pas elle-même un essai qui a réussi (sinon il y aurait régression à l'infini, et l'action n'aurait jamais pu commencer). La question est alors de savoir si les actions primitives de l'acteur sont, par le fait même, des actions atomiques, des unités pratiques indécomposables. La réponse est qu'une analyse structurale ne saurait reconnaître des atomes pratiques, puisque, pour elle, l'action consiste dans une structure : là où il y a de l'action intentionnelle, il doit y avoir une structure intentionnelle. Il faut donc qu'il y ait quelque chose qui change dans le monde, et il faut que ce soit parce que quelqu'un a produit ce changement dans une intention. Est-ce que lever le bras est une action primitive ? La plupart du temps, il est immédiatement en mon pouvoir de lever le bras : il s'agit donc bien d'une chose que je puis faire ou ne pas faire sans plus, sans avoir à tenter quoi que ce soit pour cela. Mais où est ici l'action ? Elle est d'obtenir que quelque chose change (la position de mon bras) du fait de mon intervention (mon geste de lever le bras). Cette action, qui est en effet primitive, n'est pas pour autant atomique, puisque nous y distinguons le résultat à obtenir et le procès susceptible de l'obtenir. Or ce sont les circonstances (extérieures) qui donnent à l'acteur, en telle occasion, le contrôle complet de ce procès : si mon bras n'est pas engourdi ou alourdi par un fardeau ou bloqué par un adversaire au cours d'un combat, il est complètement en mon pouvoir d'en modifier la position. L'exigence d'une différence se marque donc ici à ceci que nous ne pourrions pas tenir le lever de mon bras pour une action intentionnelle si nous n'y retrouvions pas la différence entre le point d'application de l'agir (qui doit être là où le changement est à produire hors de l'acteur) et la puissance active de l'acteur. Bref, lever le bras n'est pas une action humaine en tant que c'est un geste, mais en tant que c'est un geste intentionnel, autrement dit parce qu'on peut y distinguer analytiquement le moyen utilisé (le geste) et le résultat visé (modifier la position du bras). Or c'est tout cela, nous le verrons, qui sera justement contesté par la nouvelle théorie causale de l'action.

Dans cette analyse causative, le « problème de la soustraction » de Wittgenstein ne se pose plus et n'a même pas la possibilité de surgir. Nous pouvons dire que « mon bras se lève » et que « je lève le bras ». Mais nous ne pouvons pas dissocier les deux faits, renvoyant le premier au monde « objectif » (nature) et le second à la sphère « subjective » (conscience). En effet, le mode d'expression de l'agir, dans le schéma proposé, est adverbial : il passe par un opérateur modifiant une description. Si l'on voulait soustraire le fait que mon bras se lève du fait que je lève le bras, il resterait : « je fais que », ce qui n'est pas une proposition du tout. En termes grammaticaux, on dira que l'auxiliaire causatif ne peut pas être employé sans un verbe principal.

La réalité matérielle
des actions primitives

Je considérerai maintenant l'objection présentée par Donald Davidson contre toute analyse causative (contre tout recours à une analyse utilisant un opérateur causatif du type « faire en sorte que »).

L'analyse causative pose qu'il revient au même de dire que quelqu'un a fait une certaine action et que quelqu'un a fait en sorte qu'un certain résultat soit obtenu. Mais qui obtient ce résultat ? Ce ne peut être que l'agent. Comment l'obtient-il ? Par son action ! Dès lors, objecte Davidson, la phrase analytique proposée par l'analyse causative laisse de côté l'essentiel, à savoir : ce que fait effectivement l'agent quand on dit qu'il « fait en sorte » qu'une certaine situation soit modifiée, par exemple qu'une porte qui était fermée soit maintenant ouverte. Si vous vous contentez de dire que l'agent a fait en sorte que la porte soit ouverte, vous n'avez pas encore analysé son action, puisqu'elle est maintenant concentrée dans l'expression non encore analysée « faire en sorte que ». L'objection est donc que « faire en sorte que p », c'est « faire quelque chose pour qu'il arrive que p », et qu'il nous reste maintenant à analyser la chose que fait l'agent pour qu'il arrive que p.

Davidson donne l'exemple de quelqu'un qui a une crise d'appendicite et s'adresse à un chirurgien. Pouvons-nous analyser ce que fait ce chirurgien quand il opère le patient de l'appendicite en disant : le docteur a fait en sorte que le patient n'ait plus une crise d'appendicite ? Non, car cette paraphrase ne dit pas que le docteur l'a fait en l'opérant, en lui retirant son appendice. Il pourrait tout aussi bien « faire que le patient n'ait plus de crise d'appendicite » sans pour autant faire l'action de l'opérer : par exemple, écrit Davidson, en l'envoyant à un confrère ou même en l'écrasant avec sa voiture[1].

Le sens de l'objection est qu'une analyse causative ne serre pas la chose d'assez près. Le résultat final est *toujours* trop éloigné de l'agent pour permettre de déterminer le changement intervenu comme étant arrivé parce que l'agent a agi. Il reste à dire ce que cet agent a fait pour cela. Davidson a lui-même donné plusieurs versions de cette objection. On retiendra que l'agent a dû, pour agir, agir *lui-même*, et qu'il a agi lui-même s'il a fait lui-même des *mouvements physiques* qui aient causé le résultat.

Nous pouvons rattacher une telle objection à la question classique d'analyser la phrase (rendue célèbre à titre d'exemple dans les manuels de grammaire latine) : *Caesar pontem fecit*. En dépit de ce que la phrase a l'air de dire, il est permis d'estimer que ce n'est pas vraiment César qui a fait le pont (au sens de le bâtir). En revanche, il reste possible de dire : César a fait qu'un pont se construise. Il l'a fait en faisant lui-même l'acte de commander qu'on construise un pont.

Toutes les objections de ce genre procèdent d'un présupposé : en fin de compte, quelqu'un a agi s'il a fait de lui-même un certain mouvement corporel. Elles reposent sur une réduction : ce qu'a fait l'acteur, c'est en dernière analyse ce mouvement et rien de plus. L'attribution d'un événement à l'action de quelqu'un revient en fait à poser un rapport de

---

1. *Actions et événements*, trad. P. Engel, PUF, 1993, p. 156-157.

causalité entre *deux* événements : les gestes effectués par quelqu'un (cause), les changements intervenant dans le monde (effet). L'action se réduit donc aux gestes, tandis que ce que nous avons appelé jusqu'ici le *résultat* de l'action apparaît dans cette analyse comme un *effet*. Les descriptions que nous pouvons donner de ce que quelqu'un a fait se divisent donc en deux : toutes celles qui sont indirectes, parce qu'elles spécifient l'action par l'un de ses effets, et celle qui est « primitive » (*basic*), parce qu'elle donne la réalité même de l'action. La description indirecte dit ce que quelqu'un se trouve avoir fait : par exemple, laisser entrer son visiteur, en faisant autre chose, par exemple en ouvrant la porte. Toute description d'une chose faite en faisant autre chose présuppose une description plus directe de ce que le sujet a fait. À la fin, il faut arriver à la description d'une chose qui est faite sans être faite en faisant autre chose : c'est, pour Davidson, la description d'un simple mouvement du corps. Par exemple, l'agent a ouvert la porte en faisant un mouvement du bras et de la main. Davidson conclut donc : « Nos actions primitives — celles que nous n'accomplissons pas en faisant quelque chose d'autre, les simples mouvements du corps — sont les seules actions qui existent. Nous ne faisons jamais autre chose que mouvoir nos corps : c'est la nature qui se charge de faire le reste[1]. » On voit que Davidson est cartésien quand il s'agit de rendre compte des mouvements du corps de l'acteur (ces mouvements sont *causés* par l'état mental de l'acteur), mais qu'il est occasionaliste quand il s'agit d'attribuer à une puissance les effets obtenus par l'acteur au-delà de son épiderme (ces effets sont pro-

---

1. *Ibid.*, p. 88-89.

duits par la nature *à l'occasion* d'une action primitive).

Actions et événements

Il nous reste à voir comment la théorie causale
propose une analyse *extensionnelle* des narrations de
l'action. Que faut-il entendre par là? La notion
d'extensionnalité vient de la philosophie de la
logique[1]. Pour les besoins de notre exposé, on retiendra que l'analyse d'une proposition est extensionnelle si elle parvient à dégager les conditions de
vérité de cette proposition (autrement dit, son sens
descriptif) sur un mode acceptable par un philosophe nominaliste. Or un nominaliste (dans l'un au
moins des sens du mot) est quelqu'un qui n'accepte
une analyse que si elle est du type suivant : 1) elle
identifie des existences distinctes, celles des choses
(au sens large des entités individuelles) auxquelles il
est fait référence dans la proposition ; 2) elle spécifie
les relations posées dans la proposition entre ces
choses faisant l'objet d'assertions existentielles indépendantes les unes des autres.

Pourquoi un nominaliste est-il satisfait par une
telle analyse? C'est qu'elle ne fait appel qu'à des relations externes[2]. En revanche, le nominaliste ne peut

1. On appelle *extension* d'un terme (figurant dans une proposition) l'ensemble des choses auquel ce terme peut être correctement appliqué. Ainsi, chacun des douze apôtres appartient à l'extension du terme prédicatif « apôtre de Jésus-
Christ ».
2. Par définition, deux existences sont distinctes si je peux
concevoir l'une sans l'autre. Si une chose A et une chose B ont
des existences distinctes, il peut être vrai qu'il existe une chose
telle que A, sans qu'il soit vrai qu'il y ait en même temps une

pas s'accommoder d'une analyse causative de l'action, car une telle analyse revient à poser qu'il y a une relation interne entre le fait, pour quelqu'un, d'avoir fait une certaine action, et le fait, pour une chose de ce monde, d'avoir subi un certain changement. L'opérateur causatif n'est pas extensionnel : lorsque je fais en sorte que la porte soit maintenant ouverte (alors qu'elle était fermée avant que j'intervienne), c'est moi qui fais l'action, mais c'est la porte qui s'ouvre. L'attribution de la réalité de l'action à l'acteur dépend donc d'une circonstance *extérieure* à cet acteur, bien qu'elle soit *constitutive* de cette action (à savoir, que la porte se soit effectivement ouverte). Le nominaliste va essayer de remplacer toute notion du genre « faire que » par une relation (externe) entre deux événements. Or nous tenons une telle relation externe avec la causalité comprise sur le mode positiviste : un événement A cause un événement B si ce sont des événements distincts (condition de l'extériorité des existences) associés par une relation de succession régulière (il ne peut pas y avoir l'événement A sans qu'il y ait ensuite l'événement B).

Voici, je crois, comment on peut présenter l'analyse extensionnelle proposée par Davidson. Ce dernier a tiré une leçon des arguments avancés dans l'école que j'ai appelée structurale : c'est qu'on ne pouvait pas donner une analyse extensionnelle de la phrase narrative si l'on continuait à considérer

---

chose telle que B. Dans ce cas, on dit que toutes les relations entre A et B sont *externes*. Les relations *internes* ou constitutives sont celles qui entrent dans la composition de la réalité de la chose. Pour le nominaliste, tout ce qui existe est individuel et, par définition, les individus n'ont entre eux que des rapports externes.

l'action comme un procès. Par procès, on entend ici non pas seulement un événement (quelque chose arrive), mais un changement de quelque chose orienté vers un *terminus ad quem*. Il y a procès si quelque chose procède graduellement vers un état final, et il y a action si le procès en question est suffisamment contrôlé par l'acteur.

En revanche, les phrases décrivant des états répondent normalement aux conditions d'une analyse pleinement extensionnelle : il suffit de faire savoir quelle est la chose dont on décrit l'état, et ensuite de dire quels sont les prédicats vrais de cette chose. Aussi Davidson a-t-il proposé de tenir l'action dont il est question dans un récit pour un sujet d'attribution, et de tenir la proposition narrative pour une vaste description des propriétés de ce sujet logique de prédication. Or les événements sont bel et bien des entités que nous pouvons désigner : la bataille de Marignan, le départ du train, l'assassinat de Jules César, le premier baiser échangé entre X et Y, etc. Ces entités possèdent des attributs : la bataille a été vive, le départ a été bruyant, le meurtre a eu lieu sur le forum, le baiser a été volé, etc. Rien ne nous empêche donc de dire que la narration d'une action décrit une entité (un événement) en indiquant ses attributs. On donnera alors l'analyse d'un discours narratif en considérant qu'il pose l'existence de quelque chose (un événement) dont il détaille ensuite les propriétés. Ainsi, l'exemple « Brutus a poignardé César dans le dos sur le forum avec un couteau » aura, selon Davidson, la même forme logique que la phrase analytique suivante : « Il existe un événement qui est un événement de poignardage de César par Brutus, et c'est un événement qui se passe dans le dos de César, il a eu lieu sur le Forum, et Brutus l'a fait avec un couteau[1]. »

Mais nous n'avons encore qu'un récit portant sur un événement. Comment représenter le fait que ce soit une action de la part d'un sujet actif ? Comment représenter la différence entre le geste intentionnel de Brutus et le geste accidentel par lequel un maladroit se trouverait enfoncer un poignard, sans l'avoir fait exprès, dans le dos de quelqu'un ? Bref, comment définir, dans l'ensemble des événements du monde, le sous-ensemble des actions humaines ?

Davidson rappelle que la question posée dans une philosophie de l'action est la suivante : la question de ce qui fait qu'un morceau de biographie est une action[2]. On peut imaginer qu'une biographie ne se compose (du moins dans son résumé) que de phrases ayant pour sujet grammatical le nom du héros. Si le nom du héros est le sujet d'une phrase à la voix passive, alors nous savons déjà que le héros n'est pas agent dans l'épisode rapporté : le récit enregistre ce qui lui est arrivé. Si le nom du héros est le sujet d'une phrase à la voix active rapportant un événement typiquement attribuable à un agent humain, alors le héros est certainement un agent dans cet épisode. Ces deux critères laissent une zone d'indécision : ce sont toutes les phrases dont les verbes rapportent un événement qui peut être une action du héros, mais qui peut également être une chose qui

1. *Ibid.*, p. 187. Selon une autre version de l'analyse extensionnelle, on aurait : « L'événement X est un poignardage, X est de César, X est par Brutus, etc. » Je ne puis ici que signaler cette tendance à effacer la différence syntaxique entre les actants et les compléments de circonstance.
2. Voir, dans *Actions et événements*, *op. cit.*, l'essai de 1971 sur l'agir.

lui arrive. Cette zone est celle des mouvements du corps. C'est à l'occasion de ces actions que se pose la question canonique de la philosophie de l'action : qu'est-ce qui fait que des épisodes comme « je tousse » ou « je déchire la feuille de papier » sont dans certains cas des choses que je fais, dans d'autres cas des choses qui m'arrivent ? Pour Davidson, la réponse doit être causale : « il déchire une vieille feuille de papier » est une action de l'agent si c'est un événement qui s'explique par l'état mental de l'agent. Pour que le sujet ait fait l'action de déchirer une feuille de papier, il ne suffit pas qu'il ait eu de bonnes raisons de le faire, et qu'il puisse donc se présenter de façon vraisemblable comme l'auteur de cette action. Il faut que ces raisons aient été telles qu'il ait été conduit par elles à déchirer cette feuille : donc qu'elles aient joué un *rôle causal* dans l'événement. Davidson restaure donc bien la théorie classique qui invoquait une causation mentale de l'action. Mais on notera que sa théorie se distingue de la vieille psychologie de la volonté sur deux points importants.

D'abord, l'intentionnalité de ce que fait quelqu'un ne dépend pas de ce qu'il fait effectivement, mais de ce qu'il se propose de faire en agissant comme il le fait. Supposons que la vieille feuille de papier que le héros de cet exemple déchire (pour allumer un feu) soit, sans qu'il le sache, un précieux document, par exemple le testament par lequel il recevait toute la fortune de son oncle. Dans cet exemple, déchirer le testament peut être une action de l'agent sans que l'agent ait voulu précisément déchirer le testament. Il a seulement voulu allumer un feu en se servant de ce qu'il a pris pour un vieux papier. Mais puisque ce vieux papier se trouvait le précieux testament, et que l'agent a intentionnellement déchiré ce papier, il a également déchiré (sans en avoir l'intention) le testament. Davidson en conclut (avec raison) que nous ne devons pas chercher à distinguer deux classes d'actions, celles qui sont intentionnelles et celles qui ne le sont pas. Une seule et même action peut donner lieu à plusieurs récits : certains de ces récits correspondant à ce que l'agent a fait en ayant l'intention de le faire, d'autres disent ce qu'il a fait (la même chose) sans savoir que c'était aussi cela qu'il faisait.

Ensuite, Davidson ne propose pas de revenir sans plus à la théorie classique selon laquelle des états d'esprit (désirs) ou des actes mentaux (volitions) sont censés agir sur le corps, ou du moins figurer avec eux dans une même « chaîne causale ». Cette version classique de la théorie d'une interaction entre le mental et le physique est, pour lui aussi, définitivement déconsidérée. Dans sa version de la doctrine, le mental n'exerce une causation sur le physique que de façon « oblique ». Les raisons d'agir expliquent causalement le comportement, mais ce n'est pas en vertu d'un déterminisme à proprement parler psychologique. Le seul déterminisme invoqué par Davidson est physiologique : chaque état mental est pour lui identique à un état physique de l'agent, et c'est cet état physique qui détermine les mouvements physiques du corps de l'agent selon les lois ordinaires de la physiologie (quelles qu'elles soient). Cette doctrine subtile énonce donc qu'il n'y a pas de « lois psychologiques », pas de déterminisme selon lequel toute personne éprouvant un désir de boire (d'une intensité suffisante) et croyant (avec un degré suffisant de certitude) pouvoir trouver à boire en entrant dans le prochain café *doit* entrer dans le prochain café, faute de quoi l'ordre naturel serait renversé. Pourtant, ce sont bien les désirs et les croyances de l'agent qui expliquent son action, et qui, en l'expliquant, font que ses mouvements sont une action et pas un simple événement naturel. En effet, tout événement mental peut être redécrit, en principe, comme un événement cérébral ou neuronal : et une fois décrits dans le langage de la science naturelle, ces événements sont soumis aux lois naturelles.

Ici, on ne peut éviter de se demander si les corrections apportées par Davidson à la théorie causale classique n'ont pas pour résultat de priver celle-ci de son contenu. La théorie veut que les raisons d'agir soient des causes. Mais selon Davidson, les causes efficaces de la conduite ne sont pas vraiment des causes mentales, ce sont des causes physiques. Le fait que l'état physique du sujet se trouve être également un état susceptible d'être décrit en termes psychologiques ne joue aucun rôle véritable dans l'explication. On ne voit donc pas ce qui sépare cette doctrine de celle qu'il s'agissait justement de surmonter par une philosophie de l'action (voir *supra*, p. 108-109) : il n'y a en réalité aucune place pour un sujet actif, pour des intentions, des buts, des motifs, des représentations, etc., dans l'explication proprement dite du comportement de quelqu'un.

La question ontologique : en quoi consiste une action ?

Quelle est la signification de ce conflit entre ces deux philosophies analytiques de l'action ?

Le désaccord est *ontologique*. Il porte sur ce qui existe, selon nous, dans le cas où nous jugeons vrai de dire que quelqu'un a fait quelque chose. Si quelqu'un a fait quelque chose, il y a eu action de sa part. Mais justement, qu'y a-t-il eu quand il y a eu action ? En quoi consiste la réalité d'une action ?

Pour la conception structurale, la réponse est la suivante : lorsqu'il y a eu action de la part de quelqu'un, il y a eu un changement quelque part, changement subi par la chose qui est passée d'un état à un autre (le patient), changement provoqué par celui qui a fait en sorte que ce changement se produise (l'agent). La philosophie de l'action ne peut donc pas se contenter d'un monde composé d'*événements*, elle veut un monde composé de choses susceptibles de *changer*. En effet, certains de ces changements nous servent à décrire ce que sont nos actions (en tant qu'ils en sont les résultats).

Pour la conception causale, lorsqu'il y a eu action, il y a eu un mouvement corporel qui est susceptible d'être décrit comme un geste fait intentionnellement, ce qui veut dire, produit par l'état mental (croyances, désirs) de la personne qui a fait ce geste.

Est-ce que la théorie causale a réussi à supplanter la théorie structurale ? Je ne le crois pas. Les objections élevées contre l'analyse causative ne sont pas décisives. Ces objections n'ont de force que dans l'esprit de ceux qui ont d'avance accordé la réduction davidsonienne : une action = un événement.

Pour revenir à l'exemple de Davidson : le docteur n'a pas fait l'action d'opérer quelqu'un de l'appendicite s'il a envoyé le patient se faire opérer par son collègue. Ce n'est pas lui, dans ce cas, qui a fait les gestes de l'opération. Et en effet, l'action de se faire remplacer dans le rôle d'agent par un autre ne saurait passer pour une façon parmi d'autres de jouer ce rôle d'agent. Mais direz-vous qu'un agent ne peut

pas agir s'il n'agit pas tout seul ? L'objection ne distingue pas entre faire *soi-même* une certaine chose et
faire cette chose *à soi seul*. L'objection oublie que la
plupart de nos actions sont de type coopératif. Si le
chirurgien s'est fait assister par diverses personnes,
dans des rôles fixés par lui (anesthésie, etc.), sera-t-il
moins actif dans son rôle de chirurgien pour cela ?
Tout dépend du point de savoir jusqu'à quel point il
a le contrôle et la direction des opérations dont le
système constitue ce qu'on appelle « opérer
quelqu'un de l'appendicite ».

Plus généralement, la critique dirigée contre la
puissance analytique de l'opérateur causatif revient
à nier qu'il y ait quelque chose comme un verbe
auxiliaire causatif. Pourtant, lorsque nous disons
que César a fait qu'un pont soit construit, nous
n'employons pas deux verbes d'action, comme le
croit Davidson[1], mais un verbe d'action (à valeur
récessive) — un pont se construit (mais il ne se
construit pas tout seul) — et un verbe auxiliaire. Si
« faire en sorte que » était un verbe d'action, on
pourrait composer une phrase qui dirait « César fait
en sorte que ». Mais cette séquence linguistique n'est
pas du tout une phrase : il manque, justement, le
verbe de changement qui nous dirait ce que fait
César. L'objection de Davidson revient à dire qu'en
employant cet auxiliaire, nous suggérons que César
a fait une deuxième action pour cela. Lorsque cette
deuxième action (par exemple celle de donner des
instructions à ses lieutenants) est introduite, on a
bien en effet la chaîne causale que réclame le nomi-

---

1. Davidson écrit : « Nous ne pouvons pas utiliser "faire en
sorte intentionnellement que" comme l'expression qui introduit l'intention, parce que "faire en sorte que" est en soi-même
un verbe d'action » (*op. cit.*, p. 170).

naliste. César a fait une action qui a eu pour effet la construction du pont. Pourtant, la phrase donnée à analyser était complète telle qu'elle était : elle ne disait rien d'une deuxième action de César, et en particulier, elle ne disait pas jusqu'à quel point César s'était chargé de procéder lui-même à toutes les opérations de la construction du pont. Puisqu'elle ne le disait pas, et qu'elle n'excluait pas non plus qu'il ait tout fait lui-même, le logicien n'a pas à lui en faire dire plus qu'elle n'en dit ou à y déceler des sous-entendus.

En fin de compte, le problème est de savoir si la réalité d'une action est la réalité d'un événement, et donc, finalement, la réalité d'un certain mouvement corporel de la part de l'acteur. Que vaut le postulat matérialiste posant que toute la réalité de mon action est dans la réalité des événements de mes gestes physiques ?

J'ouvre un manuel de cuisine à l'article de la pâte à frire et je lis les instructions suivantes : « Mettre la farine dans une terrine, faire un puits, y placer l'huile et la levure. Délayer peu à peu avec l'eau tiède jusqu'à la formation d'une pâte faisant ruban. Ajouter un blanc d'œuf légèrement battu. Laisser reposer deux heures avant d'utiliser cette pâte à frire[1]. » La confection de la pâte à frire se décompose, du moins selon les auteurs de ce manuel, en six étapes, si nous comptons une instruction par verbe infinitif. Parmi les opérations requises, il en est deux qui ne sont pas convenablement représentées dans une analyse extensionnelle. D'abord, il est indiqué que le cuisi-

---

1. *La Cuisine pour tous*, par un groupe de professeurs de l'enseignement ménager, sous la direction de Ginette Mathiot, Albin Michel, 1955, recette n° 1118.

nier doit délayer l'eau peu à peu et jusqu'à ce qu'un certain résultat soit obtenu. Il s'agit clairement d'un procès, d'un changement extérieur à l'agent. Un procès de transformation d'une farine en « pâte faisant ruban » par délayage prend du temps, et il est, à tel ou tel instant, plus ou moins avancé. Or c'est ce changement qui doit servir de *mesure* à l'intervention du cuisinier. La notion d'événement ne suffirait pas à exprimer le délayage, parce qu'à la différence de celle de changement, elle ne comporte pas de critère interne d'accomplissement. Il y a des procès inachevés, il n'y a pas d'événements incomplets. Un événement a lieu, un point c'est tout. Ensuite, nous notons que la dernière action prescrite consiste à laisser reposer la pâte pendant deux heures. Ici, l'opération finale, indispensable à la bonne réussite de l'ensemble de ce travail, consiste justement à *ne plus rien faire* : la terrine doit être laissée dans un coin et personne ne doit y toucher. On ne dira pas que l'action prescrite est identique à l'acte de poser quelque part la terrine : car je peux laisser la pâte quelque part pendant deux heures, mais non passer deux heures à la poser quelque part. Or l'analyse causale ne nous explique pas comment l'absence d'un mouvement de ma part peut, dans un contexte donné, constituer une action qui me sera attribuée ou prescrite. La seule analyse possible des « actions négatives », ou actions constituées par des abstentions ou des omissions, est structurale. Ce qui fait d'une absence d'interaction physique entre la pâte et le cuisinier une action intentionnelle, c'est sa place dans la structure générale de cette recette.

Derrière cette divergence des philosophes dans l'analyse des actions et des gestes primitifs, il y a un désaccord fondamental sur ce qui peut entrer dans une analyse : des individus ? des relations externes ? des relations internes ? des changements comportant une mesure immanente d'accomplissement ? de purs événements ? Il apparaît ainsi que l'enquête sur les théories de l'action nous mène au seuil d'une question sur les *métaphysiques* des théoriciens de l'action.

Dire que le désaccord entre la théorie causale de l'action et la théorie structurale est un désaccord métaphysique, c'est indiquer à quel niveau de profondeur il se déclare. On ne parviendra pas à réconcilier les points de vue de ces deux théories par quelques aménagements mineurs. Toutefois, le fait que le désaccord porte sur les catégories mêmes dans lesquelles nous allons proposer une analyse de l'action ne veut pas dire qu'il nous faudrait maintenant renvoyer la question ici posée à une discipline plus fondamentale, laquelle aurait pour tâche de régler ces questions conceptuelles *avant toute application à un domaine particulier*. Il y aurait là une rechute dans l'illusion de la « métaphysique générale », autrement dit, dans l'idée qu'il y aurait une science qui pourrait traiter de la nature des concepts (théorie des « catégories ») et de leurs relations (théorie des « principes »), avant tout exercice de ces concepts dans une application à telle ou telle sorte de choses. Par exemple, on devrait traiter des individus et des relations *en général*, avant de se demander ce que sont les « relations » entre « individus » dans tel ou tel domaine. Mais alors, dira-t-on, comment va-t-on choisir, lorsque plusieurs systèmes conceptuels généraux (« métaphysiques ») sont proposés pour un même domaine ? La réponse est qu'on comparera les systèmes conceptuels sur le terrain même de la philosophie de l'action, celui de l'analyse de la description des actions.

La difficulté discutée dans ce qui précède était la suivante : où devons-nous trouver cet aspect d'une action qui nous fait dire qu'elle est intentionnelle ? Où loger l'intentionnalité pratique dans la structure de l'action ? Une réponse a été écartée, je crois de façon légitime et définitive : la doctrine des volitions. Restait donc à donner une autre réponse sur le terrain de l'analyse du langage.

La réponse de la théorie causale revient à exploiter le lien causal que nous faisons en donnant, dans des contextes divers, l'explication de ce que nous avons fait : j'ai fermé la fenêtre *parce que* j'ai trouvé qu'il faisait froid. La notion d'action intentionnelle résulte donc d'une répartition des événements concernant un être humain entre deux classes : ceux qui sont intentionnels de sa part sous l'une au moins des descriptions qu'on peut leur appliquer, et ceux qui ne le sont sous aucune de leurs descriptions. Le trait commun des événements qui ont une description intentionnelle, c'est qu'on puisse les rattacher à des raisons d'agir sur le mode du « parce que ». D'où l'analyse extensionnelle des actions : elles sont des *événements* dotés de *propriétés* (voir *supra*, p. 157-158).

Pourtant, les exemples présentés ci-dessus suggèrent que l'analyse de l'action en termes d'événements laisse échapper une part de la dimension temporelle de la conduite intentionnelle. Or il paraît impossible de comprendre l'intentionnalité pratique sans une expression adéquate de la *temporalité* pratique. Bien entendu, la notion d'événement n'exclut pas la durée, comme le montrent plusieurs des exemples de la théorie causale (une promenade, un assassinat, une opération chirurgicale). Mais elle prend, si l'on peut dire, cette durée en bloc, et ne s'intéresse donc pas à la différence entre des changements instantanés (sur le modèle de l'éclair ou du choc des boules de billard, événements conçus comme se produisant, comme on dit, « à l'instant t ») et des changements progressifs. Il manque à la notion commune d'événement — « quelque chose arrive » — de retenir tout le répertoire de ce que les linguistes appellent les *aspects* d'un procès. La théorie causale est tout à fait capable de tenir compte de certains des aspects. Elle peut répondre à la question « quand? », et aussi aux questions « depuis quand? » et « jusqu'à quand? » (Quand la promenade a-t-elle eu lieu? Depuis quand et jusqu'à quand y a-t-il eu cet événement de la promenade?). Mais les aspects inchoatif et terminatif du procès considéré lui échappent : sommes-nous *déjà* engagés dans le procès (aspect inchoatif)? Sommes-nous *encore* loin du but (aspect terminatif)?

La notion d'intentionnalité ne demande pas seulement que l'événement qui se produit réponde, sous l'une de ses descriptions, à l'intention de l'acteur. Elle demande que cet acteur soit un sujet pratique, c'est-à-dire qu'il soit doté d'un pouvoir (fini) sur le cours des choses. Pour exprimer ce pouvoir, nous devons dire quel est le contrôle exercé par quelqu'un sur les changements qui se produisent autour de lui. Certains de ces changements se font dans le sens désiré par l'acteur : nous pourrions dire qu'il les *approuve*, qu'il les accueille avec satisfaction. Mais cela ne suffit pas à le rendre actif. Pour qu'il soit acteur, pas seulement spectateur intéressé, il faut qu'il provoque ces changements (dans le cas où ils ne se produiraient pas sans lui) ou qu'il les favorise en veillant à ce qu'ils ne soient pas perturbés. En somme, les changements sont dus au sujet s'il les *ordonne* ou s'il les *autorise*. De la sorte, nous pouvons tenir compte des deux types d'action rencontrés dans un exemple aussi simple que celui d'une recette de cuisine : les actions qui consistent dans une intervention positive, celles qui consistent à laisser les choses évoluer jusqu'au point où nous désirons les trouver tout à l'heure (comme dans le cas de la pâte à frire qu'on laisse reposer).

Finalement, le point faible de la théorie causale de l'action est qu'elle pose qu'une action intentionnelle doit avoir lieu à la surface du corps de l'acteur. Elle interprète le grand principe de la localité d'une action[1] d'une façon réductrice : il faut qu'il y ait une interférence entre le corps de l'acteur et le cours naturel des choses à un instant donné. Or le principe selon lequel toute action accomplie en ce monde est accomplie localement n'exige pas que les actions se réduisent à des événements instantanés ou quasi instantanés, selon le modèle théorique d'un choc « à l'instant t » entre deux corps. Déjà le cours de la nature, s'il doit pouvoir donner lieu à une intervention humaine, ne peut pas être compris comme une chaîne causale dont les maillons seraient des événements discontinus. Il faut concevoir le cours des choses comme tenant aussi dans des procès (continus, progressifs) de maturation, de croissance, d'expansion ou de concentration, de décomposition. C'est ce qui fait que le point d'application des pouvoirs pratiques de l'acteur peut être donné *à l'extérieur* de l'épiderme du corps de ce sujet. Le sujet pra-

---

1. Le principe de l'action locale dit qu'il n'y a pas d'action magique (ou action à distance). Si quelqu'un a fait quelque chose, alors il l'a fait d'une façon ou d'une autre, mais d'une façon qui doit pouvoir être spécifiée en termes physiquement compréhensibles, et donc par une intervention locale, dont il avait les moyens physiques, dans son milieu immédiat.

tique possède un « rayon d'action » qui est plus large que celui de ses contacts physiques. « Nous ne faisons jamais autre chose que mouvoir nos corps : c'est la nature qui se charge de faire le reste », écrit Davidson. Oui, mais il ne suffit pas de mouvoir son corps pour agir dans le sens correspondant à son intention, il faut le mouvoir *le moment venu*. Il ne suffit pas de lever le bras pour demander la parole : il faut le faire au cours de l'assemblée, et lorsque l'ordre du jour prévoit que le temps est venu de poser des questions (voir *supra*, p. 146). L'action intentionnelle ne se réduit donc pas aux mouvements du corps de l'agent, abstraction faite des circonstances extérieures à ces mouvements : l'action intentionnelle consiste dans la *coordination intentionnelle* de ces mouvements (à titre de moyens) et des mouvements dans le milieu ambiant, de façon à produire le résultat visé. La théorie causale nous demande de séparer la part de l'agent et la part de la nature. Mais les circonstances extérieures à l'agent sont justement celles dont il doit tenir compte pour agir à bon escient. Certaines de ces circonstances sont indifférentes, et donc extérieures à l'action aussi bien qu'à l'acteur. Mais il y a nécessairement d'autres circonstances qui sont décisives, en ce sens qu'elles vont décider du succès ou de l'échec de l'action : et ces circonstances, en effet extérieures aux mouvements physiques, sont intérieures à la réalité de l'action, à titre de conditions de possibilité de son accomplissement. C'est donc seulement dans une théorie structurale de l'action qu'on peut rendre compte de la temporalité téléologique propre à l'action humaine, et par là de son intentionnalité.

Vincent Descombes

BIBLIOGRAPHIE CHOISIE

Sur la place des notions d'intervention et de manipulation dans une philosophie des sciences, voir Ian Hacking, *Concevoir et expérimenter* (1983, traduction chez Bourgois Éditeur). L'auteur prolonge sur ce point la réflexion de Gaston Bachelard.

Sur les distinctions de l'action et du comportement ou de l'explication et de la compréhension, on se reportera à l'œuvre de Max Weber. Une lecture critique est proposée dans l'ouvrage de Philippe Raynaud, *Max Weber et les dilemmes de la raison moderne*, PUF, 1987.

Les idées de Wittgenstein sur la psychologie sont surtout à chercher dans les textes posthumes (ceux du « second » Wittgenstein). On se reportera notamment aux livres traduits sous les titres suivants : *Le Cahier bleu* et *Le Cahier brun* (Gallimard), *Investigations philosophiques* (Gallimard), *Fiches* (Gallimard), *Grammaire philosophique* (Gallimard), *Remarques sur la philosophie de la psychologie* (TER). Pour une vue d'ensemble, voir l'essai de Christiane Chauviré, *Ludwig Wittgenstein*, Le Seuil, 1989. Sur la philosophie de la psychologie chez Wittgenstein, voir les volumes 3 et 4 du commentaire publié par Peter M.S. Hacker sous le titre *An Analytical Commentary on the Philosophical Investigations* (volume 3 : *Wittgenstein, Meaning and Mind*, Oxford, Blackwell, 1993 ; volume 4 : *Wittgenstein, Mind and Will*, Oxford, Blackwell, 2000).

Les philosophies ancienne et médiévale de l'action n'ont malheureusement pas pu être prises en considération dans mon exposé. Les premiers textes à consulter seraient : d'Aristote, le traité *De l'âme*, l'*Éthique à Nicomaque* et la *Rhétorique* ; pour les stoïciens, les traductions réunies dans le volume *Les Stoïciens* de la Bibliothèque de la Pléiade ; de saint Augustin les *Confessions*, livre VIII (pour la théorie de la volonté) ; de saint Thomas d'Aquin, le traité *Des actes humains* (les questions 6-21 de la *Somme théologique*, IIe partie, 1re division).

Maine de Biran a été reconnu comme un précurseur de la phénoménologie et relu dans cette perspective par Maurice Merleau-Ponty, Michel Henry, Paul Ricœur. L'anthologie des *Œuvres choisies* de Maine de Biran, par Henri Gouhier, contient une précieuse introduction à la pensée du philosophe (Aubier, 1942).

Dans *Jacques le Fataliste*, Diderot met en scène des controverses philosophiques de son temps sur la liberté du vouloir. Au XVIIIe siècle, tous les philosophes ont une position à défendre sur le libre arbitre et le déterminisme et pourraient donc être ici mentionnés. On citera seulement : Locke (*Essai sur l'entendement humain*, II, xxi), Leibniz (*Nouveaux essais sur l'entendement humain*, II, xxi; *Théodicée*). Le grand classique de la doctrine des volitions est David Hume (*Traité de la nature humaine*, II, iii, 1).

Le point de départ de la solution idéaliste du problème critique de l'action est la troisième *Antinomie* de la *Critique de la raison pure* de Kant. Voir aussi, pour la réponse kantienne à la question de savoir si le déterminisme naturel est compatible avec la liberté du sujet pratique, l'*Examen critique* qui termine l'Analytique de la *Critique de la raison pure pratique*. Kant est-il compatibiliste ? Il semble qu'on puisse comprendre ainsi : Kant ne professe pas le compatibilisme au sens ordinaire du mot, comme la forme antinomique donnée par lui au problème suffirait à l'indiquer. La solution de l'antinomie relève d'un compatibilisme au deuxième degré, que certains jugeront déjà dialectique : il y a compatibilité entre l'incompatibilisme et le compatibilisme, à condition de distinguer le « phénomène » et la « chose en soi ». En vertu de cette distinction, on peut affirmer que tout est déterminé dans la conduite de quelqu'un (point de vue de la science naturelle), et que tout est libre (point de vue de la morale), mais dès qu'on se place à l'un des deux points de vue, il faut choisir entre le déterminisme et la liberté.

L'opposition de l'action naturelle et de l'action libre est au cœur des doctrines de l'idéalisme allemand, ou « philosophies de la liberté » (Fichte, Schelling, Hegel). Le concept de « détermination de soi par soi » est développé par Hegel dans l'introduction aux *Principes de la philosophie du droit*.

Sur ces doctrines considérées du point de vue de la philosophie contemporaine, l'ouvrage de référence est celui d'Ernst Tugendhat, *Selbstbewusstsein und Selbstbestimmung*, Francfort, Suhrkamp, 1979. Il en existe une traduction française *Conscience de soi et Autodétermination* (Armand Colin, 1995). L'œuvre de Jürgen Habermas, de nos jours, est l'essai d'une synthèse philosophique de trois conceptions de l'action, celles de l'idéalisme allemand, du matérialisme historique et de la philosophie analytique (voir *Théorie de l'agir communicationnel*, Fayard, 1981, vol. I).

Dans la philosophie française, une « philosophie de la liberté » est exposée par Jean-Paul Sartre dans son traité *L'Être et le Néant*, Gallimard, 1943. Sur une inspiration idéaliste ou fichtéenne de la version sartrienne de l'existentialisme, voir Alain Renaut, *Sartre*, Grasset, 1993.

Les classiques de la philosophie analytique de l'action sont, par ordre de publication : Gilbert Ryle, *Le Concept d'esprit* (1949, traduction chez Payot) ; Wittgenstein, *passim* ; G.H. von Wright, *Explanation and Understanding* (Cornell University Press, 1971) ; Anthony Kenny, *Action, Emotion and Will* (Routledge & Kegan, 1963) et *Will, Freedom and Power* (Blackwell, 1975) ; Donald Davidson, *Actions et événements* (1980, traduction aux PUF, avec une présentation de sa philosophie par Pascal Engel) ; Élisabeth Anscombe, *L'Intention* (1957, traduction chez Gallimard, 2002).

L'ouvrage de Jean-Luc Petit, *L'Action dans la philosophie analytique* (PUF, 1991) propose une critique des philosophies analytiques de l'action, critique menée du point de vue phénoménologique. Le livre de Ruwen Ogien, *La Faiblesse de la volonté* (PUF, 1994), permet de comprendre ce que la philosophie analytique de l'action doit à la lecture d'Aristote. Paul Ricœur, dans *Soi-même comme un autre* (Le Seuil, 1990), discute plusieurs auteurs analytiques (Strawson, Anscombe, Davidson) avant d'offrir une perspective herméneutique sur le sujet pratique.

LA RATIONALITÉ

Dans la conclusion d'un grand livre sur la philosophie platonicienne, Henri Joly proposait le paradoxe d'une Raison grecque qui « n'a pas de contraire, parce qu'elle en a plusieurs[1] ». Il indiquait par là l'un des problèmes majeurs qui se posent à l'exégète de la rationalité, la difficulté où il se trouve d'assigner à la rationalité une limite, de désigner un territoire où elle n'aurait plus droit de cité. Ainsi, selon le philosophe américain contemporain Donald Davidson[2], l'un des paradoxes de l'irrationalité est qu'on ne peut juger un être irrationnel qu'à condition de lui attribuer la rationalité, ne fût-ce que minimalement. De même, si l'on s'interroge, cette fois-ci historiquement, sur une éventuelle émergence de la rationalité scientifique, à l'exemple de G. Lloyd[3], on ne peut l'abstraire de toute une stratigraphie culturelle où la magie intervient, autant que de nombreuses observances rituelles. L'immaculée

1. Henri Joly, *Le Renversement platonicien*, Vrin, 1974, p. 383.
2. Donald Davidson, *Paradoxes de l'irrationalité*, trad. fr. Pascal Engel, éd. de l'Éclat, 1993.
3. G.E.R. Lloyd, *Magie, raison et expérience*, trad. fr. J. Carlier et F. Regnot, Flammarion, 1990.

conception de la rationalité est un mythe presque
défunt, en même temps qu'achève de s'affaiblir
l'éclat de la croyance au « miracle grec ». On a le
plus grand mal à saisir une rationalité émergente
tout autant qu'une rationalité finissante. Mais à
consentir à l'extension indéfinie du rationnel, ne
lui fait-on pas perdre sa teneur même ? Il faut,
semble-t-il, introduire quelques distinctions : car
cette rationalité que présuppose l'imputation
d'irrationalité à tel ou tel comportement est-elle
bien celle-là même que l'irrationalité présumée
vient battre en brèche ? La première est ce minimum requis pour qu'un comportement soit inter-
prétable, tandis que la seconde, précisément pour
être transgressable, prend une acception normative. Voici donc notre rationalité sujette à se
dédoubler ; universelle en l'un de ses aspects, puisque tout comportement, selon le paradoxe david-
sonien, peut se voir qualifier de « rationnel », elle
l'est aussi dans le second, mais non au même sens.
Car le second universel est de droit, quand le premier est de fait. Il n'est pas indifférent de décrire
un comportement comme rationnel jusque dans
son irrationalité ou de s'attacher à ce que doit être
un comportement pour être rationnel. On formule-
rait volontiers la différence en disant que, si dans
le premier cas on prête une raison d'agir, dans le
second on suppose que c'est la meilleure raison qui
prévaut.

De même, en revenant à présent à la question de
l'éventuelle émergence de la rationalité, il faut se
garder de réduire rigoureusement cette dernière à
ses conditions d'« apparition », même si dans le rite
lui-même, il est indéniable qu'une rationalité est à

l'œuvre. Comme le dit Martin Hollis[1], le principe de charité consiste en l'espèce à tenir les croyances rituelles pour aussi rationnelles que possible. Mais il est prudent de n'y voir qu'une rationalité immanente, dépourvue de ce savoir de soi que comporte par exemple la raison grecque dans son émergence.

Il est vrai, comme le pense Richard Bodéüs[2], que pour les Grecs le magico-religieux « n'est pas un défaut de raison, mais un défaut de raison vraie ». Dans l'opération magique est en effet enveloppée une croyance à la causalité, qui conjure le hasard. Cependant, la limite de cette rationalité immanente réside dans l'impossibilité où elle demeure de s'accroître en procédant de soi-même à la critique de ses propres présupposés. L'erreur de nombre d'observateurs a peut-être été de prendre cette limitation de la rationalité dans le rituel pour un strict ou absolu défaut de rationalité. En réalité, on serait fondé à parler d'un investissement de la rationalité dans des séquences rituelles qui aspirent à la cohérence sans jamais exhiber formellement de contradiction, tandis que la reconnaissance de celle-ci serait pour la rationalité un moyen éprouvé de se savoir elle-même comme rationalité. C'est là l'une des questions qu'aborde G. Lloyd dans *Magie, raison et expérience*[3] : il insiste à juste titre sur l'importance revêtue à cet égard par les techniques d'argumentation, tant dans l'ordre philosophique (la dialectique) que dans l'ordre politique (la rhétorique délibérative), techniques qui à la fois font prendre

1. Martin Hollis, « Reason and Ritual », in *Rationality*, Blackwell, 1970.
2. Richard Bodéüs, « Raison et technique », in *La Naissance de la raison en Grèce*, PUF, 1990.
3. G.E.R. Lloyd, *op. cit.*

conscience des pouvoirs de la rationalité, quand elle n'est plus investie dans des conduites rituelles ou des opérations magiques, et lui confèrent un considérable pouvoir d'accroissement. La rationalité pure, dont les Éléates, Parménide et Zénon, offrent un exemple privilégié, affectionne la preuve par l'absurde — que la tradition appellera « apagogique » — qui écarte en effet tout recours au sensible ; selon les vers de Parménide : « Résiste à l'habitude, aux abondants prétextes, qui pourrait t'entraîner à suivre ce chemin où œil aveugle, sourde oreille et langue encore régentent tout ; plutôt, *juge avec ta raison* la réfutation pleine de controverse que je viens d'exposer[1]. » La rationalité dialectique dont Parménide est le premier représentant notoire — et qui s'accorde d'ailleurs en certaines de ses procédures avec la rationalité géométrique[2] — est une contre-accoutumance, elle doit se reprendre sans cesse en se déprenant de ses usages convenus, parce qu'ils sont efficaces, rituellement ou techniquement. En ce sens, il est naïf de croire que la rationalité émerge une fois pour toutes, même si ses œuvres, dialectiques ou géométriques, subsistent. Car il faut aussi distinguer la rationalité objectivée, dans un corps de démonstration ou de réfutations, et la rationalité à l'œuvre, qui s'atteste dans le *Poème* de Parménide : celle-ci dépasse celle-là par sa vigilance même, soucieuse qu'elle est de toujours suspendre notre créance à l'égard de ce qui est transmis par nos sens ou cru en vertu d'une pure convention. La convention, que les Grecs, à la suite de Parménide,

1. Parménide, B VII, trad. fr. J.-P. Dumont, in *Les écoles présocratiques*, Folio-Gallimard, 1991.
2. A. Szabo, *Les Débuts des mathématiques grecques*, trad. fr. M. Federspiel, Vrin, 1977.

nomment *doxa*, ou *nomos*, n'est pas un néant de rationalité, et ce fut même une question débattue parmi eux de savoir s'il pouvait y avoir une rationalité qui l'excède[1] ; mais c'est une rationalité captive, qui tient pour évident ce qui ne l'est pas, alors que la rationalité, à sa fine pointe, ne cède que devant ce qui a résisté à son examen le plus sévère.

C'est alors que l'on est fondé à se demander si la rationalité n'a pas une pléthore de significations : car si le moindre comportement, en vertu du « principe de charité » cher aux Anglo-Saxons, est rationnel, mais d'une rationalité que l'on dit minimale, et si, à l'autre extrême, la rationalité pure de la dialectique ne laisse rien subsister de ce qui n'est pas absolument prouvé, il n'y aura rien qui ne soit rationnel, alors même que le plus fort standard de rationalité ne fera grâce à presque rien. Pour se tirer de ce mauvais pas, n'est-on pas conduit à voir dans le rationnel, plutôt qu'une norme à laquelle un comportement se conformerait ou non, une sorte de *continuum*, régi par le plus et le moins, qui commencerait avec la cohérence qu'un observateur, selon Martin Hollis[2], ne peut pas ne pas prêter à une séquence rituelle dont il n'est pas l'acteur, pour culminer avec la démonstrabilité ? Pour que cette continuité se justifie, il convient que l'on trouve déjà dans le *minimum* de rationalité ce qui s'observera à l'état achevé dans l'*optimum* : sinon, on sera réduit à l'expédient de confiner la rationalité « rituelle » dans une autre culture, réservant l'optimum à la sienne

---

1. Xénophane, B XXXIV, in *Les Présocratiques*, J.-P. Dumont éd., Gallimard, Bibliothèque de la Pléiade, 1988, p. 122-123.
2. M. Hollis, *op. cit.*

propre, ou en niant purement et simplement l'existence pour défendre un relativisme extrême.

Mais, à son moment d'émergence, qu'est-ce donc
que la rationalité ? Si tout rituel est un enchaînement d'actions symboliques, est-ce ce caractère symbolique qui manifeste la rationalité, en tant que mise
à distance de la situation concrète ? Ou bien est-ce
l'enchaînement lui-même, en tant qu'une cohérence
s'y laisse discerner ? Cependant, la rationalité-cohérence ne présuppose-t-elle pas la rationalité qui
substitue à la situation déterminée ce qui permet
d'agir dans un ensemble de situations, cette abstraction déjà à l'œuvre dans le rituel, sans jamais y devenir explicite, non point par défaut, en vertu d'on ne
sait quelle limite historique, mais parce que le rituel
est expressif, et qu'à ce titre l'abstraction y est
contrebalancée par l'exigence de compréhension
immédiate. Il en va du rituel à cet égard comme de
la métaphore, qui, certes, requiert une activité noétique qui soit une activité d'abstraction, mais limite
de soi cette abstraction pour préserver sa vertu de
compréhensibilité intuitive. On pourrait donc évoquer, tant à propos de la métaphore que du rituel,
une rationalité immanente, mais non subalterne,
une rationalité sourdement au travail pour procurer
au symbole au moins l'ébauche d'une communicabi-
lité universelle. Soit, dira-t-on, mais le rituel a précisément ceci de propre qu'il n'est pas universel. À
vouloir y lire à même le symbolique la présence de la
rationalité, quand on en limiterait les effets, ne
risque-t-on pas de lui donner plus qu'il ne comporte,
usant par là d'une charité feinte ? Mais ce serait se
méprendre sur l'universalité ici alléguée : elle n'est
pas visée par le rituel, il n'est pas requis que le rite se
veuille universel pour qu'on lui confère une rationa-

lité qui, elle, est universelle. On voit que la différence ne passe pas entre le rationnel et l'a-rationnel, mais bien entre une rationalité qui est à l'œuvre sans réflexivité, et une rationalité qui peut, en réfléchissant sur ses activités et ses procédures, viser à l'universalité. Comment ce dédoublement peut-il s'accomplir ? La rationalité doit objectiver, pour ainsi dire, ses propres procédures, en ayant recours à l'écriture, dont G. Lloyd[1], après J. Goody[2], souligne l'importance pour la constitution de la « rationalité grecque ». L'écriture, comme y insiste justement Goody, autorise une seconde mise à distance, non plus à l'égard d'une situation déterminée, mais cette fois, à l'égard des opérations mêmes de la rationalité, qui acquièrent un caractère canonique. Il serait inexact de voir dans l'usage de l'écriture un simple moyen extérieur à la rationalité, qui demeurerait ainsi inaffectée par le recours qu'on y fait ; car une habitude se prend avec l'écriture même, qui fait de la rationalité, ainsi redoublée, un objet de préoccupation pour elle-même, alors que le rituel la maintenait dans le non-savoir de soi. Si ce n'est la présence de la rationalité qui permet de distinguer les cultures, à tout le moins est-ce la valorisation de la rationalité, qui n'est pas indifférente à son support graphique, si l'on peut dire. C'est ainsi que l'abstraction, sourdement présente dans l'aspect symbolique de l'action rituelle, se révèle pour elle-même avec la raison graphique, qui lui donne d'autant plus de puissance. On songera ici non pas tant à la vertu mnémonique, tant vantée, de l'écriture — puisque

1. G.E.R. Lloyd, *op. cit.*
2. J. Goody, *La Raison graphique*, trad. fr. J. Bazin et A. Bensa, éd. de Minuit, 1979.

aussi bien le rituel pourrait se la voir imputer à un titre bien plus légitime, lui qui comporte un art de la mémoire — qu'à sa vertu objectivante, l'écriture faisant moins se rappeler quelque chose qu'elle ne le donne à voir ; ou alors on dira de cette mémoire graphique qu'elle est rationalisée, tandis que la mémoire rituelle, elle, est tournée vers l'implicite.

Cependant, l'écriture n'est pas la condition exclusive de ce dédoublement de la rationalité ; en effet, la pratique même de la discussion orale peut y concourir, si elle se donne des formes canoniques, comme la réfutation en règle préconisée et mise en œuvre par Parménide et Zénon d'Élée[1]. Aussi bien la raison graphique n'est-elle pas toute la raison, et l'écriture nullement dévolue dans tous ses usages à l'accroissement de la rationalité, comme l'attestent ses utilisations divinatoires[2]. Il importe donc de s'enquérir de ce qui, dans l'exercice de la rationalité, peut donner lieu au dédoublement que l'on vient d'évoquer, par lequel l'abstraction, en effet présente dans le rituel, vient à un savoir de soi qui autorise une croissance de l'usage formel de la rationalité. S'agit-il d'un affaiblissement de l'emprise du rituel, comme le pense J.-P. Vernant dans *Les Origines de la pensée grecque*[3], sur l'exemple d'Anaximandre de Milet, chez qui il voit une tentative de rationalisation de l'espace cosmique, analogue à celle que la Cité réalise pour son propre espace, l'espace politique, qui est un espace commun et public, « égalitaire et symétrique[4] »,

1. Voir A. Szabo, *op. cit.*
2. *Divination et rationalité*, (J.-P. Vernant éd.), Le Seuil, 1974.
3. Jean-Pierre Vernant, *Les Origines de la pensée grecque*, PUF, 1962.
4. *Ibid.*, chap. ix.

mais aussi « espace laïcisé, fait pour la confrontation, le débat, l'argumentation[1] » ? J.-P. Vernant a
été très influent par son analyse de l'émergence de la
rationalité grecque en corrélation avec l'auto-organi-
sation des institutions de la Cité, qui se « détache de
l'organisation cosmique[2] », pour se représenter
comme pure institution humaine. Et il n'est pas
infondé, en effet, de croire que l'instauration de la
Cité donne à la rationalité dialectique et rhétorique
au moins l'occasion de se déployer, ébranlant par là-
même ce qui, dans le rituel, pouvait contenir l'exercice de l'abstraction. Mais, si avec la Cité, la rationalité sort pour ainsi dire de l'immanence, elle n'est
pas encore à son faîte : c'est, comme en convient
Vernant lui-même[3], dans la philosophie qu'elle y
parvient, lorsque la réfutation se codifie, lorsque les
principes d'identité et de contradiction sont clairement invoqués, comme c'est incontestablement le
cas avec Parménide.

S'il en est ainsi, la rationalité philosophique fait
figure non point tant de forme achevée de la rationalité que de forme où elle se problématise en tant que
telle, puisque, si l'espace politique connaît une rationalité procédurale, la philosophie, quant à elle, en
examine le bien-fondé, faisant de la rationalité elle-
même un problème. S'il est vrai d'autre part que,
dans l'espace politique, une agonistique, une émula-
tion ou rivalité réglée se manifeste dans l'usage de
l'argumentation, il n'est pas absurde de penser que
quelque chose de cette agonistique se transpose dans

1. *Ibid.*, p. 122.
2. « La formation de la pensée positive dans la Grèce
archaïque », in *Mythe et pensée chez les Grecs*, Maspéro, 1971,
t. II, p. 114.
3. J.-P. Vernant, *op. cit.*, p. 128.

l'ordre du philosophique : en témoigne assez l'évocation que Platon fait de Zénon d'Élée et de sa pratique de la dialectique, au début du *Parménide* (128 d). La rationalité telle qu'elle se donne à discerner dans la dialectique grecque émergente n'est pas exempte de certains maux que Platon reconnaîtra avec sa perspicacité coutumière : prompte à la virtuosité, la dialectique, toute à son souci de la preuve, tourne le dos à l'effectivité de l'accord des esprits, fait de la rationalité une arme de combat, au mieux une gymnastique de l'intellect, sans se demander si ses arguments ont une autre vertu qu'offensive ou défensive. Que la dialectique ainsi entendue soit une forme de rationalité — et des plus hautes — ne saurait être contesté, mais toute la question est de savoir si son exercice n'a pas à être soumis à une norme supérieure, sous peine de devenir strictement instrumental. Il n'est pas indifférent que la *pars destruens*, la « partie négative » de la dialectique antique — celle qui a pour vocation de réfuter — ait été dans une large mesure à l'origine du scepticisme, qui savait être rationnel pour dénier à la raison tout caractère cognitif.

Platon, précisément, entreprend de donner à la dialectique ce caractère : et cette tâche ne répond pas uniquement à un dessein de fondation de l'ambition cognitive des sciences, il répond ultimement au dessein de donner à l'instauration de la justice dans la Cité un fondement dans la connaissance du Bien (*République*, VI, 505 a, 506 b). Aussi n'est-il plus concevable que la rationalité prétende conquérir son autarcie à l'égard de toute évidence : sa discursivité, triomphante dans les usages antérieurs de la dialectique, ne peut aux yeux de Platon suffire à la détermination de ce qui est à faire, pas plus qu'à la fondation de la vérité. Et c'est justement l'objet d'un lieu célèbre de la *République* de montrer que le discursif (*dianoia*, dans la langue de Platon), qui ne se soucie pas d'embrasser quelque chose qui se suffise à soi-même, trouve son dépassement dans la pensée (*noèsis*) qui, elle, éprouve la réalité de ce qui est « anhypothétique » (VI, 510 b et 511 b). Il est difficile de se défendre du sentiment qu'on a bien là affaire à une évidence noétique, atteinte, certes, au prix d'une discursivité, là aussi, puisqu'il en entre bel et bien dans la dialectique telle que Platon la conçoit ici. Mais, cette fois, elle a le souci d'éprouver la présence de la chose même sous la figure du « principe de tout » (511 b), qu'une conjecture raisonnable nous conduit à identifier au Bien ; et il est à présumer que cette évidence se transmet aux natures essentielles d'abord rencontrées sur le mode de la supposition dans le mouvement qui menait la pensée vers son principe, puis réassumées comme vraies en vertu de l'évidence principielle qu'on se gardera bien de prendre pour une « évidence première », le « premier connu pour nous », comme dira Aristote, n'étant pas le « premier connu en soi ». Au faîte de la rationalité, pour quoi Platon revendique le nom de dialectique, il convient de voir une connaissance de l'être (511 c), qui peut recevoir la primauté en ce qui regarde ce que Platon nomme la clarté, qui paraît représenter le rapport effectif de la pensée à la chose.

Ainsi la rationalité semble-t-elle caractérisée par une double condition, selon qu'elle suit seulement l'ordre de la preuve, en allant vers une terminaison (510 b), ou qu'elle s'assure de sa prise, car, si *dianoia* et *noèsis* portent toutes deux sur de l'intelligible, elles ne s'y rapportent pas de la même façon. La pensee rationnelle discursive conserve à l'égard de la chose que l'on peut penser (*noèton*) une distance, et le maintien de cette distance lui vaut sa limitation en tant que pensée, mais non pas strictement en tant que rationalité car on n'aura garde de présumer que le *noûs*, ou pensée des intelligibles, soit le lieu d'un affaiblissement de la rationalité. Cette dernière, touchant au principe de tout, est, au-delà de la cohérence, adéquation à la manière même dont s'articule l'intelligible, ce que, d'un rare singulier collectif, Platon appelle l'*ousia* lorsqu'il en excepte le Bien (509 b). Dans ce cas, l'*ousia* condense en soi l'ensemble des intelligibles, et la pensée, une fois le Bien atteint, peut attribuer à cet ensemble l'être même. Mais alors, dira-t-on, si vous faites pour le Bien une telle exception, votre rationalité n'ira-t-elle pas s'abîmer dans une sorte de mutité ultime, puisque la plus haute rationalité, ou, si l'on veut, son plus haut degré, embrasse l'*ousia* dans son ensemble ? Le principe même de la rationalité, cela même qui la sauve de l'instrumentalité pure, échapperait-il à son empire ?

On remarquera tout d'abord que le Bien, en tant que principe, demeure connaissable (VII, 517 b, c), et qu'à ce titre la rationalité peut prétendre parvenir jusqu'à lui. En second lieu, on concevrait mal que la pensée touchant à son premier objet effectif dans l'ordre ascendant de sa marche devînt de ce fait irrationnelle par excès. Mieux vaudrait, en respectant l'exception que fait Platon à propos du Bien, considérer qu'il est plus déterminé encore que le reste des intelligibles, ou, si l'on peut risquer l'expression, plus évident. Dès lors, avec lui, la rationalité atteindrait, par-delà la pluralité articulée des choses que l'on peut penser, quelque chose qui se suffit à soi-même, le suprêmement pensable. Et, quand elle l'aurait atteint, elle serait à même de présider à la décision convenable, par redescente, la rationalité de l'action étant une rationalité d'imitation du Bien. On voit que ce qu'il peut y avoir de discursif dans la rationalité est tenu par Platon pour hors d'état de se suffire à soi-même, et il est frappant d'observer qu'en usant d'une analogie, Platon établisse un rapport de cet ordre entre la « simulation [1] » (*eikasia*), ou faculté qui a trait aux images et non point aux originaux sensibles (VI, 511 c ; VII, 534 a), et la « discursion » (*dianoia*), faculté ou état de l'âme qui a trait aux intelligibles (ou « choses que l'on peut penser »), sans le saisir comme choses, c'est-à-dire sans l'évidence qui les accompagne. L'évidence rationnelle de l'intelligible, Bien compris, ne se donne qu'à la pensée qui n'a rien tenu pour acquis (VII, 533 c), l'évidence n'est pas ici l'au-delà de la rationalité, mais la rationalité achevée. Allons plus loin : sans l'intelligible fondateur, le Bien, il n'y aurait pas de rationalité du tout, comme y insiste Platon en *République* (VII, 534, d). On ne saurait donc concevoir de rationalité instrumentale sans une rationalité optimale, c'est-à-dire fondée dans la possession par la pensée du principe qui rend toutes ses opérations sûres.

Mais est-on vraiment fondé à unifier ainsi la rationalité, en faisant coïncider la chose suprêmement pensable et le fondement de tout ce qui est à faire, ce qui suppose que rien de contingent ne soit pris en considération dans l'accomplissement de l'acte, l'imitation du Bien — chose la plus déterminée — ne laissant place qu'à la résistance de ce que Platon

1. Traduction de L. Robin, in Platon, *Œuvres*, t. I, Gallimard, Bibliothèque de la Pléiade, p. 1101.

appelle l'indéterminé (*Philèbe*, 24 a), l'*apeiron* ?
N'est-il pas plus judicieux de rechercher pour la
décision en matière pratique une forme de rationalité *sui generis*, qui serait adaptée, en quelque
manière, à l'univers dans lequel les actes
s'accomplissent ? Une telle séparation, assumée par
certains penseurs contemporains, tels que
H.G. Gadamer[1], a une origine aristotélicienne.

Aristote a cru discerner en effet dans l'idée d'une
imitation du Bien en tout acte le risque d'une fondation rigoureusement vaine de la rationalité pratique,
par excès de détermination de son principe. Son
optimalité hyperbolique la rendait instrumentale-
ment ineffective. Croyant donner à toute action
droite un ultime garant cognitif, Platon, en recourant à l'Idée du Bien, commet aux yeux d'Aristote
plusieurs méprises : tout d'abord, il se méprend sur
la possibilité d'accorder ce qui est objet de contemplation et ce qui s'insère dans le temps et les circonstances de l'action. En second lieu, de façon
strictement corrélative, il attribue à la rationalité en
matière pratique une exactitude (*akribeia*) qu'elle ne
saurait comporter, non point en tant que rationalité,
mais du fait de l'objet de son application. Enfin, la
simple imitation du Bien, fût-elle possible, ne rendrait pas justice à ce qu'il y a de propre à l'agir, qui
requiert un jugement issu de l'intuition du singulier.
Mais la difficulté la plus considérable dans la position platonicienne — vue par Aristote — réside dans
son affirmation d'un bien qui occuperait à la fois le
rang de suprême connaissable et de norme de
l'action, comme si nous nous comportions de la

---

1. H.G. Gadamer, *L'Idée du Bien comme enjeu platonico-
aristotélicien*, trad. fr. P. David et D. Saadjian, Vrin, 1994.

même façon à l'égard de ce qui est à savoir et de ce qui est à faire.

Or, la rationalité, dans l'ordre pratique, est dépendante de la tendance vers la fin de l'action (*De l'âme*, III, 10), qui, à la différence du Bien selon la *République*, n'est ni constante ni rigoureusement déterminée. On se méprendrait sur l'ampleur — voire sur la nature — de la différence entre la rationalité théorétique et la rationalité pratique si l'on se bornait à y voir une orientation différente de la pensée, tantôt vers ce qui est toujours, tantôt vers ce qui est empreint de labilité, qu'Aristote nomme le contingent (*Éthique à Nicomaque*, VI, 3, 1139 b 19-25) — ce qui peut être autre qu'il n'est ou aurait pu être autre qu'il n'est. Que la pensée investie dans l'action (c'est ainsi que l'on rendra la formule d'Aristote dans l'*Éthique à Nicomaque*, VI, 2, 1139 a 36, *dianoia praktikè*) ait un rapport électif, voire exclusif, au contingent, n'est pas niable ; mais, avant qu'elle ne se tourne vers lui, il faut déjà qu'elle soit sortie de son état de pure *dianoia* (*dianoia autè*, dit Aristote dans le même passage, la « pensée elle-même », ou « prise en elle-même ») pour se subordonner — risquons l'anachronisme — à une opération de la volonté en nous. C'est assez dire que le terme de « rationalité pratique » enveloppe quelque difficulté, l'objet même de la rationalité n'étant pas en la matière rigoureusement disposé à sa pleine et entière application. La pensée n'est pas pratique par elle-même, elle le devient sous l'empire d'une fin que la volonté appréhende, et, à partir de là, s'attache à réaliser au lieu de contempler ce qui est. Ce qui signifie que, lorsqu'elle est mue par une représentation de fin, elle quitte son ordre naturel, qui, à son plus haut degré, consiste dans l'intuition de la chose même (*noesis*). Elle se fait pratique, s'incarnant dans une sorte d'état optimal de la réflexion tournée vers l'action, qu'Aristote nomme la *phronèsis* (classiquement traduit par « prudence ») ; la première chose frappante dans cette incarnation est la perte d'exactitude que connaît de son fait la rationalité, perte très exactement liée à ce passage de ce qui est toujours et toujours dans le même état à ce qui est seulement un moment et dans un état équivoque. La rationalité que l'on qualifiera de « théorétique » est une rationalité de vision du même, du nécessaire et du constant, ou du moins se laisse réduire à une telle vision, tandis que la rationalité appelée par raccourci « pratique » — puisque aussi bien elle ne l'est pas de soi — semble emporter avec soi une manière d'obscurcissement, la connaturalité de la pensée (*noèsis*) et du pensable (*noèton*) étant ici comme suspendue.

Le prix à payer pour le congé donné à l'idée du Bien risque donc fort d'être assez lourd : on a renoncé à une rationalité imitatrice, comme le serait, tant pour Platon qu'Aristote, une rationalité technique. On a ainsi pris acte de la double existence de la rationalité, semblant par là reconnaître qu'une rationalité optimale ne saurait tout embrasser, et qu'il faut pour ainsi dire effectivement choisir entre une rationalité optimale et une rationalité exhaustive.

Mais la question se pose-t-elle vraiment dans de tels termes ? La pensée qui quitte, si l'on peut dire, son ordre naturel pour réaliser une fin, n'est plus théorétique, mais cela ne veut pas dire qu'en tant que pensée, elle soit autre. Ce qu'il importe d'observer, c'est qu'elle n'a pas alors valeur de connaissance, du moins au sens fort qu'Aristote donne à ce terme, ainsi, dans l'*Éthique à Nicomaque* (VI, 3) ; mais, précisément, la nécessité qu'il impute à la connaissance n'est pas extensible à tous les usages de la pensée, aussi n'est-il pas usurpé de parler d'une rationalité dans le contingent sans pour autant renoncer à l'optimalité du rationnel. Sinon, il serait assez malaisé de comprendre ce que voudrait dire la moindre exactitude de la « rationalité pratique », faute d'*optimum*, précisément. Mais la rationalité pratique n'est pas un pis-aller, sa moindre exactitude est légitime eu égard à la chose même, qui n'en souffrirait pas en l'espèce de plus grande. Concevons que nos deux rationalités — la théorétique et la pratique — se distinguent par l'exactitude, sans que leur distinction ne fasse de la rationalité pratique une rationalité théorétique appliquée ni une rationalité théorétique inachevée.

Quelle en est, dès lors, l'œuvre propre ? Pensée investie dans l'action, elle n'a pas à appliquer une introuvable norme préexistante, elle a à juger de la pertinence des voies suivies pour arriver à la fin que la volonté poursuit. En un passage décisif, Aristote marque bien la différence entre la fonction de la pensée en tant que telle (discerner le vrai et le faux) et la fonction de la pensée qui s'investit dans l'action, qui, elle, discernerait la vérité s'accordant à la rectitude du désir (VI, 2, 1139 a 3-7). Insistons sur l'importance de l'enjeu : tandis que Platon voyait dans la pensée en tant que telle cela même qui déterminait, pour l'âme accoutumée à l'exercer ainsi, le meilleur cours que puisse suivre l'action, elle semble à Aristote hors d'état de le faire, si elle n'est pas disposée à le faire par le mouvement propre de ce qui en moi tend vers une fin, disons, le volitif. « La pensée elle-même ne meut en rien » (VI, 2, 1139 a 35-36)

— mais alors, dans la « rationalité pratique », la rationalité n'est-elle pas instrumentalisée ? À tout le moins, n'est-elle pas subordonnée à ce qui rend la pensée pratique, la fait sortir de son ordre pour ainsi dire naturel ?

Rien n'est moins sûr. Il serait de la dernière imprudence de croire que la fin soit étrangère à la pensée, la rationalité ne lui est pas rigoureusement indifférente, elle en structure la perception ; seulement elle n'est pas première, elle doit en quelque manière, lorsqu'il s'agit de l'action, être précédée, dans son exercice, par l'idée d'une chose à faire, ce qui contient à la fois l'idée d'obligation et l'idée de réalisation. Faut-il dire que la pensée par elle-même est naturellement ordonnée à ce qui est, et que le fait pour la fin d'avoir à être la rend extérieure à cet ordre de la pensée ? Mais, pour qui actualise pour le mieux sa capacité rationnelle, même l'anticipation de la réalisation de la fin est au plus haut point rationnelle. Une deuxième hypothèse consisterait dans l'attribution à la tendance vers une fin d'un caractère proprement subjectif que la *dianoia* par elle-même n'aurait pas, ou pas au même degré ? L'action à accomplir, visée d'une fin qui est l'horizon de toutes les fins particulières, me sollicite en tant que principe de choix : dans le meilleur des cas, ma rationalité pratique, en tant que raisonnement sur les voies et moyens d'atteindre la fin que je me représente — ne connaît pas d'écart avec la représentation rationnelle de cette fin. Mais il n'en est pas de même lorsque, comme l'*akratès* dont parle Aristote, je ne parviens pas à faire ce que je sais être le mieux : d'aucuns ont qualifié ce manquement de « faiblesse de la volonté », mais l'expression est peut-être fallacieuse. Car, en l'affaire, c'est le passage de la repré-

sentation de la fin à la décision d'agir qui est sujet à
faillir, si bien qu'il serait au moins aussi judicieux de
parler d'une faiblesse de la rationalité. Certes, on ne
saurait l'attribuer à la pensée par elle-même, qui,
n'étant pas de soi tournée vers ce qui est à faire, n'est
pas sujette à faillir en la matière ; et l'analyse de
l'akrasia (manque de contrôle) laisserait plutôt apparaître (*Éthique à Nicomaque*, livre VII) une sorte
d'émancipation virtuelle du désir, qui, sur cet
exemple privilégié, manifeste une existence propre
en s'écartant de la rationalité optimale. Cependant,
la version aristotélicienne de *l'akrasia* ne consiste
pas exactement dans la simple reconnaissance de cet
éventuel écart, puisque aussi bien c'est un acte de la
rationalité qui conduit à la décision.

On ne saurait donc parler sans autre précision
d'une limite de la rationalité dans le cas présent : car
le désir n'est pas constamment en discordance avec
elle, et l'on ne peut même pas dire qu'ici, il lui soit
vraiment étranger. Ce qui fragilise la rationalité et la
rend vulnérable semble bien être sa connexion avec
l'objet singulier et contingent : aussi, et paradoxalement, peut-on donner au moins une présentation
rationnelle de ce qui en moi conduit à une décision
traduisant *l'akrasia*. Mais, alors, notre question inaugurale revient : qu'est-ce qui, au juste, n'est pas
rationnel ?

En réalité, il y a quelque équivoque dans les
termes de la question, lorsqu'on l'applique au
présent cas : est-on fondé à parler ici de rationalité
dans une seule acception ? Est-ce la rationalité optimale ou la rationalité instrumentale qui est sans
effet dans *l'akrasia* ? Si l'on considère la seconde, on
peut assurément dire qu'elle est comme parasitée
lorsque la liaison entre la représentation de la fin et

la décision n'est pas ce qu'elle aurait dû être ; cependant, au prix d'une sorte de sophistique interne à la prise de décision, je puis restituer même pour l'*akrasia* au moins l'apparence de la rationalité instrumentale. Mais la rationalité optimale, quant à elle, est sans conteste, dans l'exemple considéré, ineffective. La rationalité souffre en matière pratique d'une difficulté à devenir habituelle, à ne faire qu'un avec l'exercice du désir ; aussi importe-t-il de discerner avec soin la rationalité comme capacité et la rationalité en acte. Seul un être rationnel peut être affecté d'*akrasia*, mais en cela sa rationalité a un exercice au moins inconstant. L'imputation de rationalité et le caractère rationnel de l'acte singulier semblent devoir être dans une discordance que rien ne vient combler.

L'analyse de la rationalité nous a livré une première difficulté, qui tenait à ce que, lorsqu'elle se voulait optimale, elle ne pouvait être exhaustive, et lorsqu'elle cherchait à pallier ce défaut, son optimalité devenait problématique. Mais en fait, il faut compter à présent avec une seconde difficulté, qui est que lorsque la rationalité a égard à ce que la volonté doit déterminer, elle ne peut être de façon rigoureusement harmonieuse optimale *et* instrumentale. Et l'on commence à soupçonner que l'éventuel défaut de rationalité pourrait bien s'avérer moins crucial que le défaut d'articulation dans la rationalité, si du moins la rationalité instrumentale sauve les apparences, ce que ne peut faire la rationalité optimale.

L'instrumentalisation de la rationalité

La rationalité a subi à l'époque contemporaine plusieurs assauts, qui ont tendu à la dépouiller de sa légitimité, voire de sa consistance ; hypertrophiée dans l'ordre technique, au risque d'une objectivation fantasmatique — la rationalité instrumentale « collective » compensant, légitimant, suscitant même le déclin de la rationalité individuelle —, elle semble comme éclipsée dans des domaines où son exercice est moins patent, c'est-à-dire celui de la décision éthique et politique. En un sens, tout ce qui est procédural occupe presque sans critique l'avant-plan de la rationalité, dont le souci se confond avec l'optimisation des voies permettant de parvenir à l'atteinte d'une fin au demeurant indifférente Il n'est pas interdit de voir dans cette instrumentalisation de la rationalité une restriction indue de son acception, encore renforcée par une puissante tendance historique que Max Weber a nommée « rationalisation[1] ». On croit discerner une extension continue du rationnel — ce qui, au strict plan pragmatique, est probablement hors de conteste —, quand, à y regarder de plus près, on découvre son appauvrissement, ce qui conduit certains esprits à conclure tout uniment à un échec sans phrases du projet des Lumières[2]. La rationalité ne s'étendrait que dans la direction d'un accroissement de notre puissance sur les choses, et, éventuellement, sur les hommes, sans jamais être,

1. M. Weber, *Le Savant et le politique*.
2. Voir les analyses critiques de ce genre d'attitude in J. Bouveresse, *Rationalité et cynisme*, éd. de Minuit, 1984.

dans cet accroissement même, autre chose qu'une rationalité immanente, insoucieuse de ses propres fins, ayant d'autant plus de prise sur les choses et les hommes qu'elle serait a-critique. Le constat est connu, s'il n'est trivial : est-il à ratifier sans autre forme de procès, faut-il consentir à supporter désormais la présence, sans terme discernable, d'une puissance purement immanente du rationnel coexistant de manière léonine avec une anomie éthique et politique, la décision étant abandonnée à la volonté pure ? Cette rationalité sans fins serait celle où nous laisse la renonciation, elle-même presque passée à l'état de vulgate contemporaine, à la notion de progrès éthique, comme si des exemples historiques, fussent-ils de première grandeur, pouvaient la rendre vaine.

Or, une rationalité atélique est aussi, ou risque fort d'être, une rationalité anarchique, au sens pur et propre où elle serait privée de principe. Sa puissance serait le dernier mot quant à sa nature, sa mise en œuvre ne serait précédée d'aucune essence, son succès serait caractérisé par une facticité radicale. Mais cette situation même n'accuse-t-elle pas une contradiction entre l'instrumentalité, devenue le trait principal de la rationalité, et cette dernière, qui, à perdre toute nécessité, ne serait plus que l'ombre d'elle-même ?

Il serait cependant trop rapide de dénier toute rationalité à l'instrumental, tout autant que de croire que le rationnel s'y abîme tout entier ; s'il a pu se laisser ainsi réduire, n'est-ce pas qu'il comportait dans sa notion un aspect d'instrumentalité, certes subordonné, mais effectif, et, que, partant, sa notion ne saurait se laisser ramener tout simplement à une teneur strictement normative, ou, comme le dit Karl

Otto Apel[1], « axiologique » ? Il serait, semble-t-il, plus judicieux de discerner, au sein de la notion de rationalité, des significations hiérarchisées, l'instrumental constituant le plus bas degré, à moins de concevoir qu'il s'agit bien plutôt de la cohérence rituelle, comme le laisseraient entendre, on l'a vu, certains spécialistes des sciences sociales[2]. Mais alors, comment rendre compte de cette différenciation interne à la rationalité, qui a pu se durcir en une antinomie comparable à celle de Max Weber, mettant aux prises la « rationalité en valeur » et la « rationalité en finalité[3] » ? Selon la formule de Weber, « du point de vue de la rationalité en finalité, la rationalité en valeur est toujours irrationnelle[4] ». À cette aune, le parti pris par Socrate dans le *Gorgias* devrait être convaincu d'irrationalité, puisqu'il accorde à la justice une valeur inconditionnelle. Cependant, Platon a pris soin, au moins dans la *République*, d'établir la compatibilité de cette thèse avec la prise en considération de l'intérêt de l'individu (IX, 591 a). Il n'est pas inévitable de dissocier nos « deux rationalités », il serait plus éclairant de revenir à leur *racine commune*, à condition d'en déceler la nature. Une première réponse serait possible, mais trop large pour l'objet de la recherche : car enfin, n'est-on pas fondé à parler d'une rationalité de l'espèce, depuis Aristote au moins, et à ce titre l'instrumental et l'axiologique ne prendraient-ils pas place parmi les modes d'exercice de cette rationa-

1. K.O. Apel, « Une théorie des types de rationalité », *Le Débat*, n° 49, mars-avril 1988.

2. Ainsi M. Hollis, *op. cit.*

3. M. Weber, *Économie et société*, t. I, Plon, p. 22.

4. *Ibid.*, p. 23, traduction légèrement modifiée (voir C. Colliot-Thélème, *Max Weber et l'histoire*, PUF, coll. Philosophies).

lité ? Mais l'unité présumée de la rationalité serait alors trop indéterminée, se confondant avec une simple aptitude, dont on aurait, qui plus est, le plus grand mal à hiérarchiser les modes d'actualisation, car on ne saurait confondre rationalité générique et rationalité accomplie, sinon l'*akrasia* serait impossible.

Il serait fallacieux, en effet, d'inférer de la rationalité propre à l'espèce la moindre uniformité de son exercice, ce qui faisait dire à Leibniz que « nous sommes empiriques dans les trois quarts de nos actions ». Ce n'est pas à dire que nos actions comportent un défaut radical de rationalité, mais plutôt que cette dernière peut fort bien ne pas s'exercer de manière expresse dans tous les cas ; de toute manière, la rationalité générique comporte le plus et le moins, ce qui nous impose de déterminer son exercice optimal. On se risquera à avancer que cette optimalité réside ou résiderait dans la constance d'une conduite selon des principes, au sens où le même Leibniz pouvait dire que « le sage agit toujours par *principes* », c'est-à-dire « par règles[1] ». En un mot, la rationalité optimale s'identifierait à la constance dans la conformité à des règles que l'on se serait fixées, elle ne s'épuiserait pas avec la description des comportements de l'animal rationnel. Une rationalité générique n'est pas *eo ipso* une rationalité accomplie, même si cette dernière n'est en un sens que l'actualisation de la première. Mais, précisément, s'actualiser, pour la rationalité générique, n'est pas, on l'a vu, exempt d'équivoque : l'instrumentalisation sur le mode wébérien en est une manière de preuve, elle qui est certes une actualisa-

1. Leibniz, *Essais de théodicée*.

tion du rationnel, mais sur un mode restrictif. Il faut se garder cependant d'accorder à l'idée d'instrumentalisation plus qu'il ne convient : l'actualisation éventuellement inégale du rationnel ne signifie pas en effet nécessairement que seule la « rationalité en finalité » au sens de Weber soit cette actualité, on peut même s'interroger non sans quelque fondement sur la possibilité d'une rationalité qui ne serait que cela.

Le cas du Calliclès de Platon dans le *Gorgias* ne manquerait pas d'apporter quelque lumière sur ce point : il se réclame au moins en apparence d'une forme de rationalité-cohérence, pour maximiser la satisfaction du désir qu'il se trouve vouloir combler à tel moment. Ce désir lui-même s'impose, incontesté, il est une fin pour l'individu sans pouvoir être rapporté à une fin des fins, aussi Socrate invoque-t-il contre Calliclès l'idée de limite. Qu'on ne se méprenne pas sur son propos : ce n'est pas la satisfaction du désir qui est en cause, c'est l'illimitation revendiquée par Calliclès à son sujet. Cela rend la stratégie hédoniste de Calliclès autodestructrice, car on ne saurait planifier une jouissance constante alors que chaque désir serait pris dans un état absolu ; l'art dont se réclame Calliclès échappe à sa revendication, mieux, se retourne contre elle, car il emporte avec soi l'idée de détermination de la fin, l'idée d'œuvre à faire, avec les exigences idéales qu'elle comporte. La réduction du technique à l'instrumental de la part de Calliclès jette un doute sérieux sur l'effectivité même de la ligne de conduite qu'il préconise, car il se trouve vouloir réaliser une fin sans consistance, le problème du désir illimité n'étant pas tant qu'il soit éthiquement irrecevable qu'ontologiquement non viable.

Aussi s'est-on parfois fourvoyé en incriminant dans la position de Calliclès l'hédonisme comme tel, tandis que le point résiderait plutôt dans l'hédonisme inconséquent, la rationalité présumée de l'action entrant en conflit avec la rigoureuse injustifiabilité de la fin. On voit sur cet exemple que l'émancipation de la rationalité instrumentale est sujette à caution, et qu'en tout cas, ce ne saurait être la pure affirmation de la cohérence d'une suite d'actions procédant d'une représentation de fin, par soi soustraite au jugement de la raison. Il est difficile de résister à la conclusion que ce qui rendrait viable l'hédonisme calicléen serait de soumettre chaque représentation d'une fin singulière à une fin commune, horizon de toutes les autres, et permettant de les juger — cela même qu'il se refuse à faire, car ce serait mettre à mal l'inconditionnalité du désir dont il fait l'un de ses titres majeurs. On pourrait fort bien concevoir un hédonisme rationnel — mais il serait fort éloigné de l'admission pure et simple de chaque désir, accompagné de moyens (« rationnellement » considérés) de se satisfaire. Et, plus que la simple cohérence instrumentale, c'est une cohérence à travers le temps qu'il faudrait lui attribuer, comme le reconnaîtra expressément Épicure dans la *Lettre à Ménécée* ; mais alors, le dessein de soustraire à l'examen rationnel la question de la fin s'avère plus que difficile, puisque aussi bien une fin, dans la cohérence transtemporelle dont on vient de parler, peut s'en voir préférer une autre, en vertu des conséquences prévisibles de son éventuelle réalisation.

On le voit, la position de Calliclès, qui instrumentalise au plus haut degré la rationalité, pour en faire un strict attribut de la puissance, est moins rationnelle qu'il n'y paraît, et invite, par les difficultés où elle se laisse enfermer, à reconsidérer la distinction absolue qu'elle assume entre la rationalité de ce que l'on poursuit et celle des voies et moyens de la réalisation de ce que l'on poursuit. La prise en compte du temps, en particulier, incite à réintroduire la rationalité là où Calliclès n'en voyait pas la pertinence ; toute fin évaluée, représentée en rapport avec d'autres, donne prise à l'intervention de la rationalité, qui ne saurait se borner à trouver la meilleure voie pour la réalisation d'un désir aveugle.

Platon, en d'autres lieux que le *Gorgias*, évoque la possibilité d'une soumission à la rationalité de fins que l'on croyait opaques, comme dans le *Protagoras*, où, en réplique à l'idée mal conçue selon laquelle on serait « vaincu par le plaisir », il prête à Socrate une stratégie de réfutation (353 c-357 e) qui consiste à substituer à l'idée d'une fin immédiate (plaisir ou peine entendus *absolument*, comme dans l'hédonisme inconséquent de Calliclès), et, partant, ne donnant pas prise à la rationalité, celle d'une fin entrant dans une hiérarchie de fins, ce qui fait que, même pour qui se veut hédoniste, les fins ne peuvent être acceptées de manière détachée, selon la seule raison de leur intensité ; à ce critère immédiat, Socrate préconise que l'on préfère la mesure (356 c-d), qui rétablit les différences selon un horizon temporel rationnellement construit, dissipant par là l'incertitude relative à la fin, ou du moins l'impression que produisent le phénomène et ses prétendues certitudes successives et contradictoires. On ne verra donc pas dans le Socrate du *Protagoras* un tenant soudain de l'hédonisme, mais un analyste de la raison d'être d'un hédonisme qui voudrait se présenter comme éthique acceptable, et qui devrait à ses yeux renoncer à prendre plaisirs et peines comme purs objets d'expérience.

La rationalité ici invoquée s'associe à la médiation temporelle, ainsi qu'à la préférence — compte tenu des conséquences sur le long terme — pour une fin plutôt que pour une autre ; mais ce n'est encore qu'un contre-feu, car on a tout au plus établi que, si le plaisir est poursuivi au titre de bien, il souffre — et même requiert — l'intervention de la rationalité. Ne pourrait-on étendre son rôle en allant au-delà de la réfutation que propose Socrate des partisans les moins avisés de l'infériorité de la rationalité face au plaisir ou à la douleur ? On dispose de leur thèse en alléguant l'impossibilité d'atteindre le plaisir comme bien sans un choix rationnel ; mais ce n'est encore qu'une mesure relative, adaptée à un terrain où la rationalité n'est pas principe de conduite de plein droit. On a réaffirmé la présence nécessaire du rationnel, ses prérogatives demeurent indéterminées. Il est à noter d'ores et déjà, cependant, qu'il prend pour matière l'affectif, dès qu'il s'agit d'outrepasser l'expérience pure, qu'à ce titre l'affectif est déterminable ; il n'est pas possible de dire, malgré tout, qu'il le soit de part en part. C'est ce versant, réfractaire à la rationalité, du plaisir, de la douleur — et des états affectifs qui en procèdent —, que les interprètes de l'*akrasia* combattus par Socrate pouvaient mettre en évidence pour justifier le fait présumé que « beaucoup d'individus, tout en ayant la connaissance de ce qui vaut le mieux, ne consentent pas à le faire, alors qu'ils en ont la possibilité ; mais font tout autre chose » (*Protagoras*, 352 d). Certes, il est plus judicieux de dire avec Socrate que l'*akrasia* — si elle existe — n'est pas une défaite sans phrases de la rationalité, que cette dernière est en réalité toujours à l'œuvre, même à des degrés différents d'exercice. Cela dit, le dernier mot n'est pas dit pour autant. Car on ne peut manquer de continuer à s'interroger sur ce qui, dans l'affectif, est précisément réfractaire à la rationalité, et dont la présence sourde autorise au moins l'apparence d'un jugement concluant à l'*akrasia* : ce qui est en moi le plus immédiat, le plus détaché de tout horizon stratégique, n'est-il pas une vraie limite de la rationalité, ce dont on aurait comme la contre-épreuve lorsqu'elle revêt un caractère impératif ?

En effet, le propre de la rationalité est cognitif ; si, dans l'âme, tout consentait à cette activité, le problème de l'*akrasia* n'aurait pas lieu d'être. Or, si l'on s'en rapporte à Platon, ce n'est vrai que de l'âme idéale, c'est-à-dire ce qu'est pour nous l'âme des dieux. En celle-ci, les différentes fonctions — que l'on peut bien appeler si l'on veut cognitive, volitive et affective — n'en font qu'une par l'objet de leur aspiration, le vrai. Mais, de ce fait, il n'est pas besoin pour la rationalité d'être impérative, elle n'a pas à s'imposer aux autres fonctions, ni à tenter de les remettre dans la visée de la fin droite. Elle représente une loi intérieure, qui, dans cette condition divine, est voulue de soi, sans conflit, comme marque d'un dessein d'ensemble de l'âme, expression d'une unité d'emblée présente, où la rationalité, partant, ne rencontre à rigoureusement parler aucune limite. Qu'en dire, si ce n'est qu'elle n'est pas vouée à en rencontrer dans l'âme prise dans sa nature même, qui, si elle n'est pas que rationalité, ne présente rien qui lui fasse obstacle ? Mais alors, si la nature de l'âme ne semble pas le comporter, comment rendre raison de la limite que la rationalité, pour nous, dans l'âme telle qu'elle est en nous, paraît bien rencontrer ? Ne faudrait-il pas reconsidérer à la lumière de ce qu'est l'âme dans la condition divine

(*Phèdre*, 246 a) l'idée précédemment esquissée, selon laquelle l'affectif serait par soi pierre d'achoppement pour la rationalité ? En fait, il ne le serait que de manière conditionnelle, et nullement en vertu du lien de l'âme avec un corps, puisque aussi bien c'est également le cas pour les dieux : on ne peut se soustraire à l'idée que, si limite il y a, elle intéresse l'âme qui avait à être la nôtre, âme dans laquelle la rationalité est certes principe, mais principe qui a à s'imposer, cette fois, à une affectivité devenue rebelle. Si le dieu est l'idéal de l'homme, c'est qu'il ne désire rien qu'il ne doive, si l'on peut dire, rationnellement désirer. En lui, l'optimal et l'instrumental ne peuvent que coïncider, et l'on risquerait volontiers la conjecture que leur écart, voire leur discordance, est la marque d'une sorte de finitude, dont le modèle divin servirait de preuve *a contrario*.

Néanmoins, cet écart connaît lui-même des degrés, et le cas de Calliclès est probablement extrême : ayant combattu la réduction du rationnel à l'instrumentalité pure, Platon n'entend pas pour autant identifier sans autre forme de procès l'optimal et l'instrumental, si ce n'est, justement, pour le dieu. Pour nous, leur coïncidence est problématique, et leur écart éventuellement grandissant marque sans nul doute l'affaiblissement de la rationalité. Mais ce n'est pas à dire qu'elle puisse jamais s'absenter absolument, et si en nous l'affectif est comme devenu opaque, il n'en est pas moins une sorte de rationalité sourde, qui ne se sait plus elle-même.

La rationalité : tradition impossible ?

On en trouvera une autre forme, peut-être, dans le cas de la *tradition*. Entre les mains de traditionalistes célèbres comme Joseph de Maistre ou Louis de Bonald, elle a fait figure d'arme contre la rationalité, comme si la longueur du temps avait la vertu d'anéantir l'opération d'examen qui lui est associée à sa fine pointe, comme si, en d'autres termes, la rationalité échouait à se donner un exercice continu, alors qu'une croyance perpétuée, elle, ferait très bien l'affaire. La rationalité, en effet, qui est universelle en tant qu'attribut de notre espèce, paraît ne plus l'être lorsqu'on considère les différentes activités dont cette espèce est coutumière, au point que certaines d'entre elles en sont réputées dépourvues. Faut-il se satisfaire d'un tel écart, et admettre pour une évidence irréductible le défaut absolu de rationalité dans ce qui n'est pas la philosophie, la science ou la technique ? Ce serait faire preuve d'un exclusivisme naïf, en réservant la rationalité à l'ensemble des disciplines qui en font leur *matière* ou leur *norme*, sans considérer une rationalité moins expresse mais non moins effective. En fait, l'universalité présumée de la rationalité doit pouvoir se traduire au moins en des différences d'exercice de la rationalité, et ce serait l'effet d'une prévention de rechercher en tout lieu celui qui s'est érigé en norme dans les sciences dites « formelles » Est-ce à dire pourtant que la rationalité soit réellement douée d'ubiquité, qu'elle ne rencontre rigoureusement parlant aucune limite ? N'est-il pas des illusions d'imputation de rationalité, là où des motifs plus efficaces sont susceptibles d'intervenir ? De fait, d'aucuns, on l'a vu, ont pu alléguer l'autorité et la tradition pour se substituer avantageusement à la rationalité quand il s'agit de prendre une décision sans attendre, et c'est l'une des idées les mieux accréditées des traditionalistes que la rationalité prise pour principe exclusif conduirait à l'impossibilité d'agir. Mais l'argument est peut-être mal entendu : car ce que les traditionalistes ont en vue dans leur critique n'est pas toute la rationalité, mais celle qui se prévaut de principes explicites, celle qui affecte l'aspect ouvertement délibératif qui leur semble incompatible avec les nécessités d'une décision à prendre sur-le-champ. On pourrait à bon droit se demander si la tradition ainsi invoquée à l'encontre de la rationalité ne comporte pas à l'insu des traditionalistes comme un noyau de rationalité, mais devenue implicite ; la stratégie antirationaliste consistant à réduire l'exercice de la rationalité dans le temps comme dans l'espace tire argument, en fait, de l'écart qui ne peut manquer de subsister, on l'a dit, entre rationalité générique et rationalité accomplie. Ainsi dira-t-on que les droits de l'homme ne sont qu'une invention occidentale, puisque aussi bien c'est là qu'ils ont été « promulgués ». Mais si c'est assurément faire preuve d'angélisme d'imaginer que les différences entre civilisations puissent sur-le-champ s'effacer devant la rationalité pure — qui a à s'incarner — il est tout aussi assurément imprudent de croire pouvoir localiser la rationalité dans son exercice, faisant ainsi d'un universel une particularité arbitraire. Cela dit, l'existence même du grief montrerait que la rationalité n'est pas assurée de son incarnation, que prise en tant que tradition éventuelle elle recèle à n'en pas douter un caractère problématique. La fin qu'on a coutume de lui prêter — le libre examen universel — se prête mal à habiter une tradition au sens ordinaire du mot. La rationalité, certes, requiert en un sens plus d'efforts pour se perpétuer si on la prend dans sa dimension critique. Il est également peu contestable que nombre de traditions ne tendent pas à renforcer son exercice, croyant faire dépendre leur solidité de la limitation même qu'elles entendent y apporter. Mais il serait naïf d'épouser la conception traditionaliste de la tradition : elle n'est pas exclusive de la rationalité, même si elle n'en présente pas les modes les plus explicites. Il est parfaitement vrai — et on le concédera de bonne grâce aux traditionalistes — que la rationalité ne peut devenir une seconde nature, du fait même de ses vertus. De même que, dans l'âme telle qu'elle est en nous, comme eût dit Platon, la rationalité doit se faire impérative, il peut lui advenir de s'ériger en norme critique contre toute tradition. Mais ce n'est pas pour s'en exclure radicalement, c'est plutôt pour ressaisir ce qui, dans la tradition, relève de son ordre, mais non expressément. Tel était le sens qu'un Platon pouvait donner à la notion d'*èthos*, l'ensemble des mœurs en tant qu'elles reflètent les exigences rationnelles de la loi, qu'elles les précèdent (*Lois*, VII, 797 a-d) ou qu'elles les renforcent (VI, 793 b) ; or, l'*èthos* semble bien constituer une médiation capitale entre le rationnel et l'affectif, conduisant le second à s'imprégner des normes du premier, ce qu'il ne pourrait faire s'il lui était totalement étranger. On connaît le passage — l'un des plus fameux des *Lois* — où Platon fait l'apologie de l'absence de changement (VII, 798 a-d), jusque dans les jeux des enfants. Beaucoup se sont récriés en y voyant l'ombre du Platon « totalitaire », sans percevoir ce que pouvait recouvrir en ce lieu l'analyse de l'*èthos* ; l'idéal serait que la rationalité se fasse tradition, mais cela requiert justement que le terrain soit préparé, par la voie des habitudes que l'on fait contracter. On l'a vu, c'est la faiblesse de la rationalité en nous que d'avoir à s'imposer ; mais si l'affectif était

insensiblement préparé par l'accoutumance à se prêter à ses vues, elle serait une loi quasi spontanée, et
la médiation de l'*èthos* permettrait ce que la condition divine comporte sur le mode de l'immédiateté.
Rendre le rationnel spontané, c'est là un programme
pour le moins paradoxal : aussi bien n'est-il pas réa-
lisable dans son intégralité. Car cette médiation
même qu'est l'*èthos* risque fort, dans la plupart des
cas, d'être au mieux une rationalité par procuration,
le plein exercice étant réservé à qui a vocation à
cultiver les sciences et la philosophie. Et le péril le
plus grave que courrait alors la rationalité serait de
devenir instrumentale en voulant se faire tradition,
au service d'une fin, certes rationnelle, mais qui ne
serait pas éprouvée comme telle par la plupart des
intéressés. L'*èthos* ne serait plus alors que l'image
instituée du rationnel dans l'effectif, la rationalité de
la communauté ne se propageant pas à la totalité de
ses membres, sinon par simple imprégnation exclusive du libre examen.

On reste donc devant la difficulté qui offre la
redoutable figure d'un dilemme : ou bien, s'instau-
rant en tradition critique, au sens des Lumières, la
rationalité se fait critique de toutes les autres traditions, ou bien, prenant corps comme une tradition
au sens non critique, elle perd quelque chose de sa
teneur, se dégrade, devient une ruse. Soit elle
s'excepte comme tradition, soit elle s'excepte tacite-
ment de la tradition qu'elle prétend par ailleurs instituer. Elle n'est pas plus traditionnelle par elle-même
qu'elle n'était, tout à l'heure, impérative par elle-
même ; elle ne peut que tenter de prendre corps en
contestant ses incarnations ; on dira de la rationalité, non qu'elle est une tradition impossible, mais
une tradition équivoque.

Il faut bien qu'il y ait en elle quelque chose qui se

dérobe à ces tentatives de pérennisation, dont Platon n'était pas véritablement dupe, quelque chose qui lui donne le caractère d'une activité qui se déprend de ses incarnations, voire de ses œuvres : ainsi, on n'imagine pas une tradition éléatique, sinon en tant que reprise constante de l'activité de réfutation, du *krinein tô logô* (juger par la raison) de Parménide (Frag. VII). À certains égards, elle inclinerait assez au scepticisme, qui peut être vu sous l'aspect d'un travail de la rationalité sur elle-même pour suspendre toute adhésion, préservant la faculté de donner sa créance en ne la donnant à rien. Encore n'est-ce là que la version la plus modérée : au-delà, la rationalité tend à user de ses facultés réfutatives pour extirper la croyance elle-même, son travail sans fin visant à maintenir l'équilibre par la négation constante des raisons de croire.

Il faut savoir discerner dans le scepticisme ce dont il est comme le miroir déformant : le vif de la rationalité, la rationalité à l'état critique. Au vrai, l'on avait déjà discerné dans l'émergence grecque de la rationalité le développement — qui n'est pas strictement un autodéveloppement — de ce qui en elle est capable d'autoreprésentation, par-delà la rationalité immanente au rituel. Or, cela n'est possible que par le maniement explicite du principe de contradiction, arme majeure de la réfutation, instrument qui assure de la compatibilité des différentes positions adoptées par un individu.

Le vif de la rationalité : la rationalité critique
(l'exemple de la dialectique)

Dans cette hypothèse, la rationalité est investie dans une situation d'interlocution, ce que Zénon d'Élée avait pratiqué en virtuose : mais c'est une chose de viser à la réfutation d'un corps d'arguments, ou d'une thèse comme la réalité du mouvement, c'en est une autre de vouloir agir sur les croyances d'autrui pour les mettre à l'épreuve. Dans le premier cas, la rationalité a du mal à ne pas être éristique — c'est-à-dire finalisée par la victoire sur l'autre — et cette dimension, d'ailleurs, est rarement totalement absente de son exercice ; dans le second cas, elle tend à être exercée en commun, la critique rationnelle ayant pour objet les présupposés de tous les protagonistes, ce qui veut dire que la pensée entreprend de remettre en cause les choses qu'elle avait admises pour vraies — se remettant par là même en mouvement ; la rationalité critique n'est autre que ce travail de la pensée sur elle-même, par elle-même, elle qui se donne ses propres contraintes pour échapper à ce que Platon nomme l'état de rêve (*République*, V, 476 c). Il y a d'abord une exigence tenant à l'intersubjectivité : il importe que les protagonistes s'accordent sur la visée commune, qui est que rien ne doit résister à l'examen rationnel. Ce qui est déjà jugé sans avoir été examiné (tel est le sens de ce que Platon appelle *doxa*) est remis en jeu, pour être cette fois-ci considéré, abstraction faite de l'intérêt que l'on a pu avoir à le tenir pour vrai. On voit que chacun, dans le jeu de l'argumentation, s'engage à une sorte de dédoublement, qui laisse apparaître, au-delà de celui qui croit vraie telle ou telle thèse, le sujet de la pensée qui accepte d'être dessaisi de ses croyances, ou plutôt de s'en dessaisir de concert avec les autres. C'est alors que la rationalité s'actualise pleinement — dans le souci que la pensée a de son effectivité, la croyance la laissant dans un état d'inaccomplissement et de non-disposition de soi.

Il faut ensuite avoir égard à l'exigence d'objectivité, qui prend ici une acception tout à fait singulière : car la pensée doit bien avoir un objet sur lequel régler son exercice, mais cet objet n'est pas extérieur à son ordre propre ; il est ce que chaque pensée accepte de viser en même temps que toute autre, de partager avec toute autre, battant en brèche ce qui me fait me préférer à la vérité. La rationalité critique — ici entendue dialectiquement — veut l'universel, à condition qu'il soit l'horizon de son propre travail, non ce qui s'imposerait à elle, d'emblée et sans raison. Tel était déjà le sens de l'universalité propre à la géométrie grecque, qui offrait l'exemple d'une rationalité en acte se donnant des objets qui s'imposeraient à elle ; c'est cette auto-donation de l'idéalité reconnaissable par tout esprit qui représente le moyen le plus sûr de parer au scepticisme que la rationalité des Éléates contenait incontestablement *in nuce*. Car s'il est vrai que la rationalité requiert que l'on n'admette rien sans preuves ni sans critique, il est tout aussi vrai qu'elle n'interdit pas à l'esprit de donner son adhésion à ce qui est, si l'on peut dire, supérieurement vérifié. C'est du reste ce qu'exprimait Parménide lui-même lorsqu'il disait de la *Doxa* (Voie de l'Opinion) qu'elle était dépourvue de *pistis* (Frag. I), c'est-à-dire que l'on ne pouvait y ajouter foi. Mais, certes, cette foi ne saurait être première ; l'effectivité de la tâche critique de la rationalité se reconnaît à ce qu'elle lutte contre les tentations de la pensée, de se satisfaire à peu de frais en accordant sa créance à ce qu'elle a le moins examiné. Aussi ce long effort peut-il devenir à soi-même sa propre fin, la critique devenant hyperbolique et occupant alors tout l'espace de la rationalité. Il importe donc de redonner à la rationalité critique une fin qu'à l'encontre du scepticisme on puisse dire objective ; si on l'associe à l'usage de la dialectique, il faut bien discerner la dialectique purement négative — comme celle que Platon prête à Zénon dans le *Parménide* (128 d) — de la dialectique qui tend, en intégrant la réfutation, à l'établissement de la vérité. Cela dit, le discernement dont il s'agit ne va pas sans difficultés : car, pour sortir de l'état de rêve dont parle Platon pour qualifier la *doxa* (opinion), force est bien pour commencer d'user de la dialectique dite négative, dont l'effet est de susciter le doute. Le doute accompagne longtemps le travail de la rationalité, il ne doit pas être confiné à une sorte d'état initial procédant de sa première mise en œuvre. Son maintien signifie en effet la résistance de la croyance, dont l'existence prolongée atteste l'impossibilité pour la rationalité de coïncider tout de suite avec le tout de la pensée — si tant est qu'elle y parvienne jamais. Le tout est que le doute, précisément, ne tourne pas court, qu'il ne soit pas seulement un état momentané, mais, si l'on veut, un état durable, que l'art dialectique entretient à dessein, pour suspendre l'adhésion — une pensée opinative étant une pensée qui accepte. Mais l'on doit présumer que cette stratégie du doute n'est pas sans effet durable, qu'il y a, à l'horizon, comme un état habituel de doute ou de mise en doute, qui n'a pas besoin d'être grandement transformé pour devenir l'*epochè* permanente des sceptiques néo-pyrrhoniens. Aussi ce doute doit-il être corrigé dans son exercice même par la considération de l'objet auquel tous les esprits pourraient, si l'on peut dire, rationnellement ajouter foi. Le doute préserve de la croyance précipitée, mais n'a pas à empêcher toute croyance : il reste que son exercice modifie de toute manière cette attitude qu'est en nous la croyance, qui perd en ingénuité ce qu'elle gagne en légitimité. La rationalité dans son usage critique n'exclut pas que l'objet d'une croyance antérieure — suspendue par le doute — soit réassumé par la pensée, mais c'est désormais une croyance médiate ; le sceptique, cependant, dirait peut-être qu'après avoir cessé de croire — fût-ce pour un temps bref — on ne peut plus y revenir, que la croyance n'était autre que l'état d'ingénuité de la pensée. Ce serait alors ne donner à la rationalité d'autre destin qu'une forme de nihilisme cognitif, comme si l'autosurveillance de la pensée redoutant de retomber dans ce qu'elle croit pourtant avoir dépassé était devenue l'objet même de son travail : une rationalité sans objet, sans autre objet que soi.

La dialectique, en revanche, institue et maintient le doute qui lui est propre sous l'hypothèse d'un objet lui servant d'incitation à s'exercer, ce que Platon nomme le pensable. Un contresens fréquent veut que ce ne soit que le contenu actuel de la pensée de chacun — contresens que Platon lui-même a entrevu pour l'écarter, dans le *Parménide* (132 b), dont la première partie est une eidétique critique. Le pensable ne se réduit pas à l'être pensé, même si, en tant qu'objet, il ne se donne qu'à la pensée. Car il lui faut précisément demeurer un objet pour toute pensée, à tout moment. C'est cela même que la dialectique prend pour loi, dans sa forme platonicienne, combinant la vertu critique de la réfutation et le souci de l'accord sur l'identité du pensable ; mais, si cet accord était atteint, la rationalité cesserait-elle d'être critique ?

Il serait peu judicieux de conclure à l'affirmative : car un accord sur l'objet ne signifierait pas une pleine possession — ou une appropriation définitive

— de cet objet par la pensée, il resterait à s'assurer de la rigoureuse exactitude de cet accord ; c'est pourquoi il n'est pas sans pertinence de dire que la rationalité critique a des degrés, que la *doxa* persiste jusque dans la dialectique, tant que le pensable est présupposé ; or, on l'a vu, il ne peut que l'être si l'on veut que l'activité proprement dialectique s'amorce. Qui peut assigner le point où la *doxa* s'exténue ? Certes, dira-t-on, mais vous courez au-devant d'une difficulté plus redoutable : pouvez-vous assigner le point où la rationalité commence ? Et si la *doxa* est cet état d'adhésion ingénue de la pensée à son objet, sera-t-on jamais rationnel ?

En réalité, le commencement de la rationalité n'est pas assignable, et ce n'est pas au demeurant la chose qui importe le plus ; quant à la sortie hors de la *doxa*, elle ne saurait être conçue sur un mode initiatique et triomphal, comme dans le prologue du *Poème* de Parménide (Frag. I). Sortir de la *doxa* n'est pas l'affaire d'une seule fois, et même la *doxa* semble comporter des degrés ; d'autre part, la rationalité prise en tant qu'exercice serait inconcevable sans la rationalité prise en tant que faculté. La *doxa* est l'actualisation inachevée de cette dernière, et le propre de la rationalité critique est de lever cette inhibition pour poursuivre l'actualisation ; c'est pourquoi elle fait usage du doute, tout en le subordonnant à sa propre finalité cognitive. Mais, par là, elle acquiert une sorte de familiarité avec l'*epochè* ou suspension de l'adhésion, qui la rend beaucoup plus exigeante lorsqu'il s'agit d'accorder sa créance. Il faut à la rationalité une éducation, si elle veut s'épargner ce qu'il peut y avoir dans la dialectique de stérilement critique — et cette « éducation » serait précisément permise par la présupposition du pensable, par son idée, pourrait-on dire, en un sens postérieur au platonisme.

Mais cela ne semble pas suffire : car le passage de la faculté rationnelle — rationalité générique — à son actualisation n'est pas entièrement intelligible si l'on omet de faire intervenir le choix de la rationalité. On a vu qu'un Calliclès faisait figure de contre-exemple, lui qui, prétendant la réduire à un pur instrument, lui dénie foncièrement toute valeur.

Le choix de la rationalité

A contrario, il apparaît qu'être rationnel, par-delà la simple virtualité, signifie que ce sont les principes de la conduite qui sont rationnellement justifiables. Et il se pourrait que ce soit cet ordre de questions qui incite à l'exercice de la fonction cognitive de la rationalité. Seul le dieu — pour parler comme les Grecs — étant rationnel, d'emblée, sur le mode de l'acte, peut se dispenser de s'interroger sur les fins de la rationalité. Pour nous, êtres problématiquement rationnels, ces fins sont à proportion du degré de rationalité où nous sommes parvenus. Or, il est patent que l'universalité en acte de la rationalité n'est pas acquise, loin s'en faut ; il serait paradoxal, mais nullement faux, de dire qu'en nous, si la rationalité en tant que faculté est bien donnée, son exercice requiert l'acte de la volonté. Car il importe d'être, autant que possible, constamment rationnel. Mais — et tel était le sens de l'analyse de Weber que l'on évoquait plus haut — il advient que l'on confie à des procédures et à des institutions qui nous sont extérieures le soin d'être rationnelles en notre lieu et place. Ainsi « objectivée », la rationalité peut connaître en nous une éclipse, cesser de structurer nos actes. Tout ce qui n'est pas assumé par un travail effectif de notre pensée n'est rationnel que subsidiairement, il y a même un fétichisme de la rationalité procédurale ou technique qui coexiste volontiers avec une irrationalité foncière des fins.

Inversement, le choix de la rationalité en nous suppose une cohérence des fins, elle détermine en nous une continuité idéale qui n'est pas sans rapport avec l'idée de responsabilité. Au sophisme de l'altération constante du moi empirique qui me soustrairait à toute promesse et à toute culpabilité, il faut répondre que la rationalité enveloppe l'idée d'un ordre, d'une détermination de l'existence tout entière, comme le montre le *Gorgias*. Certes, cet ordre n'est jamais accompli, et il ne faut pas se dissimuler les aspérités que l'on a rencontrées dans cette analyse. La continuité est plus idéale que réelle, et le volontarisme rationaliste constitue un écueil à éviter. L'affectif, sans opposer une totale opacité au rationnel, en réfracte singulièrement la lumière. L'amour de soi (la « philautie » de Platon) impose au pur exercice de la rationalité une courbure spécifique — non point une fausseté intrinsèque, mais, plus pernicieuse, une difficulté pour aller jusqu'au bout de la critique, comme le ferait un spectateur rigoureusement impartial. Dans le concert divin du *Phèdre*, les âmes purement rationnelles ignorent l'égoïté ; dans la région moyenne où les âmes qui sont les nôtres ont à vivre, égoïté et rationalité coexistent polémiquement, ce qui confère à l'être-rationnel l'aspect d'un travail de soi sur soi. Cette rationalité imparfaite qui est la nôtre donne lieu aux multiples dédoublements que l'on a pu, successivement, soumettre à la discussion.

La dissociation de l'optimal et de l'exhaustif est la marque du nécessaire investissement de la rationalité dans le devenir, alors même qu'elle semble avoir un rapport électif à l'identique et au constant, comme les Éléates n'avaient pas manqué de le souligner, comme la géométrie l'attesterait s'il en était besoin. La rationalité, en quête de médiations entre elle et ce qui semble lui échapper, multiplie les intermédiaires au risque de s'affaiblir. La rationalité a cette infortune qu'elle doit être comme lestée lorsque son universalité en acte fait la preuve de ses défaillances : c'est pourquoi tant Platon qu'Aristote mettent un tel accent sur l'*èthos* — véritable schème pratique, détermination de l'affectif par le rationnel.

Mais ce n'est pas là la plus grande infortune de la rationalité : jusqu'à présent, elle n'a fait que tenter de s'étendre en se donnant des substituts. Mais elle court aussi le risque de se scinder, en rationalité optimale et rationalité instrumentale, ce qui, pris radicalement, entraîne son ineffectivité. Mais là, il s'agit plus que d'une imperfection : c'est probablement d'une perversion de la rationalité qu'il faudrait parler, provoquant une amnésie de son caractère axiologique. À cela, des raisons culturelles contemporaines ne sont peut-être pas étrangères, à commencer par l'éclipse — en voie de régression, semble-t-il — qui a pu affecter ce que la tradition nommait les sciences morales et politiques. Il est imprudent de multiplier de présumées limites de la rationalité, quand on aurait plutôt affaire à son inachèvement : ce que d'aucuns tiennent sans précaution pour de l'irrationnel est souvent du rationnel inexercé, qui ne coïncide pas exactement avec soi. Les résistances à la rationalité — indubitables — sont peut-être moins puissantes que les défaillances de la rationalité en nous.

Celle-ci, on l'a vu, est impérative, non en soi, mais pour nous. Ce qui veut dire, en effet, que notre volonté doit se porter vers le rationnel, quand même notre nature nous y destinerait. C'est ce que laissait entendre la forme dialectique de la rationalité privilégiée par Platon ; ce n'est pas là un artifice qui donnerait à la pensée plus de puissance, ou de rigueur, en la laissant inaffectée dans ses intermittences : elle s'en trouve à quelque égard transformée, en se pliant à la fois à la contrainte de l'intersubjectivité et à l'exigence d'objectivité idéale qui norme la première. Platon, dans un lieu classique du *Politique*, distinguant l'objet immédiat de l'enquête — la nature de l'homme politique accompli — de son objet à plus long terme, affirmait de ce dernier qu'il consistait à devenir « plus dialecticien » (285 d). Ce comparatif, qui a déconcerté de nombreux traducteurs, présuppose en effet qu'« être dialecticien » soit susceptible de degrés, comme « être rationnel » en est susceptible. Le plus haut degré serait peut-être d'atteindre l'évidence rationnelle, la pleine possession de l'objet de la pensée. Faute de l'atteindre, la pensée peut, en multipliant ses objets d'investigation, s'assurer de son cheminement, le rendre à la fois plus rigoureux et plus aisé, ce qui revient, non pas à appliquer une méthode que l'on aurait déjà à sa disposition, mais à rendre de plus en plus praticable un chemin que l'on prend d'abord du fait d'une idée de ce qui est à penser, une idée directrice. Au vrai, plus qu'elle ne s'applique, la rationalité s'éprouve, c'est pourquoi elle est susceptible de degrés, pouvant s'éprouver de mieux en mieux ; la pensée rationnelle exercée se meut dans le seul ordre du pensable, ayant pris le sensible comme tremplin. En ce sens l'objet de la pensée rationnelle — en tant que dialectique — est moins problématique que son travail, d'objet en objet, sans les facilités que procure l'association des phénomènes — *hôs epi to polu*, comme dit Aristote, c'est-à-dire selon la fréquence. Les connexions dans le pensable, si elles ont bien une raison d'être « objective », n'en sont pas moins instituées pour moi, ou plutôt pour nous, et si, comme le dit le *Phèdre* de Platon dans un passage souvent cité, le dialecticien est « capable de fendre l'essence unique en deux selon les espèces, en suivant *les articulations naturelles* et en tâchant de ne rompre aucune partie, comme ferait un cuisinier maladroit » (265 e), il reste que ces « articulations naturelles » du pensable sont plus connues en soi que pour nous. On comprend que Platon ait prescrit au futur dialecticien une sorte d'entraînement consistant à associer à des connexions entre objets pensables des liaisons sensibles. Mais ce ne serait pas concevable si ces liaisons n'étaient pas bien fondées, imitant en quelque manière les connexions qu'elles permettent d'aborder par un détour. Mais l'on peut se demander si l'on n'a pas saisi ce faisant le rationnel dans le sensible, rationnel qui ne survient pas de l'extérieur, mais que la pensée reconnaît à même l'expérience du sensible (*Phédon*, 74 c-75 b). C'est bien pourquoi la *doxa* — que l'on confond à tort avec l'expérience du sensible — est une actualisation inachevée du rationnel, où la volonté a sa part, s'il est vrai que l'expérience sensible prépare pour qui veut voir l'exercice de la pensée rationnelle. La *doxa* est une rationalité captive, qui voyant dans le sensible des images, ne sait pas présumer de quoi elles sont images, comme si, dans un signe, on s'en tenait à ce qui fait signe. Le rationnel qui s'émancipe insensiblement de cette condition en effet première a au moins l'idée de l'*eidos*, lorsque l'image en est vue. De même que la nature, la pensée ne fait pas de sauts — si ce n'est en tant qu'elle clarifie en soi ce dont elle est porteuse, en un sens, à son insu. De même que la science, disions-nous pour commencer, déploie ce qui dans le rite est une rationalité enveloppée, de même ici la pensée rationnelle déploie-t-elle ce qu'elle a aperçu à l'occasion de l'expérience sensible, et qui était déjà son propre bien.

S'il est vrai que la rationalité a du mal à s'unifier, au moins peut-on lui prêter une unité virtuelle, du minimum à l'optimum. On ne saurait admettre que les scissions apparues au sein de la rationalité soient irréductibles, même si l'on concède que l'instrumentalisation — tout au moins — a de fortes apparences historiques en sa faveur (ce que le wébérianisme, d'un terme quelque peu unilatéral, qualifie de « rationalisation », et que l'on pouvait aussi bien nommer technicisation). On l'a dit, là est sans doute le principal péril que puisse courir la rationalité, non point seulement du fait de l'atrophie manifeste de son aspect axiologique — dont K.O. Apel[1] se veut le défenseur contre les partisans acritiques du wébérianisme —, mais surtout à cause de la méprise croissante suscitée par cette atrophie, dans la mesure où l'on confondrait rationalité et performance, quand ce n'est pas rationalité et puissance. À vrai dire, l'unité de la rationalité, à cet égard au moins, peut être à bon droit conçue comme une idée directrice, contre cette forme d'historicisme qui avaliserait sous couleur de nécessité l'atrophie que l'on vient d'évoquer.

De même maintiendra-t-on l'universalité du

1. K.O. Apel, *op. cit.*

rationnel, pour peu que l'on consente à en diversifier les formes d'exercice. Le principe de charité invoqué, entre autres, par Martin Hollis[1], est bel et bien applicable, et même recommandé, pour éviter ce que la langue philosophique anglo-saxonne appelle *parochialism*, c'est-à-dire la volonté de retrouver dans toute activité humaine la même forme de rationalité — en l'espèce, la rationalité explicite, douée de la capacité acquise de s'accroître du fait même d'être explicite. Cependant, même si le principe de charité a la vertu d'obliger notre idée de la rationalité à cette diversification, il ne doit pas, à force de charité mal entendue, nous conduire à une idée indéterminée de la rationalité. Aussi bien, en même temps que nous accordons quelque rationalité au rituel, reconnaissons-nous la limitation qu'elle y trouve, en raison de son caractère symbolique — mixte de rationnel et de sensible. Mais, pour ne pas prêter le flanc au grief de *parochialism*, on avouera qu'après tout, l'actualisation de la rationalité se poursuit bien au-delà, et que telle est la nécessité du caractère critique qu'elle revêt. Critique de soi, la rationalité doit l'être pour s'achever comme rationalité.

Alain Petit

BIBLIOGRAPHIE

La bibliographie de la rationalité serait une tâche frisant l'impossible si elle se voulait exhaustive. Aussi bien le présent

1. M. Hollis, *op. cit.*

article n'a-t-il jamais entretenu cette illusion. On ne donnera donc ici que la bibliographie effective de cette contribution, renvoyant le lecteur pour d'éventuels compléments, aux très riches bibliographies de G.E.R. LLOYD (*Magie, Raison et Expérience*) et H. JOLY (*Le Renversement platonicien*).

L'émergence de la rationalité en Grèce ancienne a donné lieu à des travaux célèbres comme ceux, en France, de J.-P. VERNANT (*Les Origines de la pensée grecque*, PUF, 1962), ou, en Angleterre, de G.E.R. LLOYD (*Magie, raison et expérience*, trad. fr., Flammarion, 1990). On citera pour son apport éminent à l'analyse de la rationalité grecque, bien au-delà du platonisme : H. JOLY, *Le Renversement platonicien*, Vrin, 1974 (rééd. Vrin, 1994). Parmi les recueils d'études, l'un des plus dignes d'intérêt serait : *La Naissance de la raison en Grèce*, J.-F. Mattéi éd., PUF, 1990.

Pour les présocratiques, on renverra à *Les Présocratiques* (J.-P. Dumont éd.) Gallimard, Bibliothèque de la Pléiade, 1988 (rééd. abrégée, *Écoles présocratiques*, Folio-Essais, 1991).

Notre référence philosophique majeure ayant été Platon, on se reportera à ses *Œuvres complètes*, trad. fr. L. Robin, Gallimard, Bibliothèque de la Pléiade, 2 vol. ; pour la *République*, à la récente traduction de P. Pachet, Folio-Gallimard.

Les rapports entre rationalité implicite et explicite ont été étudiés dans un ouvrage classique de l'anthropologue J. GOODY : *La Raison graphique*, trad. fr., éd. de Minuit, 1979.

Enfin, pour la notion wébérienne de « rationalisation », on se reportera à M. WEBER, *Économie et société*, t. I, Plon.

LA TECHNIQUE

« La mécanologie est une science sociale », « les machines sont nous-mêmes », affirmait en 1932 l'ingénieur et technologue Jacques Lafitte. Mais en même temps, dans les dernières pages de ses *Réflexions sur la science des machines*, il exprimait sa perplexité sur le sens de cette mise en équivalence : « Dans quelle mesure les machines resteront-elles un prolongement organisé de nous-mêmes ? » Ne sont-elles pas susceptibles de couper leurs racines, pour prendre un « développement qui leur soit propre » ? Comment savoir si ce « nous-mêmes » pourra éviter cet avenir de rupture ? « Rien n'indique encore que nous saurons un jour vouloir notre devenir... »

En quel sens, en vérité, la technique, est-ce « nous » ? En quel sens, comme l'écrira en 1964 A. G. Haudricourt dans un article-manifeste qui devait faire date, la technologie est-elle « science humaine » ? Chercher à mener une analyse raisonnée du produit des actes industrieux de l'humanité, en quoi est-ce une voie d'accès à la connaissance de ce qu'elle est ? Le renvoi est d'autant plus énigmatique qu'on voit le même mouvement de mise en équivalence poser, en sens inverse, ce produit comme une force (devenue) étrangère à ceux qui l'ont enfantée. C'est à travers cette question qu'on envisage de parcourir ce champ culturellement institué qu'on appelle « la technique ».

Mais on rencontrera sous ce singulier (« la » technique) une bien étrange diversité. Les machines ne sont pas ici seules visées, ni même plus largement le domaine des artefacts, mais aussi bien des procédures, des procédés, des séquences parfois purement immatérielles. Une machine à vapeur, une machine à filer automatique, une machine-outil à commande numérique relèvent certes du technique ; mais on parlera aussi de technique picturale, militaire, bancaire (le compte à partie double), mathématique... Il y a des techniques architecturales, des variantes de la technique du colombage dans les maisons alsaciennes, mais aussi des « techniques du corps[1] », des techniques de l'argumentation[2]. Quoi de commun entre les techniques de conservation des aliments en bocaux de verre ou dans des contenants en fer-blanc, inventées par Nicolas Appert au tout début du XIXᵉ siècle, et les « techniques disciplinaires » ou la technique de conduite de réunion ? Cette énumération, toute modeste dans ses dimensions, fait déjà pressentir les difficultés de tout essai de définition.

I. L'IMPOSSIBLE DEFINITION

Une entrée par l'« objectologie » ?

Plus encore que les machines, ne seraient-ce pas les objets qui seraient « nous-mêmes » ? Après tout,

1. Voir M. Mauss, 1936, p. 365.
2. Voir Aristote, *Rhétorique*, 1354 a 11 *sq*.

les premières ne sont que les médiations pour les seconds. Les objets ne représentent-ils pas le terme et le sens le plus achevé de la sphère technique? Dégagés des obscures et diverses pratiques d'exécution, cristallisant le résultat des trajectoires matérielles et des investissements sociaux et culturels, intégrant même très indirectement les traces des pratiques réglées les plus immatérielles, les objets pourraient permettre de remonter aux complexités humaines de divers niveaux qui sont impliquées en eux. L'objet pourrait être expressif comme une monade, ou terme d'un « processus de concrétisation » dont G. Simondon, dans *Du mode d'existence des objets techniques* (1969), devait si remarquablement analyser certaines étapes, au titre de synthèses matérielles de plus en plus congruentes. À partir du pôle de l'objet fabriqué ont pu s'écrire de substantielles histoires, base féconde pour inventorier philosophiquement les horizons convoqués par le champ du « faire » technique. Plus les objets ont pu conquérir leur standardisation, plus ils témoignent des trajectoires de virtuosité, d'inscriptions dans des échanges et disséminations marchandes, des pulsations des stratégies économiques. S'agissant des objets les plus quotidiens, on doit faire état d'une dialectique illimitée entre les transformations des modes de vie, de la démographie, de la consommation, des usages ou exploitations de la force de travail, et les reconfigurations élargies des systèmes productifs engendrés par l'industrie humaine. Dans les pays anglo-saxons, on parlera volontiers à ce sujet de « construction sociale » des techniques.

Les objets « véhiculent la culture ainsi que le

changement », écrit F. Dagognet[1]. Que l'objet, couronné par l'art contemporain, apparaisse « sans ego » (1989, p. 202), c'est en cela qu'il peut nous aider à comprendre comment la fabricantocratie peut être « nous-mêmes » : l'objet se distingue de la « chose » dans la mesure où, de son existence sociale, sourd une dynamique de différenciation propre au vivant humain. L'exigence juridique elle-même — la brevetabilité — feuillette l'objet — le « dialectise », aurait dit Bachelard —, le pousse à des ruses, à des démarquages « néo-techniques » : ainsi, pour la forme hexagonale de l'encrier Waterman, qui cumule l'astuce technique (facilité du remplissage), esthétique, sémantique (la « ruse » de la dénomination commerciale) (voir p. 71 *sq.*). Y a-t-il pôle plus opposé à la matérialité industrieuse que le juridique ? Et pourtant, si l'on sait multiplier les grilles de lecture de l'objet technique, on touche du doigt sa « multi-appartenance » (p. 231), qui peut aussi bien se dire de l'usine dans laquelle il est fabriqué. On trouve là la substance d'un processus d'enrichissement d'un monde qui, livré à lui-même, s'appauvrirait : ainsi faut-il comprendre l'expression « *homo additus naturae* » (p. 224). Artefact de part en part, résultat d'inventivités multiformes, l'objet le plus anodin peut en ce sens être outil d'exploration philosophico-anthropologique.

La fécondité d'une telle entrée en matière nous paraît indubitable. Mais par un autre côté, elle pourrait nous éloigner de l'accès à une spécificité moins apparente de l'ordre technique. Le « faire », dans cette approche, s'efface sous l'objet social interchangeable et de ce fait mobile, désapproprié, sur le mar-

---

1. Voir *Rematérialiser*, Vrin, 1985 ; *Éloge de l'objet*, Vrin, 1989, p. 98 ; *Philosophie de la propriété*, PUF, 1992.

ché des offres et des demandes, offert à la circula-
tion et au droit. La standardisation, F. Dagognet y
insiste souvent, est une réussite, une conquête qui
libère l'objet de ses adhérences et pesanteurs industrieuses. Or, sur ce point, le regard n'est peut-être
pas assez acéré. « Même dans la production de
masse, écrit un collectif d'ergonomes, les objets stan-
dardisés qui sont fabriqués ne sont identiques qu'en
apparence. Avec le travail humain investi, ils portent
la trace personnelle, même infime, de celui qui les a
réalisés. Cette trace peut être relative à des savoir-
faire spécifiques, à des modes particuliers d'utilisation des machines ou des outils ». Et, par exemple,
« les couturières sur une chaîne de l'habillement
désignent sans erreur la collègue ayant réalisé telle
couture, posé tel passant » (1991, p. 46-47). Si la
monade-objet exprime quelque chose, il ne s'agit pas
seulement du champ des convoitises et des démulti-
plications sociales : elle initie aussi aux situations
obscures de la fabrication, à l'étrange intention de
produire. La réflexion sur la technique ne peut être
exemptée de sa rencontre avec cet ordre spécifique.
Et cet ordre du « faire » ne saurait sans doute se
comprendre sans regard sur l'« économique », le
« culturel »... mais ces concepts à leur tour peuvent-
ils se découper clairement, exhiber leur autonomie ?
Où commence donc, et où finit la sphère du technique, dont on a préalablement dit qu'elle ne pouvait
être isolée, dans le temps et dans l'espace, des autres
« niveaux » du social ou de l'humain ?

La spéculation et la pratique

D'Alembert, dans le *Discours préliminaire* de
l'*Encyclopédie*, s'essaie à distinguer entre les

« sciences » et les « arts » (et les « métiers »), dont l'*Encyclopédie* veut être le « Dictionnaire raisonné ». Cette distinction se fondera sur l'orientation des connaissances, dont les unes ont des visées « pratiques », c'est-à-dire ont pour but « l'exécution de quelque chose », quand les autres sont « simplement spéculatives », c'est-à-dire se bornent à contempler l'objet et ses propriétés. La visée transformatrice de l'objet permettrait de définir en propre l'Art (le terme de « technique », formé sur le grec *technè*, qui s'y substituera bientôt, ne fait à l'époque qu'émerger dans le langage de la critique artistique chez Diderot).

Ce point de vue très général sera difficilement contournable quand on essaiera de se pourvoir d'une définition acceptable du technique : ainsi sera-t-il repris dans un esprit baconien, et hiérarchisé au bénéfice du spéculatif, par A. Comte dans la deuxième leçon du *Cours de philosophie positive*. Il s'en déduit en effet une caractéristique forte de l'Art : toute transformation, comme rencontre d'altérité à modifier, doit ajuster les pouvoirs humains aux propriétés du *quod* à transformer (« on ne commande à la nature qu'en lui obéissant »)[1]. Les premiers sont relativement circonscrits, les secondes restent plus ou moins indépendantes des désirs humains. Les itinéraires d'un art à travers le temps ne sont donc pas aléatoires, tout art suppose des procédures, des normes antécédentes capitalisées. « On peut en général, dit d'Alembert, donner le nom d'Art à tout système de connaissance qu'il est permis de réduire

---

1. Selon la formule de Bacon dans l'*Instauratio Magna* (1623).

à des règles positives, invariables et indépendantes du caprice ou de l'opinion[1]. »

On notera néanmoins que d'Alembert lui-même réduit la portée de sa distinction; la Logique, par exemple, est un des nombreux domaines de connaissance où « la spéculation se réunit à la pratique ». Il faut « avouer que nos idées ne sont pas encore bien fixées sur ce sujet » et que « plusieurs de nos sciences sont des arts, étant envisagées par leur côté pratique ». On peut prolonger cette difficulté. D'un côté, il y a longtemps que la visée spéculative ne se borne plus à « contempler les propriétés de l'objet » mais institue des protocoles opératoires, définit des conditions *standard* de convocation d'objets construits. Ce que Bachelard a appelé la « phénoménotechnique[2] » requiert une ingéniosité purement technicienne qui s'inscrit dans le paysage matériel et humain des laboratoires. Au-delà, de l'objet construit aux artefacts produits, les liens contemporains entre laboratoires, recherche-développement, industrialisation, marchés[3] fragilisent la distinction « des deux systèmes culturellement distincts » qu'A. Comte pensait convenable de « concevoir et cultiver séparément[4] ».

De l'autre côté, l'observance de règles fixes peut

1. *Op. cit.*
2. Techniques d'*organisation* de phénomènes, réalisations de concepts, « théorèmes réifiés », produits sociaux de la collaboration des « travailleurs de la preuve » (voir par ex. *Le Rationalisme appliqué*, chap. VIII).
3. On pourrait penser aujourd'hui aux recherches sur les matériaux composites pour développer les phénomènes de supraconductivité (capacité à faire circuler des courants électriques avec un minimum de dissipation d'énergie et en s'éloignant des températures extrêmement basses).
4. *Op. cit.*

s'inclure dans le travail même le plus spéculatif : il y a des techniques mathématiques de résolution de problèmes, des outillages intellectuels et des « tours de main » dans la pratique scientifique[1] qui permettent de passer des étapes dans la recherche incertaine de nouvelles structures conceptuelles. La technologie a pu être définie comme « la totalité des outils que les hommes fabriquent et emploient pour fabriquer et faire des choses au moyen d'eux[2] » incluant toutes sortes d'outils symboliques : elle finit ainsi par équivaloir à la totalité du savoir.

Derrière ces difficultés terminologiques se profile la question philosophique de l'instrumentation du savoir, ou de la volonté de savoir : jusque dans quelle mesure la spéculation la plus abstraite peut-elle s'exempter des enjeux qui mobilisent la sphère du pratique ? Sans même reprendre l'idée nietzschéenne d'une fonction vitale de la spéculation morale ou philosophique[3], on peut s'interroger sur la précision discriminante d'un critère mettant à part la technique comme visée d'opérations propres à mettre à disposition des ressources de vie ou de jouissance. Dans la philosophie la plus classique, comme l'a si bien souligné G. Canguilhem à propos de Descartes, les « commodités de la vie » apparaissent comme un centre d'urgences dont l'initiative n'est pas dans l'entendement ; qui anticipe les

1. Sans même parler de « styles » mathématiques individualisés (voir G. G. Granger, *Essai d'une philosophie du style*, A. Colin, 1968, Ire partie).
2. E. G. Mesthène, cité par J. Guillerme (1968, p. 820-821).
3. Une volonté affirmative doit manifester aussi de la *polytropia* (fécondité inventive et rusée) au bénéfice de « sa magnifique intelligence » (voir *La Volonté de puissance*, livre IV, § 501, NRF, 1948).

chaînes déductives de celui-ci, et au service duquel le savoir nouveau doit déployer ses pouvoirs.

Des « objets » à la « pratique », on parviendrait à un second butoir dans l'essai de définition. La distinction du spéculatif et du transformatif est instructive dans sa fécondité comme dans ses limites : les mailles du filet sont trop larges ; mais, en un sens, peut-on faire autrement ?

Un « acte traditionnel efficace »

Revenons alors aux règles « positives, invariables et indépendantes du caprice... » : n'était-ce pas trop donner à l'universalisation, aux codifications conceptuelles dans l'art ? N'est-ce pas une définition trop marquée par les Lumières ? La sphère du technique n'est-elle pas d'abord celle d'actes efficaces ajustés à des fins, les uns et les autres toujours historiques et concrets ? La science spéculative fait abstraction des conditions de temps et de lieux. Au contraire, dans leur condition d'existence et de reproductibilité, leur visibilité opérative, leur finalité, les techniques ne sont-elles pas toujours *en situation* ? Ne faut-il pas les inscrire dans des entités historiques où prennent forme et sens leurs séquences et les visées qui les mobilisent ? « Un procès technique combine des éléments matériels et idéels, et prend toujours naissance au sein de rapports sociaux qui lui donnent sens et qu'il contribue lui-même en partie à reproduire », note Maurice Godelier[1] : c'est bien évoquer ce tissu problématique de la technique, comme combinaison d'un triple

---

1. *Comprendre une science des techniques*, 1991, p. 8.

rapport du sujet de l'acte technique : à l'altérité matérielle, à son univers de pensée et de symboles, à son milieu social et culturel.

Marcel Mauss, un des fondateurs de l'anthropologie française, proposait d'appeler technique « un acte *traditionnel efficace*[1] » : c'était mettre l'accent sur un critère très puissant, celui de la transmission. Un acte technique est sans doute voué à l'efficacité opérative et transformative, mais son projet comme sa séquence s'inscrivent toujours dans une tradition. Cette entité de l'ordre du social — la tribu, le peuple, l'ethnie... — est le creuset au sein duquel s'incorporent, s'apprennent, se conditionnent, évoluent, se jugent les « prédispositions mises en œuvre » qui nous paraissent caractériser dans ce cas les actes techniques. Définition forte parce qu'elle assume la spécificité humaine de la technique, au-delà des analogies ouvrières. « Il n'y a pas de technique et pas de transmission, s'il n'y a pas de tradition. C'est en quoi l'homme se distingue avant tout des animaux : par la transmission de ses techniques[2] ». Cette prédisposition à faire, ceci, et de telle façon, est un produit toujours social.

La définition de Mauss a sa richesse et sa grandeur. Notons néanmoins qu'elle peut dériver vers trois nouveaux butoirs. Dérive matérielle ou physique d'abord. L'efficacité discriminante de sa définition suppose une conjonction et une disjonction : pour rassembler sous le même concept de technique des faits comme l'éducation de la marche ou des positions du corps et les pratiques techniques tradi-

---

1. 1936, in 1973, p. 371. J. Goffi également (1988, p. 15-17) fait du culturel et de l'acquis les deux premiers critères de toute activité technique.

2. *Ibid.*

tionnelles comme la chasse, il écarte comme critère la présence d'instruments — outils fabriqués. En revanche, dans la catégorie des « actes traditionnels efficaces », l'acte technique se distingue des actes magiques, religieux, symboliques par le fait qu'il est senti par son agent « *comme un acte d'ordre mécanique, physique ou physico-chimique*, et qu'il est poursuivi dans ce but ». Cette définition sera reprise et précisée en 1948, dans le numéro du *Journal de psychologie* consacré au travail et aux techniques : « On appelle technique un groupe de mouvements, d'actes, généralement et en majorité manuels, organisés et traditionnels, concourant à obtenir un but connu comme physique, chimique ou organique » (p. 73). De ce point de vue, le corps doit être considéré comme « le premier et le plus naturel instrument de l'homme » (1973, p. 372) dans la mesure où il s'immisce parfaitement dans les séquences internes à l'univers des forces physiques. Comme il y a chez Platon des techniques de la danse, il y a des techniques de la nage, des soins, de la consommation[1].

Ce qui néanmoins peut faire problème, c'est le risque de perdre le sens philosophique du « projet

---

1. Cette lignée donnera lieu à de remarquables travaux comme ceux d'A. G. Haudricourt par exemple sur les manières culturellement différenciées de porter des charges, notamment pour les femmes, de se déplacer avec leurs enfants (voir 1987, p. 88 *sq.* et 183 *sq*). Plus généralement, on peut dire que les recherches en technologie culturelle (voir en France aussi C. Parain, R. Cresswell, P. Lemonnier...) ont profondément renouvelé notre regard sur le phénomène technique ; voir la revue *Techniques et culture, Pour une ethnologie de l'acte traditionnel efficace* (on appréciera le sous-titre), éd. Maison des sciences de l'homme, n°1, janvier-juin 1983 ; aux États-Unis, *Technology and Culture* (University of Chicago Press).

technique ». Le souci de visibilité et d'enracinement historique des ajustements moyens/fins conduit à mettre en relation des opérations descriptibles et des unités socio-ethniques. Il faut que soient identifiées les unes et les autres pour que la technique, comme « acte traditionnel efficace », ait sens. On comprend que le technique soit alors tiré vers la production matérielle, qui permet de repérer des régularités à mettre en relation avec des unités culturelles, lesquelles sont le cas échéant identifiées par les premières. Telle aire prendra son homogénéité ethnique dans la similitude des techniques de chasse; et la préhistoire est aujourd'hui encore découpée chronologiquement selon les grandes techniques de la taille d'outils (levalloisien, abbevillien, solutréen...). R. Cresswell pourra ainsi définir comme technique « toute série d'action qui comprend un agent, une matière et un outil ou moyen d'action sur la matière, et dont l'interaction aboutit à la fabrication d'un objet ou d'un produit », et, dans la lignée de Mauss, préciser qu'une telle définition « empêche toute confusion avec des comportements sociologiques. Il ne peut exister de techniques sociales[1] ». Ce renvoi réciproque des pratiques matérielles aux entités culturelles a pourtant un inconvénient : il rend difficile de penser que la technique puisse se situer précisément dans l'entre-deux, comme un processus traversé de micro-conflits, de rejets et de choix, qui tend à redéfinir en permanence et simultanément les procédures efficaces et les entités sociales, à travers la profonde polysémie, pour les protagonistes, du terme même d'efficacité. C'est aussi l'ambiguïté de

1. *Encyclopaedia universalis*, article « Technologie culturelle ».

l'expression « activité appropriée, conforme à un but » (*zweckmässige Tätigkeit*), par laquelle Marx qualifie le premier élément de tout procès de travail[1]. C'est cette ambiguïté qui contraint à immerger cette définition intemporelle du procès de travail dans les formes historiques de la production, pour y saisir les contradictions opérant sous la diversité des sens à donner aux termes de « but » et de « conformité ».

La « tradition » n'est qu'un cadre provisoire au sein duquel s'affinent individuellement et surtout collectivement des séries d'opérations ; dans l'axe d'un projet efficace, elle est toujours à réinventer à divers niveaux, ce qui fragilise sa légitimité normative. Il est difficile de dire que la construction de nouvelles formes sociales adéquates n'est pas virtuellement engagée dans tout projet technique. Les actes technico-industriels, s'ils veulent être « efficaces », génèrent au moins virtuellement des alternatives organisationnelles, des itinéraires inédits de coopération, des valeurs partagées, de nature à fragiliser les « traditions » (au sens de Mauss) qui en furent, au départ, les creusets ; à travers cette invention de dispositifs organisationnels réajustés, ces visées d'efficacité convoquent des hommes, leurs choix, leur éthique de vie. Ainsi les « nouvelles technologies » peuvent-elles malaisément être mises en œuvre au sein des « traditions » industrielles engendrées par l'organisation taylorienne du travail, laquelle suppose entre autres conditions un strict découplage de la conception, de la gestion, de l'anticipation des opérations d'un côté, et de l'exécution de l'autre. Le souci de mise en œuvre « efficace » de

1. *Le Capital*, livre I, t. 1, p.181.

ces technologies oblige à réinventer largement les circuits de coopérations, les synergies, les niveaux de responsabilité ; et cependant, l'actuelle construction de « nouvelles organisations du travail » qui cherche à répondre à cette situation se développe quelque peu à l'aveugle, faute de savoir clairement quelles entités organisationnelles et sociales, quels milieux d'apprentissage, quelles « traditions » à créer pourraient rendre l'« acte » (ici la conduite de certaines installations) « efficace ». C'est qu'il n'y a pas d'acte traditionnel efficace sans des « dramatiques » implicites ou explicites qui reconduisent à l'analyse philosophique du projet technique ; éclairant peut-être ce en quoi la technique, c'est « nous ».

Le social comme technique ?

Faudrait-il revenir en arrière pour majorer, dans la définition de Mauss, la dimension sociale au détriment de la dimension matérielle ? Jusqu'à quel point le lien social n'est-il pas en lui-même technique, ou matrice de toute technique ? Par exemple, il ne serait plus seulement question de mettre en relation l'arrivée de l'étrier en Europe et la genèse de la féodalité *via* les infrastructures nécessaires à l'entretien d'une cavalerie devenue prépondérante dans le nouvel art guerrier[1], ou le moulin banal et l'affermissement de cette féodalité ; de rappeler que toute technique est le résultat de rapports entre les hommes comme de rapports avec la matière[2], ni de parler aujourd'hui

---

1. Lynn White Jr., 1969, chap. I.
2. Voir par exemple Jacques Perrin, *Comment naissent les techniques*, Publisud, 1988.

de « systèmes sociotechniques » pour contraindre le regard à explorer ensemble les dispositifs productifs et les organigrammes; mais d'aller jusqu'à l'extrême et de penser l'organisation sociale elle-même, dans ses vertus et ses vices normalisateurs, comme la condition de possibilité et la source de tout projet technique. Lewis Mumford caractérisait ainsi, dans *Le Mythe de la machine* (1973), les grandes monarchies mésopotamiennes et égyptiennes apparues au IIIe millénaire avant J.-C. comme des « mégamachines » centralisant, divisant, imposant tâches et objectifs, et susceptibles d'une inquiétante résurrection dans les sociétés industrielles modernes. À suivre l'érection d'un obélisque, on comprend que la forme de la puissance sociale détermine le champ même de ce qui peut valoir comme projet technique dans l'horizon d'une civilisation. On peut arroser les limons pour y faire glisser des colosses de pierre, ou un obélisque sur des rampes obliques au milieu desquelles on videra un silo de sable pour qu'il bascule en douceur à la verticale : ces techniques supposent « des travaux de terrassement énormes qui ne pouvaient être envisagés que grâce à un nombre considérable de manœuvres, prisonniers de guerre pour beaucoup d'entre eux[1] ».

On se gardera toutefois de passer d'un extrême à l'autre. Le rôle matriciel du social dans la définition de la technique ne doit pas être conçu comme si prépondérant que la tentative doive s'effacer sous la norme collective, et les « dramatiques » où se confrontent valeurs et conceptions de l'efficacité, sous l'injonction sociale. Le « projet technique » se dilue, se dématérialise abusivement, ou tout au

1. B. Jacomy, *Une histoire des techniques*, p. 67.

moins se voit déréalisé dans son caractère aventureux, si l'on donne trop à des « centres de tradition »,
alors qu'ils sont toujours multiples, en suspens, ou à
redéfinir.

Pour identifier les techniques, écrit F. Sigaut, historien contemporain des techniques agricoles, il faut
d'abord identifier les « opérations », c'est-à-dire « la
modification physique qui est imposée à une certaine chose [...] pour en faire autre chose ». Mais la
technique commence avec la différenciation : « En
général, chaque opération peut être accomplie de
plusieurs façons différentes, alternatives, auxquelles
je réserve le nom de *techniques* proprement dites »
(1991 a, p. 31). Il y a au moins huit manières différentes de récolter les grains (arracher, ramasser,
battre, érusser[1], briser, couper...). Ce sont des « techniques », réparties sur des aires géographico-cultu-
relles différentes. Mais cette attention à la différenciation locale ne peut se figer dans la définition de
« centres de tradition » — de centres où se cristal-
liseraient de manière stable et durable ces actes traditionnels efficaces dont parlait M. Mauss. Ailleurs,
F. Sigaut rappelle cette étrange définition de L.
White selon qui la technique, « c'est la façon dont
quelqu'un fait quelque chose ». Mais où est l'accent
tonique dans cette formule ? « Façon » renvoie aux
diversités d'exécution culturellement repérées,
« faire » et « quelque chose » évoquent fortement
l'appartenance de la technique à la sphère qu'Aristote appellerait « poiétique ». « J'ai longtemps pris
cette formule pour définition, poursuit F. Sigaut,
mais son intérêt est peut-être plutôt de nous rappeler que le "quelqu'un" est essentiel, parce que c'est

---

1. Arrachement par pincement de la tige.

lui qui nous indique la bonne échelle. Une technique n'existe que lorsqu'elle est pratiquée, c'est-à-dire lorsqu'elle passe par quelqu'un qui, l'ayant apprise ou inventée, la met en œuvre de façon efficace. Il n'y a pas de technique sans cette efficacité et les habiletés humaines qu'elle implique. C'est donc là où ces habiletés sont produites qu'il faut observer les techniques. Or ce lieu est toujours à l'échelle d'un ou de quelques individus » (1991 b, p. 413).

Nous croyons que cette façon d'interpréter la définition de L. White met le doigt sur une dimension essentielle de la technique, celle même au nom de laquelle nous avions dû admettre que les autres tentatives aboutissaient à des butoirs. Elle exprime bien que toute activité technique est le lieu d'une dialectique entre tradition préexistante et patrimoine, au sens actif de « mise en patrimoine ». Le patrimoine est, entre autres, ce qui se découpe comme « groupe d'acquisition des habiletés » (autre expression de F. Sigaut) dans la tentative technique elle-même. Il faut donc passer par les habiletés en acte pour saisir comment se découpent virtuellement de nouvelles entités sociales[1]. Mais cet aboutissement lucide mène à deux conclusions paradoxales : d'une part, il contraint à remettre en chantier les essais de définition des entités sociales où se constituent les procédures de transmission afférentes. Tel est le problème posé par la recherche de la « bonne échelle », qui ramène à des agrégations concrètes de plus en plus réduites, voire à l'*infima species*[2]. Il y aura ainsi une « clinique » des habiletés techniques, qui affaiblit le

1. Nous avons nous-même évoqué ces processus comme dynamique des « projets-héritages » (1988, chap. xv).
2. Les « individus » représentent l'extrême limite des « espèces sociales ».

pouvoir explicatif des découpages de la sociologie, voire de l'ethnologie, et les périodisations de l'histoire. D'autre part, être obligé d'en revenir, le cas échéant, à l'« individu souche », n'est-ce pas finalement avouer que le social, comme cadre d'analyse, ne peut suffire à l'analyse philosophique du projet technique, et qu'il faut recourir aussi à d'autres niveaux d'investigation ?

La technique, entre normes et calculs

La technique comme transmission de prédispositions à opérer des transformations dans un environnement prioritairement matériel paraît requérir des entités sociales — donc spécifiquement humaines — comme l'élément même de sa genèse, de sa différenciation, de son dépôt. Mais il est irritant de constater que cette ethnotechnologie ne parvient pas à stabiliser ses bases conceptuelles. Ne faut-il pas une dernière fois revenir en arrière, élargir le sens même du mot technique, mais en le rapportant plus nettement à l'ordre des facultés calculatrices de l'humanité ? Comme le dit J. Guillerme (1968, p. 820), « dans son acception la plus compréhensive, on entendra par technique tout mode de composition d'éléments d'une activité dont l'agent, individuel ou collectif, se représente les effets ». Sont en cause ici la structure générale de l'activité humaine, la capacité de se *représenter* un but et d'enchaîner virtuellement des procédures utilisant judicieusement les ressources disponibles pour les ajuster aux fins. La séquence du *si... alors* représenterait le schéma épuré de l'intrusion d'un champ technique dans l'univers naturel. La technique, en ce sens, suppose données et les fins et les ressources, elle est comme appelée, voire définie, par le vide créé dans le monde par un être qui se projette dans des états désirables et calcule les procédures dans un espace de rareté et d'urgence; champ subordonné, encadré par des fins et des calculs, défini par cet espace d'une absence circonscrite. Faut-il rappeler que ce qui distingue pour Marx l'architecte de l'abeille, c'est que le résultat du travail « préexiste idéalement » dans la tête du producteur humain et fait loi pour son usage technique de lui-même? Il réalise « son propre but dont il a conscience, qui détermine comme loi son mode d'action[1] ».

Cette définition la plus épurée de la technique, on la trouve chez Max Weber; elle découle de la tâche qu'il assigne à la sociologie : « comprendre par interprétation l'activité sociale [...]; par là [...] expliquer causalement son déroulement et ses effets ». On ne peut comprendre une « activité » *(handeln)* sans chercher à viser son « *sens* subjectif[2] ». De là peut s'entendre que cette activité, à saisir à plusieurs niveaux, cherche à mobiliser et agencer les moyens ajustés à son sens, ce qui rend possible une explication causale des comportements humains. Certes, M. Weber prend soin de préciser que la « rationalisation » de l'activité est un concept plurivoque[3], que l'activité « rationnelle en finalité[4] » se distingue de l'activité « rationnelle en valeur[5] ». Mais ce concept

1. *Le Capital*, livre I, t. I, p. 181.
2. *Économie et société*, p. 4.
3. *Ibid.*, p. 28.
4. La *Zweckrationalität*, la rationalité calculatrice qui se déploie dans l'ajustement des moyens techniques aux fins.
5. La *Wertationalität*, qui règle et oriente l'action en fonction d'un système de valeurs.

de l'activité sociale l'autorise à définir « la technique » d'une activité comme « la *somme* des moyens nécessaires à son exercice, par *opposition* au sens ou au but de l'activité qui, en dernière analyse, en détermine (concrètement parlant) l'orientation[1] ». De ce point de vue, la technique est d'autant plus « rationnelle » qu'elle use de considérations scientifiques pour agencer les moyens. Cette définition crée un « flou inévitable » dans l'imputation du caractère technique d'une activité, son accomplissement pouvant prendre un sens technique en considération de l'activité de niveau supérieur pour laquelle elle est moyen. Mais cette définition élargie, issue des caractères spécifiquement humains de l'activité, conduit tout naturellement M. Weber à démarquer la technique de toute signification étroitement matérielle : « Une technique ainsi comprise existe dans toute activité, et l'on peut parler d'une technique de la prière, d'une technique de l'ascèse, d'une technique de réflexion et de recherche, d'une mnémotechnique [...] d'une technique de la domination politique [...], d'une technique érotique [...], d'une technique juridique[2]... »

À la dualité réglée de l'activité spéculative et de l'activité pratique, posée par d'Alembert, se substitue ici un schéma orienté qui va des valeurs (multiples) aux champs subordonnés des protocoles opératoires. Ce sens épuré de la technique, dont le calcul rationnel est comme le pôle idéal, indique aussi pour Weber un sens historique : le développement de la forme capitaliste de l'économie, c'est l'universalisation progressive de l'activité rationnelle en finalité —

1. *Op. cit.*
2. *Ibid.*, p. 63-4.

de la *Zweckrationalität* qui désacralise et, selon une expression devenue célèbre (*die Entzauberung*) « désenchante » le monde.

Dans *La Technique et la science comme idéologie*, J. Habermas devait systématiser le sens de la technique comme activité instrumentée, calculatrice, segment de vie purement procédural, délié de toute obligation par rapport au champ axiologique. Ce texte décrit son époque (1968) comme celle d'un malaise, résultant d'une histoire où ce que Habermas appelle les « sous-systèmes d'action rationnelle par rapport à une fin » a déstabilisé les anciennes formes de légitimation, investi et dépolitisé la sphère de l'« activité communicationnelle ». Ces sous-systèmes sont définis comme lieu d'« une activité instrumentale, ou bien d'un choix rationnel, ou bien d'une combinaison des deux. L'activité instrumentale obéit à des *règles techniques* qui se fondent sur un savoir empirique » (p. 21). Se précise ainsi un sens assez moderne de la technique : des « tâches techniques » peuvent être résolues « d'une façon purement administrative » (p. 41). Le point critique vient de ce que des questions relevant de la pratique (au sens aristotélicien) sont infiltrées par la technique qui se conçoit comme indépendante de la première et pense n'avoir de compte à rendre qu'à la science (p. 42). De ce fait se trouve associée à l'idée de technique la revendication d'une neutralité sociale, celle d'une neutralité sociale autoproclamée, d'une extériorité supposée à tout enjeu éthique ou politique (« ce n'est qu'un problème technique », va-t-on dire désormais). Mais alors, si elle se développe à l'écart des valeurs, pourquoi la technique a-t-elle besoin d'affirmer ses pouvoirs de façon militante, et donc de poser *comme valeur* l'élargissement de ses champs d'action ?

À cette *contradictio in adjecto* renvoient des débats philosophiques ou dits « de société » dont H. Marcuse (1968), J. Ellul (1954 et 1977)[1], C. Castoriadis (1968 et 1975, p. 99)[2], les écologistes, le courant du *technological assessment* ou évaluation technologique, les critiques de la technoscience ou de la technocratie, figurent parmi les multiples protagonistes. Ces débats s'alimentent généralement de la thèse d'une mutation dans l'histoire de la technique humaine qui, comme technoscience ou « technocosme », ne peut plus prétendre être seulement « un ensemble d'outils au service de l'homme » (G. Hottois, 1988, p. 90). Les techniques, pour se déployer dans leur apparente subordination aux fins pratiques, requièrent en effet des institutions, des espaces sociaux et juridiques qui contraignent les sociétés à s'organiser en conséquence (sous ce regard critique, la centrale nucléaire a longtemps valu comme paradigme), et imposent finalement comme seule valeur le point de vue de leur enfantement indéfini. Cette inquiétude portée par la thèse « mutationniste » se nourrit de l'idée selon laquelle le processus est d'autant plus incontrôlable que ceux qui le nourrissent de l'intérieur — les divers protagonistes de la production sociale — sont incapables de penser leur propre action hors de ce paradigme de la technique triomphante.

Mais cette définition du technique dans la dépendance du *si... alors* ne fait-elle pas bon marché de l'immanence de l'axiologique à la plus obscure exécution ? La hantise — qui a sa légitimité — du

1. *La Technique ou l'Enjeu du siècle*, A. Colin, 1954 ; *Le système technicien*, Calmann-Lévy, 1977.
2. *L'Institution imaginaire de la société*, Le Seuil, 1975.

« débordement » des « technosciences » (G. Hottois, p. 92) a émergé à une époque où l'on croyait encore à l'entière pertinence des principes tayloriens, alors à leur point de développement maximal : la technique est intérieurement neutre comme sont pures mécaniques les OS exécutants. Mais cette assomption de l'idée de technique résulte d'un regard plus systématique qu'ergonomique. Jamais les actes fabricateurs ne sont un désert de valeurs. La « dramatique » même des opérations — au sens plus haut évoqué — et ses effets en retour sur les champs sociotechniques et culturels risquent d'échapper à cette approche de la technique, conçue comme le domaine réservé de la neutralité — même si l'on ajoute qu'elle est « hypocritement militante » ou — selon l'expression de G. Hottois (p. 88) — an-éthiquement envahissante.

Cette définition a aussi l'inconvénient — mais c'est peut-être le même — de supposer pour toute activité technique une représentation des buts et procédures. Certes, Max Weber pose qu'il y a des techniques plus ou moins « rationnelles », mais le « sens » attribué aux opérations renvoie à une dimension proprement humaine de la technique. À cet égard, l'inconvénient peut toucher toute approche exclusive du technique par le pôle social : transmission, tradition, règles, représentation des buts et des moyens, calculs d'efficacité... Mais à trop en dire, ne risque-t-on pas de couper les ponts avec toute définition de la technique qui, précisément comme définition anthropologique, serait d'abord sensible aux continuités avec ce qui n'est pas « encore » l'humanité ?

À peine J. Guillerme a-t-il défini la technique par

la représentation des effets qu'il doit — en citant la définition générale de la technique comme « tactique de la vie », due à O. Spengler — ajouter : « Mais la technique, c'est encore l'engagement du vivant dans toute modification, en principe utile, des formes de son environnement » (1968, p. 820). De même, J.-Y. Goffi, justifiant le caractère essentiellement acquis et culturel de la technique, s'objecte à lui-même en évoquant G. Canguilhem qu'une « branche importante de la philosophie de la technique met en rapport technique et vie » (1988, p. 17, note 7).

Peut-être faut-il un moment accepter que se dissolve la clarté d'une « représentation » des buts pour ressaisir quelque chose comme l'unité d'un « projet technique », ou ce qu'André Leroi-Gourhan appelle « l'intention technique ». Aucune incommensurabilité avec l'ensemble du vivant ne peut plus valoir comme point de départ si l'on admet qu'il y a « dans la presque totalité des actes techniques la recherche du contact, du toucher » (1945, p. 409); et l'amibe, évoquée ici, se déployant pour palper les replis de son univers et pour laquelle cette interrogation du milieu a la dimension d'une « expérience », pourrait devenir quelque chose comme un animal philosophique, au moins chez Georges Canguilhem qui s'appuie sur Leroi-Gourhan pour penser l'antériorité immémoriale de la technique sur la science et le calcul (1965, p. 124, 1966, p. 131). « Dans tous les cas qu'on puisse saisir au niveau de l'objet, écrit en effet Leroi-Gourhan, l'intention technique apparaît comme cherchant une prise de plus en plus efficace sur le milieu extérieur[1]. »

Nos essais de définition ont progressivement inventorié les dimensions multiples de la technique humaine. Mais ce qu'il y a eu d'aporétique dans ces tentatives, les « butoirs » en deçà desquels il fallait revenir pour ne pas perdre la substantialité philosophique ou anthropologique du projet technique, ne renvoyaient-ils pas à la nécessité de saisir à l'œuvre en toute circonstance un processus, une tentative chez tout vivant de recentrer autour de lui, de déneutraliser le milieu? L'organisme vivant, point matériel d'un milieu régi par ses déterminismes anonymes, cherche au péril de sa vie à s'instituer centre d'un milieu découpé par ses propres valeurs, foyer d'activités orientées par les normes selon lesquelles il lui paraît possible de vivre « en santé ». On peut voir là le point de départ de toute intention technique, que l'institution d'un champ des cultures humaines va prodigieusement différencier, instrumenter, capitaliser, symboliser, animer de valeurs et conflits. Le « patrimoine » ne serait-il pas le sens proprement humain du « milieu »? Admettons un moment que, comme indiqué plus haut, toute activité technique, à partir de moyens et normes antécédentes, mixte de contraintes et de ressources, se développe comme essai de « mise en patrimoine » : qu'il y ait à chaque fois à se mettre en recherche de *ce* qui est mis en patrimoine, et de *ce qui vaut* comme patrimoines pour les protagonistes de l'activité technique n'aiderait-il pas à penser les transitions « inconcevables » entre l'intention technique du vivant et la technique proprement humaine?

1. *Milieu et Techniques*, p. 412.

II. BRÈVES EXPLORATIONS

La première notion à acquérir, s'agissant de la technique, est peut-être qu'il n'y a aucune prise évidente pour circonscrire ce phénomène en apparence si familier. Il ne s'agit pas d'une « poche » autonome de l'analyse ontologique ou anthropologique, qu'on pourrait inventorier en sécurité. Si l'on interdit droit de cité à la question : « d'où héritons-nous le faire technique ? » l'itinéraire mènera, croyons-nous, aux butoirs plus haut évoqués.

Mais si on lui fait place, alors affluent des interrogations dont les diverses formulations reconduisent aux plus grandes perplexités philosophiques. Le « faire » technique est-il nature ou culture ; hérité du vivant ou propre à l'histoire humaine ; champ neutre et homogène, pur instrument des fins qu'il sert, ou lieu de dramatiques où se rejouent à travers les habiletés singulières les normes du social ? Ou encore, sous une autre forme : d'où vient ce pouvoir qui reconfigure et multiplie les paysages de la vie ? Supplément par rapport à la nature ou à un ordre instituant des choses ? Quel est alors son espace de légitimité ? Élément potentiellement perturbateur, ou au contraire prométhéen, recréateur, voire créateur de l'humain ? Est-il la force agissante des civilisations, quitte à les assujettir à sa course devenue folle, ou les techniques ont-elles toujours été prises dans les projets de vie de « nous » (au sens de l'énigmatique question initiale de J. Lafitte) multiples, plus ou moins particuliers ou plus ou moins universels, et toujours en devenir ?

Ces questions peuvent, et ont pu, se mettre à l'épreuve dans trois registres conceptuels différents, mais au fond convergents, noués par les questions de la commensurabilité ou de la discontinuité :
1) L'art (la *technè*) est-il une figure de la nature ?
2) Immémorialité ou socialité de la technique (le technique entre anthropologie et histoire) ?
3) Quelle légitimité y a-t-il à parler de « la » technique (« la technique » comme question philosophique) ?

De l'art à la nature, en des sens divers

La *technè* des Grecs est bien propre à illustrer la difficulté à circonscrire un domaine réservé de la technique. Depuis les textes épiques, le terme connote le « faire efficace » qui amène à l'existence un objet ou un dispositif nouveau, à travers des cheminements plus ou moins éprouvés, combinant ingénieusement des ressources qui lui préexistent. Mais quel statut accorder à l'existence contingente de « choses qui peuvent être autres qu'elles ne sont[1] », à ces « méthodes » de production, à l'altérité préexistante ? La *technè* tiendra toujours de l'« art », c'est dire qu'elle ne sera jamais privée d'une certaine virtuosité, d'une forme de compétence que nous dirions au pire « assourdie », comme on parle d'un écho assourdi. Mais « art » fait signe aussi vers artefact, artifice, imitation (*mimésis*), autrement dit vers une doublure de réalité à peine fréquentable. La *technè* grecque a sa face obscure, qui est irréductiblement telle ; elle se présente comme inexorable-

---

1. Aristote, *Éthique à Nicomaque*, VI, 4.

ment marquée d'une bâtardise non exempte de fécondité. Aussi son statut hybride ne peut-il être abordé que dans un système non d'oppositions mais de confrontations, ou d'inclusions dans des ordres hiérarchisés. Peut-être l'idée de *kosmos*, ordre et harmonie, qui conjoint hiérarchie des réalités et hiérarchie des valeurs, et devant laquelle le Socrate du *Gorgias* (503 *sq.*) fera achopper Calliclès, son plus redoutable adversaire, constitue-t-elle le point de vue le plus synthétique à partir duquel juger l'ambivalence des *technai*. Non que l'on puisse réduire l'histoire des *technai* et de leurs figures sociales à ce qu'en évoquent Platon et Aristote[1]. Mais les études anthropologiques elles-mêmes, comme celles de Jean-Pierre Vernant (dans la lignée de L. Gernet), montrent comment s'enracine dans une longue tradition l'inconfortable statut de la technique, laquelle ne prend forme langagière et sociale que dans la gradation qui va de l'arboriculteur au commerçant, en passant par le cultivateur, l'artisan, le forgeron[2]. À un pôle se trouve la proximité avec les cycles naturels, leur prolongement dans ce qui est à peine « un métier »; à l'autre, les savoirs spécialisés, les apprentissages, les procédés plus ou moins secrets, qui

---

1. Par exemple, quelques rares documents comptables relatifs aux constructions des grands temples de l'époque classique signalent des dimensions peu connues et propres aux travaux de chantier : planification et coordinations techniques, participation mêlée de citoyens, de métèques et d'esclaves, qui complexifient notre image des *technai* antiques (voir M. Austin et P. Vidal-Naquet, 1988, p. 300 *sq.*).

2. Le « démiurge » de l'époque classique, héritier des magies et des secrets des pratiques archaïques (voir Henri Joly, *Le Renversement platonicien*, Vrin, 1985, p. 225 *sq.*, Austin et Vidal-Naquet, *op. cit.*, p. 23-24) et qu'on retrouve dans le *Timée*.

méritent le nom de techniques — mais c'est un pres-
tige ambigu, qui hypothéquera la reconnaissance
philosophique de leur droit de cité[1]. Car une politique saine *(hygiès)* suppose, au sein de ce que nous
nommerions des sociétés homéostatiques, que
soient respectés, dans un cadre géographique et
démographique normé, certains équilibres entre
besoins *(chreiai)* et ingéniosités différenciées au
bénéfice d'un ordre *(kosmos)* affectant chacun à sa
juste place. Dans l'évocation platonicienne (sous
forme de mythe) des premières sociétés pas plus que
dans la construction de la cité juste, les pratiques
simples, pourvoyeuses d'objets essentiels par l'office
de métiers bien spécialisés — laboureurs, bouviers,
maçons... —, ne constituent des segments perturba-
teurs de l'être social (*Rép.*, II 369 a *sq.*, *Lois*, III,
677 a *sq.*). Mais les *technai* se pervertissent en
« machinations » (*Lois*, III, 677 b) dès lors qu'elles
sont démultipliées dans la « Cité gonflée
d'humeurs », celle des désirs, du luxe et du lucre
(*Rép.*, II, 372 e). De même, pour Aristote, l'art de
produire et d'acquérir est recevable dans une visée
d'autosuffisance *(autarkeia)* : « il existe un art
d'acquérir conforme à la nature pour ceux qui ont à
administrer une maison ou une cité » (*Polit.*, I, 1256
b, 26 *sq.*); mais, si proche pourtant, la chrématis-
tique, comme l'usure, engagent les savoir-faire dans
un processus indéfini, illimité, de pure convention,
destructeur de toutes les limites naturelles de la vie
sociale.

De cette manière, les *technai* sont doublement
hétérodéterminées (doivent tomber sous une double
loi) : l'utilisateur d'abord sera le prescripteur de

1. Voir J.-P. Vernant, 1955, in 1969 et 1988.

l'acte fabricateur; le joueur de flûte connaît seul les caractères de la bonne flûte, et pour la bride le corroyeur recevra ses ordres du cavalier[1]. Ce sera même la définition de la *poiétique* chez Aristote que d'osciller entre la forme préexistante à réaliser et l'objet en fabrication, terme extérieur du processus (*Eth. à Nic.*, I, 1094, a 1-6). Mais surtout, les usages sont hiérarchisés dans la cité et ont des comptes à rendre au niveau supérieur : seconde hétérodétermination. Louable est l'art du navigateur qui sauve ses passagers de la tempête — mais modeste, car fallait-il les sauver tous? La question n'est plus de son ressort. « En les débarquant, il ne les a pas laissés meilleurs qu'il ne les avait pris » : en cela il diffère du roi-philosophe, qui est ici l'usager des usagers[2]. Pas plus pour Platon que pour Aristote, la réunion des métiers ne saurait être le moteur ni l'âme de la vie politique.

Circonscrite par la sphère politique, la technique ne prend ensuite sens que dans le cadre d'une certaine « physique ». Comme y a insisté A. Koyré, le monde « sublunaire » des Grecs[3] ne peut être que celui de l'« à-peu-près » (1948, in 1961). Dans une nature où n'existent pas seulement des mouvements « naturels », mais aussi des mouvements contraints (violents), dans ce mixte d'ordre et de désordre provisoires où les êtres ne sont jamais tous en même temps à leur place, en leur lieu propre, la technique développe ses savoir-faire dans des configurations

1. Platon, *Rép.*, X, 601 b *sq.*, Aristote, *Phys.*, II, 194 b 5.
2. Voir V. Goldschmidt, *Le Paradigme dans la dialectique platonicienne*, PUF, 1947, p. 88.
3. Celui enclos par la sphère de la lune, qui le sépare du ciel, lieu des mouvements réguliers et inaltérables ou monde supralunaire.

toujours variables (*Éth. à Nic.*, 1112 b 3 *sq.*). Dans ce monde où les *dynameis* (les forces) naturelles ne sont pas calculables, les hommes de métier doivent ruser avec elles, comme l'art rhétorique ou stylistique cultive les procédés pour « rendre le plus faible des deux arguments le plus fort » : ainsi comprendra-t-on que, des premiers travaux de J.-P. Vernant sur « le travail et la pensée technique » à ceux écrits en collaboration avec M. Detienne (1974), le champ des *technai* matérielles se soit trouvé progressivement incorporé dans un champ plus large défini comme celui de l'intelligence rusée (la *mètis*). Cette description de la *mètis* fera son chemin[1], pour caractériser jusqu'à nos jours cette dimension propre à tout faire technique qui doit toujours ruser avec l'aléatoire hostile des configurations industrieuses.

La question de savoir si l'on doit parler d'une stagnation de la technique grecque est encore disputée : on peut en tout cas comprendre que les caractéristiques de la *physis* des Grecs n'aient pas été étrangères à son histoire : là où la prévisibilité de séries d'événements est réduite, l'anticipation technique appuyée sur des lois et des calculs ne paraît pas pouvoir trouver un milieu d'émergence favorable. En effet, s'il existe des mouvements « naturels », cela renvoie à la définition aristotélicienne de la nature comme principe et cause de mouvement « pour la chose en laquelle elle réside immédiatement, par essence et non par accident » (*Phys.*, II, 192 b), définition à laquelle va s'opposer le produit de l'art,

---

1. On notera que le jeune Hegel (1805-1806) qualifiera encore de « ruse » (*List*) l'utilisation par l'homme d'outils dans sa relation avec la nature (voir M. Bienenstock, *Politique du jeune Hegel*, PUF, 1992, p. 200).

« dont le principe d'existence réside dans l'artiste et non dans la chose produite » (*Éth. à Nic.*, VI, 4). Est-ce là pour l'art force (pouvoir démultiplicateur, inventif) ou faiblesse ? Le livre II de la *Physique* d'Aristote, essentiel sur ces rapports ambigus entre l'art et la nature, souligne les analogies entre l'un et l'autre (193 a 30, 199 a 18, 199 b 8, 199 b 26...). Il va jusqu'à reconnaître à l'art sa capacité à accomplir ce que la nature est impuissante à effectuer (199 a 15). Sans doute l'art humain est-il pourvu d'une polytropia (habileté) inventive, laquelle amène à l'existence une diversité d'êtres qui n'entre pas dans les fins de la génération par nature. Cela ne change rien au fait que dans ses processus, l'art imite péniblement la nature (194 a 21), qui accomplit continûment son œuvre sans figer en instants discrets les conséquents et les antécédents. L'art est précieux en ce qu'il oblige à décomposer les quatre causes de tout changement physique[1], que la nature, elle, ignore, en tant que moments séparés[2]. Mais avec son inventivité propre, la *poiésis* peine pour imiter la génération naturelle, et doit s'ordonner à des formes qu'elle n'a pas créées. Et il faut que la nature ait engendré les engendrements humains pour que les *dynameis* techniques puissent prendre leur essor propre : supériorité sans doute, mais « octroyée[3] ».

Sous le regard du politique comme par rapport à

1. *Métabolè*, 194 b 22. À savoir, rappelons-le, la cause matérielle, la cause formelle, la cause efficiente, la cause finale.
2. « Ce qui fait, ce qui est fait, sont indivisibles [...]. Ce ne sont pas des actes qui les engendrent, et on ne peut expliquer leur génération par aucune combinaison d'actes, car les actes supposent déjà les vivants » (Valéry, *Eupalinos*, NRF, p. 180-181).
3. J. Brun, *La Main et l'Esprit*, PUF, 1963, p. 15.

la nature, la technique se trouve pourvue d'un statut, mais fragile, qui pourra être seulement d'autant moins fragile qu'elle approxime ce qui la circonscrit, le *kosmos*, la *physis*. Mais pourquoi l'humanité est-elle astreinte à la technique? En l'absence d'un péché originel, pourquoi cet écart, qui est inventivité mais aussi tâtonnement, faiblesse? On pensera au mythe du *Protagoras* et aux ruses de Prométhée (320 b *sq.*). Mais au-delà, y aurait-il une préoccupation éthique dans un monde d'où l'astreinte à la technique serait absente? Dans ce monde où Socrate est condamné, et qui au IVe siècle se défait, il y a lieu de légiférer sur le juste et l'injuste, sur la vertu (*arètè*) propre à chaque nature. Mais théoriser sur la sphère de la *praxis*, où il faut délibérer, choisir (*proairesis*, *Éth. à Nic.*, VI, 5), c'est supposer un monde du variable, de l'incertain, où l'inventivité technique suppléera à l'absence de ressources données, à portée de main. Il y a un espace technique légitime : les navettes ne marchent pas toutes seules (*Polit.*, I, chap. i), et si l'homme a une main, organe de tous les organes, c'est parce que, pourvu de facultés noétiques, il est capable de s'en servir intelligemment dans toutes les occurrences techniques de la vie (*Parties des animaux*, 687, a *sq.*). S'il y a des sciences poïétiques et pratiques, visant, contrairement aux sciences théoriques, des objets « qui admettent des variations », et susceptibles de perversions comme les constitutions politiques[1], c'est qu'il existe pour la *poïétique* comme pour la pratique, liées dans un même destin, un domaine de

---

1. Voir G. G. Granger, *La Théorie artistotélicienne de la Science*, Aubier-Montaigne, 1976, p. 152 *sq.*

l'incertain, de ce qui peut ne pas être, et donc de ce qu'il faut, éthiquement, faire advenir.

De là pourrait peut-être se reprendre l'ambiguïté philosophique des figures sociales de la *technè* : « banausiques » (propres à l'artisan, à l'ouvrier) et donc à certains égards « viles » chez Platon (*Rép.*, VII, 522 b) comme chez Aristote (*Polit.*, III, 1277 b 1-1329 a 2); mais aussi omniprésentes au point d'exaspérer Calliclès (*Gorgias*, 491 a), parce que porteuses d'une compétence, « assourdie » sans doute, mais efficacement discriminante contre les fausses valeurs et les fausses habiletés. Jusqu'à quel point alors doit-on opposer *épistèmè* (science) et *technè* ? Dans *Le Renversement platonicien*, Henri Joly invitait à penser entre les deux une relation dynamique : il y a un certain niveau de « rationalité artisanale » (p. 230), mieux encore médicale, une capacité inchoative, commençante, à mettre en ordre, à rendre raison.

Resterait sans doute à définir plus précisément cette compétence indirecte, assourdie, s'exerçant dans la sphère des dynamiques aléatoires. Que sait au fond l'artisan grec ? Est-il simple serf de l'opportunité, du *kairos*[1] ? Mais sa capacité à bien faire n'est-elle pas plus et autre chose que cette servitude ?

« Et il est certain que toutes les règles des mécaniques appartiennent à la Physique, en sorte que

1. Comme le dit J.-P. Vernant (1969, p. 243), le concept de *Kairos*, capacité à saisir le moment opportun, traverse dans son ambiguïté et foisonnement de sens toute la tradition grecque. Ici, dans la pensée de J.-P. Vernant, l'« opportunisme » de l'artisan s'opposerait à tout savoir capable de rendre raison de toutes ses démarches.

toutes les choses qui sont artificielles sont avec cela naturelles », écrira Descartes dans les *Principes de la philosophie* (IV, § 203). Ce nouveau regard sur la nature, qu'on trouve aussi chez Galilée, paraît mettre un terme aux nouages ambigus entre nature et art. « La médecine, les mécaniques, et généralement tous les arts à quoi la connaissance de la physique peut servir, n'ont pour fin que d'appliquer tellement quelques corps sensibles les uns aux autres que, par la suite des causes naturelles, quelques effets sensibles soient produits » (§ 204). Les procédés de l'art ne sont rien d'autre que des suites qu'on peut trouver dans la nature. L'art de l'horloger, du fontainier deviendra modèle ou métaphore pour approcher des combinaisons naturelles complexes (voir *Traité de l'Homme*). Leibniz parlera de machine comme modèle de l'univers. Si l'on peut parler d'une prolifération indéfinie, du fait de l'art, de *segments nouveaux de nature*, il faudra tenir pour coupable non pas l'*hybris*[1] prométhéenne, ni même les désirs constitutifs de la « Cité gonflée d'humeurs » (*Rép.*, II), mais bien plutôt, selon Descartes, le fait de cacher ce qui peut pourvoir au « bien général de tous les hommes ». Le projet cartésien de rendre les hommes « comme maîtres et possesseurs de la nature » (*Discours de la méthode*, VI) trouvera dans un projet de création d'écoles professionnelles (1648) l'un de ses ultimes prolongements cartésiens[2].

En ce sens, l'art émerge bien d'une inconfortable suspicion. Néanmoins, les chaînes de causes et

1. Ambition démesurée, provoquant légitimement chez les Grecs la vengeance des dieux.
2. Voir A. Baillet, *La Vie de M. Descartes*, 1691, t. II, p. 433-434

d'effets sont indéfinies, elles mènent partout, et donc peut-être, à l'échelle d'un temps fini, nulle part : aussi, qui rendra compte des choix et des valeurs qui guident l'artisan quand, plus ou moins ignorant, il agence intelligemment certaines de ces combinaisons pour les commodités de la vie ? La nature en lui ne peut plus répondre, qui a cessé d'être le réservoir des fins immanentes que l'art tentait d'imiter. Sans doute la technologie, qui va montrer bientôt ses ambitions, recouvrira-t-elle progressivement cette énigme, dans la mesure où elle se propose de subsumer intégralement le processus fabricateur. Mais la faculté non « naturelle » (au sens nouveau) d'anticipation par la technique de ce qui peut élargir les horizons de la vie ne cessera d'interroger discrètement la philosophie. On l'a dit plus haut de Descartes, on pourrait le dire de Leibniz[1]. « C'est à la pratique à présenter les difficultés et à donner les phénomènes », dira Diderot dans l'article « Art » de l'*Encyclopédie*, si « c'est à la spéculation à expliquer les phénomènes et à lever les difficultés », ajoutant plus loin, reprenant des idées baconiennes du *Novum Organon*, que « l'histoire de la nature est incomplète sans celle des arts » (t. I, p. 715). Il est vrai que la nature cartésienne *partes extra partes*[2] s'est enrichie de Forces, puis ici d'une fécondité vitale propre à enfanter « naturellement » toutes sortes de monstres. Il n'empêche : quand les ergonomes découvrent dans

---

1. Voir *Philosophischen Schriften*, t. VII, p. 157-183, éd. Olms, 1965.
2.   C'est-à-dire cette nature sans opacité interne, dont « toutes les propriétés que nous apercevons distinctement en elle, se rapportent à ce qu'elle peut être divisée et mue selon ses parties... » (*Principes de la philosophie*, II, § 23).

les opérations les plus taylorisées des écarts tech·
niques ingénieux par rapport aux tâches codifiées
et aux dispositifs minutieusement conçus, ils
confirment ce que Georges Canguilhem en un
article justement célèbre disait de la fabrication
des premières mécaniques : « Si le fonctionnement
d'une machine *s'explique* par des relations de pure
causalité, la construction d'une machine ne *se
comprend* ni sans la finalité ni sans l'homme[1]. »
Entre une *physis* qui intègre l'homme dans ses fins
et une nature qui libère ses pouvoirs, la technique
persiste à échapper aux prises.

La technique entre continuités et mutations

On vient de parler de « technologie » : réfléchir sur
celle-ci, n'est-ce pas retrouver sur un autre plan cet
essai, sur lequel a achoppé la philosophie, de situer
la technique par rapport à ce que l'homme n'a pas
créé, la nature? La technologie contraint-elle aux
ruptures qui transforment la technique en un produit caractéristique de la culture humaine, ou bien
ne fait-elle que surmultiplier des dispositions que
l'humanité n'a pas primitivement inventées? Avec la
technologie, le « nous » initial de J. Lafitte renvoie-
t-il à l'humanité calculatrice planifiant sa production, ou bien n'est-ce qu'une illusion d'optique? La
pensée est ici au carrefour d'une vieille question :
faut-il réduire à une même réalité ce que le temps
paraît produire de nouveau — mais alors, quel est le
statut de ces événements apparents? Ou bien le neuf

---

1. « Machine et organisme », 1965, p. 114.

doit-il contraindre à redéfinir nos concepts — mais alors, quel est le substrat à propos duquel on parlera de changement?

Pourquoi ce privilège de la « technologie »? Ce mot qui désignait initialement la *connaissance* des processus transformatifs est devenu plus ou moins synonyme de dispositifs techniques conçus, réglés, normés par des combinaisons de principes scientifiques (tendance anglo-saxonne); mieux, le langage courant en fait un équivalent lâche de « technique » en général. Cette dérive lexicale fait d'une certaine époque de la technique la forme vraiment accomplie de la technique en général. La vérité de la technique serait en somme la formulation en termes scientifiques de ses objectifs, de ses anticipations et de ses procédures.

On pourrait plus simplement définir la technologie comme recension des procédés d'une pratique « détachée de ses conditions immédiates » (Sigaut, 1991, p. 37). Sa vraie naissance a lieu vers la fin du XVIIᵉ siècle, lorsque, après quelques décennies de débats entre ceux qui inventorient, recueillent, décrivent et ceux qui veulent traiter des machines comme des problèmes de géomètres, émerge, au bénéfice de la seconde tendance, le terme et la discipline « technologie » (Beckmann, Göttingen, 1767). À travers les œuvres philosophiques de Descartes, Leibniz, Wolff, à travers les vues des Encyclopédistes, l'activité des savants ingénieurs des écoles révolutionnaires, des personnages inclassables comme Babbage ou Beckmann, et plus tard les travaux de mécanologues tels que Reuleaux, on peut suivre le devenir d'un projet de subordination des pratiques techniques à des anticipations conceptuelles de divers ordres (géométriques, cinéma-

tiques, dynamiques...)[1]. Il est vrai que si les savoirs
scientifiques nouveaux vont, avec la révolution
industrielle, envahir la sphère praticienne, le projet
institutionnel de technologie rationnelle, voire *a
priori*, décline au cours du XIXᵉ siècle[2]. On a justement noté que ce projet se soutenait d'une conjoncture particulière, avec les ambitions politico-écono-
miques d'États soucieux de combler par des
orientations dirigistes l'écart avec l'industrialisation
anglaise[3]. Mais le déclin de ce projet de technologie
rationnelle a aussi partie liée avec des raisons de
fond, qui tiennent aux limites inéluctables de toute
ambition d'anticipation productive complète. D'une
part, celle-ci suppose segmentées et analysées des
opérations ; or, malgré des avancées constantes,
celles-ci resteront longtemps — toujours ? — un
mixte en partie opaque de gestes industrieux et de
séquences mécaniques. D'autre part, les difficultés
techniques sont en règle générale les plus aiguës aux
interfaces (application de principes généraux à des
situations ou des spécifications particulières,
connexions entre artefacts gouvernés par des principes scientifiques différents, effets en retour des
caractéristiques variables des objets sur les installations conçues pour les produire...). Or, si les
séquences dans un champ continu et homogène sont
facilement maîtrisables (comme la mise au point de
câblages électriques, ou d'une série de commandes

1. La revue *Thalès* de 1966, « Les commencements de la
technologie » (Guillerme, Sebestik, Morère) reste encore un
des plus beaux documents sur ce sujet.
2. Au point que la technologie devient « introuvable », pour
reprendre l'expression de J.-C. Beaune, 1980.
3. Ainsi, sur les « sciences camérales » en Allemagne, voir
Thalès, 1966, p. 69 *sq.*

électroniques), les interfaces, elles, sont constamment renouvelées et resingularisées par l'ingéniosité humaine.

Qui dit technologie dit « ingénieurs ». Faut-il ici parler de révolution ? Sous l'apparente nouveauté d'une profession dont on date usuellement l'émergence sociale au moment de la révolution industrielle, ne peut-on retrouver une tendance ou dimension ancienne, voire immémoriale, de l'intelligence industrieuse, que la science nouvelle ne viendrait qu'outiller : celle qui porte à opérer des tris et agencements dans un « magasin » d'idées pour anticiper efficacement des effets singuliers ? Dans son *Éloge de Vaucanson*, Condorcet distinguait le « génie » propre du mécanicien de celui des géomètres et des physiciens : ce génie (*ingenium*) le porte à « imaginer et disposer dans l'espace les différents mécanismes qui doivent produire un effet donné » ; il est, comme l'écrit Hélène Vérin, « pouvoir de réunir des données hétérogènes pour produire quelque chose de nouveau », choix de « moyens termes », d'« artifices imaginables » pour satisfaire des exigences particulières[1].

Si une telle redéfinition de l'ingénieur est recevable, peut-on s'étonner du parcours régressif auquel nous convient les historiens des techniques à

---

1. « G. Canguilhem et le Génie », in *G. Canguilhem : philosophe, historien des sciences*, Albin Michel, 1993. Génie qui n'a pas été sans alimenter la tradition expérimentale des « sciences baconiennes » dont T.S. Kuhn a suivi la confrontation avec les sciences classiques aux XVIIe et XVIIIe siècles (« Tradition mathématique et tradition expérimentale dans le développement de la physique », *Annales ESC*, no 5, septembre-octobre 1975).

propos des « ingénieurs » ? À partir de Vaucanson, de Bélidor, de Stévin, on peut remonter jusqu'à ces singuliers « ingénieurs de la Renaissance », du xve siècle et du début du xvie, ces génies multiples, peintres, inventeurs, conseillers des princes (allemands et surtout italiens) dans l'art militaire (artillerie, fortifications...) et l'aménagement des espaces (assèchement des marais...), comme aussi organisateurs de fêtes : Kyeser, Taccola, Alberti, Francesco di Giorgio Martini et bien sûr, Léonard de Vinci[1]. De là, le « poids de la tradition » nous conduira jusqu'au Moyen Âge, celui de l'architecte-ingénieur du xiiie siècle, Villard de Honnecourt (xiiie siècle), ou encore à Roger Bacon, et aux horloges mécaniques. Autour d'Hugues de Saint-Victor[2] et des centres intellectuels de Chartres, Paris, Oxford, on voit en effet se développer dès le xiie siècle des relations orientées vers des manipulations pratiques et utilitaires entre les savoirs disponibles de l'époque et les techniques, en compatibilité plus ou moins problématique avec les enseignements de l'Église. Il est du reste difficile de ne pas supposer sur les chantiers des grands édifices gothiques du xiie siècle la présence de ces « ingénieurs » comme de véritables génies directeurs.

Continuant la démarche régressive, on reviendra vers ces « mécaniciens grecs », où ont puisé leurs

1. Voir B. Gille (1964); B. Jacomy (1990, p. 189 *sq.*); et, sur les mécaniques conçues par Taccola (1382-1458) et Martini (1439-1502), les plus célèbres *ingeniarii* siennois, le catalogue de l'exposition d'Avignon, *Avant Léonard*, 1992.

2. Voir J. Gimpel, *La Révolution industrielle du Moyen Âge*, 1975; P. Thuillier « Techniques et sciences : le message de Hugues de Saint-Victor (xviie siècle) », *La Recherche* n° 240, 1992.

héritiers de la Renaissance : l'école d'Alexandrie, Archimède (IIIe siècle avant J.-C.), Ctésibios, Héron (Ier siècle avant J.-C.). Dans l'histoire de la culture grecque, comme l'a montré B. Gille (1980), la disposition ingénierale n'a jamais été mise en veilleuse. Les mécaniciens grecs ont buté sur des limites purement technico-scientifiques : il leur « était impossible d'aller plus loin qu'ils ne l'ont fait » (p. 194). Des dispositions analogues pourront être retrouvées au cœur des « mégamachines » égyptiennes, ou chinoises, dont parlait L. Mumford.

En même temps, concernant l'efficacité opérative des dessins et mécanismes inventés par les mécaniciens grecs ou par les ingénieurs de la Renaissance, la prudence et la distance critique s'imposent, comme B. Gille en a lui-même donné l'exemple. L. White, présentant des planches médiévales, note que certains des dispositifs sont impraticables. Et entre les traditionnels « théâtres de machines » qu'on repère jusqu'au milieu du XVIIe siècle, et la formulation et l'évaluation du travail d'une machine par les créateurs polytechniciens de la mécanique industrielle, le livre de J.-P. Séris, *Machine et communication*, montre qu'on ne saurait voir un simple épanouissement continu de l'art ingénieral. L'équilibre que l'article « Art » de l'*Encyclopédie* paraissait encore maintenir entre la pratique des arts et « la connaissance inopérative[1] » de ceux-ci a basculé au bénéfice de la seconde[2]. Au croisement des contraintes et exigences de la puissance publique, de

---

1. Néologisme de Diderot pour désigner une connaissance théorique, qui n'opère ni ne manipule elle-même.
2. De la fin de l'Ancien Régime au milieu du XIXe siècle, l'ouvrage d'Antoine Picon, *L'Invention de l'ingénieur moderne* (1992), en éclaire les étapes.

l'industrialisation, du machinisme, du gouvernement économique et humain de l'entreprise capitaliste et des nouveaux outils physico-mathématiques
permettant de penser en termes d'opérations, de
flux, de normalisations, l'ingénieur change indis-
cutablement de régime et de registre d'activité. Si,
comme le pensait Schumpeter, l'innovation se distingue de l'invention en ce qu'elle s'inscrit, contrair-
ment à la première, dans la sphère économique mar-
chande avec ses contraintes et ses créations propres,
l'ingénieur est un personnage clé des processus
innovatifs. A travers un réseau d'écoles et de seg-
mentations sociales et fonctionnelles, et moyennant
une distinction de plus en plus stricte entre les
concepteurs et les exécutants, le métier d'ingénieur
se professionnalise sous la pression envahissante de
la « marchandisation » capitaliste (dirait Marx) ou
de la *Zweckrationalität* (dirait Weber). « Moins indépendant et plus puissant[1] » que ses cousins d'autrefois, assujetti aux jugements d'efficacité et de profit,
l'ingénieur devient une pièce essentielle de ce système de la « neutralité militante » que l'on évoquait
plus haut. Parce que acteur majeur de la « technoscience », il apparaît en rupture avec ses prédécesseurs.

Nombreux sont ceux en effet qui pensent que c'est
avec cette instrumentation réciproque de la science
et de la technique que l'humanité est projetée dans
un nouvel espace, affrontée à des problèmes radicalement nouveaux. On a évoqué dans la première
partie certains tenants de la rupture. Pour un Heidegger, en ce point réside aussi le suprême « danger » : « ... la technique menace davantage d'échap-

1. A. Picon, *ibid.*, p. 622.

per au contrôle de l'homme » (1958, p. 11). Et cette rupture peut être éclairée par la comparaison avec la *technè* des Grecs : si la production artisanale comme effet des quatre causes d'Aristote est un effort d'imitation de l'enfantement plein de la Nature, alors on peut comprendre que « qui construit une maison ou un bateau, qui façonne une coupe sacrificielle dévoile la chose à pro-duire suivant les quatre modalités du "faire venir" » (p. 19). Au contraire, le « trait fondamental » de la technique moderne est que la nature y est provoquée comme « Fonds », comme énergie calculable à déstocker. Aussi, l'ingénieur est bien l'homme par excellence pour qui la nature doit répondre à l'appel comme « saisissable par le calcul » et telle « qu'elle puisse demeurer commise en tant que système d'informations » (p. 31).

Alors, continuité ou rupture ? La pensée est au rouet, d'autant que chacun y va de sa rupture propre. Pour beaucoup, ce sont les techniques contemporaines qui induisent une « radicale nouveauté ». Même sensibles aux continuités de longue durée, les auteurs de *La Technoscience en question* voient dans la réticulation informationnelle du nouveau « système technicien » (J. Ellul) un « médiateur universel [...] multiplicateur de possibilités et de contraintes » se développant plus ou moins en autonomie selon une « logique interne » (1992, p. 106 *sq.*). Toutefois, il semble que le point de rupture fondamentale puisse être indéfiniment reculé dans le passé. Pour d'autres, en effet, cette rupture a été institutionnalisée par la science galiléo-cartésienne et consiste en la promotion d'une nature définalisée, neutralisée, rendue disponible pour toutes sortes d'exploitations industrieuses. Pour L. White, c'est la dissémination de la charrue dans l'Europe carolin-

gienne du Nord qui a rompu le lien de dépendance
de la paysannerie par rapport à la Terre, au sein
d'une économie traditionnelle de subsistance : « On
ne peut concevoir de changement plus fondamental
dans le rapport entre l'homme et la Terre : auparavant, l'homme était partie intégrante de la nature ; il
devenait maintenant celui qui l'exploitait » (p.68).
Dans l'axe des thèses récentes et originales de J. Cauvin selon lesquelles la révolution néolithique du VIIIᵉ
millénaire en Syrie-Palestine[1] renverrait à des mutations « culturelles », « idéologiques », et non pas à
des pressions écologiques ou de subsistance issues
de modifications du milieu, D. Stordeur (1987) a pu
voir dans l'apparition, au début du néolithique, des
outils à emmanchements transversaux, cassant
l'harmonie des outils prolongeant *axialement* le
manche, le témoignage de cette « libération ou
révolte de l'homme qui se met "en travers" de la
nature, pour mieux la braver en attendant, quatre
mille ans plus tard, de la dominer[2] ».

La multiplicité de ces ruptures indique qu'il faut,
pour penser la vie des techniques, d'autres concepts
que ceux d'une anthropologie continuiste, mais que
ceux qui ne tirent leur pertinence que de la pratique
de l'histoire et des discontinuités qu'elle suppose n'y
suffisent pas davantage. Peut-on éclairer cette apparente contradiction ?

Soit, d'un côté, l'analyse par Marx du « développement des machines et de la production méca-

[1]. Alors que l'humanité a une ancienneté d'au moins deux
millions et demi d'années, le néolithique voit l'invention en
une durée brève de l'agriculture, de la domestication des animaux et des plantes, et de la sédentarisation.
[2]. *Manches et emmanchements préhistoriques. La main et
l'outil*, Maison de l'Orient, 1987.

nique[1] » : cette analyse, dont l'historien pourra remettre en cause les hypothèses et les déductions, reste à notre sens un essai exceptionnel pour penser la substance proprement *historique* des dynamismes techniques, qui ne peuvent trouver leur intelligibilité en dehors des champs de valeurs et des enjeux de domination sociale. En mettant tout l'accent sur l'invention de la « machine d'opération[2] », Marx montre l'aspect contradictoire (pour le capitaliste) de la configuration industrieuse que représente la manufacture, au sein de laquelle la main-d'œuvre reste encore largement le « principe régulateur de la production sociale » (p. 57). La « jenny », le « métier à bas » viennent émanciper la production de la « limite organique » de l'outil manuel et déplacent le rôle du producteur, affaiblissant sa capacité de résistance, en le confinant aux fonctions de servant des nouveaux mécanismes. À partir de cette première « émancipation » technique s'enchaînent les autres sans lesquelles la première resterait inachevée : le moteur universel (la machine à vapeur), la décomposition scientifique des opérations (la « technologie ») et l'industrialisation de la production des machines d'opérations. Ce passage de la subsomption seulement « formelle[3] » à la subsomption « réelle » du tra-

---

1. *Le Capital*, livre I, chap. XV, §1.

2. Marx distingue dans tout mécanisme développé le moteur, la transmission et la machine d'opération. C'est selon lui avec cette dernière que s'inaugure la révolution industrielle : « ... dès que l'instrument, sorti de la main de l'homme, est manié par un mécanisme, la machine-outil a pris la place du simple outil, une révolution s'est accomplie alors même que l'homme reste le moteur » (*ibid.*).

3. Seulement « formelle » puisque dans la manufacture, même salariés, les producteurs ont encore largement la maîtrise des outils et processus techniques.

vail sous le capital (dans la « fabrique » qui succède à la manufacture) est une véritable *époque historique* qui va transformer profondément le régime des dynamismes techniques, dans un mixte de consensus partiels (l'aventure machinique) et de contradictions féroces.

De l'autre côté, le machinisme ne s'est pas entièrement émancipé, comme Marx le laissait pourtant entendre, de tout « principe subjectif[1] » de la division du travail. Cette ambition n'était-elle pas en partie illusoire ? Trois quarts de siècle plus tard, en effet, Taylor se scandalisera encore de l'anarchie régnant dans les métiers, et constatera qu'à la multiplicité des modes opératoires répond « une très grande variété dans les outils qui sont utilisés dans chaque genre de travail » (1972, p. 31-32). L'« organisation scientifique du travail » a-t-elle depuis rendu les outils et les hommes enfin interchangeables ? Dans les chaînes aussi taylorisées que celles de la Fiat des années soixante, on a observé que les temps, les gammes, les outils étaient clandestinement retravaillés, réappropriés par les individus et leur milieu industrieux concret[2]. De même, dans les industries de « process[3] » les plus automatisées, les ingénieurs-concepteurs sont incapables de faire

1. Voir Marx, *op. cit.*, p. 66.
2. Voir I. Oddone *et alii*, *Redécouvrir l'expérience ouvrière*, Éditions sociales, 1981, p. 109, 111, 134-135, etc.
3. Autrefois dites « à feu continu », ces industries (par ex. la sidérurgie) traitent des fluides, opérant des séparations ou combinaisons de phases et engendrant des produits nouveaux en faisant agir des variables physico-chimiques (température, pression, concentration...). Elles s'opposent aux industries « manufacturières », qui usinent et assemblent selon des processus discontinus des pièces de formes et fonctions différentes.

fonctionner les installations *in situ* : ces installations ont en fait chacune leur « micro-histoire », étant en permanence réajustées par les opérateurs aux contraintes et libertés déterminées par la conjoncture[1]. « Cette gestion de la variabilité fondamentale constitutive de l'activité de travail est à la base des processus d'appropriation, par les opérateurs, des situations de travail en général et des objets techniques en particulier. Parce qu'elle est l'activité, en tant qu'expérience vitale, elle reste très largement masquée[2]. » Pour l'avoir nous-même étudié (1988, chap. xiv-xvi, xxii-xxiii ; 1992, p. 217 *sq.*), nous aurions tendance à affirmer l'universalité de cet effort de réappropriation, resingularisation, toujours oscillant entre la souffrance des échecs partiels et les micro-émancipations de l'inventivité heureuse. Chaque époque historique des techniques actualise de nouvelles formes de « recentrements » des objets et procédures autour des normes plus ou moins visibles, plus ou moins informelles que réélaborent *in situ* les protagonistes de la production. Y a-t-il une histoire des techniques possible sans l'étude complexe de ces « mises en patrimoine » par lesquelles des ensembles techniques sont réappropriés, « bricolés », détournés ou rejetés ? Au-delà du débat entre une histoire « technique » et une histoire économique, politique, sociale, des techniques, n'y a-t-il pas chaque fois à revenir sur le sens toujours en suspens du « nous » tel qu'il est impliqué dans l'expression : « La technique, c'est nous-mêmes » ?

1. Voir par exemple, Gilbert de Terssac, *L'Autonomie dans le travail*, PUF, 1992.
2. Durrafourg et Pelegrin, 1991, p. 321. Voir aussi Philippe Bernoux, « L'appropriation des techniques », in *Construire une science des techniques*, L'Interdisciplinaire, 1991.

Or ce recentrement indéfiniment renouvelé n'a pas lui-même de date de naissance historique[1]; il nous reconduit à cette anthropologie largement ouverte en deçà d'elle-même qu'a développée André Leroi-Gourhan à propos de l'« *intention technique* ». Toute réflexion sur la technique, pensons-nous, aura intérêt à séjourner dans l'œuvre de Leroi-Gourhan, de même que dans la pratique des ergonomes en tant qu'elle vise à restituer des processus vivants sous des objets muets. On voit en effet s'engendrer chez Leroi-Gourhan, sur le fond d'une commensurabilité profonde des trajectoires émancipatrices de la vie, des incommensurabilités ou singularisations partielles (avec la différenciation des ethnies) qui n'annulent jamais les héritages. Aucune époque ne recompose ces héritages de l'hominisation au point d'en annuler ses efficacités transformées. L'état de l'humanité ne réinterprète pas à chaque étape les phases de son histoire. « Toute l'ascension des civilisations s'est faite avec le même homme physique et intellectuel qui guettait le mammouth » (p. 259). Et l'on trouvera d'innombrables références à cette « pénombre du vivant » (p. 42) qui n'a cessé d'accompagner les étapes successives de l'émancipation technique. À lire par exemple *Mécanique vivante* (1983) et la superbe annexe terminale, « Libération de la main », on comprend bien le « rôle anatomiquement et historiquement infrastructurel » (1986, p. 88) que les techniques doivent ici revêtir : l'Évolution biologique peut entièrement s'interpréter comme le dégagement progressif d'équilibres fonc-

---

1. Les préhistoriens contemporains repoussent sans cesse en amont la chronologie des premiers galets aménagés, sans décider nettement de l'appartenance spécifique de leurs producteurs.

tionnels entre le « champ technique facial » (la denture, le museau) et le « champ technique manuel » (p. 247); au point même que c'est la stabilisation de tels équilibres qui doit faire loi pour guider la théorie de l'Évolution, quitte à bousculer quelque peu les normes scientifiques admises par celle-ci (voir p. 36-39). Dans ce processus d'émancipation, on peut distinguer des paliers, des étapes dans la libération par rapport aux programmes génétiques et possibilités génétiques préformés, des singularisations ethniques, mais jamais de seuils, jamais d'arrêts. On comprend pourquoi Leroi-Gourhan invoque parfois le Bergson de l'élan vital et de l'*homo faber*[1]. La technique se retrouve ici impliquée sur un mode qui nous reconduit encore aux perplexités philosophiques les plus profondes. Elle nous contraint à chercher des seuils à partir desquels nous comprendre « nous-mêmes » pour interpréter les ruptures que l'humanité introduit. Et en même temps, cette quête est frustrante, ces seuils largement introuvables. Comment alors catégoriser en sécurité, quand aucune condition aux limites n'est clairement donnée ?

De « la » technique comme question philosophique

Si la technique est une histoire qui remonte bien au-delà de l'Histoire, comment peut-elle être cir-

1. Pour Bergson, voir par exemple *L'Évolution créatrice*, notamment p. 88 *sq.*, et 136 *sq.*, *Les Deux Sources de la morale et de la religion*, chap. IV. Dans un registre différent, d'une évolution dialectique, on lira avec intérêt les pages de F. Engels sur « le rôle du travail dans la transformation du singe en

conscrite, située à côté d'autres dans le champ des
« questions philosophiques » ? Peut-on d'ailleurs
parler de « la » technique ? « À chaque moment, écrivait I. Meyerson en 1948[1], il y a à considérer l'outil,
et l'homme devant l'outil [...]. L'homme devant
l'outil peut être maître ou rouage ; il peut se sentir
plus ou moins dépendant. » C'est peut-être à propos
de la manipulation que l'article singulier — « la »
technique — rend le plus perplexe. À propos des
manifestations d'ouvriers contre les machines au
xixe siècle, M. Perrot précise qu'il n'y a aucune hosti-
lité des ouvriers au progrès technique, dès lors qu'ils
peuvent le gouverner[2]. Entre les machines « concur-
rentes et dominatrices » et la petite jenny ou l'outil-
lage manuel auxiliaire dans l'atelier ou à domicile (la
machine à coudre), il n'y a pas l'unité vécue d'« une »
technique. Sans doute parle-t-on d'autant plus de
« la » technique qu'on est plus éloigné des actes
transformatifs. Pour des personnes, des groupes
humains, il y a des cartographies complètement différentes de « la » technique ; pour en saisir les
valeurs en chaque point, il faut passer par ces
« recentrements » toujours plus ou moins collectifs,
traversés de symboles, de culture, de mémoire, où
les antagonismes, les rapports de pouvoir[3] ou de

Homme », *Dialectique de la Nature*, Editions sociales, 1968,
p. 171-183.
   1. « Le travail, une conduite », *Journal de psychologie*, 1948,
p. 14.
   2. « Les ouvriers et les machines en France dans la première moitié du xixe siècle », p. in *Le Soldat du travail*, coll.
Recherches, 1978, n°32-33, p. 347-374.
   3. Beaucoup a été écrit, et c'est normal, sur les rapports
entre la technique et la guerre, la technologie et l'armement,
les complexes « militaro-industriels ». Le « Manhattan Pro-
ject » (fabrication de la bombe atomique) a marqué la fin de la

conquête sont autant de manières de constituer le
monde humain comme des « projets-héritages » particuliers[1].

Nul ne trouve donc sur son chemin « la technique ». Dans *Signes*[2], Maurice Merleau-Ponty note,
à propos du voyage fatal de Julien Sorel à Verrières,
évoqué en quatre lignes dans *Le Rouge et le Noir*,
(chap. xxxv), cette « brièveté, cette proportion inusi-
tée des choses omises aux choses dites » (p. 95). Ce
n'est pas là pure question de procédé littéraire. C'est
le moyen technique du déplacement qui est devenu
transparent, pur moment organique de la résolution
homicide, presque passé dans l'« invisible » tant
l'artefact est ici traversé d'évidence, inscrit dans — et
condition de — l'élaboration à peine explicite de la
résolution elle-même. Ainsi, dans notre quotidien,
de multiples moyens et procédures techniques sont
aussi constitués en « conditions de félicité » silen-
cieuses, noués en une indéchiffrable alchimie avec
notre espace de vie. Seuls certains artefacts sont
vécus comme des corps étrangers ou hostiles, sous
réserve de bricolages ou de réajustements.

Si les groupes humains pas plus que les individus
ne rencontrent jamais la technique comme un tout,
on peut s'interroger sur toute approche de l'univers
technique comme un système tissé de cohérences et
de renvois internes. Chacun de nous cartographie la

_____

dernière guerre. Sur les rapports entre informaticiens et mili-
taires, voir Philippe Breton, 1987, chap. vi.

1. L'expérience des « transferts de technologie », l'échec des
livraisons d'usines « clés en main » sont à cet égard très ins-
tructifs. « Toute machine est culturelle » dit l'ergonome Alain
Wisner qui préconise le développement d'une anthropotech-
nologie (cf. 1985).

2. Gallimard, 1960, p. 95.

sphère technique, et utilise des artefacts extrêmement variés dans leur âge et dans leur principe (par ex. le crayon et l'ordinateur). Cette superposition des époques et des formes de la technique alimente les déhiscences qu'introduisent dans notre univers d'artifice nos choix de vie et nos valeurs. Il y aurait à réexaminer en ce sens la notion de « système technique » développé par B. Gille (1978, p. 19 *sq.*) : ses vertus heuristiques sont évidentes et aideront à trouver des cohérences incontestables. Mais le postulat de systématicité risque de dissimuler les coexistences hybrides, les découpes différentielles et dynamiques qui renvoient à la sphère de l'« intention technique ». D'un système technique et de ses supposées logiques internes, on risque de ne plus pouvoir sortir et de n'avoir plus d'autres solutions que de parler des hommes par les choses.

Dans la première partie d'*Être et Temps*[1], inaugurant l'analyse existentiale du *Dasein*, Heidegger tente de faire saisir la structure de l'« être-au-monde ». Le « commerce du monde » étant fil directeur, c'est-à-dire l'activité (la *praxis*), cette praxis rencontre d'emblée des « utils » (voir p. 102 *sq.*). Mais « un util n'"est" en toute rigueur jamais » (p. 104). Heidegger démonte le mécanisme des « renvois » (de l'util à l'ouvrage, de l'ouvrage au « monde public », à la « nature comme monde ambiant »). Tant qu'il n'y a pas de « faille » dans cet « utilisable » (tant qu'il n'y a pas absence ou altération d'un util), tant que cet « util » reste non thématique parce que pris dans son réseau de « renvois », le monde ne peut pas « prendre corps », « ne se signale pas à l'attention » (p. 112). Ainsi, la nécessité d'une « analyse prépara-

1. Trad. fr., Gallimard, 1986.

toire du *Dasein* » (p. 73) ne se justifierait pas si elle ne rencontrait comme obstacle l'immersion de l'ensemble des artefacts et ouvrages au sein d'une préoccupation praxique qui, en les maintenant dans la non-thématisation, les homogénéise totalement. Plus on met l'accent sur le tissu serré, sur la multiplicité des renvois du « fait pour » (p. 105), sur l'« attirail des outils, l'"atelier" tout entier » (p. 111), sur cette cohérence « technique », plus on indique, en faisant signe vers des soubassements plus profonds, une dépossession de lumière chez cet être qui crée à son insu le réseau des artefacts. J.-P. Sartre, dans *L'Être et le Néant*, reprend dans une autre intention un argumentaire comparable : « ...tout instrument n'étant utilisable — et même saisissable — que par le moyen d'un autre instrument, l'univers est un renvoi objectif indéfini d'outil à outil[1] ». Pour sortir de ce renvoi à l'infini, il faut supposer à ce « complexe d'ustensilité » un centre par rapport auquel prennent sens ces ustensilités enchâssées. À nouveau, le démontage du système de renvois qui se tisse entre les artefacts de notre monde et les indifférencie dans une même référence à l'ustensilité est ici la condition pour faire apparaître en regard et de proche en proche le « projet fondamental réalisé par le surgissement du pour-soi dans le monde ». Ce réseau des usages, révélé par le complexe d'artefacts de mon univers, fait donc régresser vers une totalité à propos de laquelle il n'est précisément plus question de la praxis transformatrice, puisque cette praxis la précède. Dans le cas de *L'Être et le Néant*, ce démontage est un moyen pour aller à la rencontre de notre situation comme Pour-soi.

1. Gallimard, coll. Tel, 1976, p. 372.

« Condition et non pas situation » : c'est ainsi que G. Canguilhem, en 1947, distinguait de l'attitude des existentialistes celle de G. Friedmann, critiquant l'« illusion techniciste » taylorienne : le mot de « condition », utilisé par ce dernier, implique le « souci de transformer effectivement » le milieu en reconnaissant l'« originalité des valeurs » (p. 122). Façon de dire que toute approche de la sphère technique comme système autonome de renvois, que ce soit au pôle objectif (« système technique ») ou du côté du *Dasein* ou de la conscience, oblitère la dimension transformatrice et diversifiante des projets d'emprise sur le monde où s'incluent les intentions techniques.

Heidegger, on le sait, caractérise la technique moderne comme « arraisonnement » (1958, 26 *sq.*). Pour les motifs évoqués ci-dessus, nous croyons que cette proposition, avec son article singulier, « la technique moderne », ne correspond à aucune expérience vitale et historique. Ce n'est pas une raison pour la condamner. Mais il nous semble que ce serait un aveu de faiblesse philosophique que d'outiller de cette expression le désir de s'épargner le détour par l'étude de ce que la vie et l'histoire font de « nous ». Peut-on ensuite penser au-delà ou en dehors de ce que cette étude nous enseigne, sous l'idée que la vie elle-même, comme « genre d'être », persiste à faire « ontologiquement problème » (*Être et Temps*, p. 78) ? La question nous dépasse ici. Mais quel point de vue est habilité à traiter l'autre comme un problème ?

Deux virtualités pourraient aujourd'hui donner consistance à des situations où c'est l'espèce qui se

trouverait confrontée comme *une* à « la technique » : une catastrophe écologique, nucléaire,
militaire majeure, et les interventions portées par
les rapides progrès des « biotechnologies » sur les
patrimoines génétiques et les conditions humaines
de l'accès à la vie. La première éventualité constituerait comme une seule personne « l' » apprenti sor-
cier (puisque c'est l'humanité entière qui serait en
question, dans sa survie). Mais cette conjoncture où
l'espèce se trouverait pour son malheur victime de
ses propres enfantements ne donnerait pourtant pas
la clé des processus qui l'auraient conduite à cette
extrémité. La seconde pourrait, le cas échéant,
modifier l'être auquel on a jusqu'ici rapporté l'intention technique, et ainsi ouvrir sur un autre champ
dont l'émergence n'est pas à écarter. Mais sauf à
faire du prophétisme facile mais incontrôlable, on
sort ici des limites de notre épure. Mais, jusqu'ici,
l'on n'a pas rencontré de « mutations » qui contrain-
draient à changer radicalement le régime d'interrogation de « la technique ». Les trois « explora-
tions » menées ici n'ont fait que retrouver, dans
leurs propres sillons, les difficultés initiales à la circonscrire. Peut-être faut-il dire que la définition
cherchée devrait coïncider avec celle du « vivre »,
dans les conditions si singulières que prend ce
terme dans l'espèce humaine.

Yves Schwartz

BIBLIOGRAPHIE

OUVRAGES CITÉS

Textes philosophiques fondamentaux

ARISTOTE, *Éthique à Nicomaque; Politique; Physique*, II.

H. BERGSON, *L'Évolution créatrice*, PUF (1907), 1966; *Les Deux Sources de la morale et de la religion* (1932).

A. COMTE, *Cours de philosophie positive*, Leçons 1 et 2 (1830).

DESCARTES, *Discours de la méthode* (1637); *Principes de la philosophie* (1644); *Traité de l'Homme* (1664).

Encyclopédie ou Dictionnaire raisonné des sciences, des arts et des métiers (1751). Réédition fac-similé de la 1ʳᵉ édition, Stuttgart-Bad Cannstatt, 1966 (inclut les références à D'ALEMBERT et DIDEROT).

J. HABERMAS, *La Technique et la science comme idéologie*, Gonthier-Denoël (1968), 1973.

M. HEIDEGGER, *Essais et conférences* (dont « La question de la technique »), Gallimard, 1958.

A. LEROI-GOURHAN, *Milieux et Techniques*, Albin Michel, 1945; *Le Geste et la parole*, I, *Technique et langage*, Albin Michel, 1964, 1965; *Le Geste et la parole*, II, *La Mémoire et les rythmes*, Albin Michel, *Mécanique vivante*, Fayard; *Le Fil du temps*, Point-Sciences, 1983.

H. MARCUSE, *L'Homme unidimensionnel*, éd. de Minuit, 1968.

K. MARX, *Le Capital*, livre I, chap. VII, XIII-XIV-XV, Éditions sociales, 1950.

PLATON, *Gorgias; République* (notamment livres II, VI, VII, X); *Lois* (notamment III, IV, IX, XI).

O. SPENGLER, *L'Homme et la technique* (1931), Gallimard, 1958.

M. WEBER, *Économie et société*, Plon, 1971.

Textes de référence

M. AUSTIN et P. VIDAL-NAQUET, *Économies et sociétés en Grèce ancienne*, A. Colin, 1988.

J.C. BEAUNE, *Philosophie des Milieux Techniques*, Champ Vallon, coll. Milieux, 1998.

P. BRETON, *Une histoire de l'informatique*, Points-Sciences, 1987; La Découverte, 1990, Le Seuil.

G. Canguilhem, « Descartes et la technique ». Travaux du IXe Congrès international de philosophie, *Études cartésiennes*, (IIe partie, XII), Hermann, 1935 ; « Milieux et normes de l'homme au travail », *Cahiers internationaux de sociologie*, 1947, vol. III ; *Connaissance de la vie*, Vrin, 1965 ; *Le Normal et le pathologique*, PUF, 1966.

C. Castoriadis, *Encyclopaedia universalis*, article « Technique ».

A. Espinas, *Les Origines de la technologie*, Alcan, 1897.

B. Gille, *Les Ingénieurs de la Renaissance*, Hermann, 1967 ; *Histoire des techniques*, ouvrage collectif publié sous la dir. de B. Gille, Gallimard, Bibliothèque de la Pléiade, 1978 ; *Les Mécaniciens grecs. La naissance de la technologie*, 1980.

J.-Y. Goffi, *La Philosophie de la technique*, PUF, coll. Que sais-je, 1988.

J. Guillerme, in *Encyclopaedia universalis*, article « Technologie ».

A.-G. Haudricourt, *La Technologie, science humaine. Recherches d'histoire et d'ethnologie des techniques*, préface de François Sigaut, éd. de la Maison des sciences de l'homme, 1987.

B. Jacomy, *Une histoire des techniques*, Points-Sciences, 1990.

J. Lafitte, *Réflexions sur la science des machines* (1932), réédition avec préface de J. Guillerme, Vrin, 1972.

M. Mauss, « Les Techniques du Corps », in *Sociologie et anthropologie* (1936), PUF, 1973.

L. Mumford, *Le Mythe de la machine*, 2 vol., Fayard, 1973-1974.

A. Picon, *L'Invention de l'ingénieur moderne. L'École des Ponts-et-Chaussées 1747-1851*, Presses de l'École des Ponts et Chaussées, 1992.

Reuleaux, *Cinématique. Principes fondamentaux d'une théorie générale des machines*, Librairie Savy, 1877.

J.-P. Seris, *Machine et communication*, Vrin, 1987 ; *La Technique*, PUF, 1994.

G. Simondon, *Du mode d'existence des objets techniques*, Aubier-Montaigne, 1969.

F. W. Taylor, *La Direction scientifique des entreprises*, Dunod, 1971. trad. fr. Luc Maury de : « Les principes de direction scientifique » (1911) ; témoignages de Taylor devant une commission de la Chambre des Représentants (janvier 1912).

J.-P. Vernant, *Mythe et pensée chez les Grecs*, Maspero, 1969.

J.-P. Vernant et P. Vidal-Naquet, *Travail et esclavage en Grèce ancienne*, éd. Complexe, 1988.

L. White Jr., *Technologie médiévale et transformations sociales*, Mouton and Cᵒ, Paris-La Haye, 1969.

A. Wisner, 1985, *Quand voyagent les usines*, éd. Syros.

« Les commencements de la technologie » (Guillaume, Sebestik, Morère), *Thalès*, 1966, PUF.

Comprendre le travail pour le transformer (collectif d'ergonomes), éd. de l'ANACT, 1991.

Ouvrages spécialisés

J.-C. Beaune, *La Technologie introuvable*, Vrin, 1980.

J. Cauvin, *Les Premiers Villages de Syrie-Palestine du IXᵉ au VIIᵉ millénaire av. J.-C.*, éd. Maison de l'Orient, Lyon, 1987.

Condorcet, « Éloge de Vaucanson », in *Éloges des Académiciens*, t. III. (*Œuvres complètes*, t. II).

J. Durrafourg et B. Pelegrin, « L'analyse de l'objet technique du point de vue de l'activité de travail des utilisateurs », in *Construire... 1991*.

J. Gimpel, *La Révolution industrielle du Moyen Âge*, Le Seuil, 1975.

G. Hottois (éd.), *Évaluer la technique*, Vrin, 1988.

A. Koyré, *Études d'histoire de la pensée philosophique*, A. Colin, 1961.

A. Riboud, *Modernisation, mode d'emploi*, 10/18, 1987.

P.-M. Schuhl, *Machinisme et philosophie*, Alcan, 1938.

Y. Schwartz, *Expérience et connaissance du travail*, Messidor, 1988 ; *Travail et philosophie, convocations mutuelles*, Octarès Édition, Toulouse, 1992.

F. Sigaut, « Les techniques de récolte des grains. Identification, localisation, problème d'interprétation », in *Rites et rythmes agraires* (sous la dir. de M. C. Cauvin), Travaux de la Maison de l'Orient, nᵒ20, 1991 ; « Les points de vue constitutifs d'une science des techniques, essai de tableau comparatif » et « Postface », in *Construire.... 1991*.

Construire une science des techniques (abréviation *Construire... 1991*), ouvrage coordonné par J. Perrin, L'Interdisciplinaire, Limonest, 1991.

La Technoscience en question. Éléments pour une archéologie

du xx siècle (P. Breton, A.-M. Rieu et F. Tinland), Champ-Vallon, coll. Milieux, 1992.
L'Usine du futur, Commissariat général au Plan, Documentation française, 1990.

LECTURES COMPLÉMENTAIRES

M.-C. Amouretti et G. Comet, *Hommes et techniques de l'Antiquité à la Renaissance*, A. Colin, 1993.
D. Furia et P.-C. Serre, *Techniques et sociétés. Liaisons et évolutions*, A. Colin, 1970.
S.D. Landes, *The Prometheus Unbound*, 1969, trad. fr. *L'Europe technicienne. Révolution technique et libre essor industriel en Europe occidentale de 1750 à nos jours*, Gallimard, 1975.
J. Needham, *La Science chinoise et l'Occident*, Le Seuil, 1973.
C. Parain, *Outils, ethnies et développement historique*, Éditions sociales, 1979.
F. Russo, *Introduction à l'histoire des techniques*, Librairie Blanchard, 1986.
P. Weingart (éd.), *Technik als Sozialer Prozess*, Francfort, Suhrkamp, 1989.

HISTOIRE DES TECHNIQUES

Histoire générale des techniques (sous la dir. de M. Daumas), PUF, 1962-1979.
Histoire des techniques (F. Klemm), Payot (1966).
History of Technology, 7 vol. (Singer, Holmyard, Hall..., puis Trevor, Williams), Oxford University Press (7ᵉ volume en 1978).
An Encyclopaedia of the History of Technology (sous la dir. de Ian McNeil). Routledge, 1990 (par branches d'activité).
Le Guide du patrimoine industriel, scientifique et technique, La Manufacture, 1990.
Le Guide du patrimoine rural, La Manufacture, 1988.

Je voudrais remercier Yves Cohen du Centre de recherches en histoire des sciences et des techniques de la Cité des sciences et des techniques de la Villette, et le professeur Thomas Malsch, de l'université de Dortmund, de leur aide et de leurs conseils.

LA VÉRITÉ

« L'entreprise d'un discours philosophique sur la
vérité, écrit E. Balibar, n'a pas besoin de justification
particulière, puisqu'il fait corps avec l'existence
même de la philosophie. Il n'est pas nécessaire pour
l'admettre de supposer que la vérité est le seul
"objet" de la philosophie. Au contraire, on peut parfaitement tenir que la philosophie pose la question
de la vérité à toutes sortes de discours, d'expériences
et de pratiques qui ne s'y réduisent pas, et qu'elle
pose aux discours de la vérité (qui sont loin d'appartenir en propre au genre philosophique) la question
de ce qui les excède. [...] La question de la vérité,
sous une forme ou sous une autre, n'est jamais séparable des entreprises philosophiques[1]. »

Il y aurait donc, en toute démarche philosophique,
un souci de rapporter les discours et les pratiques à
l'instance de la vérité et de les y soumettre. Il
importe peu, d'ailleurs, que celle-ci soit thématisée
comme telle, ou qu'elle soit seulement présupposée ;
il est primordial, en revanche, que les discours de
vérité (c'est-à-dire ceux qui prétendent dire la vérité

---

1. E. Balibar, *Lieux et noms de la vérité*, éd. de l'Aube, 1994
p. 7.

sur ou de quelque chose), et les pratiques qui en
résultent (politiques ou religieuses, par exemple),
soient soumis à la question de leur *vérité*, plutôt qu'à
celle de leur *effet*, de leur efficace, de leur utilité, ou
autres instances de substitution. Or, ceci fait apparaître déjà deux difficultés.

Tout d'abord, rappeler que les discours de vérité
n'appartiennent pas en propre au genre philosophique, c'est souligner leur dispersion, leur multiplicité, en un mot la plurivocité de la vérité et ce qui
s'ensuit : notre rapport à la vérité souvent « fatigué »,
et rarement vigilant. La fatigue est due aux conflits
de légitimité qui semblent surgir entre des champs à
la fois multiples et différents, par exemple entre la
critique philosophique, qui peut venir à prendre
pour objet l'idée d'une vérité absolue ou la « volonté
de vérité » elle-même, et la nécessité pour bien des
disciplines (ainsi l'histoire) d'établir ou de rétablir la
vérité de leur objet spécifique contre certaines
formes d'hypercritique ou de critique non informée.
Quant à la vigilance, peut-être s'estompe-t-elle parce
que le principe d'une vérité n'est pas communément
attaqué ou mis en question de façon radicale : le
scepticisme métaphysique n'est plus à l'ordre du
jour, et le solipsisme est hors de saison. Pas plus que
nous ne doutons de l'existence du monde extérieur
ou de la réalité des faits ordinaires qui s'y produisent, nous ne refusons, d'ailleurs, dans
l'ensemble, les vérités empiriques particulières et les
vérités de science. La « prose de la vie » dispense des
remises en cause radicales. Mais si l'existence de
vérités objectives n'est pas elle-même mise en doute,
deux attitudes, l'une aussi ancienne que la philosophie, l'autre bien plus récente et donc plus inquiétante, tendent à la dissolution pratique de la

conscience de la vérité : l'une est le relativisme sous lequel peut tomber toute espèce de jugement, l'autre le révisionnisme qui s'attaque à la vérité historique, et dont le négationnisme visant l'existence de chambres à gaz dans les camps d'extermination nazis est la variante la plus connue[1]. Pour le relativiste, toutes les opinions *sont des jugements de valeur*, et donc toutes se valent, parce que l'axiologie est indépendante de toute instance de vérité objective : dès qu'il s'agit de croyances et d'opinions, éthiques, religieuses, politiques, « à chacun sa vérité ». Le relativiste reconnaît donc au moins une vérité, à savoir qu'il n'y a de vérité que relative, ce qui rend absurde une recherche de *la* vérité ; tout au plus épargne-t-il les domaines du savoir qui s'en tiennent aux faits et rien qu'aux faits. Le révisionniste procède autrement. Son mode d'argumentation, comme l'a bien montré P. Vidal-Naquet, est fondé sur une sorte de « preuve non ontologique », qui consiste simplement à frapper d'inexistence les réalités sociales, politiques, idéologiques[2]. Au lieu de rechercher la vérité comme adéquation du discours à la réalité, ce qu'il cherche c'est en somme la fausseté — la démonstration que tout ce qui est prétendu vrai peut être aussi bien réputé faux[3], la réalité se trouvant ensevelie

1. D'aucuns défendent aussi bien (pour reprendre un exemple analysé par P. Vidal-Naquet dans ses essais sur le révisionnisme) que l'anthropophagie n'a jamais existé réellement et qu'elle n'est qu'une invention des anthropologues à partir de données vagues et inconsistantes...

2. Voir P. Vidal-Naquet, *Les Assassins de la mémoire*, La Découverte, 1987, p. 14-18, qui cite M. Gauchet et sa première chronique du *Débat* (n° 1, mai 1980), intitulée justement « L'inexistentialisme ».

3. *Ibid.* « Une certaine vulgarisation de la psychanalyse a joué son rôle dans cette confusion entre le fantasme et la réalité. Mais les choses sont plus complexes : une chose est de

sous la superposition des discours tenus sur elle[1].
Que ces discours soient de qualité et de statut différents, l'hypercriticisme n'en tient pas compte;
cette indifférence est ce qui le rapproche du relativisme. Tous deux signalent et aggravent l'apathie du
siècle envers la vérité — laquelle finit par faire problème, plus instamment que la détermination même
du vrai et du faux.

Ensuite, et c'est là une seconde difficulté, il serait
sans nul doute simpliste d'opposer massivement la
notion de vérité et le critère de l'effet, comme s'il
s'agissait de contradictoires : d'un côté, un discours
philosophique qui dirait la vérité de ce qui est ; de
l'autre, un discours non philosophique, disons
sophistique, qui ferait de l'effet à proportion de la
fausseté qu'il véhicule. Pourquoi y aurait-il nécessairement un rapport de proportion inverse entre la
teneur en vérité et la force de l'impact ? D'un discours qui ferait être ce qu'il dit, peut-on assurer qu'il
n'est pas porteur de vérité, et l'effet, au lieu de se
substituer à la vérité, n'est-il pas plutôt ce qui en
atteste la présence, voire ce qui participe à sa production ? G. Deleuze a pu dire, dans une perspective

---

faire dans l'histoire la part de l'imaginaire, une chose est de
définir comme Castoriadis l'institution imaginaire de la
société, une autre est de décréter, à la façon de J. Baudrillard,
que le réel social n'est composé que de relations imaginaires.
Car cette affirmation extrême en entraîne une autre, dont je
vais avoir à rendre compte : celle qui décrète imaginaires toute
une série d'événements bien réels. »

1. *Ibid.*, p. 41, à propos de R. Faurisson, qui s'est consacré
« à la recherche, non, comme il le prétend, du vrai, mais du
faux, à la recherche d'un moyen de détruire un immense
ensemble de preuves indestructibles, indestructibles précisément
parce qu'elles constituent un ensemble, non, comme on tente
de nous le faire croire, un faisceau de documents suspects ».

à la fois complexe et nuancée, que « les notions d'importance, de nécessité, d'intérêt sont mille fois plus déterminantes que la notion de vérité. Pas du tout parce qu'elles la remplacent, mais parce qu'elles mesurent la vérité de ce que je dis[1] ».

De ces deux difficultés, à savoir notre lassitude à l'endroit de la vérité, et la façon dont nous sommes tentés de nous en remettre à l'effet, qui, lui, est *index sui*[2], résulte une troisième, liée très précisément aux tensions que suscite la disjonction des discours de vérité : comment articuler une problématique de la vérité et celle de l'effet ? Ces problématiques peuvent-elles se conjuguer, ou ne sont-elles valides que dans des disciplines ou des domaines de savoir hétérogènes, par exemple l'histoire et la rhétorique, exigeant chacune une prestation spécifique ? Avons-nous affaire à *des* vérités (qui ne seraient pas, pour autant, versées dans l'océan des opinions toutes également discutables), valides dans un champ strictement délimité, ou notre objet est-il plutôt *la* vérité ? La question de la vérité n'est jamais purement discursive, rhétorique, ou spéculative. Elle a nécessairement des implications éthiques et politiques majeures. Il est probable que cette remarque vaudrait pour la plupart des problèmes, mais à propos de la vérité elle prend un relief singulier.

Par exemple, on pourrait, pour réhabiliter la rhétorique contre l'ontologie (censée dévoiler la vérité), suggérer que « si la philosophie veut réduire la sophistique au silence, c'est sans doute parce qu'à l'inverse, la sophistique produit la philosophie comme un fait de langage » ; réhabiliter la rhéto-

1. G. Deleuze, *Pourparlers*, Éd. de Minuit, 1990, p. 117.
2. Est *index sui* ce qui se montre soi-même.

rique reviendrait alors à considérer l'ontologie comme un discours, en insistant sur « l'autonomie performative du langage et l'effet-monde qu'il produit[1] ». Réhabiliter, c'est rétablir une certaine vérité à l'intérieur d'une problématique limitée à son objet spécifique, la rhétorique, dans le cadre d'une histoire surdéterminée, celle des relations conflictuelles de la sophistique et de la philosophie. Mais serait-il fondé d'élargir cette problématique au-delà des frontières qu'elle revendique, jusqu'à d'autres modes de penser ou savoirs régionaux, dont certains ont pour objet rien de moins que des réalités empiriques et la compréhension du monde tel qu'il est? La philosophie doit-elle être envisagée comme un pur fait de langage — en quelque sorte comme le symétrique inverse de la sophistique? Quel que soit l'intérêt critique et polémique d'une défense de la rhétorique, et quelque « effet-monde » que suscitent les actes de parole, la réalité du monde, elle, ne se réduit pas à l'effet-monde du langage, sauf à annuler en effet toute instance de vérité, ou à confondre ce qui est et ce qui s'exprime. Ce qui est vrai ici, n'est pas la vérité partout, et d'une manière générale il serait fort aventureux d'exporter ou de globaliser une problématique circonscrite, au-delà de son domaine de vérité. Aussi la réhabilitation de la rhétorique peut-elle apparaître ambiguë, non en elle-même, bien sûr, mais par rapport à ce qui n'est pas elle.

Quand il s'agit des réalités empiriques, la thématique d'un « effet-monde » du langage ne saurait

1. Voir B. Cassin (*L'Effet sophistique*, Gallimard, 1995, p. 13) qui propose d'appeler « logologie », d'un terme emprunté à Novalis, cette perception de l'ontologie comme discours, et qui entend rabattre la philosophie sur un « effet-monde » du langage.

s'affirmer sans avoir des implications extérieures à l'ordre discursif, et son maniement semble bien délicat. Dans l'hypothèse où elle serait élargie à d'autres champs que celui où elle a sa place, cette thématique aurait nécessairement des implications éthiques et politiques : en histoire, par exemple, faudrait-il donc, pour établir ou rétablir la vérité, concurrencer les faussaires sur le terrain de la rhétorique, c'est-à-dire de l'effet, de l'impact et des affects ? Y a-t-il même un discours possible avec celui qui récuse toute vérité ou tout accès à une vérité ? « Il ne s'agit pas ici de sentiments mais de vérité, remarque P. Vidal-Naquet à propos de l'impossibilité de dialoguer avec les révisionnistes. Ce mot qui fut grave a tendance aujourd'hui à se dissoudre. [...] Un dialogue entre deux hommes, fussent-ils adversaires, suppose un terrain commun, un commun respect, en l'occurrence, de la vérité. Mais avec les "révisionnistes", ce terrain n'existe pas. Imagine-t-on un astrophysicien qui dialoguerait avec un "chercheur" qui affirmerait que la lune est faite de fromage de roquefort[1] ? » On a là, avec la défense de la rhétorique d'une part, et la critique du révisionnisme d'autre part, un bel exemple de *disjonction* des discours de vérité, hétérogènes dans leur visée comme dans leur propos, et qui, rapportés l'un à l'autre, laissent au moins perplexe, tout simplement *parce qu'ils ne se rapportent pas l'un à l'autre*.

De cette perplexité, il reste au moins ceci : premièrement, l'hypothèse selon laquelle, quoi que l'on en dise, l'opposition traditionnelle du philosophe et du philodoxe, de celui qui recherche la vérité face à celui qui cherche à faire de l'effet, demeure per-

---

1. P. Vidal-Naquet, *op. cit.*, p. 9.

tinente et d'actualité au regard de ses implications éthiques et pratiques[1]; deuxièmement, le parti de ne pas trop en demander à *la* vérité, et de s'appuyer davantage sur *les* vérités propres à des savoirs ou à des discours d'ordres distincts[2].

Cela exige, préalablement, quelques éclaircissements.

Le sens commun établit une distinction relative entre le vrai et la vérité — distinction sur laquelle on reviendra, car elle s'enrichira et se déplacera à mesure que nous avancerons. Schématiquement, le vrai est ce qui est le cas, et qui fait l'objet d'un consensus en tant que c'est le cas, par exemple sur le terrain de l'histoire positive ou des sciences positives. Être dans le vrai ne va pas sans référent (il suffit de consulter une chronologie, d'ouvrir un dictionnaire ou d'examiner un tableau des éléments), ni sans validation intersubjective : le lieu du vrai, accessible au sens commun, n'est pas un « *lieu de la vérité*, où l'on devrait aller la chercher coûte que coûte, et même en brisant les rapports humains et les liens de la vie ordinaire. Notre rapport au vrai passe par les autres. Ou bien nous allons au vrai avec eux, ou ce n'est pas au vrai que nous allons[3] ». Or, non seulement la vérité est plurivoque (il y a la vérité des mathématiciens, celle des sciences

1. Sauf à déplacer la problématique éthique sur le terrain de l'esthétique, et à rétorquer à la problématique de la vérité par l'effet : c'est le sens de *L'Effet sophistique*, qui réfute à la fois les prétentions de la philosophie ordinaire (voir p. 16), ses dispositifs éthiques (p. 18), et son combat contre le « relativisme », ce « loup d'aujourd'hui » (p. 18)...

2. E. Balibar, *op. cit.*, p. 9.

3. M. Merleau-Ponty, *Éloge de la philosophie*, Gallimard, 1953, p. 39.

humaines, l'intime conviction à quoi se ramène en dernière instance celle des jurés, les vérités religieuses, etc.), mais elle excède largement cette définition minimale, positive et commune du vrai. En effet, au-delà des éléments de définition que l'on peut invoquer — à deux niveaux, celui de la conformité à des principes logiques et de la cohérence interne, d'une part, celui de la conformité au réel, d'autre part —, la vérité est encore ce qui est cherché, recherché, et d'autant plus apprécié que l'accès en est plus difficile et réservé aux « happy few » ; « lorsqu'il s'agit d'une question difficile, note Descartes, il est plus vraisemblable qu'il s'en soit trouvé peu, et non beaucoup, pour découvrir la vérité à son sujet[1] » ; ou plus radicalement encore, ce propos définitif d'Arnauld et Nicole : « Ce n'est pas seulement dans les sciences qu'il est difficile de distinguer la vérité de l'erreur, mais aussi dans la plupart des sujets dont les hommes parlent et des affaires qu'ils traitent. [...] [Or] il y a une infinité d'esprits grossiers et stupides que l'on ne peut réformer en leur donnant l'intelligence de la vérité, mais en les retenant dans les choses qui sont à leur portée, et en les empêchant de juger ce qu'ils ne sont pas capables de connaître[2]. »

On conçoit en quel sens le désir de vérité, comme désir de conquête ou de possession de ce qui est rare, risque de s'opposer ainsi au modeste désir de voir clair ou de mettre de l'ordre dans ses pensées.

À partir de cette distinction schématique entre la vérité et le vrai, il est bien sûr possible d'affiner

---

1. Descartes, *Règles pour la direction de l'esprit*, III (trad. fr. J. Brunschwig), Garnier, 1963, p. 86.
2. Arnauld et Nicole, *La Logique ou l'art de penser*, Discours I, Vrin, 1981, p. 15 et 17.

l'analyse. L'un des éclaircissements les plus remarquables nous vient des stoïciens, qui opposent le vrai
et la vérité sous trois rapports, celui de leur statut
ontologique, celui de leur structure, celui enfin de
leurs implications[1]. Le vrai (*to alèthés*) et la vérité
(*alèthéia*) diffèrent tout d'abord par leur statut ontologique (*ousia*) : le vrai est une proposition et un
énoncé, il appartient donc à la phrase, c'est-à-dire à
ce que les stoïciens appellent un incorporel (*lekton*) ;
au contraire, la vérité est « la science déclarative de
tout ce qui est vrai ». Le vrai et la vérité diffèrent
encore par la structure ou constitution (*systasis*), en
ceci que le vrai est quelque chose de simple alors que
la vérité est complexe ; plus exactement, elle est
composée de « la connaissance d'une multitude de
choses vraies ». Enfin, les deux notions divergent par
leurs implications ou par leur puissance (*dynamis*) :
le vrai est accessible à tous, même à l'insensé (*phau-
los*, le « pas-grand-chose »), c'est-à-dire quiconque
ne fait pas partie des sages et à qui, cependant, il
peut très bien arriver de dire vrai ; en revanche, la
vérité appartient à la science *stricto sensu*, au système total du savoir, et de ce fait elle est accessible
au sage et à lui seul. Dans l'optique stoïcienne, la
triple différence entre la vérité et le vrai trouve ainsi
sa cohérence dans l'unicité de la vérité au sein d'une
systématicité absolue du savoir ; et la vérité est
l'objet spécifique du sage.

1. Cette doctrine est attribuée aux stoïciens par Sextus
Empiricus, *Hypotyposes pyrrhoniennes*, II, 81 ; le thème est
d'ailleurs repris par ce même commentateur dans *Adversus
mathematicos*, VII, 38-45. Pour la traduction, l'analyse et les
implications de ce texte sur les rapports entre science (*epis-
tèmè*) et philosophie (*sophia*) — deux manières singulières de
ne pas être la sagesse —, voir J. Brunschwig, « Science et philosophie chez les stoïciens » (à paraître).

Or, il existe pour nous un problème concernant la *définissabilité* de la vérité, dont la difficulté est masquée par la relative aisance avec laquelle ses principales *caractéristiques* se laissent dégager. Ainsi, comme l'indique la distinction stoïcienne, la vérité n'est pas purement et strictement « logologique », mais ontologique; elle est complexe ou composée; elle est rare et réservée là où le vrai est commun et partagé. Ou bien, pour nous (contrairement aux Anciens), elle est plurivoque et dispersée, du fait de la dissémination des savoirs. Mais caractériser n'est pas définir[1]. Et, de même, il ne suffit pas de souligner qu'il y a de la vérité et que celle-ci a des implications éthiques et pratiques; il faut encore la thématiser. Cette vérité que l'on invoque et dont on déploie les propriétés est-elle définissable? Qu'en est-il des critères de vérité?

I. LES FIGURES DE VÉRITÉ : ARCHAÏQUE, DIALECTIQUE, RHÉTORIQUE, ÉPISTÉMIQUE

Le philosophe et le sophiste (figure dialectique, figure rhétorique)

C'est un fait : notre époque est favorable aux sophistes, qui, à l'instar de Protagoras, de Gorgias, de Prodicos ou d'Hippias, s'affirment, aujourd'hui comme hier, comme de bons rhéteurs, brillants et souvent cultivés, compétents dans certains

---

1. Voir Platon, *Gorgias*, 448e.

domaines et décidés à vivre de leurs compétences supposées[1]. Faut-il s'en féliciter? Le fameux mot d'ordre de Perelman est à cet égard très représentatif des enjeux et des implications de ce renouveau : « En subordonnant la logique philosophique à la nouvelle rhétorique, je prends parti dans le débat séculaire qui a opposé la philosophie à la rhétorique, et ceci depuis le poème de Parménide. Celui-ci, et la grande tradition de la métaphysique occidentale, illustrée par les noms de Platon, de Descartes et de Kant, a toujours opposé la recherche de la vérité, objet proclamé de la philosophie, aux techniques des rhéteurs et des sophistes[2]. » Ce clivage sommairement évoqué pose deux problèmes distincts, celui de l'intention ou de la visée de vérité, et celui de l'autonomie de la rhétorique.

Traditionnellement, depuis Platon, la figure du philosophe s'oppose à celle du philodoxe et du rhéteur, qui recherchent la vraisemblance et non la vérité; plus radicalement, elle s'oppose à celle du sophiste qui en est la contrefaçon, la menace interne dans la mesure où le critère de distinction entre l'authentique chercheur de vérité et son faussaire est indécidable empiriquement. En témoignent, en

---

1. Sur les sophistes, voir notamment, parmi de nombreuses publications, J. Brunschwig, art. « Sophistes » in *Encyclopaedia universalis*; B. Cassin éd., *Le Plaisir de parler*, Éd. de Minuit, 1986; *Positions de la sophistique*, Vrin, 1986; B. Cassin, *L'Effet sophistique*, op. cit.; W. K. C. Guthrie, *Les Sophistes*, trad. fr. J.-P. Cottereau, Payot, 1976; G. Romeyer Dherbey, *Les Sophistes*, P.U.F. Que sais-je ?, 3e éd., 1993; J. de Romilly, *Les Grands Sophistes dans l'Athènes de Périclès*, éd. de Fallois, 1988; M. Untersteiner, *Les Sophistes*, trad. fr. A. Tordesillas, Vrin, 1993.

2. Ch. Perelman, *L'Empire rhétorique. Rhétorique et argumentation*, Vrin, 1977, p. 19.

dépit des critères invoqués dans l'*Apologie de Socrate* — le philosophe ne se fait pas rétribuer[1] et il ne dispense pas un enseignement didactique[2]— l'atopie de Socrate et l'issue de son procès. Car la morale de ce procès, c'est que la vérité ne paie pas, ni ne produit l'effet escompté par l'accusé : prouver son innocence face aux accusations fausses portées contre lui. La vérité est en tout cas à la fois le maître mot et le principe de la défense. Elle en est le maître mot, au vu de la récurrence frappante des formules telles que : « de ma bouche, vous apprendrez toute la vérité[3] », mais aussi parce que, en définitive, seule compte la vérité, fût-elle sans force : « Je vais m'en aller, alors que vous m'avez reconnu coupable, et condamné à mort, mais eux, c'est la vérité qui les aura reconnus coupables de perversité et d'injustice. Je m'en tiens à ma peine, et eux, à la leur[4]. » Elle en est le principe, en ce sens que la vérité, valeur ultime, est encore l'unique moyen de défense, moyen paradoxalement destiné à manquer la fin assignée — prouver l'innocence — puisque la présence de la vérité s'éprouve en particulier à la haine qu'elle suscite : « Voilà la vérité, hommes d'Athènes, je vous la dis, et cela sans rien vous cacher, ni élément important ni point de détail, sans réserves non plus. Et pourtant je suis

---

1. Platon, *Apologie de Socrate*, 19 e-20 a : « Si vous avez entendu dire que je me fais fort d'éduquer les gens moyennant finances, cela non plus n'est pas vrai... » ; *ibid.* 31 b-c ; 33 a-b : « Et je ne suis pas non plus de ceux qui dialoguent si on les paye, et qui se dérobent si l'on ne paie pas » (trad. fr. A. Castel-Bouchouchi, Presses-Pocket, 1994).

2. *Ibid.*, 23 c-d ; 33 a : « Je n'ai jamais été le maître de personne. »

3. Platon, *Ap.*, 17 b ; voir notamment 17 a, 18 a, 20 d, 24 a, 28 a, 33 c, 34 b, 31 e, 32 a, 32 e.

4. *Ibid.*, 39 b.

loin d'ignorer que c'est précisément ce qui me rend haïssable, preuve, là encore, que je dis la vérité[1]... »

La contrefaçon du philosophe est incarnée par Alcibiade, figure notoire et brillante d'un désir de vérité foncièrement impur et fugace. Son désir de vérité est d'abord un désir de la dire, et pour ce faire, de l'avoir trouvée, donc visée; en guise d'introduction à l'éloge de Socrate qui clôt le *Banquet*, Alcibiade, mimant le philosophe, revendique en effet le droit de dire la vérité, et, en quelque sorte, le droit à l'erreur ponctuelle ou au faux occasionnel, pourvu que l'intention de dire la vérité soit authentiquement reconnue et avérée; comme on lui demande quel est son dessein, il s'empresse de répondre : « Je dirai la vérité; à toi de voir si tu acceptes! » Socrate : « Mais, bien sûr, oui! la vérité, je l'accepte et je t'invite à la dire. — Je n'y manquerai pas! repartit Alcibiade. [...] S'il m'arrive de dire quelque chose qui ne soit point vrai, ne me laisse pas continuer, interromps à ta guise et dis-moi : "Là-dessus, tu mens..."; car ce ne sera jamais avec intention que je mentirai[2]. » La suite montre toutefois combien le désir de vérité se confond chez Alcibiade avec le désir de possession, la stratégie du jeune homme se bornant à proposer d'échanger sa jeunesse et sa beauté physique contre le savoir et la sagesse, ou, de façon plus imprécise encore, contre la « transmission », sur un mode

1. *Ibid.*, 24 a.
2. Platon, *Banquet*, 214 e (trad. fr. L. Robin). Voir le portrait du philosophe, avec en 216 a : « Et tout cela, Socrate, tu ne vas pas dire que ce n'est pas la vérité »; de même, à propos de la tempérance de celui-ci, en 217 b : « Vis-à-vis de vous, je ne l'oublie pas, il faut dire toute la vérité; eh bien! écoutez-moi attentivement, et toi, Socrate, si je mens, confonds-moi! »; enfin, l'argument *a fortiori* de l'ébriété, en 217 e : comme chacun sait, *in vino veritas*, donc Alcibiade dit la vérité....

explicitement charnel, de tout ce que le philosophe possède, ou de tout ce à quoi il a spécifiquement accès[1]. L'impatience d'être dans le vrai s'oppose ici aux détours philosophiques, à ces itinéraires plus longs dont on ne saurait faire l'économie si l'on veut voir certaines réalités essentielles[2].

D'une manière générale, comment savoir s'il y a visée de vérité ? Et ne peut-il y avoir une neutralité, et donc une utilité de la rhétorique, comme technique ou comme science, indépendamment de toute normativité éthique ? D'une part, on connaît la formule de Quintilien, selon laquelle « la philosophie peut se contrefaire, pas l'éloquence[3] », car si l'on peut faire semblant de rechercher la vérité, on ne saurait faire semblant d'être un bon orateur. Le philosophe cherche tandis que l'orateur est performant ou ne l'est pas. La philosophie est imitable parce qu'elle renvoie à l'intention, tandis que la sophistique est efficace et effective ou elle n'est rien, puisqu'on la juge sur pièces. La distinction entre le vrai et le faux savoir doit donc se situer, non au niveau de l'intention, mais plutôt au niveau de leurs effets respectifs. Or ceux-ci ne se ramènent nullement à la rhétorique. Ils sont aussi, et peut-être sur-

---

1. *Ibid.*, 217 a-219 b.
2. Voir Platon, *République*, IV, 435 d : Socrate et Adimante se demandent s'il y a, dans l'âme individuelle, comme dans la cité, trois espèces, et ils adoptent alors une voie « courte » d'investigation, tout en se réservant la possibilité de revenir plus loin à cette « autre route, plus longue et plus riche, qui y mène » (trad. P. Pachet); d'où une reprise en VI, 504 b de la question des réalités visibles pour quiconque adopte la voie longue.
3. Quintilien, XII, 3, 12 ; voir le commentaire de B. Cassin, *op. cit.*, p. 435 *sq.*, qui s'inspire lui-même de J. Lichtenstein, *La Couleur éloquente*, Flammarion, 1989, p. 83-100.

tout, éthiques, ou politiques au sens large. Si le philosophe recherche la vérité, rien n'atteste
l'authenticité de cette recherche : quelle sorte de
preuves, en effet, attesterait que c'est bien la vérité
qui est visée et non les bénéfices (pouvoir, autorité,
etc.) de cette prétendue visée ? On est renvoyé au
problème de l'intériorité. Toutefois, la recherche de
la vérité n'est peut-être pas sans conséquences
visibles ou extérieures ; car, après tout, même l'imaginaire produit des effets réels. En ce sens, « le
moyen de distinguer le sophiste du philosophe
devrait être politique. [...] Quand on aura gagné la
possibilité de définir les places respectives
qu'occupent dans la cité ces prétendus savoirs et
comment se distribuent leurs images publiques, la
certitude sera acquise et confirmée que leur distinction est bien réelle en même temps que sera écarté le
risque d'une confusion redoutable, dont la foule est
responsable non moins que victime, entre sophiste
et philosophe [1] ».

D'autre part, le statut de la rhétorique est bien
plus problématique, même chez Platon, que l'opposition traditionnelle entre la philosophie et la rhétorique ne le laisserait penser. À celui qui critique la
rhétorique, en prétendant qu'elle vise la vraisemblance au détriment de la vérité, on objectera évidemment que, si la vérité n'est pas nécessaire, elle
n'est pas non plus exclusive ni exclue de l'art de persuader. Il existe une mauvaise rhétorique, soit, mais
il ne tient qu'aux philosophes de lui en substituer
une bonne : « Qu'on s'assure d'abord la possession

1. M. Canto, « Politiques de la réfutation. Entre chien et
loup : le philosophe et le sophiste », in *Positions de la sophistique*, Vrin, 1986, p. 31.

de la vérité, on viendra ensuite à moi, dirait la rhétorique ; car j'affirme bien haut que sans moi on aura beau posséder la vérité, on n'en sera pas plus capable de persuader par les règles de l'art[1]. » De fait, le Socrate de l'*Apologie* offre un bel exemple de rhétorique judiciaire, malgré ses dénégations successives. « Je suis absolument étranger au langage que l'on parle ici[2] », indique-t-il d'emblée avec ironie, attribuant ses propos au hasard et à l'inspiration du moment ; mais sa maîtrise du langage tout comme la composition de son plaidoyer montrent suffisamment que la rhétorique est bel et bien convoquée, non pas en lieu et place de la vérité, certes, mais pour en administrer les preuves[3].

Ainsi, du contraste entre ces deux figures, celle du philosophe et celle de son double, habile parleur qui sait que, pour parvenir à ses fins, quelles qu'elles soient d'ailleurs, il est souvent judicieux de se réclamer de la vérité, il ressort qu'il y a au moins deux figures de la vérité, une version rhétorique qui inclut la référence à la vérité comme un moyen de persuasion, et une version philosophique qui prend la vérité pour objet et comme fin[4]. Or, cette opposition

1. Platon, *Phèdre*, 260 d ; voir 259 e *sq.* ; et le commentaire de B. Cassin, *op. cit.*, p. 419-428.
2. Platon, *Ap.*, 17 d.
3. Voir *ibid.*, 17 c-18 a. En fait d'improvisation, Socrate construit son plaidoyer très classiquement : exorde (*prooimion*, 17 a-18 a), plan de la défense (*prothesis*, 18 a-19 a), défense (*apologia*, 19 a-28 a)...
4. À en croire Socrate, le but d'Alcibiade n'est évidemment pas de dire la vérité ; l'éloge, dans son ensemble, est un leurre, un rempart de rationalisations et de prétextes tendant à dissimuler le véritable dessein du jeune homme : s'immiscer entre Socrate et Agathon afin d'instaurer une relation triangulaire dans laquelle il domine — seul à être à la fois amant et aimé. Voir *Banquet*, 222 c.

massive nécessite bien des nuances, et pose déjà deux problèmes. En premier lieu, la vérité est dans les deux cas parole, elle engage tantôt la relation qui unit la parole et la réalité, tantôt celle qui rapporte le discours à autrui. Aussi Socrate, soucieux de ne pas dissocier (à l'instar du sens commun en général et des orateurs attiques en particulier) le discours et les faits, indique-t-il aux jurés : « Je vais vous donner des preuves décisives de ce que j'avance, et il ne s'agira pas de mots, mais de ce qui compte à vos yeux : les faits[1]. » De même Alcibiade n'hésite pas à dire « toute » la vérité devant ses amis parce qu'il est sûr de son auditoire, un auditoire choisi et gagné au délire philosophique, dont on sait par ailleurs comment il procède de l'amour[2]. Cette vérité réservée à un auditoire conquis par avance, que l'orateur entend sinon faire triompher au titre d'argument, et qui, aux yeux de Socrate, a toujours déjà triomphé d'un certain point de vue même quand l'argument ne porte pas, pose le problème du maître de vérité. La vérité est-elle *index sui*, ou dépend-elle absolument de celui qui, soit la « fait voir », sur le mode du dévoilement, de l'avertissement ou de la maïeutique, soit la profère, en la faisant advenir ou en la réalisant[3] ? Est-elle jamais irréductible à « un type de parole déterminé, prononcé dans certaines condi-

1. Platon, *Ap.*, 32 a ; voir 32 e.
2. Voir *Banquet*, 217 e-218 b, et *Phèdre*, 245 b, 249 c-d.
3. Voir *ibid.*, 29 d : « Jusqu'à mon dernier souffle et tant que j'en serai capable, ne vous attendez pas à ce que je cesse de philosopher, de vous exhorter, de *faire voir* [le vrai ou la vérité ?] à tous ceux d'entre vous que j'aurai l'occasion de rencontrer. » En tout état de cause, la parole-dialogue, en quête de vérité partagée, s'oppose ici à une parole magico-religieuse dont les caractéristiques dominantes sont l'efficacité et l'autorité. Voir, sur ce point, M. Détienne, *Les Maîtres de vérité dans la Grèce archaïque*, Maspero, 1967, p. 82 *sq.*

tions, par un personnage investi de fonctions précises[1] » ? Y a-t-il des maîtres de vérité, ou ne faut-il pas supposer plutôt que là où il y a un maître, il n'y a plus de vérité ?

En second lieu, et pour s'en tenir aux figures de vérité qui sont d'ordre discursif, se pose un autre problème, celui des preuves de la vérité. Peut-on prouver la vérité ou la fausseté — celles d'un raisonnement, par exemple ? En ce cas, le vrai est-il distinct de la preuve ? Que valent des vérités qui ont besoin d'être prouvées ? Et enfin, dans l'hypothèse où les preuves seraient multiples, cette multiplicité, selon une formule de Brecht, ne tue-t-elle pas la vérité ?

Le maître de vérité et le dialecticien
(figure archaïque, figure dialectique)

L'opposition traditionnelle entre la rhétorique et la philosophie quant à la vérité est insuffisante à un double titre ; d'abord, on l'a vu, parce qu'on peut parler d'une figure rhétorique de la vérité, ensuite parce que, dans une perspective à la fois plus historique et moins dépendante de l'histoire de la philosophie *stricto sensu*, il conviendrait d'envisager plutôt quatre figures de la vérité, non seulement rhétorique et, disons, dialectique, mais encore, en deçà de la polémique platonicienne, une figure « archaïque », et au-delà, une figure procédant de raisonnements « didactiques[2] » ou « apodictiques[3] », et que l'on

1. M. Détienne, *op. cit.*, p. 51.
2. Est didactique un raisonnement qui produit effectivement un savoir.
3. Est apodictique ce qui est nécessairement vrai.

pourrait appeler la figure « épistémique » (de science). Deux raisons incitent à retenir cette typologie — bien schématique, il est vrai. La première, historique, fait référence aux travaux de Marcel Détienne sur l'historicité de la vérité. La seconde s'attache moins à la recherche de la vérité qu'à la série de questions que soulève sa *manifestation*. En ce qui concerne le premier point, l'enquête de Marcel Détienne porte sur la signification et la configuration pré-rationnelles d'*Alèthéia*, la « Vérité », et suppose une solidarité entre la vérité, en tant que catégorie mentale, et tout un système de pensée mais aussi d'organisation de la vie matérielle et sociale. Cette hypothèse conduit à la délimitation d'une figure archaïque ou préhistorique de la vérité, par opposition à la figure dialectique de la vérité — entendons par là une vérité instituée dans et par le dialogue, et donc ouverte à une confrontation de type rationnel. D'un côté s'affirme une vérité assertorique et toute-puissante, que nul n'irait contester, démontrer, ni prouver; il s'agit au contraire d'une parole d'autorité, celle du poète ou du devin, par exemple, d'une parole centrée, sur le roi par excellence, et imposée au nom d'un savoir qui résiste à l'oubli (*Léthé*) : « *Alèthéia* n'est pas l'accord de la proposition et de son objet, pas davantage l'accord d'un jugement avec les autres jugements; il n'y a pas de "vrai" en face du "faux". La seule opposition significative est celle d'*Alèthéia* et de *Léthé*. À ce niveau de pensée, si le poète est véritablement inspiré, si son verbe se fonde sur un don de voyance, sa parole tend à s'identifier avec la "Vérité"[1]. »

Et, face à la souveraineté de cette parole efficace,

1. M. Détienne, *op. cit.*, p. 27.

va se dessiner une vérité objective, construite dans le jeu du dialogue qui définit une sorte d'espace autonome où les arguments s'accordent et concordent. Cette vérité-là s'opposera alors à la tromperie (*Apaté*) plutôt qu'à l'oubli. De la figure dialectique de la vérité, on trouve une formulation décisive dans le *Gorgias* : « Voilà donc une question réglée, dit Socrate à Calliclès : chaque fois que nous serons d'accord sur un point, ce point sera considéré comme suffisamment éprouvé de part et d'autre, sans qu'il y ait lieu de l'examiner à nouveau. Tu ne pouvais en effet me l'accorder faute de science ni par excès de timidité, et tu ne saurais, en le faisant, vouloir me tromper ; car tu es mon ami, dis-tu. Notre accord, par conséquent, prouvera réellement que nous aurons atteint la vérité[1]. »

À travers cette règle de méthode, Socrate semble bien admettre, et c'est un point important, qu'en tout état de cause, la vérité, en tant qu'elle s'atteint, se signale d'une certaine manière : dans l'expérience de la re-production éventuelle quoique non nécessaire du résultat, dans la concordance et la confirmation, et dans une certaine éthique du discours.

Il reste toutefois à nuancer l'opposition structurelle entre vérité d'autorité et vérité de dialogue, et à préciser aussi en quoi la manifestation de ces deux figures de vérité reconduit leur différence sur un plan politique d'une part, sur le plan d'une éthique du discours d'autre part.

Tout d'abord, la vérité archaïque n'est pas le contradictoire de l'oubli ; de même qu'entre le blanc et le noir il y a toute la gamme nuancée des gris, qui sont autant de contraires, de même « le roi de Jus-

1. Platon, *Gorgias*, 487 e.

tice et le poète ne sont pas purement et simplement
des Maîtres de Vérité [...], leur *Alèthéia* est toujours
frangée de *Léthé*, doublée d'*Apaté*[1] ». La nuance est
d'importance. En effet, parce que l'ambivalence de la
parole efficace est originaire, *Alèthéia* sera au cœur
de la problématique du langage ouverte par la rhétorique et la sophistique. D'autre part, la notion de
vérité objective, dialectiquement établie et reconnue,
et dans cette mesure même reproductible, correspond à et se manifeste dans une conception déterminée de l'espace politique, de son organisation et des
valeurs qu'il présuppose : il existe une étroite solidarité entre le fait de débattre d'une question, mise en
commun (*en koinô*), c'est-à-dire posée au milieu (*en
mésô*), et l'ensemble des institutions politiques et
juridiques grecques qui, à partir du vi^e siècle, favo-
risent l'égalité, l'*isonomia* de ceux qui participent à
la vie civique. La double notion de publicité et de
communauté entre donc dans la caractérisation
d'une vérité objective qui n'est pas entièrement dissociable de la cité qui la rend possible. Autrement
dit, la vérité ne se manifeste pas seulement dans des
discours de vérité ; sa manifestation discursive, qui
implique une mise en commun des choses dites dans
un espace circulaire et centré, marqué par la similitude et la réversibilité des places ainsi que par
l'absence de domination univoque, est une expression parmi d'autres d'un modèle spatial virtuellement présent dans le domaine politique au sens
large. « Ce modèle spatial qui organise la Cité joue à
plusieurs niveaux : au niveau de la pratique sociale
des assemblées politiques, qui instituent un espace

1. M. Détienne, *op. cit.*, p. 72 ; voir aussi p. 79, et la préface
de P. Vidal-Naquet, *ibid.*, p. X.

public où sont débattues les questions d'intérêt collectif; au niveau de l'espace urbain, qui se centre sur la place publique, l'*Agora*, où s'élève le foyer public; au niveau enfin de *l'image mentale par quoi le groupe social prend conscience de lui-même et se définit comme le groupe des égaux*[1]. »

L'exemple grec montre que la vérité ne saurait être abstraite de son contexte et de ses enjeux politiques, si ce n'est pour les besoins de l'analyse; du moins ne se résume-t-elle pas à un « effet-monde » du langage, au discursif comme tel; la parole-dialogue dont la vérité procède est liée à l'égalité sociale. De plus, c'est la manifestation de la vérité qui permet de construire une telle liaison, et ceci atteste que la vérité ne saurait être thématisée uniquement comme l'objet d'une recherche indéfinie, une vérité-vecteur toujours à l'horizon. Il y a aussi des vérités qui sont atteintes dans et par la parole, celles qui concernent l'intérêt collectif dans la Cité, par exemple, ou les vérités perceptives qui sont évidentes. Dans toute décision politique, on suppose en effet qu'il y a des avis plus vrais que d'autres, et que la collectivité reconnaîtra comme tels. C'est ainsi que, dès le début du VIe siècle avant Jésus-Christ, au début d'une assemblée politique, le héraut invitait les citoyens à donner leur avis à la Cité en prononçant la formule

1. M. Détienne, « Espace et temps dans la cité, la littérature et les mythes grecs » (table ronde sous la présidence de P.-M. Schuhl), in *Revue de synthèse*, n° 57-58, t. XCI, Paris, 1970, p. 71 (je souligne). Sur le passage de la figure archaïque à la figure dialectique-isonomique de la vérité, voir M. Détienne, *op. cit.*, p. 82-103. Sur la synonymie entre mise en commun et centralité, voir J.-P. Vernant, *Mythe et pensée chez les Grecs*, Maspéro, 1965, en particulier t. I, p. 180. Et sur l'isonomie, voir P. Lévêque et P. Vidal-Naquet, *Clisthène l'Athénien*, Macula, 1964, en particulier p. 77.

consacrée : « Qui veut porter au milieu (*eis méson*)
un avis sage pour la Cité ? » En ce sens, il n'y a pas
seulement des figures de vérité, mais encore des
domaines de vérité, où elle est accessible en fait, à
certaines conditions, par exemple à condition d'être
débattue.

Cependant, la manifestation des vérités non évidentes, en particulier des vérités dialectiques établies selon les règles que Socrate explicite dans le
Gorgias (487e), exige une éthique, minimalement
une éthique du discours. Aussi le dialogue exclut-il
la dispute avec ses arguments *ad hominem*[1] et plus
généralement la mobilisation des passions ; le philosophe soucieux de dire et de faire voir la vérité
s'interdit d'en provoquer, et si, comme Socrate, il
doit soutenir un procès, il cherche à susciter un vote
déterminé par la vérité, non un vote de colère ou de
pitié[2]. Ce que nécessite, en revanche, la parole-dialogue, c'est la remise en discussion de ce qui n'a pu
faire l'objet d'un accord, ainsi que l'égalité des interlocuteurs, successivement interrogeants et interrogés dans une relation symétrique et réversible[3]. Or,
là encore, la coïmplication de la vérité et de l'éthique
déborde largement le champ strictement discursif.
En témoigne l'« allégorie » de la caverne, au livre VII
de la *République*, qui se démarque de la Ligne par
ses implications éthiques et politiques. La caverne
symbolise, plus que le monde humain en général, un
genre de vie fondé sur la recherche des honneurs,
des louanges et des récompenses, et le prisonnier
arraché à ce monde pour monter progressivement à

1. Voir Platon, *Gorgias*, 457 d-e.
2. Voir Platon, *Ap.*, 34 c-35 a.
3. Voir *Gorgias*, 461 c-462 a.

la lumière, autrement dit vers la vérité[1], devra y redescendre pour des raisons essentiellement morales.

D'une part, en effet, on peut très bien interpréter l'intérieur de la caverne comme la Cité corrompue, alors que l'extérieur renverrait à la *kallipolis* fondée sur la connaissance du Bien[2]. En ce cas, loin de symboliser un état d'esprit, celui de la *doxa*, Platon donnerait à voir toute une société privée de la connaissance du Bien. La symbolique aurait donc en dernière analyse un sens moral et politique, par opposition à la portée épistémologique de la Ligne, (laquelle détermine les objets de connaissance en fonction des opérations de l'esprit). D'autre part, il serait naturel que le philosophe qui s'est formé par lui-même ne participe pas à la politique, mais dans le cas présent il est en dette envers ceux qui l'ont arraché à la caverne, puis formé. Présentée comme logique, voire syllogistique, l'obligation est finalement éthique : les philosophes *doivent* faire ce qui est juste : or, une chose juste est de redescendre dans la caverne (« ils sont justes et nous ne leur demandons rien que de juste »[3]) ; ils redescendront donc et seront rois. Certes, la mineure n'est pas déontique, mais à moins que la majeure le soit, pourquoi faudrait-il *faire* redescendre les philosophes (519 c-d ; 539 e 2)? La question de la vérité a manifestement ici des conséquences éthiques, qui posent de réels problèmes d'interprétation.

---

1. Platon, *République*, VII, en particulier 517 c.
2. Voir A. S. Ferguson, « Plato's simile of light. Part II : The Allegory of the Cave », *Classical Quarterly*, n° 16, 1922, p. 15-22.
3. Platon, *République*, 520 e.

*Le philosophe, le dialecticien et l'aporie
de la preuve (figure dialectique, figure
épistémique)*

L'opposition entre vérité archaïque et vérité dialectique est une confrontation entre deux thèses sur
la vérité, l'une selon laquelle la vérité s'impose,
l'autre selon laquelle la vérité se prouve. Qu'en est-il
des preuves, dialectiques et indirectes, de la vérité?
Par *preuve* de la vérité, on entend autre chose qu'une
vérification de l'accord obtenu sur un point déterminé, et là encore le *Gorgias* (487 e) est instructif : la
vérification est de l'ordre de la répétition — ainsi la
reprise d'un exposé ou d'une intervention afin de
s'assurer de ce qui a été dit —, elle n'apporte donc
rien de nouveau ; tandis que la preuve répond à une
exigence de vérité et s'éloigne d'une vérification rou-
tinière dans la mesure où elle marque un progrès
dans l'expression de la vérité. Par exemple, la preuve
sera la démonstration de la vérité d'une thèse, ou sa
réfutation, ce qui renvoie à des règles de méthode
reconnues, et à un accord entre les interlocuteurs
qui, précisément, atteste à la fois qu'une question a
été « suffisamment éprouvée » et que la vérité est
atteinte. Ne peut-on dès lors définir ces règles de
méthode, afin de déterminer, indépendamment de
tout contenu, la validité d'une argumentation, c'est-
à-dire de toute preuve ? C'est ce qu'Aristote se propose de faire dans les *Premiers analytiques*. Les
règles de la démonstration sont thématisées par le
syllogisme, « discours dans lequel, certaines choses
étant posées, quelque chose d'autre que ces données
en résulte nécessairement par le seul fait de ces don-

nées[1] ». La preuve *dialectique* se ramène au syllogisme, et à la différence de la preuve *analytique*, qui remonte de la thèse aux prémisses qui la fondent, elle démontre la vérité d'un raisonnement, ou encore, elle rend le raisonnement correct[2]. Il ne s'agit pas seulement d'opposer le syllogisme formellement valide aux sophismes, faux raisonnements en apparence valides, dont il est possible de dresser une typologie : la pétition de principe, qui utilise comme prémisse une proposition encore indémontrée[3]; le cercle vicieux, qui prend comme prémisse la conclusion (empruntée à un syllogisme déjà constitué)[4], ou le paralogisme, qui part de prémisses dont la vérité apparente repose sur une ambiguïté, et aboutit à une conclusion contraire ou contradictoire à ce qu'on avait posé comme vrai[5]... Outre cela, Aristote entend faire obstacle aux « réfutations sophistiques » au moyen d'un double barrage, le syllogisme dialectique et le syllogisme didactique, le premier pour *disposer à la recherche de la vérité*, et le second pour *manifester des vérités* : « la dialectique se contente

---

1. Aristote, *Premiers analytiques*, 24 b 18-20, trad. fr. J. Tricot, Vrin, 1983.
2. Par preuve dialectique, on entend ici la proposition obtenue à l'issue d'un raisonnement dialectique, ou la résolution d'un problème dialectique. Le terme de preuve provient de ce que la vérité n'est jamais évidente dans ces cas de figure : il faut donc l'éprouver. Voir *Topiques*, 104 a 5-8 : « On ne doit pas considérer toute proposition ni tout problème comme dialectique; car nul homme en possession de son bon sens n'avancerait ce qui n'est admis par personne, ni ne poserait en question ce qui est évident pour tout le monde ou pour la majorité des gens... »
3. Par ex. *ibid.*, 64 b 28 *sq.*
4. Par ex. *ibid.*, 57 b 20 *sq.*
5. *Ibid.*, 64 b 14 *sq.*

d'éprouver le savoir, là où la philosophie le produit positivement[1] ».

Ce double barrage permet de distinguer la vérité *démontrée*, produite par les syllogismes *apodictiques* (qui partent de prémisses vraies et qui sont scientifiques), du probable qui existe indépendamment de toute procédure de démonstration. En effet, la preuve dialectique, quoique logiquement valide, reste toujours rhétorique en son fond puisqu'elle repose sur une double convention : le dialecticien, pour aborder une question posée (*problèma*), opte entre deux thèses contradictoires et raisonne à partir de prémisses seulement plausibles. Ainsi est-il convenu par avance qu'il faut choisir entre les deux parties d'une contradiction pour aboutir à une conclusion, et que ladite conclusion procède de prémisses simplement probables (*ex endoxôn*). Encore faut-il préciser ici que les *endoxa* sont considérés comme tels, non parce qu'ils seraient généralement admis, mais parce qu'ils sont estimables, c'est-à-dire de bonne réputation. Ce qui pose le problème de savoir d'où ils tiennent leur respectabilité[2]. « Les choses sont estimables si elles sont reçues par tous les hommes, ou par la plupart d'entre eux, ou par les sages (et parmi les sages, soit par tous, soit par la plupart, soit par les plus notables et les plus estimables)[3]. » La dialectique compose donc avec des prémisses « estimées », et le fait que cette estime soit partagée n'est qu'un signe parmi d'autres de son bien-fondé.

1. Aristote, *Métaphysique*, 2, 1004 b 25, trad. fr. J. Tricot, Vrin, 1981.

2. Voir J. Barnes, « Philosophie et dialectique » in *Penser avec Aristote*, Érès, 1991, p. 107-116, et en particulier p. 109.

3. Aristote, *Topiques* 100 b 21-23, trad. fr. J. Brunschwig, Les Belles Lettres, 1965.

L'opposition des deux types de syllogismes permet ainsi, plus précisément, de distinguer un domaine de vérité, celui de la logique apodictique développée dans les *Analytiques*, avec ses preuves rigoureuses et ses conclusions atteintes au moyen de l'un des quatorze modes syllogistiques valides[1], et un domaine du probable, celui des raisonnements généraux qui sont de simples schémas d'argumentation, et que les *Topiques* présentent accompagnés de preuves provisoires. Si la philosophie découvre et fait connaître la vérité, la dialectique, à sa façon, *participe* de la vérité en raison de la rectitude de ses procédures et de la probabilité de ses prémisses. À quoi sert la preuve dialectique, si ce n'est à parvenir à une conclusion vraie ? Elle est un exercice, une épreuve, une préparation critique (*peirastikè*), qui, en raison de sa nature investigatrice, prédispose aux principes de toutes les recherches indistinctement. Certes, elle n'est pas un savoir, elle a l'arbitraire d'une convention oratoire et le niveau de généralité des disciplines se réclamant des principes communs et communément admis. Mais si la critique n'est la science d'aucun objet déterminé, ni ne suppose une telle science, elle a au moins une fonction de révélateur de l'ignorance et de la fausseté, ce qui la rapproche d'autant de la mission socratique exposée dans l'*Apologie* : « Tous les hommes, même les ignorants, font en quelque façon usage de la dialectique et de la critique : car tous, jusqu'à un certain point, s'efforcent de mettre à l'épreuve ceux qui prétendent savoir[2]. »

1. Ces quatorze modes ne sont pas tous d'un intérêt épistémologique égal ; ils constituent simplement la liste canonique des procédés de démonstration.
2. Aristote, *Réfutations sophistiques*, 172 a 30-32.

Cette analyse contribue à situer clairement la dialectique par rapport à la sophistique et à la philosophie : tandis que cette dernière cherche la vérité, et que la première en prend le masque pour ne viser que l'effet, la dialectique occuperait la place non négligeable du discours véridique dans le domaine du probable et du vrai partagé. « Le genre de réalités où se meuvent la sophistique et la dialectique est le même, en effet, que pour la philosophie, mais celle-ci diffère de la dialectique par la faculté requise, et de la sophistique, par la règle de vie qu'elle propose[1]. »

Aristote laisse quand même ouverte la difficulté majeure de savoir à quel titre la dialectique dispose ou prépare à la recherche de la vérité[2]. Plus exactement la difficulté est double : le vrai n'est-il pas extérieur à la preuve dialectique, comme le suggère le cas de ceux qui possèdent l'« art de penser » sans l'avoir jamais appris ? Et l'argumentation *in utramque partem*[3], au lieu de participer de la recherche de la vérité, ne dissout-elle pas plutôt la conscience de la vérité ? La seconde question renvoie à ce que l'on pourrait appeler le paradoxe du jugement : on ne voit pas du tout en quoi, au juste, l'aptitude à « apporter aux problèmes des arguments dans les deux sens nous fera[it] découvrir plus facilement la vérité et l'erreur en chaque cas[4] ». Si cette aptitude

1. Aristote, *Métaphysique*, 1004 b 22-24, trad. fr. J. Tricot, Vrin, 1984. La philosophie propose comme règle de vie la recherche de la vérité ; elle a pour fin la science. Au contraire, la sophistique propose comme règle de vie le succès et le gain.
2. Voir J. Barnes, *op. cit.*, p. 110-111.
3. Argumenter *in utramque partem*, c'est argumenter en apportant « aux problèmes des arguments dans les deux sens » (voir Aristote, *Topiques*, chap. II).
4. Aristote, *Topiques*, 101 a 34-36.

favorise la vivacité d'esprit ou l'aisance dans le raisonnement, elle rend aussi bien sceptique ou relativiste ; il suffit de se rappeler les propositions similaires de Protagoras — telles que : « sur tout sujet il
existe deux thèses réciproquement opposées » et
« rendre forte la thèse faible et inversement » —
pour constater que la dialectique ne se confond pas
naturellement avec la recherche de la vérité. N'y a-
t-il pas ici de la vérité qui se signale indépendamment de toute preuve et de toute technicité ? Et pour
la reconnaître, pour juger du vrai et du faux, ne
faut-il pas, quelles que soient les qualités acquises,
faire intervenir en dernière instance un don naturel ?
« Il est étrange combien c'est une qualité rare que
cette exactitude de jugement », remarquent Arnauld
et Nicole[1], de sorte que l'acte de bien juger « se fait
naturellement, et quelquefois mieux par ceux qui
n'ont appris aucune règle de Logique que par ceux
qui les ont apprises[2] ».

Aristote lui-même est conscient des limites de
l'entraînement dialectique, instrument utile sans
doute, mais qui nous laisse toutefois à charge le
juste choix entre les deux hypothèses possibles.
« Pour une tâche de la sorte, il faut une heureuse disposition naturelle, et cette heureuse disposition
naturelle n'est pas en réalité autre chose que la
faculté droite de choisir le vrai et d'éviter le faux. Or
c'est là ce que les gens bien doués sont capables de
faire[3]... »

La faculté de juger du vrai et du faux s'aiguise par
l'exercice ; elle ne s'acquiert pas. La situation inter-

1. Arnauld et Nicole, *La Logique ou l'art de penser*, Discours
I, p. 16.
2. *Ibid.*, p. 38.
3. Aristote, *Topiques*, 163 b 12-15.

médiaire de la dialectique entre sophistique et philosophie n'est guère confortable. Il apparaît en tout
cas que la dialectique, dont on sait qu'elle ne produit
pas de vérités, ne facilite même pas non plus l'accès
à la vérité, ou du moins pas nécessairement. De plus,
la preuve dialectique est extérieure aux opinions
communément estimées et admises sans être pour
autant fondées; il y a donc du vrai antérieur à la
preuve, qui n'est rien d'autre que cet ensemble
d'*endoxa* sur lesquels les gens raisonnables
s'accordent d'emblée. La preuve, qui consiste à rapporter une proposition supposée vraie à d'autres
vérités déjà connues, n'est-elle pas, comparée à la
familiarité des opinions communément admises,
l'indice d'une insuffisance? La volonté de prouver ne
conduit-elle pas de façon récurrente à des apories
chaque fois que la vérité n'est pas évidente?

Quittons le domaine des raisonnements dialectiques, et arrivons aux syllogismes épistémiques, qui
concluent par excellence à des vérités nouvelles, à
partir de prémisses bien fondées. La volonté de
prouver y est en effet mise, plus qu'ailleurs, à
l'épreuve. Or, précisément dans ce cadre, un
exemple technique de conversion syllogistique va
indiquer la nature de l'insuffisance en question, et ce
qu'elle révèle touchant la notion de vérité.

Il est parfois nécessaire de recourir à des preuves
pour établir les vérités de science (épistémiques).
Qu'on prenne ainsi un syllogisme catégorique de la
seconde figure en « baroco » — composé d'une affirmative universelle (A) et d'une particulière négative
(O) pour prémisses, et d'une conclusion particulière
négative (O)[1] —, par exemple : *tout triangle est ins*

1. Aristote, *Premiers analytiques*, I, 5.

criptible dans un cercle touchant ses sommets, quelque figure géométrique n'est pas inscriptible dans un cercle touchant ses sommets, donc quelque figure géométrique n'est pas un triangle.* Ici, le résultat auquel conclut le syllogisme n'est pas cognitivement le plus évident; en effet, le jugement final n'a pas la forme d'une universelle affirmative, qui est pourtant doublement *antérieure* à la particulière négative, parce que la négation et la particularisation sont l'une et l'autre connues *à partir d'elle* (exactement comme l'être est antérieur au non-être, et le tout à la partie)[1]. Il va donc falloir conforter la preuve au moyen d'une réduction formelle du syllogisme en « baroco » à la première figure en « barbara »[2]. Pour ce faire, on emploiera la réduction à l'absurde ou l'impossible (*apagogè eis to adunaton*)[3].

Afin de vérifier si la conclusion (*quelque figure géométrique n'est pas un triangle*) est recevable ou non, on suppose admises les prémisses et niée la conclusion. Soit, par conséquent, la conclusion contradictoire : *toute figure géométrique est un triangle.* On substitue cette proposition à la mineure du premier syllogisme (*quelque figure géométrique n'est pas ins-*

1. Aristote, *Seconds analytiques,* I, 25.
2. *Tous les hommes sont mortels; les Grecs sont des hommes; donc les Grecs sont mortels.* La tradition tient les syllogismes en « barbara » pour formellement et cognitivement évidents. La démonstration affirmative, dit Aristote, « se rapproche davantage de celle du principe » (*Seconds analytiques,* I, 25, 86 b 38).
3. Voir Aristote, *Premiers analytiques,* I, 5, 27 a 14. Le mode « baroco » ne se réduit que par l'absurde. Pour un exemple mathématique plus fin, une excellente paraphrase de la preuve « traditionnelle » de l'incommensurabilité de la diagonale avec le côté du carré telle que l'expose Euclide dans le livre X des *Éléments,* se trouve in G. E. R. Lloyd, *Une histoire de la science grecque,* trad. fr. J. Brunschwig, La Découverte, 1990, p. 50-51.

criptible dans un cercle touchant ses sommets) tout en conservant la majeure (*tout triangle est inscriptible dans un cercle touchant ses sommets*). On obtient alors un syllogisme de la première figure en « barbara » : *tout triangle est inscriptible dans un cercle touchant ses sommets, toute figure géométrique est un triangle, donc toute figure géométrique est inscriptible dans un cercle touchant ses sommets.* Or, cette nouvelle conclusion contredit la mineure du syllogisme de la deuxième figure en « baroco » (*quelque figure géométrique n'est pas inscriptible dans un cercle touchant ses sommets*). De sorte que l'on aboutit à quelque chose d'impossible ou d'absurde. Si l'on veut poser les prémisses, il faut alors abandonner la contradictoire : *toute figure géométrique est un triangle*, et par conséquent conclure : *quelque figure géométrique n'est pas un triangle.*

Ce raisonnement « apagogique » que Leibniz, à l'instar d'Aristote, oppose aux démonstrations « ostensives [1] » est une *preuve indirecte* [2], c'est-à-dire *ex hypotheseôs*, qui introduit une hypothèse nouvelle extérieure à celles qui sont données ; cette hypothèse nouvelle est la contradictoire de la conclusion. Or, la preuve indirecte, si elle met en évidence le rôle du tiers exclu, n'apporte aucune connaissance nouvelle. Preuve de la preuve ou, pour ainsi dire, preuve au second degré, elle manifeste surtout l'insatisfaction cognitive qu'éprouve un esprit fini chaque fois que l'évidence de la vérité n'est pas immédiate, quand bien même la démonstration en serait formellement correcte. De cette insuffisance elle est l'indice. Enfin,

---

1. Leibniz, *Nouveaux essais*, IV, 8, § 2.
2. Voir Aristote, *Premiers analytiques*, I, 23, 41 a 23 *sq.* et II, 14.

la preuve indirecte de la vérité aboutit bel et bien à une difficulté. En effet, la preuve de la preuve doit-elle à son tour être prouvée? Le raisonnement apagogique mis en œuvre plus haut, et qui oblige à opter entre deux contradictoires, ne met en évidence que la nécessité du principe du tiers exclu, selon lequel on doit affirmer ou nier un prédicat d'un sujet; entre les contradictoires, pas d'intermédiaire; le jugement est ou vrai ou faux. *Or ce principe ne se démontre pas*, pas plus que le principe de contradiction, ou le principe d'identité : ils sont connus par eux-mêmes, et vouloir les prouver directement aboutirait à une pétition de principe[1]. Le savoir apodictique est finalement fondé sur un principe qui ne saurait être fondé, et qui n'est donc saisi qu'indirectement. Il y a du vrai sans preuve directe, et il est impossible de tout démontrer — c'est là ce qui brise le cercle de la preuve de la preuve.

À cette première limitation intrinsèque de la possibilité de prouver, Aristote apporte une réponse qui appartient moins à la logique qu'à la théorie de la connaissance. Car les prémisses fondant la démonstration doivent être connues autrement que par la démonstration. On vient ainsi de voir la nécessité d'invoquer le principe *indémontrable* du tiers exclu dans toute stratégie visant à fournir une preuve de la preuve. Mais ce n'est là qu'un premier obstacle. On en mentionnera rapidement un autre : sur quoi reposent les majeures des syllogismes épistémiques, ou plus précisément, de quels syllogismes antérieurs celles-ci sont-elles conclues, pour valoir ensuite comme des prémisses vraies? On s'engage alors dans une régression à l'infini, que seule peut contrô-

---

1. *Ibid.*, II, 16, 64 b 35-38.

ler le recours à des principes ultimes (*archai*), établis
métaphysiquement et non logiquement[1]. Or, cette
seconde limitation permet de faire progresser
l'enquête. Car la « prémisse première » se prend justement en deux sens. Elle ne se résume pas à une
« préconnaissance » du terme *absolument général et
abstrait* dont la compréhension englobe tout, et dont
tout pourrait être déduit ; c'est aussi bien une « préconnaissance » dans l'ordre de ce qui est plus connu
pour nous, et qui fournit également, quoique dans
l'ordre cognitif, les prémisses immédiates recher-
chées.

Dans ce deuxième cas de figure, c'est à l'*induction*
qu'il revient de procurer un point de départ. Ainsi,
pour affirmer que les animaux sans fiel vivent longtemps, il faut partir de l'énumération de tous les cas
particuliers, et par conséquent de la sensation[2]. Par
exemple, l'induction prouve par le mineur C
(homme, cheval, mulet) que le majeur A (le fait de
vivre longtemps) appartient au moyen B (le fait
d'être dépourvu de fiel). L'ordre d'acquisition de la
connaissance n'est donc pas celui que suit la science.
Car la science procède du général, et la connaissance, du particulier. Le syllogisme, instrument de la
science, procède également du général, par exemple
de cette proposition : *les animaux sans fiel vivent
longtemps* (1). Il prouve que *les hommes vivent longtemps* (2) ; et que (1) est vrai s'il y a un moyen terme
entre absence de fiel et longévité. En revanche, dans
l'ordre de la connaissance, l'universel est saisi à partir de la sensation particulière. Pour autant, la sensa-

1. Sur l'identification du principe (*archè*) à la prémisse première, et en général sur ce qui suit, voir Aristote, *Seconds analytiques*, I, 2.
2. Voir *ibid.*, II, 23, 68 b 15-30.

tion est-elle un fondement de preuve suffisant, qui puisse se substituer à la généralité ici inaccessible? La difficulté, avec l'induction, consiste plutôt en ce qu'elle présume possible la constatation de *tous* les faits. Mais, à moins d'admettre, comme le fait Aristote, que les bases de l'induction peuvent être les espèces, et non pas seulement les individus, quel critère assure que l'énumération est complète?

En dernière analyse, ou bien il faut en venir à considérer les propriétés rassemblées par induction comme dépendantes ontologiquement de la « substance » du sujet concerné (auquel cas la vérité doit pouvoir être saisie directement *dans* ce sujet : la mortalité dans l'essence même du Grec)[1], ou bien on est conduit à accumuler les indices inductifs, mais sans pouvoir atteindre de vérité complète touchant la chose même (les Grecs étant mortels jusqu'à preuve du contraire, ce qui n'est pas non plus bien satisfaisant). Le problème de la preuve, et tout spécialement dans le raisonnement inductif, si important dans l'activité scientifique, débouche alors ici sur la question métaphysique de la manifestation de la vérité. *Comment, en effet, identifier la vérité?* Telle est désormais la question. Car toute preuve supposait manifestement, jusqu'à présent du moins, qu'on la reconnaisse sans mal, une fois que la démonstration l'aurait amenée en place de conclusion dans un raisonnement valide. Mais l'aporie du raisonnement inductif ruine cette pseudo-évidence : maintenant, il faut aussi demander « s'il est vrai que ce soit le cas », et cela, « cas par cas ». Or, cela ne se conclut pas. La question de la vérité s'est plutôt déplacée vers les

---

1. Comme on verra plus loin, ce sera le choix de Leibniz, contre toute la tradition de lecture empiriste d'Aristote.

prémisses du syllogisme et, de ce point de vue, la syllogistique n'est plus d'aucun secours.

À la vérité, il faut donc non seulement des preuves, mais aussi des critères; non plus des moyens de la conclure, mais des marques sûres qu'elle est bien présente.

II. LA PROBLÉMATIQUE DES CRITÈRES DE LA VÉRITÉ ET SON ÉLABORATION MÉTAPHYSIQUE (ÉVIDENCE, INTUITION, ADÉQUATION)

Des critères de la vérité, la liste est connue : le sentiment d'évidence, l'intuition, la correspondance de ce qu'on a dans l'esprit avec les choses telles qu'elles sont, ou encore la concordance de toutes les données avec un principe. Et la réflexion sur ces critères est un axe constituant de la philosophie classique, dont une part essentielle de l'activité théorique a consisté, historiquement, à pénétrer les corrélations inaperçues. Du départ grec de la question de la vérité jusqu'à la phénoménologie (qui prétend en assumer l'héritage métaphysique et le transformer de fond en comble), leur analyse et leur élucidation finissent même par fournir l'impression plausible d'une vaste avenue rétrospective, où les motifs sous-jacents de toutes les philosophies s'articulent les uns aux autres d'une façon qui pourrait (et en tout cas a paru) garantir l'unité de la philosophie, par-delà la variété des systèmes invoquée par les sceptiques.

Que sont ces critères? Ils sont à distinguer des preuves, lesquelles sont au contraire les principes de

leur mise en œuvre : ils les finalisent, dans l'établissement de la vérité. Ils sont si peu exclusifs les
uns des autres qu'il est difficile, au contraire, de ne
pas aller de l'un à l'autre selon une transition continue. Leur pluralité est donc analytique, et en un
sens, factice. On s'en rend compte de la façon suivante : l'évidence est le propre de ce qui touche au
but même de la pensée en quête de vérité, la pensée
s'y arrête, pour autant que tout doute cesse alors.
Dans ce mouvement, l'intuition en général n'est rien
que le moment de proximité ultime à la vérité, ce qui
la touche, mais en procédant d'un point qui n'était
pas encore elle (par exemple, une progression argu-
mentative, pesant le pour et le contre, s'arrachant à
l'erreur ou à l'incertitude). L'adéquation de ce qu'on
en pense à la chose (et réciproquement)[1] prend simplement la mesure de cet accès *différé* à la chose
même, et donc de l'écart entre l'intention d'avoir une
pensée vraie, et ce qui, dans l'objet, comble cette
intention, qui du coup, se révèle avoir été une
authentique *visée* de vérité, et pas une intention au
sens de l'acte inchoatif, insignifiant, et n'engageant
personne à fond. La pluralité des intentions
comblées répond enfin de la richesse de détermination de la vérité obtenue : il n'en reste pas moins que
cette pluralité réclame une articulation intrinsèque,
si la vérité doit être une et la même. Cela concerne
autant la compatibilité des données avec un principe
(qui est toujours, en conséquence, un principe *de*
vérité) que l'accord de tous, dans leur intention de

1. Cette réciprocité de la formule n'est pas une conséquence triviale du sens du mot « adéquation » : comme on
verra plus bas, elle permet de travailler la doctrine de l'*adae-*
quatio selon ses deux entrées possibles, à partir de la *res*, ou à
partir de l'*intellectus*.

connaissance, touchant son remplissement ou son non-remplissement (l'objectif coïncide ainsi avec l'universel).

Il n'en reste pas moins que si naïve, ou verbale, que soit la coïmplication de ces divers critères, elle fait passer d'une évidence aisément acceptable comme critère (la « vérité d'évidence » de l'attitude naïve), à des dispositifs élaborés (notamment celui qui met en vis-à-vis « sujet » et « objet »), dont l'évidence, justement, n'est plus si claire. Il faut donc la déployer en détail, pour comprendre le subtil travail d'ajustement qui s'y produit, et qui seul, à partir de la notion de *critère* de vérité, nous fait entrevoir quelque chose de la vérité elle-même. De ce point de vue, on comprend que la nécessité philosophique du doute s'impose sur le fond d'une pré-articulation *riche* de l'évidence native, et non comme un art gratuit d'inventer des contre-évidences, mais à la jointure exacte où l'évidence de l'évidence devient, tout en restant, en un sens immédiat, évidence, problématique.

Le sentiment d'évidence, et son devenir conceptuel interne

Si la recherche de critères de la vérité paraît, à première vue, entachée d'artificialité technique, c'est à cause, si l'on ose dire, de l'évidence de l'évidence. Nous vivons au centre d'un cercle infini d'évidences, dont l'univers visuel (évidence de la présence des objets autour de nous) ou encore tactile (profondeur du retentissement de ce qui nous touche) sont les réservoirs inépuisables. Si aveugle qu'on le suppose, il existe donc bien un *sentiment d'évidence originaire*, qui impose à la pensée les choses du monde comme étant évidemment là, et offre, avant même tout doute à leur égard, quelque chose *à partir de quoi* douter. Il paraît impossible, en tout cas, de ne pas commencer par arpenter ce monde immédiatement présent autour de nous, dont procède toute ouverture naïve au monde, mais auquel aussi bien toute appréhension cultivée doit faire un moment retour, pour y faire valoir ce qu'elle a rendu « moins » évident, ou évident « autrement ». Un trait déterminant de ces évidences est qu'elles se donnent toutes une à une et individuellement : l'évident, c'est ceci, cela, et son prototype, c'est le fait *sensible*, qu'il y a un bruit qui vient de quelque part, un carreau cassé ou une blessure sur la main d'Untel — même si, et il faut y prendre garde, une vérité sensible n'est pas le prototype de la vérité d'évidence au seul motif qu'elle est sensible[1]. Opposant à la surabondance sensible des évidences la quête intellectuelle de critères de la vérité, on ne peut pourtant alors éviter de verser dans une certaine abstraction : de perdre l'évidence première dont, au mieux, la recherche des critères de vérité cherchera à rejoindre, comme à l'infini, la perfection perdue. La difficulté serait plutôt la suivante. S'il est hors de doute que le sentiment d'évidence offre une norme pratique du point où il convient de s'arrêter de penser, lors de l'élucidation d'une question de vérité (c'est l'évidence même : n'allons pas plus loin), il ne détermine rien du *contenu* ou de la *forme* de la vérité, dans cela même qui est pensé avec évidence. S'il est donc absurde de se demander ce qu'est la vérité *d'une* évidence (c'est

---

1. On verra en effet qu'il existe, classiquement, des évidences intellectuelles au moins aussi fortes.

toute l'évidence de la vérité), il est en revanche nécessaire de se demander quelle est l'évidence (ou la
vérité) qui habite *les* évidences. Car leur multiplicité
réclame une articulation, ce que rien ne montre
mieux que le fait qu'une contradiction puisse justement être évidente. Ainsi, toute *connexion*, d'évidence à évidence, réclame elle-même et en tant que
telle, à être rendue évidente, et la multiplicité infinie
des évidences individuelles (qu'elles ne se réduisent
pas toutes à une seule, ce qui est évident) est à ce
prix. Ce qui est *éprouvé*, en d'autres termes, dans le
sentiment d'évidence, devient alors, à *mettre en évidence*, c'est-à-dire à *prouver*. On change manifestement ici de registre : du sentiment nous voici passés
à la raison. Car si évidence il y a, il faut encore la
rendre *déterminante*, et assurer donc *avec évidence* la
co-évidence des multiples évidences (co-évidence
désignant ici le fait qu'une évidence n'est évidente
qu'à côté de, ou au moyen de, ou très généralement
de concert avec d'autres évidences). Or cela, au sein
même de l'évidence, n'est plus si évident !

La réappropriation phénoménologique
de la vérité comme évidence

Sous ce rapport, l'évidence se divise : d'un côté,
elle comporte une face « intuitive », propre au remplissement des intentions (surtout théorétiques)[1],
par l'objet lui-même; de l'autre, ce remplissement
intuitif doit s'articuler à tous les remplissements

---

1. C'est-à-dire comportant une visée de savoir, par opposition aux autres intentions qu'on pourrait avoir à l'égard d'une
chose, d'ordre pratique (la rendre utile, désirable, etc.).

intuitifs en général, autrement dit, se vérifier en connexion avec eux, et dans le même mouvement, dépasser son caractère partiel, c'est-à-dire se « formaliser ». Husserl, dans *Expérience et jugement*[1], s'est attaché à distinguer ces deux dimensions, et à les réconcilier en un concept original, l'« intuition des essences » (*Wesenschau*), qui prétend articuler évidemment la co-évidence des évidences individuelles au sein desquelles nous vivons. Au départ de la genèse « phénoméno-logique » de la vérité (et il importe de couper le mot), nous ne disposons en effet que d'une expérience indéfiniment ouverte d'objets individuels : « *La théorie de l'expérience antéprédicative*, de l'expérience qui donne dans l'évidence objective les substrats les plus originaires, *est l'élément premier en soi de la théorie phénoménologique du jugement*. La recherche doit s'instituer dans la conscience de l'expérience antéprédicative, et, s'élevant à partir de là, poursuivre le surgissement des évidences de degré plus élevé[2]. »

Suit donc, à partir de là, une décomposition analytique fine du sentiment d'évidence, qui est l'élément vécu de notre « expérience » naïve du monde, et qui conduit Husserl, de degré en degré, à la forme idéale de la connexion formelle des contenus logiques du « jugement ». La charnière entre le phénoménal et le logique, entre l'expérience et le jugement, est le

---

1. Husserl, *Expérience et jugement. Recherches en vue d'une généalogie de la logique*, L. Landgrebe éd., trad. fr. D. Souche, PUF, 1970.
2. *Ibid.*, § 6, p. 30-31. La notion d'antéprédicatif sera explicitée plus loin : disons juste qu'elle qualifie le donné avant que son articulation évidente puisse être authentiquement ressaisie et fondée dans un jugement (qui « énonce ce qu'il y a », autrement dit, que « A est B »).

concept complètement refondu d'« association » : dégagée du naturalisme de Hume, elle est, dans la passivité de l'imagination, la possibilité d'une unité de l'intuition[1]. Et la saisie active, par l'« intérêt de connaissance », de ces relations imaginées entre phénomènes, aboutit à ce que le jugement de simple « relation » se change en « jugement déterminant[2] ». C'est alors que l'évidence cesse de valoir dans le seul registre de l'*intuition*. Dans le prolongement de l'activité de liaison prédicative, donc de mise en question (doute, conjecture) de la teneur des termes mis en relation dans le jugement, elle vaut désormais dans le registre de la *certitude*[3].

En somme, pour reprendre la formule des *Méditations cartésiennes*[4], on sera passé, *d'une manière continûment évidente*, des « pré-jugés » antéprédicatifs (*Vor-Urteile*, selon le mot même de Husserl), dont la matière est l'infinité des intuitions individuelles, au niveau des jugements « adéquats » d'une philosophie s'achevant en *science absolument certaine*[5]. La vérité, désormais, équivaut au remplisse-

1. *Ibid.*, § 42.
2. *Ibid.*, § 54. Un jugement déterminant comporte pour la première fois la possibilité d'être apodictique, c'est-à-dire fondé en lui-même, et non plus dépendant d'une collision contingente des représentations.
3. *Ibid.*, § 76-77. Husserl explique en effet que la possibilité syntaxique de jouer sur les termes de l'énoncé prédicatif, et de le reconfigurer sous forme de question, arrache la simple relation de A à B à son inertie : seuls les termes d'un jugement peuvent être *interrogés*, ce qui est bien autre chose que les *recombiner*. Par là, le doute et la réponse certaine qui le lève se profilent dans le mouvement immanent qui conduit de l'antéprédicatif au prédicatif.
4. Husserl, *Méditations cartésiennes. Introduction à la phénoménologie*, trad. fr. E. Lévinas et G. Peiffer revue par A. Koyré, Vrin, 1986.
5. *Ibid.*, § 5.

ment effectif, par l'expérience objective, d'une visée intentionnelle de connaissance — la nécessaire activité de l'esprit, en cela, métamorphosant le sentiment passif d'évidence en une tension vivante vers le vrai, dans l'acte rationnel de juger.

L'originalité de Husserl est d'avoir osé comparer le concept de vérité ainsi obtenu à l'évidence antéprédicative universelle, au regard de laquelle toute réduction de la vérité à un « critère » apparaît d'emblée comme une abstraction et une violence : comment, en effet, ne pas penser qu'il « perd », dans l'opération même de la réflexion, et au profit dudit critère, une part de l'évidence même qu'il fallait sauver ? *Mais l'intuition des essences s'oppose à l'abstraction.* Cette dernière, affirme en effet Husserl, échoue dans la tâche fondamentale qui consiste à connecter de façon évidente les multiples évidences sous lesquelles se donnent dans l'intuition les choses du monde. Plus précisément, elle n'arrive pas à libérer la *singularité* de ce qu'est « en vérité » *tel* objet. Abstraire, c'est osciller en vain entre l'individuation d'une image, l'arbre en général, et des « moments » non essentiels qui la recouvrent, telle nuance de la verdure, telle silhouette de sa ramure sous le vent, etc. L'« intuition des essences », au contraire, fait expérimenter l'évidence de la vérité dans *l'ambiguïté* capitale d'une intuition réconciliée avec une certitude ; autrement dit, la donation d'une expérience de la singularité phénoménale se réconciliant avec un contenu théorétique idéal, lequel restitue sans déchirure les corrélations évidentes de ses « moments » constitutifs. Cette co-évidence des « moments », *méthodiquement* mise en évidence comme *constituant* l'objet tel qu'il est en vérité, soustend la forme logique de toute prédication. Voilà en tout cas ce que présuppose, en l'ignorant, tout formalisme, qui naît de l'échec à établir un continu d'évidence entre des termes abstraits à grand-peine (à tort et par défaut), et l'efficacité scolastique (mais vide de sens) des figures traditionnelles du raisonnement. Qu'est-ce ainsi que l'intuition des essences ?

« Elle repose sur la modification d'une objectivité d'expérience ou d'une objectivité imaginée, qui en fait un exemplaire arbitraire recevant du même coup le caractère d'un "modèle" conducteur, d'un point de départ pour la production d'une multiplicité de variantes ouvertes à l'infini : elle repose donc sur une *variation* [...]. Il apparaît alors qu'à travers cette multiplicité de figures successives il y a une unité, que dans ces variations libres d'une image originelle, par exemple d'une chose, un *invariant* reste nécessairement maintenu comme la *forme générale nécessaire*, sans laquelle quelque chose comme cette chose, prise comme exemplaire de son espèce, serait d'une manière générale impensable[1]. »

Ainsi donc, la surabondance concrète des évidences, qui est la toile de fond de toute recherche du critère de la vérité, est-elle effectivement *supposée* par le dégagement formel de la vérité. Elle est absolument requise, et explicitement convoquée à cette fin : nul reste phénoménologiquement évident, dans l'obtention de l'évidence comme critère *eidétique* de la vérité. Car, l'« essence générale est l'*eidos*, l'*idéa* au sens platonicien, mais saisie dans sa pureté et libre de toutes interprétations métaphysiques, prise donc exactement telle qu'elle nous est immédiatement et intuitivement donnée dans la vision des idées qui résulte de ce cheminement[2] ».

1. *Expérience et jugement*, § 87 a.
2. *Ibid*, § 87 a.

Si séduisante que soit l'analyse husserlienne, la manière dont elle articule intuition et certitude se laisse mal concevoir « libre de toutes interprétations métaphysiques » : au contraire, c'est peut-être l'interprétation métaphysique *par excellence* de la vérité, que redécouvre ainsi la phénoménologie. Husserl, en effet, conçoit, *d'un côté*, l'évidence intuitive dans le registre de la *donation phénoménale*, antéprédicative ; et, *de l'autre*, il détermine le concept de certitude, et notamment de certitude « fondée », dans le registre de la justification dans et par des raisons formulées au sein d'un *langage* — car la certitude est ce qu'on attend comme « réponse » à une « question de vérité[1] ». Mais, en cela, Husserl entérine bien des partages problématiques, et il n'est pas évident que la suture *phénoméno-logique* (ou antéprédicative-prédicative) soit autre chose, à cet égard, qu'un nom *nouveau* pour un vieux problème, tant du moins que font défaut les analyses systématiques, aboutissant aux sciences de la nature, ou à l'histoire, etc., démontrant qu'une refondation des formations spirituelles les plus complexes sur le sol d'une expérience sensible phénoménologiquement purifiée fait *effectivement* voir avec évidence ce qui autrement resterait invisible. Il n'en reste pas moins que l'intuition des essences est le *pathos* fondamental de l'activité théorétique orientée vers la vérité, et en cela, l'armature de l'existence humaine selon Husserl[2].

1. *Ibid.*, § 77-79.
2. C'est une question délicate de savoir si le critère de l'évidence eidétique valait aux yeux de Husserl en dehors de la phénoménologie, et même hors du cadre étroit de la réduction eidétique, comme du type de doute, dit « hyperbolique », par lequel il faut en passer pour obtenir la donation de sens originaire qui est l'évidence primitive sur laquelle se fonde sa démarche. Une chose est sûre : *ranimer* la vérité sédimentée et

Elle dévoile en effet *une liberté préalable à toute doctrine constituée de la vérité*, qui s'exprime suprêmement par l'imagination active de la variation eidétique, élevant une « structure d'arbitraire » (le choix du référent particulier de la variation) à la hauteur d'une *expérience radicale du possible* (révélée théorétiquement par les variants multiples, mais corrélés, d'une forme). Une telle possibilité, en effet, témoigne dans l'analyse eidétique d'une authentique liberté spirituelle, dotée d'une haute valeur ontologique : car elle ne revient pas à un jeu contingent de représentations-reflets manipulées à loisir, mais elle saisit de l'intérieur le jaillissement donateur de l'être des choses, et, en s'y montrant adéquate, prouve que la pensée vraie est coextensive au libre surgissement du monde.

Questionner l'entreprise husserlienne, et sa double prétention (d'une part, ne rien perdre de l'évidence primaire du monde dans la vérité théoriquement constituée du savant, et d'autre part, s'affranchir de la métaphysique en restituant cette évidence), voilà qui conduit à reconsidérer les critères conceptuels de la vérité, que surmonte peut-être la phénoménologie, en allant, par-dessus eux, droit à l'évidence de la « chose-même », mais qui tissent l'histoire du concept de vérité. Car il va de soi que ces critères ne peuvent être rejetés comme des éléments d'histoire

---

menacée de mort par une accumulation théorique aveugle devint peu à peu pour Husserl la tâche décisive de la philosophie, en relation avec les sciences et la culture en général, et cela bien au-delà de la seule phénoménologie. Or, on voit mal comment cette entreprise pourrait économiser, au moins à titre de principe directeur, la référence à l'analyse eidétique, ne serait-ce que pour *identifier* le style de vérité vivante recherchée dans tous les domaines.

(et donc réduits à une contingence extra-concep-
tuelle) qu'en acceptant ce qui reste à prouver : autrement dit, que la phénoménologie surmonte *effectivement* les difficultés qui ont motivé leur élaboration.
Parmi celles-ci, étroitement associées à la recherche
de critères de la vérité *non phénoménologiques*, on
mentionnera au tout premier chef l'opposition de
l'intuition sensible à l'intuition intellectuelle, que
l'intuition des essences husserlienne s'efforce de
transcender, en niant toute dévalorisation d'un
niveau de vérité (et donc d'erreur) au regard d'un
autre, ontologiquement supérieur.

Diverses sortes d'intuition et leur rapport à la vérité

« Intuition » et « évidence » dépendent étymolo-
giquement de la vision. Mais si l'évidence (de *videre*)
connote davantage la perception de ce qui « se
donne » à voir, l'intuition (d'*intuitus*) renvoie à l'acte
d'attention qui « saisit » activement la chose dans un
regard. Parler d'« intuition sensible », pour cette raison, est donc extrêmement délicat. En quel sens,
déjà, une *saisie* du sensible est-elle possible, alors
que mon corps m'expose, apparemment, sans recul
et tout passivement à l'irruption des impressions ? Si
l'intuition désigne ensuite une proximité à la chose
dans laquelle la visée, l'*intuitus*, s'avère, comment
surmonter l'obstacle dressé par un sensible changeant, voire illusoire ? On voit pourtant bien qu'il y a,
comme Aristote le note dans *De l'âme*, une vérité *spécifiquement sensible*, encore que nous soyons,
ajoute-t-il, bien en peine de préciser en quoi elle
consiste : « J'entends par sensible propre celui qui ne

peut être senti par un autre sens et au sujet duquel il est impossible de se tromper : par exemple la vue est le sens de la couleur, l'ouïe, du son, et le goût de la saveur. Le toucher, lui, a pour objet plusieurs différences. Mais chaque sens, du moins, juge de ses sensibles propres et ne se trompe pas sur le fait même de la couleur ou du son, mais seulement sur la nature et le lieu de l'objet coloré, ou sur la nature et le lieu de l'objet sonore[1]. »

L'erreur sensible n'est donc pas erreur *du* sensible, ou une erreur *de la sensation en tant que telle*. Car celle-ci a bien senti ce qu'elle a senti. Mais elle dépend de la fausse *attribution* de cette couleur à ceci plutôt qu'à cela, du blanc au fils de Diarès plutôt qu'à n'importe qui d'autre. En revanche, la nature de cette vérité sensible (toujours vraie) est obscure, ainsi que son mode d'articulation à la vérité du discours (à l'énoncé prédicatif qui peut, lui, et à l'occasion précisément de ce qui se donne comme pur vrai de la sensation, être faux). Or, pareille indétermination est l'occasion d'une division ontologique d'une portée considérable, fondée sur la *différence entre deux vérités*, l'une immanente à la sensation, qui sent ce qu'elle sent, et le sent vraiment, et l'autre, fonction de la forme logique qui s'efforce de dire ce qu'il y a en vérité, et le dit *plus véritablement*, parce que c'est une vérité *conquise sur la possibilité de l'erreur* — possibilité refusée à l'obtusion originaire de la sensation, qui ne sent vraiment *que* ce qu'elle sent.

L'opposition entre intuition sensible et intuition intellectuelle s'enracine là. Il suffit en effet de donner à cette seconde intuition le sens d'un accès

1. Aristote, *De l'âme*, II, 6, 418 a, trad. fr. J. Tricot, Vrin, 1985, p. 103-104.

d'emblée à une vérité *préformée*, au sens où la forme recueille les caractéristiques de la chose *en excluant explicitement son être-autre* (ce que l'intuition sensible ne saurait faire), pour y saisir du coup la pure teneur logique d'une réalité *suprasensible*[1]. Et pourquoi en effet s'attacher à l'intuition sensible, quand on peut par la pensée pure appréhender la chose dans sa raison d'être? Cette opposition accrédite donc l'idée de deux *types d'objets*, différemment intuitionnés, et de deux mondes auxquels ils appartiendraient. *L'opposition du « sensible » à l'« intelligible » tend alors à recouvrir l'opposition logique du faux* (ou du relatif — puisque le « phénoménal » est ce qui a sa vérité *en autre chose*) *et du vrai* (de l'*en-soi*, qui ne peut être que teneur seulement pensable de la chose, ou réalité « nouménale »).

Mais l'intuition intellectuelle, dans la perspective critique que Kant fera prévaloir, devient à son tour obscure : elle contrevient au sens premier du mot intuition, si celui-ci désigne un rapport sans médiation aux objets. La pensée, déterminée comme « entendement », saisissant le donné selon des catégories universelles, et dans l'acte d'un jugement sub-

---

1. Je dis « c'est blanc ». Prise dans la direction de l'intuition sensible, cette proposition est vraie au sens où j'ai senti du blanc en quelque manière et quoi qu'il arrive ensuite, sans qu'aucun démenti puisse renverser le contenu de ma sensation — à moins que ce démenti ne suive justement d'une autre sensation, qui va me montrer la chose comme noire, sans pour cela corriger la première sensation, mais en l'annulant. Prise dans la direction d'une intuition intellectuelle, cette proposition est vraie au sens où l'être-noir y est exclu *a priori* de par le jugement qui énonce l'être-blanc — « c'est blanc » est alors formellement lié à telle chose et au réseau infini de ses qualités, sommées dans un concept (un fondement intellectuel), déterminant sa relation à toutes les autres choses.

sumant du particulier sous l'universel, est en effet *seconde*, au moins quand sa tâche est de *déterminer* objectivement le réel et de *construire* scientifiquement l'univers sensible. En effet, elle opère là manifestement sur le préalable des *data* sensibles. D'où un double mouvement : d'une part, la science moderne (disons newtonienne) impose dans cette subordination de la raison aux exigences de l'objectivation son prototype de la vérité, qui n'est autre que la vérification empirique de lois universelles ; et, d'autre part, l'intuition intellectuelle, si elle ne perd pas tout sens, devient alors un privilège divin, et mesure notre finitude.

Pour débrouiller l'entrelacement de vérités si hétérogènes, Heidegger propose, dans *Être et temps*, le fil conducteur suivant :

« Lorsque l'on détermine, comme c'est devenu aujourd'hui chose tout à fait courante, la vérité comme ce qui appartient "proprement" au jugement, et que de surcroît on invoque Aristote à l'appui de cette thèse, une telle invocation est tout aussi illégitime que, surtout, le concept grec de la vérité est incompris. Est "vraie" au sens grec, et certes plus originellement que le *logos* cité, l'*aisthèsis*, l'accueil pur et simple, sensible de quelque chose. Tandis qu'une *aisthèsis* vise ses *idia*, c'est-à-dire l'étant qui essentiellement n'est accessible que *par* elle et *pour* elle, par exemple le voir des couleurs, alors cet accueil est toujours vrai. Ce qui veut dire que le voir découvre toujours des couleurs, l'entendre toujours des sons[1]. »

L'apport de Heidegger est dans ce qu'il risque au-

---

1. Heidegger, *Être et temps*, trad. fr. E. Martineau, § 7B, Authentica, 1985, p. 46.

delà d'Aristote : « Mais est "vrai" au sens le plus pur et le plus originel — autrement dit découvre sans jamais pouvoir recouvrir — le pur *noein*, l'accueil purement et simplement considératif des déterminations d'être les plus simples de l'étant comme tel. Ce *noein* ne peut jamais recouvrir, jamais être faux, il peut tout au plus être non-accueil, *agnoein*, ne pas suffire à l'accès pur et simple, adéquat[1]. »

L'idée est la suivante : l'intuition intellectuelle des dogmatiques réfutés par Kant n'est absolument rien d'autre que la formulation *métaphysique*, donc aveugle à elle-même, de la saisie essentielle qui précède conceptuellement la saisie sensible, cette dernière n'étant qu'une spécification du mode de relation théorétique par lequel nous nous ouvrons à *l'être* des étants. Métaphysique, cette formulation l'est parce qu'elle juge l'être en question à l'aune d'un *étant* supérieur, coextensif à une surnature transcendante, et donc comme une partie de Dieu, considéré comme l'étant suprême, l'*ens realissimum* (c'est-à-dire l'être le plus réel ou l'être de toutes les réalités). Il n'y a donc pas deux mondes, mais plutôt *un unique monde*, et *deux degrés d'ouverture de la connaissance*, un premier, sensible, saisie synoptique de l'étant-donné en tant que « patent », et un second, saisie conceptuelle et médiate de l'être-tel, redoublant l'ouverture première, et qui se décline selon les valeurs de la copule dans le jugement prédicatif. La *noèsis*, par laquelle la pensée saisit ce qui se donne tel qu'il est, ou le découvre *absolument en vérité*, et mieux que dans l'*aisthèsis*, révèle donc ici son sens ultime.

Mais sa « double ouverture » ménage aussi, dans

1. *Ibid.*, p. 46.

la pensée, *la possibilité d'une fausseté inouïe*, fausseté qui borne la vérité que le criticisme isole comme la seule humainement accessible. La possibilité d'un usage « vide » des concepts de l'entendement correspond ainsi à ce que Kant appelle, dans la *Critique de la raison pure*, une « illusion transcendantale » :

« Il y a cependant ici un fond d'illusion difficile à éviter. Les catégories ne reposent pas, quant à leur origine, sur la sensibilité — comme le font les *formes de l'intuition*, espace et temps, et semblent donc autoriser une application qui s'étende au-delà de tous les objets des sens. Seulement, elles ne sont, à leur tour, que des *formes de la pensée* renfermant simplement le pouvoir logique d'unir *a priori* dans une conscience le divers qui est donné dans l'intuition, et ainsi, quand on leur enlève la seule intuition qui nous soit possible, elles peuvent avoir encore moins de sens que ces formes sensibles pures par lesquelles du moins un objet (*Object*) nous est donné, tandis qu'une manière propre à notre entendement de lier le divers ne signifie plus rien du tout, si l'on n'ajoute pas l'intuition dans laquelle seule ce divers peut être donné[1]. »

L'intuition intellectuelle des dogmatiques est donc exclue, parce qu'elle ignore, dans sa prétention à obtenir *noétiquement* le vrai en soi, la limitation qu'impose la sensibilité à tout usage transcendant des concepts purs. La recherche de la vérité, dans la perspective ouverte par Kant, n'est plus dès lors un combat de la raison contre l'illusion, mais une lutte de la raison contre elle-même, et contre l'*effet de*

---

1. Kant, *Critique de la raison pure*, « Analytique des principes », chap. III, « Du principe de la distinction de tous les objets en général en phénomènes et en noumènes », trad. fr. A. Tremesaygues et B. Pacaud, 9ᵉ éd., PUF, 1980, p. 223-224.

savoir qu'elle déploie, qui pour des motifs radicaux, comporte la possibilité d'être un savoir vain :

« Nous avons affaire, en effet, à une *illusion naturelle* et inévitable, qui repose elle-même sur des principes subjectifs qu'elle donne comme objectifs [...]. Il y a donc une dialectique naturelle et inévitable de la raison pure : je ne veux point parler de celle où s'embarrasse un ignorant, faute de connaissances, ni de celle que des sophistes ont fabriquée ingénieusement pour tromper les gens raisonnables, mais de celle qui est inséparablement liée à la raison humaine et qui, même après que nous avons découvert l'illusion, ne cesse pourtant pas de se jouer d'elle et de la jeter inlassablement en des erreurs momentanées qu'il faut constamment dissiper[1]. »

Que la vérité *pour l'homme* soit intrinsèquement finie, se détachant sur l'horizon transcendant d'une vérité théorétique infinie, c'est là une position hors des prises de l'attitude phénoménologique, au sens où l'intuition husserlienne vise un *noein* universel, et n'investit pas l'écart entre le sensible et l'intellectuel d'une fonction moralement pertinente[2]. La vérité de la vérité théorétique est que nous ne *connaissons* pas, dit Kant, les objets que la raison *théorique* nous donne à *penser*, en d'autres termes les « intelligibles » de la métaphysique dogmatique (le moi, la liberté, et Dieu). Ces derniers ne pourront être que

1. *Ibid.*, « Dialectique transcendantale », introduction, p. 253-254.
2. Pour un kantien, l'idéalisme husserlien pèche d'une manière analogue à la métaphysique dogmatique. Si l'intuition des essences capte effectivement la donation originaire de l'être-tel des choses, on y retrouve l'affinité postulée entre la pensée pure, et l'être en-soi de choses dont les essences sont comprises dans l'entendement divin.

les objets d'une « foi rationnelle », venant à l'appui
d'une réflexion sur le fait originaire du devoir moral
— et donc à titre de « postulats » de la raison pure
pratique. En effet, ce que nous *devons* faire, Kant y
insiste, est l'unique autre voie dont nous disposions
pour déterminer *objectivement* nos représentations,
une fois barrée la possibilité de soumettre celles-ci à
l'intuition sensible. Une fois encore, par conséquent,
la liberté (présupposée par le devoir, pour qu'il soit
bien moral, et non une contrainte issue des choses),
prime sur la vérité, entendue comme concept théorique. Mais n'est-il pas paradoxal qu'un « postulat »
de la raison pratique nous en apprenne davantage
que l'exercice du jugement théorique sur ce que
nous avons besoin de tenir rationnellement pour
vrai ? Qu'il nous faille, autrement dit, supposer un
Dieu accordant les préceptes du devoir à la possibilité concrète du bonheur, ou encore une immortalité
pour nous accomplir, afin de comprendre la fonction éminente de la vérité ? Car la vérité, ainsi,
n'apparaît plus comme ce qui est *sûr*, effectivement
saisi par la pensée, ou intuitionné ; mais comme la
qualité essentielle prêtée à ce qui est avant tout *cru*,
et dont nous avons subjectivement besoin, au-delà
même des prises de notre connaissance réelle des
choses, comme l'horizon rationnel d'une existence
libre mais finie.

La vérité, en ce dernier sens, nous pénètre de la
limitation intrinsèque de notre pouvoir de saisir
intellectuellement les choses en soi. Elle excède ce
pouvoir. Et comme excès sur le contenu vrai de
toute représentation particulière, quelle qu'elle soit,
serait-ce celle du *tout* des êtres, la vérité est en dernière analyse un concept *transcendantal*.

L'adaequatio rei et intellectus

Critère scolastique de la vérité, et réputé creux à ce titre, l'adéquation de la chose et de l'esprit s'éclaire à la lumière de l'analyse précédente. En effet, elle paraît n'exprimer qu'une tautologie : si ce qu'il y a dans la réalité « correspond » avec ce que j'en pense, alors ma pensée est vraie. Le problème est davantage de savoir quel déplacement fécond une telle conception de la vérité autorise, qui l'arrache à son évidente vacuité : « L'ancienne et célèbre question par laquelle on pensait pousser à bout les logiciens, en cherchant à les obliger ou à se laisser forcément surprendre dans un pitoyable diallèle ou à reconnaître leur ignorance, et, par suite, la vanité de tout leur art, est celle-ci : *Qu'est-ce que la vérité ?* La définition nominale de la vérité qui est en fait l'accord de la connaissance avec son objet est ici admise et présupposée ; mais on veut savoir quel est l'universel et sûr critère de la vérité de toute connaissance[1]. »

En effet, l'analyse de l'*adaequatio rei et intellectus* y fait vite apparaître des limitations conceptuelles décisives. Tout d'abord, peut-on chercher du côté des choses le signe de leur adéquation véridique à la connaissance qu'on en a ? Non. Car, comment chercher un critère universel de vérité, sans précisément mettre entre parenthèses la dimension individuelle des *res* auxquelles on demande, en même temps, de fournir une marque distinctive de leur correspondance adéquate à ce qu'on en sait ? Il y a, entre l'individuel réel et l'universel pensé, une difficulté à coïn-

---

1. *Ibid.*, « Logique transcendantale », introduction, p. 80.

cider dont Husserl a prouvé qu'elle était la racine de
la fausseté intuitive de toute abstraction. Est-ce
pourtant un motif suffisant pour se réfugier du côté
de l'*intellectus*, c'est-à-dire des règles logiques de
l'entendement, au premier rang desquelles se tient la
non-contradiction ? Va-t-on trouver là un signe
absolu de vérité, pour ce qui « correspondra » avec
la pure teneur logique de tels concepts ? Pas plus. On
a là uniquement des critères de la pensée en général,
et certainement pas de la connaissance objective
d'un contenu déterminé. Il est éminemment possible, ainsi, d'avoir un concept non-contradictoire
(voire tout un ensemble formellement cohérent de
concepts très ingénieux) d'une réalité empiriquement non existante. Il en ressort, très clairement,
que le critère de l'adéquation nous instruit davantage en montrant *l'écart qu'il s'efforce de résorber*
(celui, justement, de la chose et de l'esprit), *écart qui
est le lieu électif de la question de la vérité*, que par la
solution qu'il propose, laquelle occulte le questionnement fécond qui naît de cet écart même.

À la « logique de l'apparence », selon l'expression
de Kant, qui traite, dans la pensée pure, de ce qu'on
a décrit plus haut comme une « illusion transcendantale », fait donc pendant, du point de vue d'une
doctrine de la vérité *humainement pensable*, une
« logique transcendantale ». De quoi s'agit-il ? En
aucun cas d'une théorie universelle de la vérité matérielle, puisque la notion en est contradictoire. Il ne
s'agira pas non plus d'une théorie de la pure forme
pensable des choses, ou de l'adéquation « analytique » d'un concept à un autre. La non-contradiction est bien sûr supposée à la pensée déterminant
son objet, mais c'est là une pierre de touche négative
de sa vérité, et en conséquence, insuffisante. Si une

« logique de la vérité » existe, il faut donc arriver à cette conclusion, non triviale s'il en est, qu'elle concerne les seuls *actes de la pensée pure*, jaillissant originairement de l'esprit, ne dérivant d'aucune expérience, mais qui se rapporte, en outre, *a priori* à une expérience *possible* (expérience à distinguer avec soin de notre expérience *actuelle*, limitée par nos contingences cognitives individuelles). On sait ce que doit cette conception à l'autorité de la physique de Newton. D'un côté, en effet, l'exégèse métaphysique qu'en produit la *Critique de la raison pure* rapporte méthodiquement à l'espace et au temps, entendus comme les formes *a priori* de l'intuition sensible du divers des phénomènes, la totalité des données empiriques pertinentes pour la mécanique. D'un autre côté, les principes suprêmes de cette mécanique (masse, action, causalité, ou la simple représentabilité mathématique de la quantité physique) sont réductibles en droit à des applications des catégories primitives de l'entendement (qualité, quantité, relation, modalité), à l'expérience spatio-temporelle possible. Sans entrer en détail dans la démonstration, il faut donc noter que la merveilleuse convergence qui reconstruit et surdétermine l'antique notion d'*adaequatio rei et intellectus*, d'une part, s'appuie sur la productivité inhérente à un savoir scientifique extrinsèque à la philosophie pure et, d'autre part, ouvre à l'intérieur de l'essence de l'homme un abîme à signification éthique, celui qui sépare l'usage « déterminant » des catégories de la pensée pure, qui s'épuise intégralement dans les principes de la science newtonienne, de leur usage « transcendant », véritable illusion consubstantielle à l'exercice de la Raison. En ce sens, la possibilité d'une logique de la vérité qui ne soit ni purement formelle, ni un rêve de métaphysicien dogmatique, renvoie à une limitation interne de la propre puissance de la Raison d'accéder à la vérité, puissance qui se caractérise par le fait qu'elle est Raison *finie*, et Raison, en dernière analyse, *sensible*.

On est ainsi conduit, en réélaborant le thème de l'*adaequatio rei et intellectus*, à un abîme métaphysique, qui renferme tous les enjeux autrement inapparents du parcours vers la vérité dont on a jusqu'ici balisé les étapes. Cet abîme court de l'évidence pure à l'exigence d'un remplissement intuitif, et de l'intuition (sensible et intellectuelle) à l'adéquation du pensé à ce qui existe réellement. En effet, quand bien même se situerait-on dans le cadre étroit d'une logique transcendantale, autrement dit de la spontanéité de l'acte synthétique de l'entendement liant le divers en le subsumant sous les catégories, la question de l'adéquation à l'expérience, *même comme expérience seulement possible*, ne laisserait pas de se poser. Il faut manifestement un *tiers terme*, qui ne soit ni dérivé de l'intuition, ni issu de l'entendement, pour assurer leur connexion. La difficulté est de définir un tel terme, si l'on ne perd pas de vue qu'il va entrer, du coup, dans une relation définitoire et non nominale à la vérité au sens le plus profond du mot.

Ainsi, explique Kant, l'objectivité des catégories de l'entendement pur dans son usage transcendantal repose sur leur *schématisation*. Autrement dit, elle se fonde sur la production, par l'imagination, d'un *moyen* qui autorise l'application du concept (éventuellement pur) au phénomène, auquel, réciproquement, l'usage légitime du concept est restreint. Ce double mouvement (applicabilité du concept intellectuel, restriction de son usage à l'expérience possible dans les formes *a priori* de la sensibilité) n'est rien d'autre que le nécessaire *resserrement de l'écart* ouvert par la position du problème de l'*adéquation* de l'esprit aux choses. Faute de ce « moyen terme », la vérité, même au sens transcendantal, c'est-à-dire réduit et exclusif du dogmatisme, demeurerait une exigence vide. Or, il semble qu'il n'existe qu'une seule chose pour soutenir la possibilité du rapport en question :

« Le concept de l'entendement renferme l'unité synthétique pure du divers en général. Le temps, comme condition formelle du divers, du sens interne, et par suite de la liaison de toutes les représentations, renferme un divers *a priori* dans l'intuition pure. Or, une détermination transcendantale de temps est homogène à la *catégorie* (qui en constitue l'unité) en tant qu'elle est *universelle* et qu'elle repose sur une règle *a priori*. Mais, d'un autre côté, elle est homogène au *phénomène*, en tant que le *temps* y est impliqué dans chacune des représentations empiriques du divers. Une application de la catégorie aux phénomènes sera donc possible au moyen de la détermination transcendantale de temps ; et cette détermination, comme schème des concepts de l'entendement, sert à opérer la subsomption des phénomènes sous la catégorie[1]. »

Instituer le *temps* en tiers terme, dans une problématique de l'adéquation reformulée d'un point de vue transcendantal, telle est donc l'extrémité spéculative à laquelle nous arrivons. La vérité y perd tout caractère d'évidence, et il est bien difficile de rattacher le mot même à ce qui apparaît ici à la

---

1. *Ibid.*, « Analytique des principes », « Du schématisme des concepts purs de l'entendement », p. 151.

réflexion. Bien plus, l'affirmation d'une homogénéité de la synthèse du divers dans la continuité temporelle, à la synthèse logique selon des règles *a priori*, est d'une obscurité redoutable. On voit bien, en un sens, que la diversité sensible nous est donnée sur un mode unitaire purement sensible, dont la cohésion « synoptique » est liée à la possibilité d'un parcours temporalisé de sa multiplicité. Le divers des phénomènes, au sein de l'intuition sensible, n'est apparemment pas éparpillé à un tel degré que cet éparpillement même ne puisse, point par point, être mis en continuité avec lui-même, par une sorte de tracé (de « schème ») de l'imagination l'inspectant. Mais en parlant d'homogénéité de cette « synopsis » sensible avec la « synthèse » de l'entendement, dont le jugement prédicatif est un index manifestement plus sûr, ou plus intuitif, Kant nous étourdit. Quel est en effet le *genre commun* entre cette synthèse et cette synopsis ? Si l'on affirme que c'est le temps, à moins d'un cercle vicieux, il faut en changer l'acception. D'ailleurs, il s'agit davantage d'une détermination transcendantale du temps que du temps concret lui-même, tel qu'il met effectivement en continuité dans le sens intime la diversité phénoménale. C'est un temps rapporté, en d'autres termes, à son origine pure — un temps qui est davantage une *temporalisation originaire* de la pensée comme pensée finie (sensible), point ultime d'un édifice où serait alors mis en relation aussi bien l'aspect sensible que l'aspect intelligible de notre rapport à ce que l'esprit saisit, et d'où, encore au-delà, encore plus abstraitement, procéderait l'union, source primitive de l'évidence « adéquate », du mode de *donation de ce qui est* à *qui le pense comme étant*. Ceci est-il seulement pensable ou dicible ? Heidegger espère du moins y renvoyer allusivement, en citant l'*Ajax* de Sophocle : « Oui, le Temps, immense et innombrable, il fait jaillir au jour (*phuei*) les choses non patentes (*adèla*), et les ayant rendues manifestes (*phanenta*), il les dissimule[1]. »

L'harmonisation des connaissances les unes avec les autres

Aristote, discutant du bonheur, note : « ... avec le vrai, toutes les données disponibles s'harmonisent, tandis qu'avec le faux, elles sont vite en désaccord[2] ». En l'occurrence, ces données sont aussi bien les « données de fait », que les « circonstances », voire, dans le contexte précis de la citation, les « opinions communément admises » (*endoxa*), et par voie de conséquence, la diversité des « points de vue » que plusieurs peuvent avoir sur un objet, s'ils cherchent à le connaître. Tout doit, en d'autres termes, finir par concorder. Si l'on admet alors que le « vrai » coïncide ici avec l'idée de « *principe* vrai », lequel *régit l'accord* de ces données disponibles, autant qu'il *exprime leur consonance*, le critère de la vérité, chez Aristote, relève davantage de la concordance, selon une métaphore musicale, que de la correspondance d'un terme avec un autre, évoquant la géométrie d'un tableau à deux entrées. En cela, la culture exigible de celui qui entend conquérir philosophiquement la vérité se résume à devenir capable d'une « pensée architectonique[3] », autrement dit

1. Vers 646-647.
2. Aristote, *Éthique à Nicomaque*, I, 8, 1098 b 11-12, trad. fr. J. Tricot modifiée, Vrin, 1979, p. 63.
3. Aristote, *Éthique à Eudème*, I, 6, 1217 a 7, trad. fr. J. Tricot, Vrin, 1978, p. 62-63.

d'une pensée capable de *hiérarchiser* harmonieuse-
ment les « données disponibles », en sorte que leur
« principe » (*archè*) apparaisse nettement détaché
de ces « données » et soit l'objet d'un savoir explicatif de la vérité même des données mises en
ordre.

Ce critère n'est en rien incompatible avec les précédents. Le problème est plutôt de savoir ce qu'il
nous apprend sur la vérité, que le critère de l'*adaequatio* ne livrait pas. On dira à ce propos la chose
suivante : il intègre l'une à l'autre deux dimensions
dont nous ne voyons jamais à quel point elles sont
étroitement enlacées : d'une part, la vérité comme
*système de recoupements entre des choses qui
s'ajointent* et, d'autre part, la vérité comme ce à quoi
tout autre que moi, ici présent de manière contingente, aboutirait aussi, *de quelque point de vue qu'il
l'envisage*. Une image pour illustrer cela. Un enfant
qui résout un puzzle ne se préoccupe pas à chaque
moment, alors qu'il place les unes après les autres
les pièces découpées sur sa table, de l'approbation de
quiconque : la démarche par essais, erreurs et corrections semble, au moins au départ, absolument
autonome, autant parce qu'on peut choisir de commencer par n'importe quel coin que parce que
l'ordre de résolution est arbitraire en général au
départ. En revanche, à mesure que les pièces déjà
disposées admettent davantage de nouvelles pièces,
en excluent d'autres, à mesure en même temps que
des pièces longtemps laissées sans emploi trouvent
leur place dans le jeu, la conviction d'être sur la
bonne voie croît. L'épreuve de vérité est évidemment
la pose du dernier morceau, moment qu'il est justement aisé de comparer à la découverte d'une « adéquation » ultime de l'intention et de son remplisse-

ment[1]. Imaginons maintenant un autre enfant, dans la pièce voisine, jouant au même puzzle, et comparons à chaque moment les images (locales ou globales) qu'ils se proposent de reconstituer dans les quelques coups suivants, en fonction des « données disponibles ». Sans qu'ils le sachent l'un et l'autre, et sans qu'ils aient en rien besoin de le savoir, ces images vont tendre à se recouvrir, et pour finir, coïncideront. Ordonnant nos intentions à la solution objective d'une difficulté, nous sommes ainsi identiques à tout autre se livrant à la même tâche, et d'une identité non pas tautologique (« il n'y a qu'une seule solution pour tout le monde »), mais riche, puisque les faisceaux d'intentions subjectives isolées peu à peu s'harmonisent, et tout en restant intrinsèquement subjectives, se confirment mutuellement qu'elles sont correctes ou efficaces en relation au but à atteindre. Que découvre chaque enfant aux yeux d'un tiers qui réfléchit sur la totalité de la situation ? Non seulement que la vérité est fonction d'un ajustement ultime entre les morceaux, mais encore, que

1. L'exemple du puzzle, ordinaire chez Popper ou Wittgenstein, ne peut passer pour une métaphore absolument pertinente. Car il n'est pas possible de réduire la recherche de la vérité à ces problèmes dont parle Descartes dans les *Regulae* XII et XIII, qu'il appelle des « questions comprises », et dont on est sûr qu'on arrivera à bout, la question étant juste celle de l'ordre et du temps (par exemple, déchiffrer un message crypté). Bien sûr, personne ne sait si l'univers est un puzzle avec une solution globale, s'il n'est pas en quelque manière une collection de divers puzzles sans rapport les uns avec les autres, ou bien encore, plus radicalement, un jeu sans solution. Mais il est toujours loisible d'en penser des (petites) parties comme des puzzles, et l'une des plus puissantes motivations que nous ayons à cela, c'est simplement le *plaisir* que nous pouvons alors prendre à voir tout notre savoir coïncider localement certes, mais effectivement, avec un peu de vérité.

cet ajustement est réalisé d'une manière qui présuppose chez tout autre joueur la convergence de plus en plus déterminante d'un faisceau d'intentions homologues aux siennes, et que l'un et l'autre aspects de la résolution du puzzle sont dans une continuité essentielle. Ce point serait facilement mis en évidence si les deux enfants se communiquent, sans voir où ils en sont chacun, ce qu'ils projettent de tenter, et s'ils décrivent ce qui leur reste à placer. Au départ, il ne leur servira à rien de communiquer; mais plus chacun aura progressé, plus ce qu'il communiquera sera au contraire utile à l'autre. Pas d'adéquation, donc, sans co-adéquation riche, ordonnée à un processus commun de construction. En ce sens, l'exemple du puzzle permet de déplier ce qu'enveloppe la notion de concordance des données avec le vrai : l'accord des choses entre elles selon ce qui les régit (objectivement) et l'accord des points de vue (subjectifs) sur les choses.

En résulte une identité capitale pour définir la vérité, entre l'universalité objective (ou le remplissement intuitif évident de *toute* intention de connaissance) et l'intersubjectivité pure (quand mon « Je pense » est coextensif à tout « Je pense » possible). Écoutons Husserl : « Le monde possède l'existence grâce à la vérification concordante de la constitution aperceptive, une fois formée, qui s'effectue dans et par la marche progressive et cohérente (ce qui implique des "corrections" constantes qui rétablissent la cohérence) de notre expérience vivante[1]. »

Il est donc essentiel pour toute appréhension vraie

---

1. Husserl, *Méditations cartésiennes*, § 55 : « La communauté des monades et la première forme de l'objectivité : la nature intersubjective », p. 106.

du monde, de mesurer à cet idéal d'universalité intersubjective les diverses tentatives d'adéquation de l'intention à son remplissement, opérées *isolément* (dans des « ego-monadiques », dit Husserl, évoquant Leibniz). Si l'harmonie des données disponibles selon le vrai se laisse caractériser par une telle « communion intentionnelle » (celle de la « vérification concordante »), on ne peut pourtant pas manquer de noter le décalage introduit par l'approche husserlienne : *la constitution universelle de l'objectivité rejaillit en norme pour la communauté que forment les hommes.* L'accent, une fois encore, se déplace vers l'éthique, puisque Husserl ne se propose ici en somme rien d'autre que la tâche de constituer *l'humanité* en tant que communauté intermonadique supérieure. Et, dans cette perspective, la vérité (dont il faut souligner ici l'extrême abstraction, effet du renversement de perspective opéré par Husserl : vérité de quoi, au juste ?) est moins une valeur par elle-même, que la pierre de touche de la co-appartenance concrète de chacun à tous :

« En partant de moi, monade primitive dans l'ordre de la constitution, j'arrive aux monades qui sont "autres" pour moi ou aux autres en tant que sujets *psycho-physiques*. Cela implique que j'arrive aux "autres" *non pas comme s'opposant* à moi par leurs corps, et *se rapportant*, grâce à l'accouplement associatif et parce qu'ils ne peuvent m'être donnés que dans une certaine "orientation" à mon être psycho-physique. [...] Bien au contraire, le sens d'une *communauté des hommes*, le sens du terme "homme", qui en tant qu'individu déjà, est essentiellement membre d'une société (ce qui s'étend aussi aux sociétés animales) implique une *existence réciproque de l'un pour l'autre* [...]. Il appartient manifestement à l'essence du monde transcendantalement constitué en moi (et, de même, à l'essence du monde constitué dans toute communauté, possible ou imaginable, des monades) que ce monde soit en même temps *un monde des hommes*, qu'il soit constitué avec plus ou moins de perfection, *dans l'âme de chaque homme particulier*, dans ses expériences intentionnelles, dans ses systèmes potentiels d'intentionnalités [...][1]. »

La vérité comme espace ouvert à l'humanité se constituant atteste ainsi chez Husserl, après Leibniz, de la permanence du thème grec : la géométrie de la vérité (*en mésô*) s'est changée en géométral intersubjectif des points de vue, son effet politique (*en koinô*) est devenu la vérification immanente du bien-fondé de la « communauté des hommes ».

Au terme de ces développements critériologiques, étroitement liés à l'histoire de la métaphysique comme histoire de la vérité, la tentation est donc vive de leur imposer une brutale stratégie de déflation. Car, quel que soit son charme spéculatif, la problématisation de la vérité y demeure affligée de trois défauts capitaux. Tout d'abord, *elle ne dégage aucun embryon de méthode qui rende justement vérifiable le contenu des thèses proposées sur la vérité*. Si l'on devait mettre de côté le respect qu'inspirent d'aussi éminentes productions de la culture, on soulignerait combien, même chez Kant, l'acceptation préalable du critère de la correspondance aboutit à cantonner la réflexion dans la solution d'une difficulté artificielle, celle de combler imaginairement un écart imaginaire de la chose à l'esprit. Non qu'il n'y ait çà

1. *Ibid.*, § 56, p. 110.

et là, à l'occasion, tel ou tel aperçu profond, mais justement parce que chaque fois, et c'est le second défaut, *ces élaborations métaphysiques reviennent à souligner le fond éthique sur lequel elles se détachent, sans jamais en thématiser l'incidence sur le concept de vérité.* Ainsi, il n'est pas sûr que tout soit effectivement tenté pour délimiter exactement cette dernière, tandis que le risque est grand de voir les questions éthiques plus ou moins brouillées par leur proximité avec des questions épistémologiques. Enfin, tout au long de ces analyses, la science offre à la philosophie l'incontournable repère de lois expérimentalement vérifiées, qui font explicitement norme pour la vérité et son mode d'engendrement. Sous ce rapport, il paraîtrait léger de *réfléchir sur une universalité du vrai référée constamment à l'idée que la science nous donne, sans chercher à accéder à ce vrai dans ses lois mêmes* — par exemple, en tant que vérité des propositions mathématiques qui les sous-tendent. C'est là tout autre chose que de méditer sur les implications pour la Raison de l'existence historique de la mécanique newtonienne, ou de proposer comme méthode ouvrant à la vérité de la « chose-même », l'image brillante de la variation eidétique, qui assurément mobilise toute la conceptualité associée à l'idéal d'évidence intuitive, mais qui cependant, hormis sa facile application en psychologie de la forme, économise vite toute démonstration de son efficacité un peu fouillée ou non triviale, en physique théorique, en anthropologie sociale, en histoire, ou dans n'importe quel domaine finement structuré du savoir humain[1].

1. La méthode de la variation eidétique (ou du moins son idéal) a pourtant été, entre les mains d'élèves de Husserl, tels Imgarden, E. Stein, Fink, Binswanger, des linguistes tchèques

S'il fallait conclure sur cette orientation de la réflexion qui cherche des critères à la vérité, deux conditions s'imposeraient donc : il y a bien une disposition humaine fondamentale à la vérité, et d'autre part, la vérité, de la façon qui seule importe, tant au quotidien que dans la science, doit valoir comme *index sui*, par opposition à la technicité de toute critériologie. En d'autres termes, selon le mot direct de Spinoza — qui s'interdit à ce sujet toute élaboration sur la nature ultime de la vérité, ou, si l'on veut, sur la « vérité de la vérité » — celle-ci doit être *norma sui et falsi* : norme d'elle-même et du faux[1].

La véritable difficulté, ainsi, consiste à prendre la mesure de l'*immanence du vrai* et à concevoir en conséquence comment *enchaîner des idées adéquates les unes aux autres*. Bien sûr, pareil mot d'ordre peut tout à fait donner lieu au même genre de généralité vide que celle reprochée plus haut à une certaine phénoménologie, ou à la critériologie métaphysique de la vérité. Plus cette exigence est universelle, plus en effet elle s'écarte des lieux où du vrai se produit effectivement, et chaque fois de manière bien distincte. Comme nous le signalions en introduction, il est en effet inconcevable d'abstraire *la* vérité des « domaines de vérité » où elle se manifeste. Mais deux de ces domaines, pour nous autres contemporains, ont un contour propre assez net, et en même

comme Pos, voire certains mathématiciens intuitionnistes, exportée en dehors du champ conceptuel de la pure phénoménologie. Mais avec quels résultats spécifiques ? Avec quelle pertinence, eu égard au champ propre des savoirs ainsi « refondés » ?

1. Spinoza, *Éthique*, II, 43, scolie.

temps une relation historique assez forte aux interrogations philosophiques traditionnelles, pour éviter
au déplacement de problématique qui nous intéresse
de succomber à l'objection précédente. Ils permettent de capitaliser, pour ainsi dire, philosophiquement, l'interrogation portant sur la vérité, à partir de l'accumulation de savoirs vrais qui caractérise
l'activité théorique de deux branches éminentes de
l'arbre de la connaissance. L'une n'est rien d'autre
que le projet expérimental de la science moderne,
discours de vérité dominateur s'il en est; l'autre,
dans son ombre, est le projet logico-mathématique
de découvrir une pure vérité intellectuelle, projet qui
par bien des aspects prend la relève de la métaphysique traditionnelle.

III. FIGURES PARADOXALES
DE L'IMMANENCE DU VRAI
DANS LA LOGIQUE MODERNE
ET LES SCIENCES EXPÉRIMENTALES

Le projet de *produire effectivement du vrai* (qu'on
le découvre tel qu'il est là, ou qu'on l'invente), si loin
qu'on le pousse, ne peut malheureusement pas satisfaire l'esprit, si l'on reste attentif au sens du concept
de vérité, si vague qu'il paraisse, que propose la
métaphysique. Ce projet rencontre en effet deux
limites, dans les deux directions les plus décisives où
il puisse s'engager : d'un côté, la vérité s'autoprodui-
sant de manière déductive (dans les formes de la
logique), et d'autre part (sur le modèle des sciences
de la nature), la recherche inductive de lois vraies. Il
ne fait pas de doute, bien sûr, qu'on aille, dans l'un et

l'autre cas, du vrai au vrai[1]. Mais les deux paradoxes qu'on va ici mettre en avant (la dissolution du concept philosophique de vérité-origine dans la mathématisation logiciste, et l'aporie épistémologique du « vérificationnisme ») éclairent de manière privilégiée l'insuffisance philosophique des résultats auxquels on parvient alors. Car, certes, c'est une chose que de réduire à un fait culturel la problématique métaphysique de la vérité, et l'on peut très bien l'éliminer dans le cadre strict d'un logicisme de principe, ou du positivisme, ou d'une habile combinaison des deux[2]. Il n'en demeure pas moins, comme on va voir, que *la question de la vérité du vrai* (de ce qui fait que le vrai est vrai, ou du principe d'où s'origine cette vérité du vrai) *ne s'évanouit pas*. Mais elle fait retour, chaque fois, sous des habits d'emprunt, sous lesquels il faut la reconnaître, au titre d'une exigence « éthique » qui suit comme son ombre l'élaboration de théories de la vérité tournées contre la métaphysique (le Cercle de Vienne, au début du siècle, y travaillait explicitement). Mais celles-ci, pour finir, reconduisent paradoxalement les conclusions les plus précieuses de ce qu'elles rejettent.

---

1. Encore qu'il faille faire une place, dans la méthodologie scientifique, à la démarche par « essais et erreurs », et au rôle capital de cette dernière dans l'obtention du vrai.

2. Ainsi Dilthey parlait-il des grandioses constructions de l'idéalisme allemand comme de « poèmes conceptuels ». La pseudo-générosité du propos ne rachète pas l'incompréhension dont elle résulte.

*Déduire le vrai du vrai : de l'exigence
ontologique de stabilité formelle
du jugement à la dissolution
logico-mathématique du concept
de vérité*

« *Ratio autem veritatis consistit in nexu praedicati
cum subjecto, seu ut praedicatum subjecto insit, vel
manifeste, ut in identicis [...], vel tecte.* » « *Et in identicis quidem connexio illa atque comprehensio praedicati in subjecto est expressa, in reliquis omnibus
implicita, ac per analysin notionum ostenda, in qua
demonstratio a priori sita est*[1]. »

Nulle part n'est mieux exposée la thèse selon
laquelle la « raison » (*ratio*), c'est-à-dire l'essence de
la vérité, réside (*consistit*) dans le jugement prédicatif : dans la connexion (*nexus*) du sujet au prédicat.
En effet, on ne dit pas *d'une chose* qu'elle est vraie,
mais plutôt d'une proposition, où, *de cette chose*, est
affirmé ceci ou cela. Mais Leibniz associe ce thème,
et de la manière la plus vigoureuse, à l'idée que le
jugement prédicatif est ce « lieu » de la vérité, à la
condition expresse que le prédicat affirmé soit *dans*
le sujet (*insit*), et seule cette connexion est recevable

1. *Opuscules et fragments inédits de Leibniz*, Couturat éd.,
Paris, 1903, nos 11 et 519. « La raison d'être de la vérité réside
dans la connexion du prédicat au sujet, autrement dit que le
prédicat est compris dans le sujet, soit de façon manifeste,
comme dans le cas des propositions identiques, soit de
manière cachée. » « Et si dans les propositions identiques la
connexion et la compréhension du prédicat dans le sujet est
explicite, dans le reste des cas, elle est implicite, et il faut la
démontrer par l'analyse des notions, ce en quoi consiste une
démonstration *a priori*. »

en l'espèce. Le prototype de cette inclusion, on l'observe dans les jugements d'identité (*in identicis*), jugements où cette connexion par inclusion « compréhensive » (*comprehensio*, au double sens intellectuel et spatial) est explicite (*expressa*). Dans tous les autres cas où cette inclusion est implicite (*implicita*), il faut la révéler par l'analyse des notions, et ceci constitue alors une démonstration *a priori*. À cette idée fondamentale, Leibniz apporte deux précisions étroitement liées à sa conception ontothéologique de la vérité. Il expose la première dans la *Monadologie* : « Il y a aussi deux sortes de *vérités*, celles de *Raisonnement* et celle de *Fait*. Les vérités de *Raisonnement* sont nécessaires et leur opposé est impossible, et celles de *Fait* sont contingentes et leur opposé est possible. Quand une vérité est nécessaire, on peut en trouver la raison par l'analyse, la résolvant en idées et en vérités plus simples jusqu'à ce qu'on en vienne aux primitives[1]. »

D'où il s'ensuit, et c'est même la déduction *princeps* de toute attitude logiciste (s'opposant radicalement à Aristote sous ce rapport), que *l'usage du principe de contradiction peut être créateur de connaissance*. D'un côté, en effet, si je trouve un « opposé[2] » possible à une vérité de fait, cet opposé, par cela seul que je le conçois clairement et distinctement, m'apprendra la *possibilité absolue de l'existence d'un autre fait*; de l'autre, si je n'en trouve aucun, et si une série de propositions sont vraies ensemble, mais sans être dans un rapport d'opposition, il s'ensuit qu'elles sont toutes analytiquement

1. Leibniz, *Monadologie*, § 33, trad. fr. L. Prenant, in *Œuvres*, Aubier-Montaigne, 1972, p. 401.
2. Par ce terme, Leibniz paraît désigner les contraires, les subcontraires et les contradictoires.

compossibles. Le système qu'elles forment alors (et qui n'est rien d'autre que l'entendement de Dieu) épuise le sens du concept de « vérité éternelle », qui se ramifie en vérités « primitives » — qu'elles soient des propositions identiques, ou qu'on ne puisse en rendre raison et qu'elles s'imposent immédiatement (telles les vérités axiomatiques). La difficulté concerne en fait les vérités « contingentes », qui ne se laissent pas si évidemment ramener à des propositions primitives. Dans la mesure où le prédicat est dans le sujet, on a affaire à une vérité; mais il faudrait une *infinité* d'étapes pour résoudre ces vérités en propositions identiques primitives, parce que l'existence, par exemple, de cette chose, tient à la connexion infinie des choses d'où elle procède sans contradiction (puisqu'elle existe), mais sans que nous puissions apercevoir la raison ultime de l'agencement producteur de cette chose-ci, plutôt que d'une autre. La solution proposée par Leibniz est la suivante :

« Mais dans les vérités contingentes, bien que le prédicat soit dans le sujet, jamais cependant il ne peut être démontré à partir de lui et jamais la proposition ne peut être ramenée à une équation ou identité, mais la résolution procède à l'infini. Dieu seul voit, non certes la fin de la résolution — fin qui n'a pas lieu —, mais cependant la connexion des termes ou enveloppement du prédicat dans le sujet, parce qu'il voit toute chose qui est dans la série [...]. Et elle [la vérité contingente] exprime, d'une certaine manière qui lui est propre, la perfection de Dieu et l'harmonie de toute la série des choses[1]. »

1. Leibniz, *De la Liberté*, § 9, trad. fr. L. Prenant, *op. cit.*, Aubier-Montaigne, 1972, p. 381. On voit ainsi le double sens de l'*inesse* leibnizien : le prédicat « est dans » le sujet s'entend à

Qu'on ne se méprenne pas sur ce recours à Dieu : il ne revient pas à confier à une puissance transcendante invoquée pour la circonstance la subordination ontologique des vérités contingentes aux vérités *a priori* compossibles dans son entendement infini. Tout pittoresque métaphysico-théologique laissé de côté, comme dira Quine, il reste au contraire la mise en évidence, dans le concept même de vérité, d'une proximité essentielle entre vérité formelle (logique) et vérité matérielle (empirique), proximité qui interdit que l'on disjoigne ontologiquement les univers où l'une et l'autre s'inscrivent. L'immanence du vrai, en ce sens, repose sur une théorie de *l'univocité* de la vérité, accompagnée de la conscience que nous n'irons jamais d'idée vraie en idée vraie que de façon intrinsèquement *finie*.

La thèse de Leibniz peut donc, à bon droit, et au moins dans un premier temps, être comprise comme l'origine de la rationalité logiciste moderne, selon l'interprétation de Russell, qui en fut un des promoteurs. En ce sens, elle conduit droit à l'autonomisation des procédures formelles d'inférence, qui se déploient sans égard à quoi que ce soit d'extralogique (de factuel ou d'empirique), mais n'en sont pas moins autant de sources de connaissance non triviale. La connaissance « symbolique » indirecte reste assurément, chez Leibniz, d'un rang inférieur à la connaissance « adéquate », qui seule peut devenir « intuitive », mais le principe de cette infériorité est théologique, et n'exprime que le choc en retour de

la fois au sens de la compréhension intellectuelle (saisissant le concept, je saisis en même temps tout ce qu'il « contient »), et au sens du regard inspectant un dedans spatialisé où tout se « concentre » (Leibniz pouvait alors penser à la géométrie perspective de son temps).

l'idéal de la science divine, et de l'« intuition intellectuelle », sur l'imperfection cognitive de l'âme
humaine. En réalité, nous n'avons pas forcément
besoin, pour arriver à *quelque vérité*, de l'intuition
intellectuelle de la métaphysique, ni du contact
direct avec l'« état de chose ». Ainsi, paradoxalement, Leibniz, quels que soient les buts qu'il se propose, et que Russell invite à mettre au compte d'une
idéologie religieuse extrinsèque, contribue plutôt à
purifier la problématique de la vérité de la question
de savoir ce que la vérité peut être *pour des êtres tels
que nous.* Il donne l'idée de chercher, au contraire,
comment la vérité, et elle seule, se produit dans la
proposition, sans égard à l'aspect psychologico-sub-
jectif sous lequel elle se livre. C'est chez lui en effet
que l'on découvre la puissance *vérifiante* de l'application d'une règle dans le parcours de symboles quelconques, pourvu que la phrase qu'ils forment soit
correctement composée, et la première audacieuse
confiance dans la dynamique de la preuve, sans
recours à la réflexivité qui, du dehors, questionne le
« probant » dans la preuve et la « vérité » du vrai tel
qu'il a été prouvé.

Nulle surprise, donc, si le projet fondateur de la
logique contemporaine, initié par Frege dans la
seconde moitié du xixᵉ siècle, se réfère à Leibniz. Le
but de Frege, en effet, est de construire effectivement ce qui chez Leibniz était demeuré un rêve,
autrement dit une *lingua rationalis*, ou *characterica*,
c'est-à-dire une langue, munie d'un vocabulaire de
symboles et de règles de composition, dont les
phrases réfléchissent les relations réelles qu'entretiennent entre eux les objets symbolisés. Par là, et
contre la tradition logico-mathématique de son
temps, Frege se démarque du « formalisme » : il est

vrai qu'en logique la forme est tout, si l'on veut dire
par là que seules des relations logiques doivent être
admises entre propositions, mais il ne s'ensuit pas
que les signes mobilisés par le calcul soient vides, ou
formels au sens d'une convention. En ce sens, le projet frégéen est bien celui d'une *logique de la vérité*.
Car la fameuse « idéographie » (*Begriffschrift*) à
laquelle il aboutit, si mal nommée, ne prétend pas
exprimer symboliquement des concepts (*Begriffe*),
mais porter sur le *contenu* (*Inhalt*) *des jugements*, ou
ce qu'il distingua plus précisément — on dira comment — comme leur *dénotation* (c'est-à-dire ce qui
est susceptible, dans une pensée, d'être vrai ou faux).
Même si l'unique application en fut la reconstruction logique de l'arithmétique, cas exemplaire où le
formalisme opératoire n'exclut nullement le
contenu, Frege voyait donc dans son travail une
petite partie d'un vaste projet, visant à refonder
d'autres « caractéristiques » *réelles*, bien établies par
les sciences — par exemple celle de la chimie.

Sur la notion frégéenne de vérité, on fera donc
deux remarques. La première porte sur le critère
d'analyticité, intangible depuis Leibniz (et admis
encore par Kant) : la vérité logique analytique
implique que *praedicatum inest subjecto*. À cette formule échappent un ensemble de résultats authentiquement mathématiques, qui sont tout simplement
les « propositions existentielles », d'usage banal,
comme lorsqu'on pose qu'une équation, en vertu de
sa seule *forme* polynomiale, a *tant* de racines
entières. On ne voit pas, en effet, où l'*existence* de ces
racines pourrait trouver place « dans » le sujet de la
prédication. L'autre point, qui montre la profondeur
de la réflexion de Frege sur les insuffisances de la
doctrine leibnizienne, consiste à trouver extravagant

que le savoir arithmétique, par exemple, s'enracine dans les seules « vérités primitives » par *identité* : qu'on puisse à la rigueur se l'imaginer pour des propositions triviales $(2+2=4)$, et qu'on construise à cet effet une syllogistique naïve, réduisant à « barbara » l'égalité mathématique, c'est évidemment possible. Leibniz l'a fait. Mais qu'on songe seulement à la sophistication extraordinaire de la théorie des nombres ou aux équations diophantiennes : dès que les relations d'égalité deviennent non triviales, l'enracinement dans l'identité devient verbal, impuissant à exprimer la complexité des relations entre nombres. L'exigence de maintenir la logique dans la sphère de l'analytique aboutit donc à rendre le contenu de cette sphère plus richement manipulable. C'est alors que Frege fait appel, comme principe suprême de la calculabilité des propositions, à l'axiome, pris à Leibniz : *Eadem sunt quae substitui possunt salva veritate*. Sont *analytiquement* identiques les termes qui peuvent être substitués l'un à l'autre, *salva veritate* (sans que la vérité en souffre). S'y référant sans cesse, on peut ainsi passer d'une expression à une autre, et produire un effet de savoir, sans limiter le développement des calculs à l'imaginaire d'une « inclusion » métaphorique. Mais quel usage fait donc Frege de la vérité ? Quel genre de garantie trouve-t-il là pour la calculabilité logique ?

Dans la conception traditionnelle de la vérité, celle-ci se manifestait par un effet originaire de constance dans la variation, au point que l'*idéa* platonicienne est d'abord cette constante ontologique, et manifeste ensuite seulement sa puissance régulatrice dans le langage, qu'elle qualifie à dire le vrai. La variation eidétique de Husserl accomplit cette conception. Mais ici, la constance de la vérité est *présupposée* à la substitution de propositions les unes aux autres, sans qu'à aucun moment Frege s'interroge sur l'ontologie de cette constance. Or, s'il est clair que l'usage leibnizien de la maxime litigieuse procède d'une théologie, qui assure en dernière instance la possibilité de la substituabilité à l'identique, *salva veritate*, de propositions distinctes, on voit d'autant mieux chez Frege à quoi la vérité ressortit désormais : à la seule puissance de la démonstration qu'elle rend possible — et que l'extension frégéenne du concept d'analyticité libère de ses vieilles limites. En effet, par « démonstration » (et c'est le sens moderne complet du terme), il n'entend plus qu'une suite de propositions, dont chacune est soit vraie axiomatiquement, soit déduite immédiatement de la précédente, soit obtenue par définition sans qu'on ait à consulter la compréhension des concepts (à quoi permet d'atteindre la maxime *Eadem sunt*). L'analyticité syllogistique leibnizienne cesse du coup d'être la norme imprescriptible de l'analyse, puisqu'il n'y a désormais plus aucun « emboîtement » eulérien à analyser[1]. Tombe donc également par là l'objection liée à cette analyticité syllogistique, qui rendait indéductible l'existence d'objets mathématiques. Pour Frege, la puissance logique s'enracine dans la pensée qui démontre, pensée dont les opérations formelles portent en même temps sur des contenus réels (pas sur des signes vides), et la vérité n'a plus d'autre raison que cette puissance démonstrative en acte. Il n'est pas difficile d'apercevoir, au

---

1. Les diagrammes d'Euler, qui incluent dans des cercles concentriques de plus en plus étroits les contenus subordonnés d'un énoncé, offrent une illustration intuitive (quoique naïve) de l'*inesse* du jugement analytique.

vu d'une semblable conclusion, que l'origine de la logique moderne se trouve dans la réflexion sur Leibniz et Kant.

Mais quel rôle positif l'adage *Eadem sunt* joue-t-il dans cette logique nouvelle (véritablement caractéristique) ? C'est le lieu d'aborder le point le plus épineux du logicisme frégéen, fameux à cause des « antinomies » auxquelles il devait donner lieu. Dans cette affaire, on met rarement au premier plan la question de la vérité. Elle est pourtant au cœur de ce qui pour Frege, confronté aux objections de Russell, devint une tragédie intellectuelle. Pour l'exposer, on distinguera l'origine épistémologique de la difficulté, son développement explicite dans la théorie, et ses conséquences philosophiques pour le concept de vérité.

L'origine de la difficulté se trouve dans l'article sur *Sens et dénotation* : la notion de « contenu », capitale, on l'a vu, pour démarquer la caractéristique de tout formalisme conventionnaliste, s'avère trop fragile. Car, par « contenu du jugement », désigne-t-on la « référence objective » de l'expression, ou bien son « sens pour nous » appréhendé à travers les catégories de la grammaire commune, ou bien les deux ? À l'évidence, seule compte la référence objective. C'est pourquoi deux expressions de « sens » différent, « étoile du matin » et « étoile du soir », ont ce que Frege appelle une même « dénotation » : Vénus, qui est leur référent objectif. L'idéographie, au sens strict, ne peut porter que sur le dénoté. Mais s'il est si redoutable de réexaminer la notion de contenu, c'est qu'elle est, pour ainsi dire, *l'articulation philosophique de la première tentative d'idéographie à la conception classique de la vérité* — conception qui impose de la « saisir » (*erfassen*). L'abîme devant lequel Frege recule peut être caractérisé en disant qu'il ne voyait pas comment maintenir la *puissance formelle du calcul*, et sa relation à des contenus, sans renoncer justement à ce que la logique, selon le mot de Boole, exprime les « lois de la *pensée* ». Il y a, de quelque façon qu'on sépare sens et dénotation, quelque chose d'irréductiblement *représentationnel* chez Frege. Et il lui est donc clairement impossible de s'engager à fond dans une théorie où les phrases de l'idéographie ne seraient que l'ensemble des « expressions bien formées » d'une *langue formulaire*, au vocabulaire et aux règles fixés axiomatiquement. Or, si penser le vrai c'est le saisir (et non, par exemple, le « créer » en pensant), Frege ne se rattache-t-il pas en fait à la lignée des doctrines métaphysiques de la vérité, qui l'enracinent dans un pur *noein* ? En ce sens, les possibilités conceptuelles neuves offertes par l'*écriture* logique ne sont pas radicalement explorées.

Cette hésitation se développe avec l'aporie qui ruine l'édifice frégéen. Sa construction de l'arithmétique repose, en effet, sur deux remarques jamais faites auparavant :

1) La première consiste à considérer le nombre comme attribué non à des choses, mais à des concepts : « 4 » n'est pas attribué aux individus réels qui composent l'attelage du carrosse de l'empereur, mais au concept « être un cheval de l'attelage du carrosse de l'empereur ». Sans entrer dans les détails de la preuve et de son intérêt stratégique pour éliminer les obscurités du concept de nombre, on retiendra seulement ceci : Frege découvre là une stratification logique des expressions, qui est inaccessible, si notre vision des relations réelles entre les pensées est obscurcie par la grammaire de la langue ordinaire. La

Begriffschrift n'est rien que l'explicitation de ces différences de niveaux, notamment des hiérarchies de « concept de concept » occultées par la langue, et où la prédication aristotélicienne reste enlisée.

2) La seconde remarque consiste à dire qu'identifier un nombre revient à en trouver un second, déjà connu, qui lui soit égal, et que cette égalité apparaît si l'on peut construire, entre les individus qui tombent sous le concept du premier (son « extension ») et ceux qui tombent sous le concept du deuxième, une *bijection*. Tel est le cas quand pour savoir s'il y a *autant* de fourchettes que de couteaux sur la table (ce qui définit le « cardinal » de leur nombre total), je regarde s'ils sont à chaque fois de part et d'autre de l'assiette — sans avoir ainsi à les compter un à un. D'où la définition frégéenne du nombre : « Le nombre qui appartient au concept F est l'extension du concept : "équinumérique au concept F"[1]. » Or, demande Frege, *pourquoi la vérité n'appartiendrait-elle pas aux propositions, comme le nombre au concept ?*

Si l'on remarque en effet que le vrai s'impose à la pensée de quiconque formule un jugement (y compris du pire sceptique), il paraît, de ce fait, devoir être traité comme un *objet à saisir*, tout comme un nombre. D'où il s'ensuit que « 2 + 2 = 4 » (en arithmétique) et « p est équivalent à q » (en logique) sont passibles d'une même méthode d'analyse : il s'agit de propositions analytiques, et l'on peut permuter les deux côtés de l'égalité arithmétique *ou aussi bien* de l'équivalence logique, parce

1. Frege, *Les Fondements de l'arithmétique. Recherches logico-mathématiques sur le concept de nombre*, trad. fr. C. Imbert, Seuil, 1969, § 68, p. 194.

que les valeurs de vérité (qui sont les « dénotations »
des expressions logiques) y restent *objectivement*
inchangées, alors que leur « sens » (comme je le
connais), évidemment, se modifie. Car ce n'est pas la
même chose que « 2 + 2 », et « 4 ». La clause *salva
veritate* de l'adage *Eadem sunt* garantit, si l'on peut
dire (et Frege le dit), la légitimité de cette permuta-
tion. Quand Frege reprend ensuite, plus techniquement, la notion de « vérité-objet », dans *Les Lois fondamentales de l'arithmétique*, il définit du coup le
vrai comme une « extension de concept [1] », reprodui-
sant la stratégie qui avait si bien réussi avec les
nombres cardinaux. Il aboutit ainsi à formuler une
certaine loi, dite « loi V », qui n'est que la reprise
dans l'idéographie de la maxime *Eadem sunt* : cette
loi, qui repose sur la transformation du jugement
prédicatif classique en fonction mathématique, sti-
pule que si les « valeurs » (c'est-à-dire ce à quoi f(x)
est égal) que prennent deux « concepts » (notés f( ) et
g( ), où les blancs entre les parenthèses sont des
places non saturées destinées à recevoir les arguments) pour le même « argument » (x ou y, etc.) sont
toujours les mêmes, alors les « extensions » de ces
concepts (c'est-à-dire l'ensemble des objets qui
tombent sous le concept) *sont aussi identiques*. La
loi V, si litigieuse, est donc l'outil qui permet à Frege
de traiter *de la même manière* les nombres cardinaux
(comme on voit en comparant leur définition à la
loi V, qui la sous-tend) et toutes les propositions
logiques (y compris les « fonctions de vérité », qui
sont ces fonctions bien particulières, et dont l'analyse mathématique n'a pas l'usage, qui prennent leur

1. Frege, *Grundgesetze der Arithmetik*, vol. I, Breslau, 1893,
§ 10.

valeur dans l'ensemble des « valeurs de vérité », le vrai et le faux, noté [V,F]). Autrement dit, la loi V permet de tout traiter *analytiquement*.

Le malheur, c'est qu'on ne peut traiter à l'identique les fonctions de vérité et les concepts normalement dotés d'une extension, sur le modèle des fonctions mathématiques. Ainsi, la fonction de vérité f, qu'on va écrire avec sa place d'argument vide entre parenthèses, f( ), aurait pour *valeur* le vrai quand son *argument* est le vrai, f(V) = V, et le faux dans tout autre cas. Mais quelle sera l'*extension* de ce concept-fonction de vérité ? Ce sera une fois encore le vrai — et l'on ne voit d'ailleurs aucun autre candidat plausible. La fonction de vérité aura donc pour argument sa propre extension, ce qui est le principe de l'antinomie de Russell. Qu'il suffise ici de la rappeler : si l'argument du concept « être une classe qui ne s'appartient pas à soi-même » est sa propre extension, quelle est alors sa valeur de vérité ? On voit tout de suite que l'extension de ce concept est la classe des classes qui ne s'appartiennent pas à elles-mêmes. Mais cette dernière classe s'appartient-elle à elle-même (question cruciale, qui fait de l'extension du concept son propre argument) ? Qu'on réponde oui ou non, il y a contradiction[1]. La loi fondamentale V est donc fausse, et l'usage que Frege en avait fait dans la construction des cardinaux devient du même coup suspect. Il faut alors refonder la logique sur d'autres bases pour préserver de l'antinomie la partie saine de l'édifice, la théorie de l'arithmétique. La clause *salva veritate* s'avère, en dernière analyse, purement verbale.

Mais, et c'est philosophiquement plus décisif, on

---

1. *Ibid.*, vol. II, Appendice.

découvre surtout, par ce détour, qu'il est *impossible de considérer la vérité comme un objet au sens logique* [1]. L'idée en avait germé dans la construction du concept de nombre, quand Frege avait forgé le concept de « concept-unité », qui subsumait des individus réels, ces derniers étant, en tant qu'objets, irréductibles à la classe qu'ils forment. Mais quelles que soient les manœuvres que Frege ait tentées, on ne pourra jamais faire que la vérité admette une telle irréductibilité : ou bien il y aura une infinité de véri-tés-objets individuelles (par exemple pour chaque proposition vraie), auquel cas elle ne sera jamais *un* objet ; ou bien elle reviendra à une qualité s'éparpil-lant sur toutes les propositions vraies, une vérité-concept, auquel cas elle ne sera jamais un *objet*.

La conséquence à tirer de ces remarques est qu'en réalité, on ne sait pas du tout ce qu'on *pense*, quand on *dit* qu'une proposition « est vraie ». Il y a bien du vrai, et même, à n'en pas douter, une infinité de pro-positions vraies, mais le vrai en lui-même se dérobe à toute prise, là où, à l'inverse, on s'attendrait plutôt à ce qu'il soit éminemment saisi et déterminé, dans l'articulation *par la pensée* des énoncés logiques. C'est à Wittgenstein que revient le dernier mot :

« Les théories qui font apparaître une proposition de la logique comme ayant un contenu sont toujours fausses. On pourrait croire, par exemple, que les mots "vrai" et "faux"» désignent deux propriétés parmi d'autres, et que par conséquent ce soit un fait remarquable que chaque proposition possède l'une ou l'autre. Ce qui semble alors rien moins qu'aller de

---

1. Pour Frege, il n'existe que des objets ou des concepts (et des concepts de concepts, etc.). Est donc objet ce qui ne comprend plus aucune place vide d'argument à saturer, autre-ment dit, ce qui n'est plus concept de rien.

soi, pas plus que ne sonnerait comme allant de soi, par exemple, la proposition : "toutes les roses sont ou jaunes ou rouges", même si elle était vraie. Cette proposition acquiert alors tous les caractères d'une proposition des sciences de la nature, et c'est l'indice sûr qu'elle aura été conçue faussement[1]. »

Par là, Wittgenstein s'en prend à l'irrésistible appétence qui nous tourne vers la vérité comme vers « quelque chose », que ce soit une qualité, ou même, si elle n'a rien de substantiel, du moins une relation, celle qui unirait par exemple le signe à ce qu'il dénote. L'immanence de la vérité, chez Wittgenstein, se traduit donc de deux manières.

Tout d'abord, *il faut réduire l'usage logique de [V,F] à sa pure écriture*, mise en œuvre par des « tableaux de vérité », dont il est, sinon l'inventeur, du moins le premier à voir la portée. Dans ces tableaux sont mises combinatoirement en relation les valeurs de vérité des propositions. Comme cette combinatoire est close, le nombre de connecteurs logiques possibles l'est aussi (pour p et q, c'est 2^3, soit 16). Une tautologie, qui demeure vraie quel que soit ce qui est le cas (par exemple, « p ou non-p » est V, que p soit V ou F), indiquera juste la forme logique nécessaire du monde ; mais dans le cas d'une proposition non-tautologique, je devrai consulter la réalité (par exemple, « p ou q » est V, s'il y a « p », ou « q », ou les deux). D'où le constat qui suit, propre à extirper à la racine l'ambition métaphysique de « saisir » intellectuellement le vrai : « La raison sera maintenant claire pour laquelle on a souvent eu le sentiment que les "vérités logiques" doivent être de nous "exigées" :

1. Wittgenstein, *Tractatus logico-philosophicus*, trad. fr. G.-G. Granger, Gallimard, 1993, 6.111.

nous pouvons effectivement les exiger, dans la mesure où nous pouvons exiger une notation convenable[1] ». Ensuite, il est totalement impossible, et telle est la seconde conséquence de l'immanence du vrai, qu'aucun langage doué de sens, ou qui exprime des faits, en sorte que sa forme logique reflète leur structure, puisse dire quoi que ce soit de vrai sur lui-même et ses lois : « Il n'est pas possible qu'une proposition dise d'elle-même qu'elle est vraie[2] ». Le vrai est toujours déjà donné, au sens où la logique *se montre* toute avec le langage, et ne se *dit* pas en lui. Il n'y a pas de lois logiques des lois logiques elles-mêmes. La phrase si fameuse du *Tractatus*, selon laquelle les propositions de la logique ne disent rien (car elles sont analytiques)[3], n'est, par suite, nullement une autodestruction sceptique du logicisme : elle délimite, sans prétendre le dire, *l'ouverture fondamentale de l'espace logique du monde* : celle-ci n'*est* certes pas rien, quoiqu'on ne puisse rien en *dire*, mais elle est *tout ce qu'il y a*. La contrepartie négative de cette thèse de l'immanence de la vérité, est qu'il n'y a aucun discours sensé correct touchant l'éthique ou l'esthétique (le « Supérieur », dit Wittgenstein). Le silence, à leur égard, est de rigueur, parce qu'elles sont, et cela en relation conceptuelle directe à l'immanence du vrai propositionnel qui interdit de les formuler, « transcendantales[4] ».

Au terme d'une analyse de la vérité, menée contre toutes les captations métaphysiques auxquelles elle donne lieu, et qui toutes, à leur manière, instaurent une transcendance du vrai à la pensée, rien n'est

1. *Ibid.*, 6.1223.
2. *Ibid.*, 4.442.
3. *Ibid.*, 6.1 et 6.11.
4. *Ibid.*, 6.421.

plus saisissant que de voir ainsi surgir à l'horizon les deux figures du nécessaire jaillissement préalable du monde : l'art et la liberté. Ainsi, lorsqu'on récapitule le cheminement qui conduit du logicisme leibnizien, confiant dans la puissance ontologique de la raison à déduire la vérité, jusqu'à Wittgenstein, qui, après Frege, purifie la philosophie de la logique en une théorie des formes et des déductions où le vrai perd tout statut d'objet (et intègre la liste des symboles requis par le calcul), on pourrait, peut-être, désespérer du raffinement sans cesse plus grand de l'esprit analytique. Mais la circonscription ultime de la sphère immanente du vrai, dans un langage doué de sens, par une éthique et une esthétique « transcendantales » (donc « mystiques », c'est-à-dire, qu'il faut savoir *taire* en connaissance de cause)[1], démontre que la philosophie de la vérité, en suivant cette voie, ne dégénère pas en une technique mathématique aveugle. La vérité, certes, s'efface sous la notation des « valeurs de vérité » ; mais elle fait également retour, et avec combien de force, dans la figure de cette béance, où le tout du monde prend place. Aussi, loin de marquer une rupture dans le questionnement de la vérité, le logicisme, par cette rencontre imprévue avec le transcendantal, s'articule étroitement au point de départ stoïcien, opposant la vérité et le vrai ; et il se rattache essentiellement, chez Frege et Wittgenstein, à Leibniz et Kant, et aux réflexions de la philosophie classique qu'il suppose et accomplit à sa manière.

---

1. *Ibid.*, 7.

*Le vérificationnisme, sa critique et l'idée
d'une vérité scientifique en devenir*

La déduction formelle du vrai, dans le calcul
logique, n'est pas, loin s'en faut, l'unique moyen
d'enchaîner adéquatement nos idées et de produire
enfin des vérités. L'induction, considérée comme la
méthode des sciences de la nature, et qui culmine
dans la formulation de lois universellement vraies,
est l'autre moyen de vérité couronné à l'époque
moderne. Mais en quel sens? Plus précisément,
l'induction est-elle une méthode infaillible de la
vérité, ou encore un procédé logique pour s'élever
systématiquement de la recension des données
empiriques vers la totalité idéale des lois scientifiques avérées? La question mérite d'être posée dans
la mesure exacte où il est tout à fait concevable de
vouloir remplacer la vérité philosophique par
l'ensemble (présumé *a priori* cohérent) des énoncés
scientifiquement vrais : telle fut l'ambition explicite
du Cercle de Vienne, et c'est dans sa plus grande
proximité que Popper tenta de s'y opposer.

La critique par Popper du projet du positivisme
logique repose en effet sur une idée simple. Au lieu
de faire le jeu de la science telle qu'elle se fait réellement, Carnap, par exemple, ne produit qu'une nouvelle métaphysique « scientiste », que sa rhétorique
positiviste ou matérialiste lui dissimule. En effet,
dans l'opération qu'il préconise, le même esprit prévaut toujours : l'ambition d'un recouvrement platonicien du monde réel par un autre, idéal, qui
consiste seulement en un système de règles logiques
et de protocoles d'expérience. La preuve en est le

style dogmatique typique du Cercle de Vienne, se permettant d'assigner *a priori* ce qui a ou non un sens dans la réalité, en fonction d'un nouveau critère : la vérifiabilité expérimentale. De Platon, on conserve là l'essentiel, l'idée de fonder la science, et de communiquer à ce fondement intangible l'autorité d'une vérité éternelle et transcendante. Bien sûr, au ciel des idées contemplé par l'intellect, qui est l'œil de l'âme, s'est substitué le plafond bas du laboratoire de mesures physiques, où nul ne pénètre, en outre, s'il n'est chaussé des lunettes prismatiques du professeur de logique, lesquelles décèlent uniquement les connecteurs propositionnels. Mais ce cadre, rigoureux vu du dedans, n'est en réalité, vu du dehors, qu'une barricade dressée contre la vérité que la science, à la même époque, bouscule, et jette dans des chemins inattendus. Au lendemain de la Grande Guerre, deux savants, Einstein et Freud, fascinent en effet les Viennois.

Or, Einstein ne se soucie nullement des fondations ultimes de l'édifice du vérifiable. Son ambition est plus modeste, il lui importe seulement *que ses hypothèses résistent à certains tests* (évidemment cruciaux). C'est là un rapport à la vérité tout différent. Pour l'atteindre, nul besoin, en toile de fond, d'une « structure (*Aufbau*) logique du monde ». L'*effet de vérité*, qui doit nous suffire, naît localement, d'une hypothèse *corroborée*, et dont tout atteste par ailleurs qu'elle aurait pu être fausse. C'est donc comme antithèse au concept positiviste logique de vérifiabilité, que Popper forge le concept de falsifiabilité : « Un énoncé, ou une théorie, est, selon mon critère, falsifiable si et seulement s'il en existe au moins un falsificateur potentiel, autrement dit un énoncé de base possible qui soit en contradiction logique avec lui. Il est important de ne pas exiger que l'énoncé de base soit *vrai*. La classe des énoncés de base est qualifiée de telle manière qu'un énoncé de base décrit un événement logiquement possible, dont l'observation est aussi logiquement possible[1]. »

Sous ce rapport, la théorie de la relativité est falsifiable. Prenons l'exemple crucial des perturbations de l'orbite de Mercure, sur lesquelles les contemporains avaient fait, autour de 1925, reposer la validité empirique de la théorie de la relativité. Rien n'excluait logiquement (et au contraire, la mécanique newtonienne admise jusqu'alors le supposait plutôt) que son orbite restait globalement inchangée sur cent ans. Que la théorie d'Einstein ait pu prédire la précession séculaire du périhélie (qui donne à la trajectoire de Mercure un dessin « en rosette ») et, de plus, en calculer la valeur (43 secondes d'arc par siècle), cela contre toute attente, c'était assurément pour elle une confirmation majeure. Son falsificateur potentiel le plus évident (la mécanique newtonienne classique) se révélait faux, alors qu'il aurait pu, tant logiquement qu'à l'observation, lui donner tort.

La falsifiabilité, pourtant, est seulement un critère de *démarcation* entre une théorie scientifique, et, d'autre part, les théories non scientifiques (les pseudo-sciences ou les savoirs non encore scienti-

1. Popper, *Le Réalisme et la science*, trad. fr. A. Boyer et D. Andler, Hermann, 1990, introduction de 1982, p. 2. L'élément paradoxal de cette théorie est la manière dont elle évite justement la circularité. Il va de soi que si l'« énoncé de base » (la proposition scientifique qui sert d'hypothèse fondamentale à la théorie) était vrai dès le départ, personne ne verrait d'où le vrai est engendré, ni comment. Ni l'expérimentation ni l'observation ne seraient alors nécessaires.

fiques), ainsi que les mathématiques, qui excluent la testabilité empirique. La falsifiabilité n'est pas un critère de vérité. Il y a, ainsi, des hypothèses scientifiques falsifiables, qui se sont pourtant révélées fausses — et la physique fondamentale est un cimetière de constructions mathématiques brillantes qui n'ont pas résisté à un seul petit démenti expérimental. Mais Popper justement ne croit pas du tout qu'il puisse exister de critère général de vérité. L'erreur la plus radicale de l'esprit humain est même de s'être épuisé en vain à en chercher, et à avoir donc négligé sa seule tâche possible, la construction d'hypothèses s'ouvrant toujours plus à la possibilité de leur réfutation. Ce qui nous effraie, en un sens, c'est l'irréductibilité du vrai à une clôture de la Vérité sur elle-même. Car ainsi, la série des connaissances vraies devient réellement infinie et fait figure d'abîme auquel nous mesurons la fragilité du savoir présent.

Il faut déplier les deux conséquences essentielles de cette approche de la vérité. La première est que les hypothèses n'ont plus, désormais, à *procéder* des données rassemblées par induction. Vérifiabilité et falsifiabilité sont en effet dans un rapport asymétrique. Car les énoncés universels qui constituent les hypothèses scientifiques appelées à devenir des lois (si l'expérience les corrobore) peuvent être contredits par les énoncés singuliers issus de l'expérience ; en revanche, jamais on ne peut déduire logiquement les premiers des seconds, ce qu'Aristote savait déjà. Certes, l'induction peut donner des idées au savant ; elle ne justifie nullement les hypothèses en tant que telles, qui résultent d'un acte créateur de l'esprit. En fait, une hypothèse n'a pas à récapituler implicitement toute l'architecture du monde déjà connu, pour la compléter du nouveau fait qu'elle aura permis d'expliquer. C'est une fois inventée qu'elle doit se prouver, autrement dit, résister aux contre-exemples, aux objections. En cela, Popper crédite l'homme d'une capacité intellectuelle intrinsèque d'élan vers la vérité, qui l'autorise à transcender, dans un premier temps, tout le donné connu, pour le redécouvrir ensuite, en un second temps, non pas mieux fondé dans l'absolu, mais assis sur des bases un peu plus sûres.

La seconde conséquence de la doctrine de la falsifiabilité est qu'elle dénonce la pente à donner à ce que l'on considère comme « vérifié » (qui n'est en fait *que cohérent* avec l'hypothèse) une valeur excessive. Ce vice, d'abord épistémologique, se nomme le « vérificationnisme ». En effet, contrairement à ce qu'on imagine souvent, il n'est rien de plus aisé que de trouver des vérifications de ses hypothèses.

« Dès 1919, l'exemple suivant me parut illustrer ce phénomène. Soit deux comportements radicalement opposés : un homme pousse un enfant dans l'eau avec l'intention de le noyer ; un autre sacrifie sa vie en essayant de sauver l'enfant. Chacun de ces deux comportements peut s'expliquer facilement en termes freudiens [...]. Freud dirait que le premier individu souffrait de refoulement (par exemple d'une certaine composante de son Œdipe), tandis que le second était parvenu à sublimer ses pulsions [...]. Je ne puis imaginer un seul comportement humain qui ne serait pas susceptible d'être interprété à la lumière de chacune de ces deux théories, et qui ne pourrait être considéré comme une "vérification" de l'une et de l'autre[1]. »

1. *Ibid.*, p. 186.

Cet exemple frappe parce qu'il qualifie très bien la nullité de la vérification empirique, et l'exaltation de mauvais aloi où elle nous plonge quand nous découvrons que la réalité « coïncide » avec nos hypothèses. Mais si lesdites explications ne sont pas en même temps exclusives de possibilités contraires en assez grand nombre, chacune dotée d'un haut degré de pertinence, on n'a rien expliqué du tout, sinon en un sens tout verbal, celui dont se contentent ceux qui travaillent hors du champ de la science. « C'est vrai ! » est donc une phrase pauvre, si on l'extrait du contexte *critique* dans lequel on la prononce. Ainsi, le vérificationnisme procède d'un manque d'imagination théorique, touchant ce qui pourrait infirmer la construction hypothétique qu'il propose.

Plus grave, mais directement lié au précédent, est le vice moral induit par le vérificationnisme. « En effet, il est toujours possible de trouver certains moyens d'échapper à la falsification, en introduisant, par exemple, une hypothèses auxiliaire *ad hoc*, ou en modifiant *ad hoc* une définition[1]. » Mais que penserait-on du newtonien qui, au vu des conséquences du calcul d'Einstein sur la révolution de Mercure, « compléterait » les *Principia*, en affirmant que la propagation de la force, du centre aux alentours, se produit selon une géométrie spéciale, et justement lors d'un rapport entre corps de masses disproportionnées ? On ne dirait pas qu'il se trompe, mais qu'il est de mauvaise foi. La faute n'est pas épistémologique (infraction au principe de simplicité : *simplex sigillum veri*)[2] mais morale. La critique

1. Popper, *La Logique de la découverte scientifique*, trad. fr. N. Thyssen-Rutten et P. Devaux, Payot, 1973, p. 38. *Ad hoc* signifie : pour arriver au but souhaité.
2. « Le simple est le signe du vrai. »

à laquelle Popper soumet la doctrine freudienne du rêve, qui le définit comme un « accomplissement de désir refoulé », illustre admirablement comment cette dimension morale peut devenir le véritable enjeu d'un débat apparemment théorique. Freud, en effet, sait très bien que le cauchemar contredit empiriquement la généralité absolue qu'il confère à sa thèse. Mais pour la défendre, il introduit l'hypothèse (que, bien sûr, plusieurs cas cliniques *vérifient*) selon laquelle certains rêveurs rêvent contre sa théorie *en vue de la contredire* : ils font bien, ainsi, un cauchemar, mais ce faisant, ils accomplissent encore un désir, celui de démontrer que leur psychanalyste a tort ! Le drame, dit Popper, est que Freud ait pu considérer cela comme répondant *en général* à l'objection. C'est se réfugier derrière une vérification, en s'imaginant en outre que de tels cas, purement localisés, parlent en faveur de l'universalité de la thèse sur le rêve. Mais cette « stratégie d'immunisation » anticritique, qui se fait au détriment de ce que l'objection du cauchemar pourrait apporter à la psychanalyse (en déterminant plus exactement son champ de pertinence), débouche surtout sur une rupture du lien essentiel qui rattache entre eux les savants. La théorie se transforme en dogme, et la recherche s'y résume à produire de plus en plus d'hypothèses adventices et de définitions conventionnalistes, à seule fin de préserver le noyau sacré du message de Freud de tous les démentis cliniques, réputés *a priori* « apparents », et toujours renversés pour augmenter la liste des cas « vérifiant » la Doctrine. « Il ne fait pourtant aucun doute que Freud était loin d'être aussi dogmatique que la plupart de ses disciples, lesquels ont été portés à faire de la nouvelle théorie une religion — avec tous les attributs d'une religion : martyrs, hérétiques, schismes — et à voir dans tout critique un ennemi — ou pour le moins quelqu'un de "non informé" (c'est-à-dire qui aurait besoin d'être analysé)[1]. »

Tout est là : le refus de la critique et de la falsifiabilité qui la rend possible aboutit à une exclusion du *critique* en tant que personne. Conjointement, l'*effet de vérité* de toute théorie intéressante (Popper pense que la découverte de l'inconscient est capitale) se sépare irréparablement du *degré réel de corroboration* de l'hypothèse, qui la rend *relativement* vraie et, en cela, l'ouvre effectivement sur d'autres énoncés vrais, potentiels ou à venir. Rien de cela n'est psychologique ni sociologique. Popper ne réduit aucunement l'effet de vérité à la jouissance subjective prise à se surprendre soi-même du succès de conjectures hardies. Il ne fixe non plus aucune norme touchant la manière dont la communauté savante doit contrecarrer la mauvaise foi possible de ses membres. Bien sûr, dans le domaine des sciences sociales, il est clair que le refus du critère de démarcation (entre le savoir falsifiable et celui qui ne l'est pas) peut aboutir à ce qu'on liquide physiquement un théoricien s'opposant conceptuellement au dogme marxiste de « lutte des classes », au motif qu'il n'est, par sa critique même, qu'un « petit-bourgeois endurci ». De même, il faut apprécier la jubilation qu'Einstein avait su inspirer à ceux qui l'approchaient, leur donnant une telle foi dans la puissance et la créativité d'une raison capable, à ce point, de se surprendre. Mais l'enjeu est autre : il est *transcendantal* (en un sens que Popper ne discute d'ailleurs jamais).

1. *Le Réalisme et la science, op. cit.*, p. 186.

En effet, l'ouverture à un univers toujours plus riche que ce que nous maîtrisons à un moment donné de l'histoire de la science (qui est en ce sens l'histoire de la vérité) nous tourne vers le monde comme vers un « univers irrésolu ». L'éthique implicite de la pensée se formulant de manière falsifiable, nous fait ainsi éprouver notre finitude, dans l'oscillation constante entre les conjectures, leurs réfutations et leurs confirmations transitoires. Non que rien ne soit jamais sûr, mais parce que l'assurance d'un savoir vrai réside uniquement dans sa puissance à se dépasser vers un autre savoir vrai, qui le corrobore. Pareil élan n'a rien à voir avec la contingence de nos structures cognitives : il est *source de sens* dans la quête de la vérité. Il faut ainsi comparer Popper à Kant : la science, n'étant jamais complète (même idéalement), ne constitue pas un *canon* définitif ; mais dans la mesure où elle s'ouvre sur la profusion des choses à connaître, l'exigence de scientificité est un *catharticon* pour l'esprit humain, qui en indique à la fois le pouvoir et les limites, la destination infinie, et la valeur de la communauté que la vérité seule peut créer entre les hommes.

En définitive, un déplacement manifeste s'est opéré dans la distinction du vrai (*to alèthés*) et de la vérité (*alèthéia*). D'après la distinction stoïcienne, la vérité relève ontologiquement d'une science déclarative du vrai, elle est structurellement complexe et inaccessible au commun des hommes. Or, il apparaît désormais que l'on est passé de cette conception surtout *épistémique* de la vérité, à une autre, où la vérité (en un sens « transcendantal ») serait l'effet

d'une position *éthiquement juste* du discours —
même si, comme en avertit Wittgenstein, la nature
exacte de cette position ne peut plus, à la limite,
s'énoncer pour elle-même. Le vrai, de son côté,
serait alors l'ordre immanent (éventuellement calculable) qu'exprime un langage correctement
construit, se référant aux choses du monde, et dont
la science fournit le prototype.

L'étrange, ici, est bien la nature de la « maîtrise
éthique », serait-elle discrète, voire suprêmement
silencieuse, qui se profile sous divers discours de
vérité d'apparence laïque. Il est gênant d'identifier
l'éthique de la vérité que suppose la constitution
d'une communauté de savants, à l'éthique qui rassemble l'humanité dans une quête indéfiniment
ouverte du savoir et, de là, *à l'éthique tout court*.
L'accès des savants à des positions de magistère
moral prend un tour nouveau dès qu'elle paraît
naturelle ou évidente à une majorité de contemporains. Mais le retour incontrôlé d'une vérité
archaïque sous le masque de la vérité dialectique,
ou épistémique, n'est-il pas justement une régression ?

Y a-t-il donc, aujourd'hui, et au moins à titre de
possibilité conceptuelle, des maîtres de vérité ? Ne
pourrait-on supposer, au contraire, que là où il y a
un maître, il n'y a pas de vérité ? La formule semble
paradoxale tant que nous considérons la vérité
comme transcendante, et le maître comme celui qui
seul peut l'exprimer. En ce cas, n'en déplaise à Alcibiade, la vérité ne se transmet pas de maître à disciple à la manière des choses, ou de certaines maladies. Autrement dit, le paradoxe résulte d'une prise
de position en faveur d'une figure parmi d'autres de
la vérité, en l'occurrence la figure archaïque, au

détriment de la figure dialectique. Mais la prise de position en faveur de la figure dialectique n'a rien de nécessaire. En particulier, elle ne procède nullement d'une nécessité historique qui ferait succéder à la figure archaïque, ou prérationnelle, une figure objective, validée par l'intersubjectivité, et en cela plus rationnelle. La volonté de vérité prend aussi pour objet, aujourd'hui encore, des vérités présentées comme indiscutables, dont l'efficacité fait la force : « Avec la dialectique, c'est la plèbe qui prend le dessus. [...] Les causes honnêtes, comme les honnêtes gens, ne présentent pas leurs raisons à pleines mains. [...] Ce qui a besoin d'être prouvé ne vaut pas grand-chose. Partout où l'autorité est encore de bon ton, partout où l'on ne donne pas de "raisons", mais des ordres, le dialecticien est une sorte de pitre : on s'en amuse, on ne le prend pas au sérieux[1]. »

La violence essentiellement *moderne* de ces mots de Nietzsche rappelle à qui veut l'entendre que le combat contre les formes archaïques de la proféra-tion souveraine de la vérité n'est jamais gagné d'avance. Mais on peut espérer une chose. S'il est concevable que les modernes maîtres de vérité aient aussi, parfois, une « éthique » de la Parole[2], le dialecticien, armé de ses seules raisons, ne doit pas se laisser déposséder de la sienne, serait-elle plus discrète, plus fragile et, contrairement à ce

---

1. Nietzsche, *Crépuscule des Idoles*, § 5, trad. fr. J.-C. Hémery, in *Œuvres complètes*, t. VIII, Gallimard, 1974, p. 71.
2. On pense ici, par exemple, à un certain prophétisme reli-gieux ou culturel, ou encore, à une certaine parole psychanaly-tique : « Oui, le traumatisme psychique fondateur de votre existence a été :... », énonciation qui vise à se valider du simple fait qu'elle s'énonce magistralement.

que semble penser Nietzsche, plus repoussante pour la « plèbe » que l'aura mystique des affirmations sublimes.

Anissa Castel-Bouchouchi
et Pierre-Henri Castel

BIBLIOGRAPHIE

J.F. Balaudé, « Comment savoir avec Socrate ? Vérité et plaisir d'après le Protagoras », in G. Romeyer Dherbey (éd.), *Socrate et les socratiques*, Paris, Vrin, 2001, pp. 121-141.

E. Balibar, *Lieux et noms de la vérité*, éd. de l'Aube, 1994. Série d'études problématisant la disjonction des discours de vérité et l'idéologie, depuis l'institution de la vérité chez Hobbes et Spinoza jusqu'aux rapports de la science et de la vérité dans la philosophie de G. Canguilhem.

J. Brunschwig, « Le Fragment DK 70 B 1 de Métrodore de Chio », in K.A. Algra, P.W. van der Horst et D.T. Runia (éd.), *Polyhistor. Studies in the History and Historiography of Ancient Philosophy* (presented to Jaap Mansfeld on his sixtieth Birthday), Leyde-New York-Cologne, éd. Brill, 1996, pp. 21-38.

— « Dialectique et philosophie chez Aristote, à nouveau », in *Ontologie et Dialogue. Mélanges en hommage à Pierre Aubenque* (avec sa collaboration à l'occasion de son 70e anniversaire), textes réunis par N.L. Cordero, Paris, Vrin, 2000, pp. 107-130.

B. Cassin, *L'Effet sophistique*, Gallimard, 1995. Somme sur la rhétorique et la sophistique, qui rassemble notamment de nombreux articles de l'auteur ; problématique ; beaucoup d'informations ; avec présentation et traduction ou retraduction commentée des textes sophistiques de référence.

C. Castoriadis, *Sujet et vérité dans le monde social-historique. Séminaires 1986-1988. La création humaine 1*, textes établis par E. Escobar et P. Vernay, Paris, Seuil, 2002.

D. Davidson, *Enquêtes sur la vérité et l'interprétation*, trad. fr. P. Engel, éd. Jacqueline Chambon, Nîmes, 1993. Célèbre formulation du rôle de la théorie sémantique logique du langage dans la tradition analytique américaine, après Tarski et Quine.

M. Détienne, *Les Maîtres de vérité dans la Grèce archaïque*, Maspero, 1967. Une enquête sur le paradoxe des maîtres de vérité, et sur l'historicité de la vérité — originairement prérationnelle, assertorique et efficace.

M. Dumett, *Truth and other Enigmas*, Duckworth, Londres, 1978.

J.-P. Dumont, *Le Scepticisme et le phénomène*, Vrin, 1972.

Sextus Empiricus, *Esquisses Pyrrhoniennes*, présentation et traduction par P. Pellegrin, Paris, Seuil, 1997.

P. Engel, *La Norme du vrai*, Gallimard, 1989. Récapitulation et discussion générale du problème de la vérité et de la signification dans la philosophie de l'esprit contemporaine.

F. Gil, *Traité de l'évidence*, Millon, 1993. Exposé systématique et critique de la valeur attachée par les théories de la vérité aux diverses marques possibles de l'évidence.

M. Heidegger, *Metaphysische Anfangsgründe der Logik im Ausgang von Leibniz*, Vittorio Klostermann, 1978 : *Fondements métaphysiques initiaux de la logique à partir de Leibniz*. Cours de l'été 1928. Heidegger y interroge l'ontologie supposée à la théorie du jugement chez Leibniz, et dans toute logique en général.

— Questions II, « De l'essence de la vérité », trad. fr. A. de Waelhens et W. Biemel, Gallimard, 1968. Méditation capitale sur les relations entre vérité, transcendance, immanence et liberté, à partir de l'*adaequatio rei et intellectus* et de l'*Alètheia* comme dévoilement.

M. Untersteiner, *Les Sophistes*, trad. fr. A. Tordesillas, Vrin, 1993. Présentation et « réhabilitation » des textes et théories de chacun des grands sophistes ; analyses très précises.

F. Wolff, « Figures de la rationalité ancienne » in *L'être, l'homme, le disciple*, PUF, Quadrige, 2000, pp. 311-331.

LA MÉTAPHYSIQUE

Qu'est-ce que l'être ? Pourquoi y a-t-il de l'être plutôt que rien ? Quelle est la différence entre l'être et l'essence ? Entre essence et existence ? Entre réalité et apparence ? Quelle est la nature du lien qui unit la cause à l'effet ? Sommes-nous libres ? L'âme est-elle immortelle ? Dieu existe-t-il ? Autant d'interrogations dont il nous est d'emblée difficile de dire quel est, en les posant, l'objet précis sur lequel porte la pensée, ou de quelle science elles relèvent. D'instinct, nous nous empressons de lisser l'embarras : allons donc ; il s'agit bien ici de physique, ou de logique, ou de morale, ou de psychologie, ou bien alors de théologie. Et pourtant, à chaque fois, la pensée dérape, insatisfaite, consciente de l'inadaptation partielle de telles classifications. La légende veut que ce soit justement cette incapacité où il se trouva de faire entrer dans le cadre de la logique, de la physique ou de l'éthique certains écrits d'Aristote,. traitant de problèmes de ce type, qui ait amené Andronicos de Rhodes à donner à une série de volumes écrits par le Stagirite, et prenant place « après les textes sur la nature », le titre de *Métaphysique*.

*L'impossible classement
de la métaphysique*

Mais que veut-on dire au juste par *meta ta phy-sica* : faut-il traduire *meta* par « après » ? ou, fût-ce au prix d'entorses au grec classique, par « au-delà », voire « au-dessus » ? Et *physica* ? Que désigne-t-on par là ? Ce qui, d'une manière ou d'une autre, relève nécessairement pour sa détermination de telle ou telle science particulière (physique, géologie, biologie, etc.) ? Ou, de façon assez générale, l'ensemble des choses qui composent le monde matériel ? Ou encore, la *phusis* ou nature empirique et sensible ? Ou enfin, le domaine de l'expérience ? Selon les cas, les limites de ce qui vient « après » la physique peuvent considérablement varier. Dans le premier cas par exemple, la métaphysique, si elle est une science, ne se confondra avec aucune des sciences particulières : mais alors, elle devra justifier son utilité et sa légitimité par rapport aux autres (soit comme science, soit, éventuellement, comme « reine » des sciences). Dans le second, elle se limitera au monde immatériel, et concernera donc le domaine des âmes pures, des anges, ou simplement de Dieu : auquel cas, la métaphysique pourra s'apparenter, voire s'identifier à une science du divin, à la théologie. Dans le troisième, elle pourra simplement s'entendre comme la science de tout ce qui n'est pas de l'ordre de la sensibilité ou de l'empirie : elle se rapprochera donc davantage d'une science de l'intelligible, par exemple des Idées ou Formes pures (comme il s'en trouve dans l'univers platonicien), ou des seules essences. Dans le quatrième enfin, tout dépendra de la définition donnée de l'expérience : l'entendra-t-on, ainsi que Kant, comme ce qui trouve ses conditions de possibilité dans la liaison de concepts purs de l'entendement avec des intuitions données dans la forme pure de la sensibilité ? Ou, plus simplement comme l'expérience telle qu'on l'entend communément dans les sciences expérimentales ? S'il en est ainsi, ces dernières nous montrent qu'il faut en permanence modifier les bornes de l'expérience, au fur et à mesure que recule l'inconnaissable et que le « métaphysique » se réduit finalement à du physique parfaitement maîtrisé (certaines causes ou entités jadis obscures se ramenant à des lois parfaitement testables ou à des phénomènes totalement observables). Dans ce dernier cas, les frontières entre le métaphysique et le physique tendent chaque fois un peu plus à s'estomper.

La métaphysique, ce serait donc d'abord l'*inclassable*, ce qui n'entre dans, ce qui n'est comparable à, aucune autre science. Cette caractéristique première de la métaphysique est depuis toujours le point sur lequel partisans et adversaires se rejoignent, soit pour l'en louer, soit pour l'en blâmer : chez la plupart de ses détracteurs, cette critique revient comme un leitmotiv : la métaphysique n'est *même pas* de la physique, *même pas* de la logique, *même pas* de la morale : qu'est-elle donc ? Ses énoncés ont-ils seulement un sens ? Tels seront en substance les reproches que lui adresseront au xxe siècle les positivistes logiques.

À l'inverse, ses plus fervents défenseurs voient la légitimité de la métaphysique dans son impossible réductibilité à une autre science : quels que puissent donc être ses rapports (le plus souvent nécessaires) avec les autres sciences, elle leur échappe ; et c'est du reste ce qui justifie, soutient-on, qu'elle les *fonde* : la métaphysique ne saurait donc se ramener ni à la logique, ni à la physique, ni à la théologie, ni à l'éthique, ni même à la seule ontologie : au demeurant, lorsque dans son histoire, elle a eu cette tentation, elle a dégénéré. Quand elle a trop mis l'accent sur la logique, sur le langage, sur les essences, elle a versé dans l'hyperrationalisme, le dogmatisme, et a passé les bornes : Kant n'aura de cesse de le rappeler. Lorsqu'elle a trop fait signe vers l'ontologie et la théologie, elle a tout simplement perdu le sens d'elle-même ; en l'occurrence, elle a « oublié » l'Être, en ne se souciant plus que des étants et de leur cause : c'est le reproche majeur que lui fait Heidegger.

La métaphysique comme science de l'être et son difficile vocabulaire

Essayons alors d'approcher la métaphysique en la définissant comme la science qui s'occupe (ou devrait s'occuper) de l'être en tant qu'être[1]. Comment définir celui-ci ? À en croire Avicenne, nous aurions tous une idée commune de ce que cela veut dire. Partant de la question de ce que signifient les termes de « chose » ou d'« être » et de leurs premières subdivisions, Avicenne affirme que ce sont des notions premières qui s'impriment du premier coup dans la pensée et que l'on ne saurait par conséquent acquérir à partir de notions antérieures et plus connues. En vérité, nulle connaissance n'est

1. Comme le note E. Gilson, c'est peut-être le seul point sur lequel les métaphysiciens s'accordent. Voir *L'Être et l'Essence*, Vrin, 1972, p. 55.

en nous antérieure à celle de l'être qui est donc un principe premier, puisqu'il est naturellement antérieur à tout ce par quoi l'on pourra entreprendre de l'expliquer. L'idée d'être est la plus connue de toutes, la première et la plus générale des notions qui nous soient accessibles[1]. Les vraies difficultés commencent dès que l'on cherche à déterminer ce que c'est qu'un « être » et les propriétés qui lui appartiennent en tant précisément qu'il « est[2] ».

Je puis en effet considérer qu'*être un être* revienne à *être* (*esse* : exister), auquel cas, je me contente en effet le plus souvent de *poser* mon sujet[3], dans son acte d'être : ainsi, en affirmant par exemple que « Dieu est » ; ou bien qu'être un être soit être « un étant » (*ens*)[4], c'est-à-dire quelque chose qui a la propriété de posséder l'être ; mais je puis aussi me servir d' « être » pour attribuer à un sujet (de quelque nature qu'il soit) une propriété ou un prédicat (d'une nature qui, elle aussi, reste à déterminer). C'est par exemple la différence de signification que prend le mot dans les énoncés « la rose *est* » et « la rose *est*

---

1. « *Dicemus igitur quod* ens *et* res *et* necesse, *talia sunt quae statim imprimuntur in anima prima impressione, quae non acquiritur ex aliis notioribus se* » (Avicenne, *Metaph.*, Tract. I, cap. 6 ; *Avicenne... in* Opera, Venise, 1508, fol. 72rb). Cité par E. Gilson in *Jean Duns Scot. Introduction à ses positions fondamentales*, Vrin, 1952, p. 15.

2. E. Gilson, *op. cit.*, p. 56.

3. Kant définira l'existence comme la « position absolue d'une chose ». Kant est l'un de ceux qui ont le plus insisté sur cette dualité de l'être : « L'être n'est évidemment pas un vrai prédicat, un concept de quelque chose qui puisse être ajouté au concept d'une chose »... Ou encore : « ... quels que soient les prédicats que j'attribue à une chose, et fussent-ils assez nombreux pour la déterminer complètement, je ne lui ajoute rien, en ajoutant que la chose existe ».

4. E. Gilson, *op. cit.*, p. 14.

blanche ». À première vue, pourrait-on penser, le
« est » du second énoncé est bien plus simple à analyser que le premier : ce n'est qu'un instrument de
liaison, une copule neutre qui nous sert à prédiquer
une qualité (la blancheur) d'une chose (la rose), ou
encore à prédiquer un étant d'un autre étant. Mais
on s'aperçoit aussitôt que derrière les apparences,
l'être est ici la source de bien des tracas. En effet, si
nous voulons pouvoir dire quelque chose en nous
livrant à un énoncé tel que « la rose est blanche », en
échappant soit au non-sens soit à la pure et simple
tautologie non informative, nous devons nous assurer d'abord que nous prédiquons bien *quelque chose*
de quelque chose (de l'être et non pas rien), et il nous
faut en second lieu déterminer quelle est la *nature* de
ces « quelque chose » auxquels renvoient le sujet et
le prédicat, et si cette nature est du même ordre dans
les deux cas : toute analyse de l'être doit ainsi fournir
non seulement les règles de fonctionnement du discours doué de sens et donc accepter une certaine
logique mais déterminer aussi la nature, c'est-à-dire
la condition de ce qui est en tant même qu'il est, bref
l'essence (*essentia*) qui rend possible la prédication.

Prenons quelques exemples : que faisons-nous au
juste lorsque nous disons : « l'actuel roi de France
est chauve » ? Apparemment nous accomplissons
bien une prédication puisque nous attribuons quelque chose (la calvitie) à quelque chose, ou plutôt à
quelqu'un : l'actuel roi de France. Mais est-ce aussi
sûr ? Pour que cet *ens* qu'est l'actuel roi de France
soit vraiment une *essentia*, ne lui manque-t-il pas
d'être (*esse*) ? On voit mal comment on pourrait dériver son existence de sa seule essence ! Et s'il n'existe
pas de roi de France, à qui au juste attribuons-nous
la calvitie ? À un être qui est un moindre être parce
qu'il n'existe pas maintenant bien qu'il reste *possible*,

à un pur et simple non-être parce qu'il est une contradiction dans les termes, ou à une sorte de demi-être, à quelque chose qui a bien de l'être mais seulement dans notre imagination ? Admettons que cet être ne soit pas un pur et simple néant, puisqu'il est après tout peut-être un être de notre raison (un *ens rationis*), au même titre qu'une licorne ou que Blanche-Neige : comment nous assurer de sa réalité ? Pouvons-nous vraiment admettre qu'il y ait la même quantité d'être dans l'actuel roi de France, ou dans une licorne, que dans un triangle, lequel n'a lui non plus d'autre existence (sauf dans les Bermudes) que dans notre esprit ? Apparemment pas. Mais pourquoi ? Sans doute parce qu'un être de raison tel qu'un triangle, bien que n'étant pas un être physique, a certains *effets* réels, est un *ens reale* : on peut, à l'aide du triangle, effectuer une démonstration, produire des résultats mathématiques, qui à bien des égards échappent à l'idiosyncrasie de notre pensée, et ont donc une forme de réalité, d'indépendance, bien spécifique. Mais laquelle ? Quelle est la réalité d'un être mathématique ? Poursuivons. Nous affirmons que ce roi est chauve : mais ce faisant, qu'attribuons-nous au juste à ce roi ? Une propriété qui lui serait essentielle ? Sans doute pas : ce n'est pas la calvitie qui fait d'un roi un roi (et si nous voulons trouver l'essence du roi, nous devrons sûrement chercher ailleurs). Une propriété accidentelle ? Accordons-le et accordons que cet accident ait une *essentia* : en quoi consistera-t-elle ? En l'absence de cheveux ? Mais à partir de combien de cheveux y aura-t-il ou n'y aura-t-il pas calvitie[1] ?

---

1. C'est le problème classique des sorites (le tas, le chauve) ou des prédicats vagues ; lesquels sont en fait légion dans notre ontologie.

Reprenons notre énoncé, en apparence moins problématique : « la rose est blanche ». Ici, nous ne ren-
controns plus les confusions possibles liées à la
dimension existentielle de l'être. À première vue,
nous prédiquons tout simplement une qualité d'une
substance. Mais que faisons-nous au juste? Nous
prédiquons une qualité générale (la blancheur)
d'une substance particulière (la rose), bref un universel d'un individu. Mais si la blancheur est dans
cette rose-ci, comment peut-elle être dans cette rose-
là? Il faut bien, en un certain sens, qu'elle y soit réellement (sinon qu'est-ce qui ferait la différence entre
une rose blanche et une rose rouge?), et en même
temps qu'elle n'y soit pas complètement, d'abord
parce qu'il y a d'autres roses blanches que cette rose
blanche-ci, ensuite parce que toutes les roses ne sont
pas blanches, enfin parce qu'il n'y a pas que les roses
qui soient blanches. Sous quelle forme donc la blancheur en général participera-t-elle à la rose blanche
en particulier, et à la rose tout court? Dès l'Antiquité, est ainsi apparu l'un des problèmes majeurs
de la métaphysique, celui de la participation de l'un
au multiple, que les médiévaux reprendront sous la
forme du problème des universaux, en s'interrogeant
de plus près encore sur la nature des distinctions
nécessaires pour penser la relation du général au
particulier (réelle, de raison, voire formelle), et sur la
nature réelle (réalisme), conceptuelle (conceptua-
lisme), ou nominale (nominalisme) des universaux.

Être, on le voit, se dit de multiples façons, et nous
fait en permanence courir le risque de l'équivocité,
de la contradiction, voire du non-sens. Au point que,
dès l'Antiquité, Parménide préférera en rester à une
position stricte : l'être est, le non-être n'est pas. Mais
simultanément, comme le montrera Aristote, si l'on

veut pouvoir rendre compte de ce qui est, il faut aller au-delà et faire parler l'être. La métaphysique commence donc dès lors qu'elle a partie liée avec le langage, dès lors qu'il y a onto-*logie* (discours sur l'être). « Chercher ce que c'est que l'être, c'est d'abord s'interroger sur le sens d'un mot[1]. » Mais c'est aussi pour cette raison que l'on a souvent accusé les métaphysiciens de se payer de mots. L'objection est certes pertinente, aussi ne doit-il guère y avoir de métaphysicien qui, comme le rappelle Gilson, « ne se soit au moins une fois demandé, au cours de ses réflexions, s'il ne perdait pas son temps à méditer sur des mots vides[2] ».

L'impossible définition et la certitude absolue : métaphysique et intuition

Il semble donc *a priori* ardu de déterminer le champ de la métaphysique, soit en la situant par rapport aux sciences, soit en essayant de préciser la nature de son objet : l'être.

Paradoxalement pourtant, l'une des caractéristiques incontestables de la métaphysique est l'impression que l'on a, en s'y livrant, de pouvoir « simultanément parvenir à la plus haute certitude possible », tout en étant incapable de donner ou de construire une définition de son objet. Reprenant la formule de saint Augustin : « Je sais bien ce qu'est le temps, mais si on me le demande, je ne le sais plus », Kant notait qu'en métaphysique, à l'inverse de ce qui se passe en mathématique, où je ne possède absolu·

1. E. Gilson, *op. cit.*, p. 11.
2. *Ibid.*, p. 12.

ment aucun concept de mon objet, « j'ai déjà un concept qui m'est donné, bien que confusément, et je dois en chercher la notion distincte [1] ». Ainsi, « en métaphysique, on peut souvent avoir un très grand nombre de connaissances distinctes et certaines d'un objet, et en tirer des déductions assurées, avant d'en donner la définition, et même lorsqu'on n'entreprend nullement de la fournir » (*Recherches*, p. 40). Aussi, comme en métaphysique « les mots tiennent leur signification de l'usage de la langue », la première règle à se donner est-elle « de ne jamais commencer par les définitions » (*Recherches*, p. 42).

Ces lignes de Kant sont révélatrices de l'attitude et de la méthode couramment adoptées par le métaphysicien. Pour ce qui est de l'attitude, elle se caractérise par la certitude et l'assurance ; les définitions ne peuvent qu'embrouiller : pourtant, d'où viennent donc ces connaissances tenues pour données, et d'où tient-on qu'on puisse les juger « distinctes et certaines », là où l'on n'a procédé encore à aucune définition et où les « déductions assurées » non seulement viennent en second, mais paraissent découler de ces connaissances préalables ? L'intuition est ici invoquée : et c'est en effet la démarche que l'on retrouve le plus fréquemment en métaphysique — associée il est vrai à la déduction (toujours seconde) : chez Aristote, par exemple, ou chez Descartes.

Or c'est évidemment considérer que ces « mots » qui sont inextricablement liés à ce fonds de connaissances communes qui sont les nôtres, n'ont guère d'importance ou, plus exactement, sont tellement

1. *Recherches sur l'évidence des principes de la théologie naturelle et de la morale*, trad. fr. M. Fichant, Vrin, 1973, p. 40.

coupables d'engendrer, à eux seuls, de faux problèmes ou des arguties scolastiques qu'il vaut mieux
éviter de les prendre à la lettre. Est-ce pourtant possible ? Certes la métaphysique a souvent été associée
au verbalisme et aux vaines disputes, au point que
certains l'ont même réduite à cela. Mais Aristote
avait prodigué cette mise en garde : la métaphysique
est un *discours* sur l'être et sur ses significations. Et
c'est la raison pour laquelle le principe de non-
contradiction ne doit pas seulement s'entendre
comme un principe logique, mais comme un principe ontologique. L'un des apports de la réflexion
contemporaine sur la métaphysique (chez des
auteurs comme Carnap, Russell, Wittgenstein,
Peirce ou Quine) est sans nul doute la reprise et le
redéploiement de ce thème : une méfiance à l'égard
de toute métaphysique qui ne recourrait qu'à l'intuition et ferait fi de ses propres énoncés, énoncés
logiques ou même, simplement, énoncés du langage
ordinaire[1].

Métaphysique : problèmes ou systèmes ?

S'il peut donc paraître relativement aisé de dire où
la métaphysique *veut en venir*, quelle est sa fin
ultime (traditionnellement la connaissance du
suprasensible), ce l'est beaucoup moins, toujours
selon Kant, de dire quels ont pu être ses progrès, et
ce qu'il faut y faire[2]. Tout d'abord, en effet, « à la dif-

1. Pour une excellente mise en perspective de ces problèmes dans la philosophie contemporaine, voir D. Zaslawski,
L'Analyse de l'être, éd. de Minuit, 1982.
2. Kant, *Progrès de la métaphysique en Allemagne depuis le
temps de Leibniz et de Wolff* (1793), trad. fr. L. Guillermit, Vrin,
1973, p. 11. Dans un livre récent, *Metaphysics*, Oxford Univer-

férence de la mathématique ou de la science empirique de la nature qui ne cessent de progresser indéfiniment » (*Progrès*, p. 9), il est très difficile en métaphysique de s'aider de repères en diagnostiquant des « progrès » dans son histoire, bref de « traiter fragmentairement de ce qu'exige sa fin ultime » (*ibid.*). Comment s'étonner dès lors de « cette mer sans rivage sur laquelle le progrès ne laisse aucune trace et dont l'horizon ne renferme aucun point de mire permettant de se rendre compte du chemin parcouru pour s'en approcher » (*ibid.*) ?

C'est l'impression qui ressort des innombrables ouvrages consacrés à la métaphysique, dans lesquels on cherche à échapper à cette difficulté, soit en énonçant une liste de *problèmes* censés relever de son champ, soit en présentant une histoire des différents systèmes métaphysiques qui se sont développés ou affrontés, et des moments décisifs de cette histoire.

Les problèmes métaphysiques ? Mais quels sont-ils au juste ? Kant les limitait pour l'essentiel à trois : Dieu existe-t-il ? Sommes-nous libres ? L'âme est-elle immortelle ? Toutefois, il suffit d'ouvrir un manuel de métaphysique pour mesurer que la liste est extensible à l'infini : ajoutons-en quelques-uns à notre inventaire initial : Qu'est-ce qu'une propriété, un événement ? Quels rapports unissent les universaux aux particuliers ? Qu'est-ce qu'un individu ? une classe ? Doit-on accorder la priorité à la catégorie de substance ? ou bien aux qualités ? aux relations ? Qu'est-ce que le temps, l'espace, la matière ?

Renonçant à définir la métaphysique par le cata-

---

sity Press, 1993, Peter Inwagen a également fort bien analysé ce point, voir introd., p. 1 *sq.*

logue (nécessairement sélectif et non exhaustif) de ses problèmes, certains auteurs, et non des moindres, ont donc essayé de préciser la nature et l'enjeu de la métaphysique par l'histoire des systèmes qui s'y sont affrontés ou de ses points forts : c'est notamment le cas de Kant et de Heidegger. Une telle démarche est compréhensible, pour au moins deux raisons : la première tient, comme on l'a vu, à la quasi-impossibilité de réfléchir sur la métaphysique sans privilégier telle ou telle définition de son domaine et de ce qui doit d'abord compter ; la seconde tient à l'impression d'intégralité qui s'attache à la métaphysique : celle-ci, dit-on parfois, n'est qu'un autre nom pour la philosophie. C'est inexact. Même lorsque la philosophie se voit contestée, au vu de son histoire et des conflits qui opposent tel système philosophique à tel autre, dans ses prétentions à la vérité et à la connaissance de la réalité, il lui est toujours possible de se retrancher derrière une attitude minimaliste : peut-être la philosophie n'est-elle pas doctrine, système, mais elle est au moins méthode, heuristique, activité critique, voire simplement thérapeutique. Il en va tout autrement en métaphysique. Comme l'a bien vu Kant, « la métaphysique est selon son essence, et selon son intention ultime un tout complet : c'est tout ou rien » (*Progrès*, p. 9). Heidegger le redira : « Chaque question métaphysique embrasse toujours *l'ensemble* de la problématique de la métaphysique. Elle est chaque fois *l'ensemble* lui-même[1]. » La seule légiti-

---

1. M. Heidegger, « Qu'est-ce que la métaphysique ? », in *Questions I*, Gallimard, 1968. De ce que chaque question métaphysique implique le questionnement de l'ensemble de la métaphysique, Heidegger tire pour sa part l' « avertissement suivant » : « ... aucune question métaphysique ne peut être questionnée sans que le questionnant — comme tel — ne soit

mité de la métaphysique viendrait donc de son intégralité[1] : et si les interprétations kantienne et heideggerienne de l'histoire de la métaphysique
apparaissent souvent comme incontournables, c'est
au moins autant parce qu'elles se présentent comme
des touts achevés et donnés comme définitifs que
par l'originalité ou la profondeur de leur lecture :
après Kant, entend-on fréquemment, il ne peut plus
y avoir de métaphysique dogmatique : la métaphysique ne saurait faire l'économie du moment critique ; après Heidegger, la métaphysique est achevée : son dépassement s'impose.

Rien n'est pourtant moins sûr : car, une fois

lui-même *pris dans cette question...* L'interrogation métaphysique doit nécessairement être posée dans son ensemble :
chaque fois elle doit l'être comme naissant de la situation
essentielle de la réalité-humaine questionnante. C'est *nous* qui
interrogeons *ici et maintenant, pour nous.* Notre réalité
humaine — dans notre communauté de chercheurs, de professeurs, et d'étudiants, — est déterminée par la *connaissance* »
(p. 48). En ce sens, « la métaphysique, c'est *l'interrogation qui
dépasse* l'existant sur lequel elle questionne, afin de le recou-
vrer *comme tel et dans son ensemble* pour en actuer le
concept » (p. 67). D'où, selon Heidegger, une double caractéristique des questions métaphysiques : tout d'abord, chaque
question embrasse respectivement l'ensemble de la métaphysique. En second lieu, en chaque question métaphysique,
chaque réalité-humaine qui questionne se trouve respectivement comprise et prise dans la question.
    1. Cette idée de *Vollständigkeit* est reprise dans les *Prolégo-
mènes à toute métaphysique future qui pourra se présenter
comme science,* trad. par J. Gibelin, Vrin, 1968, introd., p. 17 ;
voir aussi p. 158 et *Critique de la raison pure,* trad. fr. A. Tremesaygues et B. Pacaud, PUF, 1971, p. 10, 21, 47, etc. ; *Premiers principes métaphysiques de la science de la nature,* trad.
fr. J. Gibelin, Vrin, 1971, p. 15 : « en tout ce qu'on nomme
métaphysique on peut espérer avoir des sciences *absolument
complètes* ; ce qu'on ne peut se promettre dans aucun autre
genre de connaissances », etc.).

encore, le plus difficile en métaphysique n'est pas d'en construire une, ou de proclamer sa fin, c'est de cerner son véritable objet, la légitimité de sa méthode, le bien-fondé ou non de sa présence à côté des autres sciences, en un mot, de déterminer ce qui peut, aujourd'hui encore, non seulement expliquer mais aussi et surtout justifier qu'on en fasse.

I. LE STATUT AMBIGU
DE LA MÉTAPHYSIQUE :
LA MÉTAPHYSIQUE INCLASSABLE

Pour connaître et juger le monde qui nous entoure, réfléchir sur ses causes, ses origines ou sa nature, nous disposons de toutes sortes de sciences, et de sciences bien définies : les sciences exactes (mathématiques et logique), les sciences de la nature et du vivant (physique, géologie, biologie), les sciences humaines (psychologie, anthropologie, ethnologie, sociologie, sciences morales et politiques) et les « sciences divines » (théologie). Mais s'il existe quelque chose comme une science métaphysique, c'est parce que, d'emblée, on admet ou juge nécessaire l'existence d'une science dont la légitimité en tant que telle ne peut venir que de deux sources : sa spécificité par rapport aux autres sciences, mais aussi sa supériorité. Or, si celle que l'on n'hésitait pas jadis à nommer la « reine des sciences » a connu tant d'avatars dans son histoire et paraît encore suspecte aujourd'hui, c'est bien pour ces deux raisons : la difficulté à déterminer quel est son objet, en quoi il est distinct de celui des autres sciences, et pourquoi en définitive la métaphysique reste irréductible mais aussi nécessaire à elles toutes.

À cet égard, si l'on peut tenir Parménide pour celui qui, historiquement, a le premier vraiment pris conscience de la nécessité d'une réflexion « qui se trouve pour ainsi dire en dehors du domaine de la physique, au-delà de celui-ci » (Kant, *Prolégomènes*, § 1), voire « au-delà de l'expérience », c'est sans doute le moment aristotélicien qui est le plus révélateur des ambiguïtés qu'a dès l'origine connues la métaphysique quant à la détermination exacte de son champ : philosophie première, science de l'être en tant qu'être, mais aussi science du divin et science de l'essence substantielle.

L' « *initiative radicale* » de Parménide [1]

Si l'on peut, en un certain sens, faire remonter les origines historiques de la métaphysique aux spéculations des cosmologues ioniens — Thalès, Anaximandre, Anaximène, Anaxagore, Pythagore ou Héraclite — sur l'origine de l'univers physique, sur la nature de sa composition, et sur les lois ou uniformités présentes dans la nature (vɪe siècle avant J.-C.), c'est sans conteste Parménide (vers 475 avant J.-C.) qui peut être tenu pour celui qui, le premier, a envisagé la possibilité et la nécessité d'une réflexion spécifique : à l'inverse de ses prédécesseurs, Parménide a considéré qu'avant même de spéculer sur la constitution matérielle de la réalité — soit en concevant celle-ci, à la manière de Pythagore, comme une sorte d'approximation par rapport à une réalité mathématique fondamentale, soit, à la manière d'Héraclite,

---

1. L'expression est de Jean Beaufret; cf. introduction à Parménide, *Poème*, PUF, 1re éd., 1955, éd. 1991, p. 17.

comme un flux d'apparences en contradiction avec un ordre stable caché —, il fallait chercher à articuler les caractéristiques *formelles* de l'être.

Aussi est-il de mise de tenir Parménide soit pour le premier penseur occidental à avoir eu une intuition métaphysique de l'être[1], soit pour l'un des pères du rationalisme. Assurément, si l'on considère, en suivant une interprétation heideggerienne de son histoire, que « ce que l'on nomme *métaphysique* est très exactement l'obscurcissement permanent de la question de l'être par la curiosité qui s'attache à l'étant[2] », que l'authentique dépassement de la métaphysique consiste à revenir à la question de l'être, et que ce qui est requis pour que puisse être posée « la question fondamentale de la métaphysique », c'est de poser la question de l'être en la liant à celle du néant, alors il ne fait pas de doute que l'on peut tenir le *Poème* de Parménide pour l' « advenue » de la métaphysique elle-même (*Poème*, p. 41). Ce qui se produit en effet d'essentiel avec Parménide, c'est la reconnaissance, d'une part, de l'antériorité nécessaire de l'examen de possibilités *ontologiques* pures par rapport à celui de toute présence *ontique* quelle qu'elle soit, et d'autre part, de l'articulation de cet examen à celui de l'impossibilité du non-être. Les étants, leur cause, leur nature sont suspendus à une première possibilité : celle de l'être en tant que tel ; ainsi, avant même d'opposer l'être et les étants, Parménide oppose l'être et le non-être. Cette première opposition est, en effet, préalable à l'apparition des étants (*Poème*, p. 39).

1. L. J. Elders, *La Métaphysique de saint Thomas d'Aquin*, Vrin, 1994, p. 46.
2. J. Beaufret, *op. cit.*, p. 35.

Là où la méthode des philosophes ioniens était de s'occuper en premier des étants, et d'avancer des hypothèses quasi scientifiques, Parménide va creuser en profondeur et chercher, sous les changements et la multiplicité des étants, l'être permanent qui est un avec lui-même et ne change pas. Cet être est vrai et éternel, se manifeste à l'intellect tel qu'il est et ne peut être pensé autrement que comme un et immuable. Parménide propose une méthode qui revient à déduire un certain nombre de thèses philosophiques à partir de principes *a priori*. Ainsi ses spéculations ne portent-elles pas seulement sur ce que l'on peut ou doit penser de la réalité, mais sur ce en quoi consiste la nature de cette pensée de la réalité elle-même.

C'est pourquoi vient s'adjoindre à la dualité entre l'être et les étants, à cette « Différence ontologique » qui fait advenir la « transcendance fondative » de la métaphysique[1], celle de l'être et de la pensée, qui pose cette fois le problème de la connaissance, et dont Heidegger a pu dire qu'elle « met en mouvement toute la réflexion de l'Occident[2] », en cette for-

1. Que Beaufret oppose à la transcendance « évasive » à laquelle nous habitue, depuis le platonisme, la métaphysique, puisqu'elle ne cesse depuis, de « succomber à la tentation de l'étant », au lieu de « se soucier de l'être », bref, d'« établir seulement en une certitude ontique la sécurité de l'homme dans l'étant, sans s'inquiéter nullement de la "provenance" ontologique d'un tel étant » (*op. cit.*, p. 50). Parménide, au contraire (comme le fera plus tard Leibniz), « libère de la tentation ontique la question ontologique par l'assignation du néant, comme contre-possibilité de l'être, restaurant ainsi l'éclat et le tranchant de l'être dans son antagonisme initial avec le non-être » (*ibid.*, p. 46).

2. M. Heidegger, « Moira », in *Essais et conférences*, Gallimard, 1958, p. 279-310. « Il demeure la pierre de touche inaltérable, qui montre dans quelle mesure et de quelle manière

mule : « Le même, lui, est à la fois, penser et être »
(Frag. 3), et plus loin : « or, c'est le même, penser, et
ce à dessein de quoi il y a pensée » (Frag. 8, v. 34).

L'un des principes *a priori* de Parménide est le
principe de non-contradiction : « ...il n'est pas permis, ni de dire, ni de penser que c'est, à partir de ce
qui n'est pas ; car il n'est pas possible de dire ni de
penser une façon pour lui de n'être pas ». Et « l'on
n'arrivera jamais à plier l'être à la diversité de ce qui
n'est pas » (*Poème*, p. 83).

L'autre principe est qu'il n'y a qu' « une seule voie
dont on puisse parler, à savoir qu'il est » (*ibid.* p. 83).
Ainsi donc, « il est nécessaire qu'il soit absolument
ou pas du tout ». Simplement, reconnaît Parménide,
il est des mortels qui « ne savent rien, doubles
têtes », et qui, s'engageant dans un « labyrinthe »,
« se laissent entraîner, à la fois sourds et aveugles,
hébétés, foules indécises pour qui l'être et aussi bien
le non-être, le même et ce qui n'est pas le même, font
loi » (*Poème*, p. 81). Le principe de non-contradiction exprime donc une réflexion sur la pensée
comme sur l'être ; ce qui implique l'exclusion des
pensées qui ne portent sur aucun être mais aussi des
êtres dont rien ne peut être pensé (ce qui marque
une tendance anti-mystique chez Parménide, parfois
sous-estimée par ceux qui voient en lui un grand
théologien mystique).

Le second principe établit, par élimination, que
l'être est : *estin*. Il n'y a, en effet, que « deux seules
voies de recherche à concevoir : la première — com-

---

sont accordés faveur et pouvoir d'arriver à proximité de ce qui,
s'adressant à l'homme historique, se dit à lui comme étant ce
qu'il faut penser. C'est à ce rapport que Parménide donne un
nom dans sa sentence (Frag. 3) : « Car la même chose sont
pensée et être » (p. 279).

ment il est et qu'il n'est pas possible qu'il ne soit pas
— est le chemin auquel se fier — car il suit la Vérité.
La seconde, à savoir, qu'il n'est pas et que le non-être
est nécessaire, cette voie, je te le dis, n'est qu'un sentier où ne se trouve absolument rien à quoi se fier.
Car on ne peut ni connaître ce qui n'est pas — il n'y a
pas là d'issue possible —, ni l'énoncer en une
parole » (Frag. 2, p. 79). Il ne reste donc plus
« qu'une seule voie dont on puisse parler, à savoir
qu'il est » (Frag. 8, p. 83). L'être n'est pas seulement
omniprésent, il est nécessaire, non divisible, d'un
seul tenant, immobile (*Poème*, p. 85). Cette nécessité
de l'être (que tout être possible est un être) est impliquée par le principe parménidien en vertu duquel
tout sujet de pensée est un être et par la proposition
selon laquelle tout être possible est un sujet de pensée. Mais on peut aussi, de la nécessité de l'être, tirer
d'autres thèses : ce qui peut être est ; et ce qui est doit
être. Il n'existe donc ni possibilités non actualisées,
ni changement, ni commencement, ni fin de ce qui
est. La métaphysique parménidienne ne tolérant
rien dont la pensée implique l'être de ce qui en quelque manière n'est pas, le passé et le futur ne sont pas
des objets possibles de recherche ; ni davantage ce
qui vient à être (Frag. 8, p. 83). La pensée de ces
choses est une pensée du non-être et n'est donc, en
toute rigueur, aucune pensée du tout. Il ne s'agit que
de noms assignés par les mortels « persuadés », mais
à tort, que « c'est la vérité » (*Poème*, p. 87).

Ce qui appartient donc en premier à l'être, c'est
d'être non contradictoire, et d'être — là où les ato-
mistes, par exemple, admettaient une hétérogénéité
faite d'atomes et de vide — homogène, d'être « maintenant, tout entier à la fois, un, d'un seul tenant »
(*ibid.*). Homogène, l'être est compris comme uni-

voque : il n'y a pas de « manières » d'être. Du même coup, il n'admet qu'un seul sens, et interdit la pluralité des êtres. D'autres êtres seraient en effet autres que l'être, c'est-à-dire ne seraient pas[1].

Platon reprendra dans le *Sophiste* (237 a-241 b) les paradoxes issus de cette doctrine, qui vont constituer *le* problème majeur de la métaphysique : celui du rapport de l'Un au multiple, en se demandant si, contrairement à ce qu'avait dit Parménide, il ne faut pas admettre que, d'une certaine façon au moins, il y a un être du non-être[2]. Il y répondra — ou du moins le tentera — à partir d'une théorie de la participation, là où Aristote reprendra le problème au plan de la prédication attributive[3].

Ainsi Parménide parvient-il à un résultat para-

1. D'où l'objection que lui fera Aristote : « Mais s'il y a quelque chose de tel que l'être même et l'un même, on tombera dans la grande difficulté de savoir comment il y aura quelque chose d'autre en dehors d'eux, je veux dire, de savoir comment les êtres seront plus d'un. En effet, ce qui est autre que l'être n'est pas, de sorte qu'il en doit nécessairement résulter, conformément à la thèse de Parménide, que tous les êtres sont, et que c'est cela l'être » (Aristote, *Métaphysique*, III ; 4 ; 1001a 30-1001 b 1). L'ontologie de Parménide fait l'objet d'une analyse détaillée dans *Physique*, I, 3, 186a 28-29.

2. Voir D. Zaslawski, *op. cit.*, p. 49.

3. Aristote montrera notamment que l'échec de Parménide provient de son incapacité à tenir compte de l'équivocité ; s'en tenant à l'unité de signification, il restreint l'être à l'être en tant qu'être. La conséquence est évidemment que « l'être en tant qu'être n'existe pas en autre chose » (*Physique*, I, 3, 186 b 1-2), car ce à quoi on attribuerait l'être « ne serait pas, puisqu'il serait différent de l'être » (*ibid.* a 35-b 1). On ne peut donc attribuer l'être qu'à l'être même (b 4-5). Mais « si donc l'être en tant qu'être n'est l'attribut de rien, si au contraire c'est à lui que tout s'attribue, alors on demandera pourquoi l'être en tant qu'être signifiera l'être plutôt que le non-être » (b 5-6). Voir sur ce point la bonne mise au point de M. Gourinat, *De la*

doxal : il affirme la primauté du principe de non-
contradiction, mais, refusant toute équivocité à
l'être, il est conduit lui-même à dire des choses
contradictoires, puisque l'être, comme le verra le
sophiste Gorgias, ne peut rien signifier de plus que
le non-être[1]. Sauf en effet à distinguer deux niveaux
dans le discours, celui du *métalangage* et celui du
langage objet, on doit dire que la déesse se contredit
lorsqu'elle prône de ne pas parler de ce qui n'est
pas.

La position parménidienne est en ce sens exemplaire de la difficulté permanente qui traverse la
métaphysique : si l'être est pris au sens absolu (*Physique*, I, 3, 186b, 25), comme en un sens il doit l'être
s'il doit y avoir quelque chose comme une spécificité
de la métaphysique, alors tout étant particulier qui
en est la négation ne peut être qu'un néant. Mais s'il
n'y a rien en dehors de l'être, alors on ne peut attribuer l'être à rien, ni rien lui attribuer. Aristote en
conclura pour sa part que, dans l'ontologie parménidienne, l'être n'est rien, puisqu'il n'est pas quelque
chose, et que si l'être doit être, alors il doit nécessairement être quelque chose, et avoir une significa-

_____

Philosophie, tome I, « Qu'est-ce que la métaphysique ? »,
Hachette, 1969, p. 324 *sq.*).
  1. *Traité du non-être*, § 67, DK B3 ; voir le commentaire de
Mario Untersteiner, *Les Sophistes*, t. I, Vrin, 1993, p. 214 *sq.* Le
sophisme vient du fait que l'être est toujours pris absolument
alors qu'il ne peut être pris ainsi que quand il désigne la position absolue de l'existence par laquelle on affirme que l'être
est. Il faut donc distinguer l'être au sens absolu et l'être au sens
de la prédication (qui énonce non que l'être est, mais ce qu'il
est. De ce que « nous disons que le non-être est le non-être »
(*Métaphysique*, IV, 2, 1003 b 10), il ne s'ensuit donc pas que le
non-être soit, absolument parlant. Le sophisme de Gorgias
tient tout entier dans ce jeu sur le double sens du mot « être ».

tion multiple. Ce faisant, Aristote liait désormais le destin de la métaphysique à l'équivocité des significations de l'être, tout en conservant l'intuition parménidienne première, de l'ancrage décisif de toute métaphysique dans le respect du principe logico-ontologique de non-contradiction.

Aristote ou la métaphysique introuvable

Si le terme même de « métaphysique » vient du nom donné aux traités d'Aristote venant après la physique, on sait que dès l'Antiquité l'unité de ces traités a rendu les commentateurs perplexes en raison justement de la difficulté à déterminer en quoi pourrait ou non consister non pas tant *la* métaphysique aristotélicienne que l'objet même de la métaphysique selon Aristote. Celle-ci se présente effectivement davantage, pour reprendre la formule de P. Aubenque, comme la recherche d'une science « introuvable et innommée[1] ». Cette science est néanmoins celle-là même dont il semble bien qu'Aristote ait été le premier à vraiment ressentir la nécessité et la légitimité, celle d'une *science* nouvelle, à côté des sciences particulières. « Il y a une science qui étudie l'être en tant qu'être et ses attributs essentiels » (*Mét.*, Γ, 1, 1003 a 21). Mais que sera cette science de l'être en tant qu'être ? En tant que telle, il semble bien qu'elle se distingue de toute science particulière, et notamment de la physique, et qu'elle a pour caractéristique première d'examiner les objets de toutes les sciences sous leur aspect le plus géné-

---

1. P. Aubenque, *Le Problème de l'être chez Aristote*, PUF, 1972, p. 44.

ral, et par ce qu'ils ont en commun, à savoir, cela, et cela seul qu'ils sont. À l'inverse, les êtres définis par les sciences particulières ont chacun leur spécificité : ceux de la physique diffèrent de ceux dont traitent les mathématiques ou la théologie. La physique est donc peut-être bien une science théorique mais « qui limite sa visée à un être susceptible d'être mû » (*Mét.*, E, 1025 b 20-21). C'est donc « une science limitée à un genre déterminé de l'être » (*ibid.*, 26-27), comme telle, « un savoir, mais non premier » (*Mét.*, Γ, 3, 1005 b 1-2). Or, poursuit Aristote, « il y a un savoir plus élevé encore que celui du physicien » (*ibid.*, 1005 a 33-34). Mais lequel ? Comme on l'a fait remarquer, si Aristote est sans doute le premier à avoir clairement fait ressortir le problème de l'être au sens de la question — rien moins qu'évidente — de « qu'est-ce que l'être[1] ? », et à avoir clairement assigné à l'ontologie une place dans un champ épistémique où le partage naturel du savoir se faisait encore de manière tripartite — dialectique (ou logique), physique, et morale —, tout aussi éloquent est le relatif embarras du Stagirite à fixer le nombre et le contenu des sciences censées statuer en définitive sur cette question. En témoigne la liste de questions posées au livre B de la *Métaphysique* :

« L'étude des causes appartient-elle à une seule science ou à plusieurs ? Notre science doit-elle considérer seulement les premiers principes de la substance, ou bien doit-elle embrasser aussi les principes qui sont à la base de toute démonstration, tels que : *est-il possible d'affirmer et de nier en même temps une seule et même chose ?* et autres principes semblables. Et si la science en question s'occupe de la substance,

1. *Ibid.*, p. 13.

est-ce une seule science qui s'occupe de toutes les substances ou y en a-t-il plusieurs, et s'il y en a plusieurs, sont-elles toutes d'un genre commun, ou bien faut-il regarder les unes comme des parties de la Sagesse et les autres comme quelque chose de différent?... si l'on ne doit reconnaître que des substances sensibles, ou s'il y en a encore d'autres en dehors de celles-là; si ces autres substances sont d'un seul genre, ou s'il y en a plusieurs genres... si notre étude doit s'appliquer seulement aux substances, ou si elle doit s'appliquer aussi aux attributs essentiels des substances... y a-t-il ou non, en dehors de la matière, quelque chose qui soit cause par soi? Ce quelque chose est-il séparé ou non? Est-il multiple en nombre?... Ensuite, les principes sont-ils limités numériquement ou spécifiquement, est-ce que les principes des êtres corruptibles et ceux des êtres incorruptibles sont les mêmes ou différents?... Le problème le plus ardu de tous et qui présente la difficulté la plus grave : l'Un et l'Être sont-ils, comme le prétendaient les pythagoriciens et Platon, non pas quelque autre chose, mais la substance même des choses?... Les principes sont-ils des universels, ou sont-ils semblables à des objets individuels? Sont-ils en puissance ou en acte autrement que par rapport au mouvement? » (*Mét.*, B., 1).

Et Aristote répond : « Sur tous ces points, il est non seulement difficile de découvrir la vérité, mais il n'est même pas aisé d'explorer rationnellement et comme il convient les difficultés » (*ibid.*). Aristote est à l'évidence partagé : devront-elles être toutes réglées par une seule science ou par plusieurs? Et c'est de cet embarras qu'a surgi l'ambiguïté non seulement du statut de la métaphysique dans l'aristotélisme, mais du statut de la métaphysique tout court,

Aristote hésitant semble-t-il sur une définition de celle-ci comme science de l'être en tant qu'être (et donc de l'être commun), ou comme philosophie première. Or, ainsi que l'a montré Aubenque, ces deux termes, s'ils se recoupent sur certains points, ne sont pas synonymes[1]. Selon la seconde définition, la métaphysique paraît désigner un ordre hiérarchique dans l'objet; la métaphysique est la science qui a pour objet ce qui est au-delà de la nature. Et s'il existe «quelque chose d'éternel, d'immobile et de séparé », c'est à la philosophie première, et donc à la théologie qu'il appartiendra de l'étudier (*Mét.*, E 1026 a 10 s) : le problème théologique est bien en effet celui-ci : « existe-t-il ou non, à part (*meta*) des essences sensibles, une essence immobile, et éternelle, et si cette essence existe, qu'est-elle? » (*Mét.*, M, 1, 1076 a 10; B, 1, 995 b 14; 2, 997 a 34). Sans doute ce rapport doit-il s'entendre comme un rapport plus de séparation (*para*) que de transcendance (*hyper*), mais l'idée même de primauté se trouve la notion de philosophie première. Si elle est première, ce n'est pas seulement par sa place dans l'ordre du savoir, mais aussi par la dignité de son objet, car « la science la plus éminente doit porter sur le genre le plus éminent » (*Mét.*, E, 1 1026 a 21). Ce genre est principe (*arché*), aussi la philosophie première sera-t-elle science du principe, et « universelle parce que première » (*ibid.*, 1026 a 30). La métaphysique serait donc parfaitement conforme à la primauté attribuée par Aristote lui-même à la science de l'être immobile et séparé.

Au reste, ne qualifie-t-il pas cette science qui a

pour objet certaines causes et certains principes de
« Sagesse » (*Mét.* A, 1, 982 a) et ne la dit-il pas « la
plus divine » (*ibid.*, 983 a)? Divine, en effet, elle
semble l'être à un double titre : « d'une part, parce
que Dieu est une cause de toutes choses et un principe, et d'autre part, parce qu'une telle science, Dieu
seul peut, ou du moins Dieu principalement, peut la
posséder. Toutes les autres sciences sont donc plus
nécessaires qu'elle mais aucune ne l'emporte en
excellence » (*Mét.*, A, 2, 983 a 5-10).

Si la métaphysique est philosophie première, c'est
donc parce que, à l'inverse de ceux qui — tels les
physiciens, Empédocle, Thalès, ou Anaximène — ne
considèrent que les causes matérielles, « la science
que nous avons à acquérir est celle des causes premières (puisque nous disons que nous connaissons
chaque chose seulement quand nous pensons
connaître sa première cause » (*Mét.*, A, 3, 983 a 25)).
En ce sens, elle est bien philosophie première,
science des premiers principes.

Cette antériorité de la philosophie première par
rapport aux sciences secondes que sont mathématiques et physique est jugée décisive par Aristote :
« S'il y a quelque chose d'éternel, d'immobile et de
séparé, c'est évidemment à une science théorétique
qu'en appartient la connaissance : science qui n'est
assurément ni la physique (car la physique a pour
objet certains êtres en mouvement) ni la mathématique, mais une science antérieure à l'une et à
l'autre » (*Mét.*, E, 1, 1026 a 10). Antérieure, elle le
sera, non seulement dans l'ordre chronologique de la
connaissance, mais aussi dans l'ordre de l'éminence,
c'est-à-dire « selon la nature et l'essence » (*Mét.*, Δ,
11, 1019 a 5; A, 8, 989 a 15, M, 2 1077 a 26); ou
encore, selon l'ordre de la causalité.

Descartes retrouvera cette analyse dans la préface des *Principes* : si la métaphysique doit être « science des principes » et des « premières causes », et chronologiquement première, si elle doit être la racine de l'arbre philosophique, en un mot, le commencement absolu de la connaissance, d'où dériveront, selon un rapport logico-temporel de déduction la physique et les sciences appliquées, il lui faudra satisfaire à deux conditions : « l'une, que ces principes soient si clairs et si évidents que l'esprit humain ne puisse douter de leur vérité lorsqu'il s'applique avec attention à les considérer ; l'autre, que ce soit d'eux que dépende la connaissance des autres choses, en sorte qu'ils puissent être connus sans elles, mais non réciproquement, elles sans eux » (AT, t. IX, II, p. 2). La seconde des conditions ne fait qu'expliciter la notion même de principe telle que la pense Aristote : « ... les choses les plus connaissables sont les principes et les causes ; car c'est par eux et à partir d'eux que les autres choses sont connues, mais eux ne sont pas connus par les choses qui leur sont subordonnées » (*Mét.*, A, 2, 98 b 2).

Toutefois, ce qui chez Descartes sera vécu sur le mode de l'évidence répond d'abord chez Aristote à une exigence logique : pour Aristote, est science toute discipline qui est « capable de démontrer » (*Éthique à Nicomaque*, VI, 3, 1139 b 31-32), et principe, tout ce qui est le commencement premier d'une démonstration. Mais aucune démonstration n'est possible sans présupposition de la vérité de ses prémisses, dont il ne saurait par conséquent avoir de démonstration ; les prémisses du premier syllogisme seront « premières et indémontrables » (*Anal. Post.* I, 2, 71 b 26), premières, quoique indémontrables, et premières parce que indémontrables[1], « car autrement on ne pourrait les connaître, faute d'en avoir la démonstration » (*ibid.*, 71b 27) : « elles doivent être causes de la conclusion, être plus connues qu'elles, et antérieures à elle : causes, puisque nous n'avons la science d'une chose qu'au moment où nous en avons connu la cause; antérieures, puisqu'elles sont des causes; antérieures aussi du point de vue de la connaissance » (*ibid.*, 71b 29). Mais comment saisir ce principe non déduit, qui est au fondement de la démonstration, s'il doit être plus connu que ce qu'il permet de connaître? Il faudra bien que ce soit par une connaissance distincte de la science (laquelle est déductive ou syllogistique) et supérieure à elle : « Si nous ne possédons en dehors de la science aucun autre genre de connaissance, il reste que c'est l'intuition qui sera le commencement de la science » (*Anal. Post.*, II, 19, 100 b 13). L'intuition apparaît donc comme le corrélat cognitif indispensable à la saisie des principes. Si la métaphysique est philosophie première, elle sera science des premiers principes, et ceux-ci — s'ils sont du moins connaissables — ne pourront être saisis que par l'intuition.

La métaphysique est donc bien philosophie première, mais s'y réduit-elle? Si c'est le cas, ne faut-il pas conclure qu'elle se ramène à la science de l'être immobile et séparé? En effet, si l'on suit le classement effectué par Aristote des sciences théorétiques, la philosophie première est bien définie comme théologie, et juxtaposée à la physique et à la mathématique; mais le propre de chacune de ces sciences

---

1. Il arrive même à Aristote de dire qu'il entend par « principe dans chaque genre ces vérités dont l'existence est impossible à démontrer » (*Anal. Post.*, I, 10, 76 a 31).

est d'avoir un genre particulier : la physique s'occupe
des êtres séparés mais mobiles, les mathématiques
des êtres immobiles mais non séparés; quant à la
théologie, elle a trait aux êtres immobiles et séparés
(*Mét.*, E, 1, 1026 a 16 et 19). Nous appelons cette
science théologie, précise Aristote, car « il n'est pas
douteux que si le divin est présent quelque part, il est
présent dans cette nature immobile et séparée »
(*ibid.*, a 21). Au reste, si la théologie est dite philosophie première, c'est parce que « la science la plus
éminente doit avoir pour objet le genre le plus
éminent » ; ainsi les sciences théorétiques ont-elles
plus de valeur que les autres, et la théologie plus de
valeur que les sciences théorétiques (*ibid.*, a 21).

Pourtant, comme l'a montré Aubenque, la philosophie première, loin de se confondre avec la science
de l'être en tant qu'être, apparaît plutôt comme une
partie de celle-ci [1]. Au début du livre E, Aristote
oppose à une science, qui reste certes innommée, les
sciences qui, « concentrant leurs efforts sur un objet
déterminé, dans un genre déterminé, s'occupent de
cet objet, et non de l'être pris absolument, ni en tant
qu'être » (*Mét.*, E, 1, 1025 b 8). La théologie ou philosophie première, présupposant l'existence du divin,
semble donc, au même titre que les autres sciences
particulières, entrer dans la juridiction d'une science
plus élevée : aussi, chaque fois qu'Aristote évoque le
terme de philosophie première (même lorsqu'il ne
l'assimile pas expressément à théologie), l'oppose-t-il
à la physique (ou philosophie seconde) : si le divin
n'existait pas, la physique serait toute la philosophie
(voir *Parties des animaux* I, 1, 641 a 36), ou du moins
c'est elle qui mériterait le titre de philosophie pre-

---

1. *Op. cit.*, p. 36.

mière (*Mét.*, E, 1, 1026 a 27; voir Γ, 3, 1005 a 31). Au contraire, la science de l'être en tant qu'être est toujours définie, par opposition non pas à la physique, mais aux sciences particulières en tant que telles[1]. Si la lutte pour la primauté est engagée entre la physique et la théologie, la science de l'être en tant qu'être ne semble pas être directement liée à ce débat : « étudier l'être en tant qu'être, et non en tant que nombres, lignes ou feu » (*Mét.*, Γ, 2, 1004 b 6), cela reste possible en dehors de l'existence même du divin. Ainsi, si l'on excepte le livre K (à l'authenticité contestée) où, à diverses reprises, *philosophia prima* est employé au sens de science de l'être en tant qu'être, il semble bien que ce terme renvoie à la théologie, mais ne soit qu'une partie de la science de l'être en tant qu'être[2]. La métaphysique n'est donc pas la philosophie première, et la science de l'être en tant qu'être ne se réduit pas à celle de l'être divin[3].

C'est donc plutôt l'incapacité où furent les commentateurs de concevoir une science philosophique, qui, distincte de la physique (et des mathématiques) comme de la logique et de la morale, ne fût pas par là même une théologie, l'incapacité aussi où ils furent de reconnaître la spécificité et l'originalité d'une science de l'être en tant qu'être qui n'entrait dans aucune des divisions traditionnelles de la philo-

1. *Ibid.*, p. 36-38.
2. Aubenque rappelle aussi que, lorsqu'on renvoie à la philosophie première, référence est faite au livre L, où est élucidée l'essence du Premier Moteur; voir aussi le *Traité du ciel* (I, 8, 27b10) où, après avoir montré l'unicité du ciel, Aristote note qu'on pourrait faire de même « avec des arguments tirés de la philosophie première ». Enfin, il est très peu question de théologie dans la métaphysique d'Aristote, hormis des allusions au début du livre A et aux livres E et K (Aubenque, *op. cit.*, p. 68).
3. Aubenque, *op. cit.*, p. 68.

sophie ni même dans les cadres aristotéliciens du
savoir qui les a conduits « de cette science sans lieu
et sans nom, en qui ils ne pouvaient admettre qu'elle
pût être autre que théologique, à faire pour des siècles, la métaphysique, *meta ta physica*[1] ». Titre à
valeur d'abord descriptive, traduisant le caractère
post-physique d'une recherche, mais préservant
aussi, par une ambiguïté sans doute inconsciente,
l'interprétation théologique de la science de l'être en
tant qu'être, le post-physique se transmuant en
trans-physique. Cette ambiguïté, réelle chez Aristote,
qui insiste tantôt sur la transcendance du savoir philosophique[2], tantôt sur le caractère « commun » de
son objet[3] va se perpétuer au cours de l'histoire :
transcendance de l'objet, postériorité de la
recherche, tels seront les deux axes autour desquels
se jouera pendant des siècles l'interprétation de la
métaphysique, et dont les uns et les autres s'efforce-
ront de montrer soit la compatibilité, soit l'incompatibilité.

II. PEUT-ON PARLER D'UNE
« DÉRIVE » THÉOLOGIQUE
DE LA MÉTAPHYSIQUE ?

En tant que la science première est la science des
premiers principes, elle peut être tenue comme
ayant pour objet le divin, reconnaissait Aristote,

1. *Ibid.*, p. 43.
2. Par exemple A, 2, 982 a 12 : « la connaissance sensible
est commune à tous ; aussi... n'a-t-elle rien de philosophique ».
3. « L'être est commun à toutes choses » (*Mét.*, Γ, 3, 1005 a
27) ; voir aussi B, 3, 998 b 20 ; I, 2, 1053 b 20.

parce que « tous admettent qu'il est au nombre des causes et qu'il est un principe » (*Mét.*, A, 2, 987 a 7); ainsi « Dieu est premier principe et première cause de toutes choses » (*ibid.*, IV, 2, 1003 b 17). Mais si Dieu est principe du monde, c'est uniquement comme cause finale, en tant qu'il est la cause de son mouvement, non en tant qu'il pourrait être la cause de son existence : le Dieu d'Aristote ne crée pas le monde, et même l'ignore, puisqu'il ne peut que se penser lui-même. En toute rigueur, l'unification de l'ontologie et de la théologie ne peut donc avoir de sens que dans la théologie chrétienne où Dieu est pensé comme créateur du monde, et par là même, comme cause de l'existence des êtres.

Suarez opposait, dans ses *Disputationes metaphysicae* (Prima Pars, disp. I, sect. 2) les deux définitions apparemment autorisées par l'aristotélisme : la science de l'être en tant qu'être, dans la généralité de ses déterminations (*Mét.*, Γ, 1, 1003 a 21), et la science du principe de l'être, c'est-à-dire de ce qu'il y a de premier dans l'être (*Mét.*, A, I, 981 b 28 ; 2, 982 b 2 ; E, 1, 1026 a 19). La métaphysique serait donc, d'un côté, science universelle, portant sur un être que sa généralité empêche d'être un genre; de l'autre, science particulière, portant sur un genre particulier quoique éminent de l'être (*Mét.*, E, 1, 1026 a 21). Ainsi va se perpétuer, notamment chez des auteurs comme Wolff et Baumgarten[1], un concept scolaire de la métaphysique, s'articulant autour de la distinction entre *metaphysica generalis*, portant sur l'*ens commune*, et *metaphysica specialis*,

---

1. Voir par exemple Baumgarten, *Metaphysica*, 2ᵉ éd., 1743, § 1-3.

portant sur le *summum ens*, c'est-à-dire Dieu. Dès
lors, la métaphysique est, semble-t-il, en proie à un
dilemme insurmontable : ou bien elle répond aux
conditions d'universalité de la science, elle est une
ontologie, mais elle risque alors d'absorber toutes les
sciences particulières, ou bien elle est véritablement
une théologie, mais que devient alors son universalité ? On peut mesurer la prégnance de cette difficulté à la lumière de ce qui opposera, au Moyen Âge,
Duns Scot et saint Thomas sur les relations entre la
métaphysique et la théologie.

L'objet propre de la métaphysique :
l'ens commune

La première des questions que posera Duns Scot
sur la métaphysique est celle-ci : « Le sujet de la
métaphysique est-il l'être en tant qu'être comme l'a
soutenu Avicenne, ou Dieu et les intelligences,
comme l'a soutenu le commentateur Averroès ? »
(*Reportationes Parisiensis*, prol. I, q. 3, a 1). Alors
que la métaphysique d'Averroès est en effet une
science de Dieu au-delà de laquelle il n'y a plus de
science, celle que propose Avicenne dans sa *Metaphysica* est une science de l'être en tant qu'être au-
delà de laquelle il peut y avoir place pour d'autres
manières de connaître Dieu. Duns Scot répondra en
suivant Avicenne : l'être est conçu de telle manière
que l'atteindre n'est pas immédiatement atteindre
Dieu, même si l'on peut, médiatement, atteindre
Dieu à partir de l'être en tant qu'être[1]. Certes, si nous

---

1. O. Boulnois, *Duns Scot, Sur la connaissance de Dieu et
l'univocité de l'étant*, PUF, 1992, p. 77 *sq.*

approfondissons notre connaissance de l'être commun, nous nous mettons à considérer ses causes : la
métaphysique devient alors l'étude de l'Être premier.
Mais cet être premier, dont elle établit l'existence,
n'est pas son propre sujet, c'est celui de la théologie.
Dieu n'est donc le premier sujet de la métaphysique
selon aucun concept possible à l'homme[1]. Conçue
comme science de l'être et de ses propriétés, la métaphysique voit son statut propre en tant que science
défini par son sujet propre, et elle trouve sa place
distincte entre la physique qu'elle transcende et la
théologie qui la transcende. Mais comment ? Il faut
poser que l'être, qui est le sujet de la métaphysique,
soutient Duns Scot, est une *nature commune*, dont
l'essence sera celle même de l'être en tant qu'être,
donc une nature parfaitement indéterminée (*equinitas equinitas tantum*, disait Avicenne) de manière
qu'on ne puisse attribuer que par après à cette
nature des propriétés telles que l'Un ou le multiple,
l'antérieur ou le postérieur, l'acte ou la puissance,
qui ne sont pas nécessairement incluses dans
l'essence ou *quiddité* de l'être en tant précisément
qu'il est, pas plus d'ailleurs que ne l'est l'existence[2].
Le sujet propre de la métaphysique est donc non pas
la *quiddité* de la chose sensible ou de la substance
immatérielle[3], mais l'*ens commune*, l'être pris dans
son indétermination totale, comme prédicable de

1. *Ordinatio*, I, 3, §17. Cité par Boulnois, *op. cit.*, p. 88.
2. *Metaph.* I., q. 1, n. 23. Cité par O. Boulnois, *op. cit.*,
p. 79.
3. Si tel était son objet premier, ou bien l'intellect humain
devrait changer de nature pour jouir de la vision béatifique, ou
bien elle lui serait interdite. Donc l'objet de l'intellect ne peut
être la quiddité de la chose sensible ni celle de la substance
immatérielle et intelligible, voir Gilson, 1952, *op. cit.*, p. 60.

tout ce qui est. Le terme « commun » signifie donc un contenu, attribuable à plus d'une chose et n'exigeant ni n'excluant aucune détermination supplémentaire. L'étant est de cette nature, car il peut exister comme acte et puissance, comme substance et accident. Penser à l' *ens commune*, ce n'est donc penser à aucune réalisation particulière de l'être ou à un étant particulier : nous ne considérons que « ce qui est », tout en sachant que nous dégageons l'étant de sa matérialité. C'est parce que nous concevons l'être sous cette forme que la métaphysique est possible, mais aussi nécessaire, requise, au-dessus de la physique, pour établir le sujet de la théologie.

Reprenant un thème cher à Aristote, Avicenne réaffirme — et Duns Scot après lui — que l'être n'est pas un genre : *quamvis ens, sicut nosti, non sit genus*. C'est qu'en effet l'être ne s'affirme pas également des diverses catégories qui rentrent sous lui; pris avec une propriété définie, ce qui devient vrai de tel être cesse d'être vrai de tel autre, car un accident n'est pas une substance, un agent n'est pas à la fois et sous le même rapport un patient, et ainsi du reste. Or si l'être était un genre, il faudrait lui accorder une essence qui se retrouverait dans tout ce qui vient se ranger sous ce genre. On ne le peut pas plus pour l'être que pour aucun des genres suprêmes; or chacune des choses qui existent se range sous un de ces genres, et chaque chose a une essence, bien que son genre n'en ait pas[1]. Néanmoins, le fait que l'être ne soit pas un genre commun aux êtres n'empêche pas qu'il y ait un sens où l'on peut l'affirmer de tous les êtres : et c'est précisément en ce sens qu'il peut être

---

1. E. Gilson, *Avicenne et le point de départ de Duns Scot*, Vrin (reprise), 1986, p. 139.

dit *univoque* et l'objet premier de la métaphysique. Bien que certaines choses le méritent antérieurement à d'autres (l'essence, de la substance, comme l'avait montré Aristote, puis les accidents qui lui sont propres), il y a bien un même sens dans lequel tout ce qui vient se ranger sous l'être mérite le nom d'être.

S'il n'existe donc aucun sens commun à tous les emplois du mot « être », si l'être n'est donc pas d'une certaine manière univoque[1], il n'existe par le fait même aucun objet propre de la métaphysique. Dans plusieurs textes, Duns Scot pense explicitement le problème de l'univocité de l'étant comme le problème métaphysique majeur[2]. C'est non seulement la voie qui permet de connaître les attributs de Dieu mais aussi celle qui autorise la preuve de son existence[3], et donc ce qui rend possible la théologie en tant que science dans son ensemble. La possibilité de la métaphysique paraît donc suspendue à la requête de l'univocité, mais celle de la théologie aussi, qui, sinon, « périrait purement et simplement » (*Lectura*, I, 3, § 113, XVI, 266). Il faut donc univocité entre le lieu de notre expérience, l'étant fini, et celui de notre discours sur Dieu. Une univo-

---

1. Est ainsi univoque tout concept doté d'une unité suffisante. L'univocité « désigne l'unité de raison de ce qui est prédiqué » (*Ordinatio*, I, 8, § 89). Ainsi, « l'univoque est ce dont la raison est en soi une, que cette raison soit la raison du sujet, qu'elle dénomme le sujet, ou qu'elle soit dite par accident du sujet » (*ibid.*). « Et pour qu'il n'y ait pas de conflit touchant le nom d'univocité, j'appelle concept univoque celui qui est un de telle façon que son unité suffise à la contradiction, quand on l'affirme et le nie du même » (*Ordinatio*, I, 3, § 26).

2. *Ordinatio*, I, 3, § 39; voir dist. 8. § 70. Cité par O. Boulnois, *op. cit.*

3. *Ibid.*, dist. 2.

cité qui n'est plus le décalque du grec *synonymos* —
désignant des choses identiques par le nom et par le
sens, au terme de la recherche des multiples significations de l'être (« L'être se dit de multiples
façons ») —, mais une unité *conceptuelle*, autorisant
un sens de l'être commun à Dieu et aux créatures.
L'être apparaît dès lors comme un *transcendantal*,
c'est-à-dire un universel encore plus universel que
les prédicaments ou les catégories : tout ce que l'on
conçoit, on le pense comme « quelque chose »
(*quid*); c'est la pensée, qui par après, déterminera
son contenu, dira ce que c'est[1].

L'être est donc connu, au préalable, avant toute
science particulière : « Puisque aucune science ne
recherche à propos de son sujet premier s'il est ni ce
qu'il est, ou bien on ne peut absolument pas le chercher, ou bien seulement dans une science antérieure. À la première, aucune n'est antérieure. Donc,
on ne peut d'aucune façon chercher à propos de son

---

1. C'est du reste la raison pour laquelle l'univocité conceptuelle ou logique est parfaitement compatible avec une équivocité ou une analogie réelle, d'ordre physique ou métaphysique.
Un concept identique peut en effet s'appliquer à plusieurs
genres et espèces sans contradiction : « En effet, si le genre
n'avait pas un concept un, autre que les concepts des espèces,
aucun concept ne serait dit "dans quoi" de plusieurs, mais seulement chacun de soi-même, et dans ce cas, rien ne serait plus
prédiqué comme le genre de l'espèce, mais comme le même du
même » (*Ordinatio*, I, 3, § 162). Et plus loin : « Ce n'est pas une
équivocité pour le logicien, qui pose divers concepts, mais
pour le philosophe réel, c'est une équivocité; car il n'y a pas
d'unité de nature. Ainsi donc, toutes les autorités qui se trou-
veraient dans la *métaphysique* et la *physique*, et qui touche-
raient cette matière, peuvent être expliquées par la diversité
réelle des choses dans lesquelles il y a une attribution, diversité avec laquelle l'unité du concept abstrayable de ces choses
est cependant compatible ». Voir aussi § 152-166.

sujet premier, "si c'est", ou "ce que c'est". Donc c'est un concept absolument simple. Donc c'est l'étant[1]. » Le concept le plus commun, sujet premier de la métaphysique, est donc aussi le concept le plus simple. Une telle position a d'importantes conséquences, et sur la place et sur le rôle de la métaphysique par rapport aux autres sciences, à la physique et à la théologie notamment. En effet, si tout discours véritable porte sur l'être, objet premier, prédicat le plus commun, alors en toute prédication d'un intelligible, l'étant est obscurément entendu[2]. « Outre les sciences spéciales, il faut qu'il y ait quelque [science] commune, dans laquelle soient prouvées toutes [les choses] qui sont communes à ces [sciences] spéciales. Donc, outre les sciences spéciales, il faut qu'il y en ait une, commune, à propos de l'étant, dans laquelle soit livrée la connaissance des passions de l'étant, connaissance qui est supposée dans les sciences spéciales ; si donc il y a quelque [science] à propos de Dieu, outre celle-là, il y a quelque science de l'étant en tant qu'étant, connu naturellement[3] ».

La découverte par Scot d'un étant pensé dans son unité conceptuelle comme univoque à Dieu et à sa créature fait de l'étant l'objet d'un savoir transcendantal, neutre, indifférent et commun, antérieur et éventuellement indifférent à toute considération théologique[4], fixant ainsi le rôle fondateur de la métaphysique par rapport à la physique et aux autres sciences. En effet, même si les choses sensibles qu'étudie le physicien nous sont connues les

1. *Ordinatio*, I, 3, § 17. Cité par O. Boulnois, *op. cit.*, p. 88.
2. *Ibid.*, p. 55.
3. *Ibid.*, p. 54.
4. *Ibid.*, p. 74.

premières, cette antériorité chronologique de la connaissance physique ne saurait déroger en rien à l'autonomie de la métaphysique[1]. Et c'est bien d'un primat de la raison métaphysique qu'il s'agit ici : *Prima scientia, scibilis primi.*

En effet, les sciences particulières existent et sont connues par soi avant l'exercice de la métaphysique, voire indépendamment de celles-ci. Mais ces sciences tiennent leurs principes pour certains à partir d'une connaissance *confuse* de leurs termes : ayant un objet premier commun à toutes les sciences, absolument simple, et donc tout à fait distinct, la métaphysique est la première science conçue distinctement. Le savoir métaphysique permet donc de rendre distincts les principes des sciences et de manifester leur véritable certitude : « À partir du savoir métaphysique, on a ensuite la possibilité de rechercher distinctement la quiddité de ses termes; et de cette façon les termes des sciences spéciales ne sont pas conçus et leurs principes ne sont pas entendus avant la métaphysique[2]. » La métaphysique est la condition préalable non de l'exercice des diverses sciences particulières (car elles existent déjà) mais de leur certitude scientifique : la métaphysique est la condition de possibilité des sciences en tant que sciences[3].

Mais Duns Scot refuse aussi que Dieu dont la

---

1. E. Gilson, 1986, *op. cit.*, p. 139.
2. Cité par O. Boulnois, *op. cit.*, p. 120, *Ordinatio*, I, 3, § 81.
3. Cf. O. Boulnois (*op. cit.*, p. 56), qui rappelle la formule de Heidegger : « L' *ens* en tant que *maxime scibile* pris dans le sens mentionné, ne signifie rien d'autre que la condition de possibilité de la connaissance objective en général » (*Die Kategorien und Bedeutungslehre des Duns Scotus*, cité par Boulnois, *ibid.*, p. 19).

transcendance exclut toute communauté avec les autres sciences, puisse être l'objet de la métaphysique. La théologie qui traite d'un objet séparé et transcendant, Dieu, ne saurait donc remplacer l'existence de la métaphysique, science d'un sujet commun, l'étant. La métaphysique sera *generalis* et non *specialis*. L'autonomie de la métaphysique par rapport à la théologie se voit donc assurée. Car si l'objet premier et adéquat de l'intellect humain est l'être, l'homme peut naturellement connaître tout ce qui, en quelque sens que ce soit, mérite le titre d'« être ». Tout ce qui est connaissable étant de l'être, l'homme n'aura que faire d'une révélation surnaturelle : ce que celle-ci révélerait serait encore de l'être objet premier, naturel et adéquat de notre intellect[1]. Dire que l'être est l'objet propre de la métaphysique, c'est donc en un sens dire aussi que la métaphysique *suffit* à l'être. Reste que, si la métaphysique ne s'accorde pas Dieu comme donné, elle le pose comme fin de sa recherche, et c'est même parce qu'elle veut s'en rendre la découverte possible qu'elle s'est assigné l'être pour objet. En ce sens, la connaissance de Dieu reste donc bien la fin de la métaphysique[2].

Saint Thomas et l'analogie de l'être

Pour saint Thomas, en revanche, la métaphysique, la première philosophie et la *scientia divina* ne font qu'un. Mais comment ? Suivant Aristote, Thomas est prêt à dire que la métaphysique est science de l'être

---

1. E. Gilson, 1952, *op. cit.*, p. 16.
2. *Ordinatio*, I, 3, §. 39. Cité par O. Boulnois, *op. cit.*, p. 74.

en tant qu'être, et accorderait à Duns Scot que son objet premier est l'être commun. La métaphysique se distingue donc par là même des autres sciences théoriques — de la philosophie naturelle qui étudie l'être comme sujet de mouvement et de changement (*ens mobile*), et des mathématiques qui étudient l'être sur le plan de la quantité (*ens quantum*). Avicenne avait refusé (contre Averroès) d'identifier le sujet de la métaphysique avec Dieu ou le divin. Selon Thomas, Avicenne et Averroès, aucune science ne peut démontrer l'existence de son propre sujet. Thomas s'accorde avec Avicenne sur un point : l'existence de Dieu peut être démontrée en métaphysique, et pas seulement en physique, comme le soutenait Averroès. Il lui faut donc éliminer Dieu comme sujet possible de la métaphysique[1]. Mais simultanément, l'Aquinate soutient que cela relève d'une seule et même science que d'étudier son sujet et d'en poursuivre l'étude des principes et causes. Si l'être en tant qu'être en général est le sujet de cette science, le métaphysicien doit alors raisonner en remontant du sujet jusqu'à sa cause ou son principe, lequel ne peut être que Dieu. Aussi Thomas conclut-il bien que Dieu n'est pas le sujet de la métaphysique, mais aussi que Dieu n'est pas inclus sous son sujet — l'*ens commune* — comme semblait le penser Avicenne (sans quoi il se causerait lui-même). Dieu est celui qui est entièrement autre. Nous pouvons savoir de lui qu'il existe, mais non ce qu'il est. Il est cause de l'être commun, c'est-à-dire cause de l'existence de tous les étants concrets que nous signifions au

---

1. Voir John F. Wippel, « Metaphysics », in N. Kretzmann et E. Stump éd., *Aquinas*, Cambridge University Press, 1993, p. 86.

moyen du concept abstrait d'être commun. Dieu ne peut être étudié qu'indirectement, comme étant la cause ou le principe de ce qui tombe sous l'être en tant qu'être (*Somme théologique*, Ia IIae. 66.5, ad. 4). Cette *scientia divina* doit néanmoins être distinguée d'une autre sorte de théologie qui a Dieu pour sujet et repose quant à ses principes, sur la croyance en la révélation divine Mais même en ce cas, il ne saurait y avoir de conflit entre raison et foi, car toutes deux dérivent de la même source . d'un côté Dieu, vu comme l'auteur de la révélation, ɑe l'autre, Dieu vu comme la source de création de l'intellect humain et de l'univers créé, qu'il étudie et d'où il tire ses principes. Supposer une contradiction entre foi et raison serait admettre que Dieu est lui-même l'auteur de l'erreur, ce qui est impossible. La conviction d'une harmonie entre les deux conduit Thomas à défendre le droit du théologien de recourir au raisonnement philosophique au sein même de la théologie, au moins selon trois voies : pour démontrer les « préambules de la foi », c'est-à-dire les vérités relatives à Dieu que peut démontrer la raison naturelle (telle que l'existence de Dieu, son unité, que, soutient-il, la foi présuppose); pour produire des analogies permettant au théologien de clarifier ou d'illustrer les mystères de la foi; pour répondre enfin aux attaques contre la croyance religieuse en montrant leur fausseté ou qu'il s'agit de pseudo-démonstrations[1].

En vérité, la distinction entre science divine et théologie se fait pour l'essentiel sur l'ordre à suivre pour parvenir à Dieu : en métaphysique, on considère la réalité créée en elle-même et l'on part de là

1   Voir E. Gilson, *Le Thomisme* Vrin, 1927, p. 50 *sq.*

pour arriver à une connaissance de Dieu. On part de la découverte de l'être en général, et l'on découvre, au cours de l'examen, le principe ou la cause sous lequel tombe l'être, Dieu. À l'inverse, en théologie, on commence par l'étude de Dieu et ce n'est qu'après que l'on examine la réalité créée dans la mesure où elle imite ou représente la réalité divine.

Thomas considère que la notion d'univocité n'est pas suffisante pour caractériser ce qui constitue l'unité de l'être en tant qu'être, et il souligne l'importance de l'*analogie*. Il convient cependant de ne pas trop surestimer l'opposition entre la thèse scotiste de l'univocité et la thèse thomiste de l'analogie de l'être, et de bien situer le centre du conflit. Saint Thomas concéderait parfaitement à Duns Scot que le contenu de l'étant, en tant que concept, est un au départ : il est ce qui est un de manière univoque. Simplement, nous nous apercevons très vite qu'il y a des manières d'être entièrement différentes (être en puissance et être en acte, substance et accident). Thomas reproche à Parménide d'avoir pensé à tort que « être » ou « ce qui est » n'est utilisé que d'une seule manière au lieu de voir qu'il l'est de plusieurs. L'étant devient ainsi un concept analogue : il désigne des choses qui sont différentes, mais dont on peut énoncer un même contenu conceptuel (*res significata*), à savoir le fait d'être réel, qu'elles ont en commun[1]. L'analogie permet ainsi de penser l'unité qui doit caractériser la notion d'être si on veut pouvoir l'appliquer à tous les êtres créés différant entre eux, mais aussi au Dieu créateur. Si Aristote a raison de

1. L. J. Elders, *op. cit.*, p. 57-62. Voir E. Gilson, 1986, *op. cit.*, p. 155, et A. de Libéra, *La Philosophie médiévale*, Le Seuil, 1993, p. 408 *sq.*

dire que « être » est d'abord dit de la substance, et des autres catégories en raison de leur relation à la substance, et qu'en conséquence, l'être ne doit pas être construit comme un genre dont la substance et les accidents seraient les espèces, on ne doit pas en conclure que l'être n'est pas réalisé dans les instances secondaires de l'être autant qu'en la substance. Il est intrinsèquement présent dans les accidents tout autant que dans les substances : simplement, il l'est d'une manière différente (*De principiis naturae* et *Disputationes de veritate*, I, 1). Mais le problème de l'analogie surgit non seulement au niveau des êtres découverts au travers de l'expérience sensible (problème de l'application de l'être à la substance et aux autres catégories), mais aussi au niveau de l'application de l'être à différentes sortes de substances, y compris des substances non seulement finies et créées mais Dieu lui-même[1]. L'analo-

1. Pour le détail, on consultera A. de Libéra, *op. cit.*, p. 408 *sq.*, L. J. Elders, *op. cit.*, p. 55, 57 et 60. Dans un de ses premiers traités, *De principiis naturae*, saint Thomas explique qu'une chose est prédiquée de façon univoque lorsqu'elle reste la même pour le nom et le contenu intelligible ou la définition. De cette manière, le nom « animal » est prédiqué d'un être humain et d'un âne. Est prédiqué équivoquement de différentes choses quelque chose dont le nom reste le même mais dont la signification diffère selon ses différentes applications. De cette manière le nom « chien » peut être dit d'un animal aboyant et d'un corps céleste. Finalement il y a prédication analogique de différentes choses qui diffèrent en définition mais qui se rattachent de façon pertinente à une seule et même chose. Saint Thomas illustre sa pensée en prenant un exemple tiré de la *Métaphysique* IV, 2 d'Aristote (1003 a 33-36). Le nom « santé » est dit d'un corps d'un animal, de l'urine, et d'une potion médicale, mais pas de la même manière. On le dit de l'urine dans la mesure où c'est un signe de santé, de la potion comme cause de santé et du corps vivant comme du sujet dans lequel se trouve la santé. Et chacun de ces usages se

gie est en fait l'expression d'une proportionnalité, selon deux grands types : 1) l'analogie *ad unum alterum* (celle du terme « sain » par exemple, relativement à l'animal et au remède); le terme prédiqué analogiquement est dit « en premier lieu » de ce qui est premier dans l'ordre de la connaissance et second dans l'ordre de la chose (c'est-à-dire l'animal, puisque la vertu du remède n'est connue que par ses effets); 2) l'analogie *ad unum ipsorum* (celle du terme « être » relativement à la substance et à l'accident), où le terme prédiqué est dit en premier lieu dans l'ordre de la chose (c'est-à-dire la substance). Le problème de l'analogie divine va se situer dans une position intermédiaire : Dieu est premier dans l'ordre de la chose, telle la substance, mais il n'est connu que par ses effets. L'analogie divine a donc elle-même un statut analogique; elle exprime moins un rapport de convenance entre deux choses liées par une proportion ou un rapport simple et déterminé qu'un rapport de deux proportions (*convenientia proportionalis*). C'est sur ce mode que se fait l'attribution d'un même nom à Dieu et à la créature; mais il s'agit par là même, comme le note A. de Libéra, d'un rapport indéterminable, puisque aucun rapport déterminé entre les deux n'existe qui nous permette de « déterminer la perfection divine ». *Ergo*, il n'y a rien de commun par analogie à Dieu et à la créature [1]. Aussi nos propos « Dieu est sage » et « Salomon est sage » sont-ils réellement différents car la sagesse de Dieu ne peut être que radicalement autre : Duns Scot a donc tort de penser que

---

rapporte de façon pertinente à une seule et même fin, la santé de l'animal.

1. Voir A. de Libera, *op. cit.*, p. 408-409.

nous utilisons un concept d'étant univoque quand nous l'attribuons à Dieu et aux choses créées. Il réduit l'ordre ontologique à la seule logique. L'univocité est le propre du logicien, l'analogie l'instrument du métaphysicien.

Mais si l'analogie importe tant, c'est aussi parce que, aux yeux de saint Thomas, nos concepts se développent en fonction de notre connaissance du monde. La nouveauté en effet dans la manière dont l'Aquinate fonde « scientifiquement » la métaphysique est que, d'un côté, il considère la connaissance de l'existence des choses immatérielles comme constituant la condition d'accès à la métaphysique, mais que, de l'autre, il refuse de limiter à l'être immatériel le sujet de la métaphysique : celui-ci englobe aussi les choses matérielles, c'est-à-dire qu'il est la totalité de la réalité (créée)[1]. La métaphysique étudie l'étant, y compris les choses matérielles, quoique non *en tant que* matérielles[2].

1. L. J. Elders, *op. cit.*, p. 28.
2. Les choses étudiées par la philosophie naturelle dépendent de la matière à la fois pour exister et pour être comprises. Ainsi découvrons-nous le sujet de cette science par une abstraction « de l'ensemble », c'est-à-dire en abstrayant quelque chose d'universel des conditions individuantes de la matière (*Expositio super librum Boethii « De trinitate »*, 5.1 ; 5.3). Les choses étudiées par les mathématiques dépendent aussi, pour leur définition, de la matière mais pas de la matière sensible (la matière telle qu'elle est saisie par les sens externes). Leur sujet peut donc être saisi par une abstraction de la « forme », c'est-à-dire en abstrayant la matière dans la mesure où elle est soumise à la forme accidentelle de la quantité des autres qualités sensibles avec lesquelles la matière est toujours en fait réalisée (*ibid.*) Quant aux choses qu'étudie la métaphysique, ni leur existence ni leur compréhension ne dépendent de la matière. Cela tient au fait qu'on ne les y trouve jamais dans la matière. En effet, soit on ne les y trouve jamais (Dieu et les entités séparées), soit elles y sont parfois (subs-

Pour saint Thomas, dire que l'étant est le sujet de la métaphysique, c'est dire que la métaphysique considère tout le réel, indépendamment de l'homme ou d'un point de vue limitatif. La métaphysique n'est donc pas un type de connaissance placé à côté du réel, ayant des abstractions pour objet, traitant d'une sphère de l'être cachée et écartée de la réalité empirique. Au contraire, la métaphysique est l'étude de tous les étants, et donc, en premier lieu, de ce qui est accessible de manière immédiate : la réalité empirique. La métaphysique doit viser à rendre le réel compréhensible dans sa nature la plus profonde et dans sa source ultime.

Aussi Thomas considérerait-t-il que Duns Scot s'est trop arrêté à la contemplation de la seule essence, au détriment de la réalité totale de l'étant, laquelle doit se comprendre comme composition de l'essence et de l'acte d'être (*esse, actus essendi*). D'après la théorie scotiste, inspirée d'Avicenne, qui distingue trois états, l'état physique, l'état logique et l'état métaphysique, l'essence a une unité et une entité qui lui sont propres : elle existe déjà elle-même avant même de recevoir une détermination individuelle, par association avec une existence physique. L'étant indivi-

---

tance, qualité, être, puissance, acte, l'un et le multiple, etc.). Le sujet de la métaphysique — l'être en tant qu'être — peut donc s'y trouver et rester neutre à l'égard de la matière. Aussi faut-il à l'intellect adjoindre au jugement positif d'existence requis pour formuler une notion primitive d'être, un jugement négatif, dit de « séparation », par lequel on reconnaît que l'être, pour se trouver réalisé comme tel, n'a pas besoin d'être matériel, changeant, quantifié, etc. En éliminant toutes ces restrictions de notre compréhension de l'être, on est justifié à penser à l'être en tant qu'être. On a désormais formulé une notion métaphysique de l'être et l'on peut établir une science qui a l'être en tant qu'être pour objet.

duel survient, sous la forme d'une distinction non pas réelle, ni simplement de raison, mais « formelle », entre la nature commune et l'*haecceitas*, quand l'individualité est ajoutée, par contraction, à l'essence, par composition de l'essence et du principe d'individuation.

Dans le *De ente et essentia*, Thomas insiste sur l'importance d'une distinction réelle à maintenir entre l'essence et l'existence. Même dans le cas des anges dont la nature s'approche pourtant d'une unité d'essence et d'existence, il faut distinguer les deux principes : un ange ne dérive pas son existence de son essence, il ne se crée pas. Tout ce qui existe dérive son existence de quelque chose d'autre ; en poussant jusqu'à son terme cette idée, nous parvenons à l'idée d'une cause ultime de toutes choses, un être qui existe essentiellement (*De ente et essentia*, chap. IV) : ce n'est qu'une autre manière de dire que les essences sont des puissances dirigées vers l'acte d'être. Il y a donc toujours deux manières d'expliquer un être comme substance, en disant pourquoi cet être est ce qu'il est, puis en expliquant ce qui fait qu'il existe. Or, cela, ni la matière ni la forme ne peuvent à elles seules (soit indépendamment, soit réunies) le faire. D'abord, ni la matière ni la forme ne peuvent exister à part. Prise à part de ce dont elle fait partie, la matière n'existe pas : « En effet, l'exister (*esse*) est l'acte de ce dont on peut dire : ceci existe ; or on ne dit pas de la matière qu'elle existe ; c'est la substance même qui est ce qui existe » (*Contra Gentiles*, lib. II, cap. 54). La matière n'est donc pas susceptible d'exister en dehors d'une forme, laquelle est la réalisation de la matière en une structure définitive. *Omnis actio est per formam*, principe d'achèvement et par là même principe essentiel de l'existence de la chose (*Somme théologique*, q. 77.6). « La forme substantielle fait exister une chose absolument. » La forme donne donc existence à la matière, mais peut exister sans elle, puisqu'il peut y avoir des êtres qui ne sont pas incarnés (les substances simples). Dans le cas de l'homme, substance composée, il faut que l'essence signifie un composé de forme et de matière. L'essence ou quiddité, ou forme, ou « nature », est donc bien, comme l'avait montré Aristote, ce par quoi une chose est quelque chose (*De ente et essentia*, chap. i) : c'est sa définition, ce par quoi la substance est ce qui est. Mais ce n'est pas ce qui fait qu'elle existe. Ce n'est donc pas l'élément ultime du réel. Certes, Aristote notait déjà que ce qu'est un homme n'est pas la même chose qu'être homme (*Anal. Post.*, II, 7), mais il ne concevait pas l'essence et l'acte d'être comme vraiment distincts dans les choses existantes (les Grecs ne se posent pas la question de savoir pourquoi il y a de l'être plutôt que rien). Le monde est là depuis toujours. Dans une perspective chrétienne, où la création est un dogme, la distinction revêt une importance décisive : l'idée fondamentale de saint Thomas est que l'existence (*esse*) est un prédicat substantiel, c'est-à-dire qu'il est de l'ordre de la substance, bien qu'il n'appartienne pas à l'essence de celle-ci. C'est l'*esse* qui constitue la substance en *ens* : « L'exister (*ipsum esse*) est comme l'acte même à l'égard de la forme elle-même ; car si l'on dit que dans les composés de matière et de forme, la forme est principe d'existence (*principium essendi*), c'est parce qu'elle accomplit la substance, dont l'acte est l'exister (*ipsum esse*) » (*Contra Gentiles*, lib. II, cap. 54). Cette conception de l'existence et du réel domine toute la métaphysique de l'Aquinate. Dans le concept d'étant, ce qui est le plus fondamental n'est pas « ce qui » existe mais le fait d'être. Ce qui est participe à l'acte d'être. Thomas refuse de poser l'existence comme un accident ou comme un simple prolongement (Avicenne, Averroès) de l'essence :

« Tout ce qui n'appartient pas au concept de l'essence ou de la quiddité y est ajouté de l'extérieur et constitue avec l'essence une chose composée, car aucune essence ne peut être pensée sans ses composants essentiels. Or toute essence ou toute quiddité peut être conçue sans que nous pensions à son existence. Je peux savoir ce qu'est un homme ou un phénix et néanmoins ignorer totalement s'ils existent dans la nature. Il est donc clair que l'être est différent de l'essence ou de la quiddité, à moins qu'il n'y ait une chose, dont la quiddité soit son être. Or une telle chose ne peut être qu'unique et la réalité première... Il est donc nécessaire que, dans toute autre chose, en dehors de ce premier étant, son être soit autre chose que sa quiddité ou forme » (*De ente et essentia*, chap. V).

Il faut donc situer l'être en dehors de l'essence. Dès lors, l'être commun étudié en métaphysique sera composé de deux principes réellement distincts l'un de l'autre : l'essence seule n'est pas un étant, puisqu'elle n'existe pas en tant que telle, mais l'acte d'être n'est pas non plus en toute rigueur, ce qui existe : l'essence et l'être sont plutôt deux composantes de l'étant, unis comme puissance et acte. La métaphysique est donc bien une métaphysique de l'*esse commune*, mais celui-ci n'est pas à entendre au sens d'une opposition entre essence et existence, comme on le fait parfois : de même que la matière est déterminée par la forme, l'essence est portée à la

réalité par l'être ; l'être est l'*actus essendi* (c'est-à-dire
la réalité de l'essence), lequel signifie moins le fait
d'exister qu'une plénitude de perfection. Mais l'être
est bien le facteur le plus déterminant, parce qu'il
porte une chose à sa réalité et lui donne ainsi toute
sa perfection. L'être est donc ce qui rend réel ; il
dépasse le simple fait d'être ceci ou cela[1].

Ce que l'intellect connaît en premier n'est donc
pas un nom qui ferait abstraction de l'existence,
mais un étant réel ; aussi n'est-ce pas l' *ens ut nomen*
(dont parle Suarez) qui est le sujet de la métaphysique, mais l'étant dans sa réalité. La métaphysique
sera une étude de tous les étants réels et non des
seules essences[2].

Avec Thomas, on peut dire que la métaphysique
inaugure un tournant décisif à plus d'un titre.

1. Sur tout ceci, voir L. J. Elders, *op. cit.*, chap. XII et XIII.
2. Aussi la découverte de l'être impose-t-elle à l'intellect une
double tâche : la première consiste en une compréhension primitive de l'être ; elle est à la portée de tout être humain pensant et est impliquée dans nos concepts et descriptions plus
particuliers de la réalité : si l'on considère un cheval et qu'on
l'identifie comme une substance corporelle sensible vivante,
on reconnaît aussi implicitement que c'est un être. « L'être est
ce que l'intellect découvre en premier comme le plus connu et
en quoi se résolvent toutes ses autres conceptions » (*Ques-
tiones disputatae de veritate*, I). Il semble toutefois que cette
compréhension primitive de l'être ne soit pas atteinte par
l'intellect simplement à travers sa première opération (en quoi
il reconnaît que quelque chose est, sans en affirmer ou nier
quoi que ce soit) ; elle paraît aussi exiger une seconde opération, celle du jugement, de composition et de division, par
lequel l'intellect affirme et nie. Ceci tient justement à la
complexité de la notion primitive qui comporte des composantes à la fois quidditatives et existentielles (voir *Expositio
super librum Boethii « De trinitate »*, 5. 3 : « la première opération concerne la nature même d'une chose... mais la seconde
concerne l' *esse* même de la chose ».

D'abord par l'importance que prend, à partir de lui, la question de l'*esse*. Ensuite, par les critiques que va engendrer la mise en lumière d'une nécessaire distinction entre l'essence et l'être.

La conception cartésienne de la métaphysique est à cet égard révélatrice. Certes, Descartes part d'une définition assez traditionnelle de la métaphysique, conçue comme une science du suprasensible, qui s'occupe des choses immatérielles et dont le contenu tient en « l'explication des principaux attributs de Dieu, de l'immatérialité de nos âmes et de toutes les notions claires qui sont en nous » ; il définit aussi la métaphysique, ainsi qu'Aristote, comme la science des principes et des premières causes ; mais les principes cartésiens se distinguent des principes aristotéliciens sur un point déjà crucial : c'est qu'ils doivent être « si clairs et si évidents, que l'esprit humain ne puisse douter de leur vérité lorsqu'il s'applique avec attention à les considérer » (lettre-préface aux *Principes*) ; ensuite, s'il est vrai que la connaissance métaphysique doive se faire par ordre, cet ordre sera celui du sujet qui pense : ce n'est plus la logique par le biais du principe de non-contradiction mais l'existence de la *pensée*, et plus encore d'un *sujet* qui pense, qui est le premier principe de la métaphysique, « le premier et le plus certain qui se présente à celui qui conduit ses pensées par ordre » (*Principes*, 1, § 7). L'être ou l'existence de la pensée constitue le premier principe de la métaphysique (lettre-préface aux *Principes*). La métaphysique cartésienne est donc celle de l'être comme être du sujet pensant. Certes Parménide avait déjà posé l'identité de la pensée et de l'être, mais cette identité était d'abord pensée sous la détermination de la pensée par l'être ; avec Descartes, l'être ne peut être saisi que dans l'exercice de la pensée. L'ontologie est donc ordonnée à l'être du sujet. La méthode, en revanche, reste la même que dans l'aristotélisme : le premier principe est saisi par une intuition, et l'on déduit à partir du premier principe les autres principes, notamment l'existence de Dieu, source et garant de toute vérité, puis les principes de la physique :

« J'ai pris l'être ou l'existence de la pensée pour le premier principe duquel j'ai déduit très clairement les suivants, à savoir qu'il y a un Dieu qui est auteur de tout ce qui est au monde, et qui, étant la source de toute vérité, n'a point créé notre entendement de telle nature qu'il se puisse tromper au jugement qu'il fait des choses dont il a une perception fort claire et fort distincte. Ce sont là tous les principes dont je me sers touchant les choses immatérielles ou métaphysiques, desquels je déduis très clairement ceux des choses corporelles ou physiques, à savoir qu'il y a des corps étendus en longueur, largeur et profondeur, qui ont diverses figures et se meuvent en diverses façons » (lettre-préface aux *Principes*).

Pour ce qui est des rapports entre la théologie et la métaphysique, il y a bien séparation d'avec le thomisme (on ne recourt ni aux lumières surnaturelles ni au salut mystique, mais à la seule raison naturelle). Il n'empêche : même si un athée peut connaître clairement que les trois angles sont égaux à deux droits, il ne le connaît pas par une vraie et certaine science (*Réponses aux secondes objections*). De plus, les choses créées ne se maintiennent dans l'être que grâce à une création continuée. Enfin, quel sens donner à une déduction, ainsi menée à partir de l'être même de la pensée, des principes de la métaphysique (l'existence de Dieu, source et garant de toute vérité) puis de la physique ? Tout ceci préfigure les critiques dont la métaphysique va faire l'objet : on soulignera son caractère éminemment spéculatif, éloigné de la science expérimentale, et ce d'autant plus qu'elle tendra à se présenter comme un système achevé (là où, avec Aristote, elle n'était encore qu'une succession de problèmes). La métaphysique fera désormais figure d'obstacle à, voire d'ennemi de la science : la critique par Newton de la recherche des causes (à laquelle on substitue déjà celle des lois) qui va culminer dans la critique généralisée du concept de causalité (par Hume) peut être ainsi tenue pour un tournant majeur dans le destin de la métaphysique.

L'importance de la distinction, désormais affinée, entre essence et être prend ici tout son relief : d'un côté, certains jugeront, dans le prolongement de Suarez, d'Avicenne ou de Duns Scot, que l'objet propre de la métaphysique est d'abord celui des essences comme telles, essences qu'on posera comme des étants possibles avant même leur réalisation dans le monde, puisque antérieures à elles (l'action de Dieu se limitant à faire exister quelque chose qui était déjà possible). De l'autre, il semblera aller de soi que la métaphysique est le lieu où s'affirme un exister, un *sum* : tel est le sens de l'expérience cartésienne où l'affirmation du sujet, puis celle de Dieu se fait à partir de la seule considération d'une intuition de l'*esse*. Mais, simultanément, on reprochera aux métaphysiciens d'avoir sous-estimé la réalité de la distinction et confondu les deux plans ; notamment, pour les partisans des « essences », d'avoir cru pouvoir dériver de celles-ci des existences : tel sera le sens des accusations de Kant contre la métaphysique dogmatique (représen-

tée par Descartes, Leibniz ou Wolff), à travers
notamment sa critique de la preuve ontologique de
l'existence de Dieu.

III. PEUT-ON PARLER D'UNE « DÉRIVE » ONTOLOGIQUE DE LA MÉTAPHYSIQUE ?

La présentation que propose Heidegger de l'histoire de la métaphysique se fait autour de ces deux
idées-forces : la dualité foncière de celle-ci, ou sa
structure « onto-théologique », d'une part ; et,
d'autre part, le fait que la métaphysique se soit limitée à être une pensée de l'étant en tant qu'étant, sans
pousser jusqu'à l'être[1]. C'est ce dédoublement de la
connaissance de l'être, d'être une connaissance de
l'étant en tant qu'étant, et d'être une connaissance de
la région la plus éminente de l'étant, à partir de
laquelle se détermine l'étant en totalité — lequel
n'est pas propre à Aristote —, qui domine le problème de l'être depuis la philosophie antique (*KPM*,
p. 68). Ainsi, l'articulation du contenu de la métaphysique dériverait de la « conception du monde née
de la foi chrétienne ».

« Tout étant non divin est une créature :
l'ensemble des créatures définit l'univers. Parmi les
créatures, l'homme jouit d'une position privilégiée
parce que le salut de son âme et l'éternité de son être

---

1. Voir notamment « Qu'est-ce que la métaphysique ? »
(*QM*) in *Questions I*, Gallimard, 1968, p. 21-84 ; « Le dépassement de la métaphysique » (*DM*), in *Essais et conférences*, Gallimard, 1958, et *Kant et le problème de la métaphysique* (*KPM*),
Gallimard, 1953.

importent par-dessus tout. Ainsi la totalité de l'étant a-t-elle pour régions, selon la conscience chrétienne du monde et de l'existence, Dieu, la nature, et l'homme. À ces régions se réfèrent la théologie, dont l'objet est le *summum ens*, la cosmologie et la psychologie. Elles forment ensemble la discipline appelée *metaphysica specialis*. Distincte de cette dernière, la *metaphysica generalis* (ontologie) qui a pour objet l'étant en tant qu'étant (l'*ens commune*) » (*KPM*, p. 69).

La métaphysique rationnelle a donc joué, selon Heidegger, jusque chez Wolff et dans le néo-thomisme, le rôle d'une propédeutique à la théologie : il faut non seulement inverser sa portée[1], mais carrément en sortir : aussi Heidegger juge-t-il capital, si l'on veut pouvoir dépasser — non pas « refouler hors de l'horizon de la culture philosophique » (*DM*, p. 80), mais surmonter — la métaphysique, c'est-à-dire parvenir à la philosophie *elle-même*, de distinguer « la dimension de la pensée et celle de la foi[2] », car la philosophie elle-même « est en tant que telle athée lorsqu'elle se comprend de manière radicale ». Même s'il est par ailleurs un homme religieux, le

1. Aussi certains penseurs contemporains croient-ils pouvoir tirer de l'enseignement heideggérien l'idée que l'accès à un « Dieu plus divin » dépendra d'un dégagement par rapport au mode métaphysique de penser. Ainsi, dans *L'Idole et la distance* et *Dieu sans l'être*, Jean-Luc Marion reprend ce renversement à son compte dans le sens d'une théologie non ontologique, non représentative de l'amour christique. Voir sur ce point l'analyse de D. Janicaud, *Le Tournant théologique de la phénoménologie française*, Combas, éd. de l'Éclat, 1991, p. 40 *sq.*

2. Cours du semestre 1921-1922 (*Gesammelte Ausgabe*, 61, *Phänomenologische Interpretationen zu Aristoteles*, Klostermann, 1985). Cité par F. Dastur in *Heidegger et la question du temps*, PUF, 1990, p. 17.

philosophe ne doit donc pas se comporter de manière religieuse, lorsqu'il pense. Au reste, la théologie est une science non pas ontologique, mais ontique : c'est la science d'un étant préalablement donné à l'investigation, et en tant que telle, elle est beaucoup plus proche de ces sciences positives que sont la mathématique ou la chimie que de la philosophie. Aussi faut-il concevoir les rapports de la philosophie et de la théologie comme ceux de deux sciences absolument différentes l'une de l'autre. La positivité de la théologie est la foi, mode d'existence résultant non d'une décision libre, mais d'une révélation. C'est donc « l'ennemi mortel de la philosophie », laquelle est au contraire une « prise en charge ». En outre, comme métaphysique, elle est la science de l'être, « lequel n'est pas un donné préalable à l'investigation scientifique qui entreprend de l'examiner, mais la dimension à partir de laquelle tout donné comme tel apparaît ». Enfin, si l'on veut penser un rapport possible entre les deux, c'est au sens où la théologie a besoin de la philosophie (et non l'inverse), pour déterminer le domaine ontologique de ses propres concepts. L'idée même d'une « philosophie chrétienne » est donc un cercle carré[1].

Mais ce que Heidegger tient donc pour une dérive théologique de la métaphysique n'est que l'envers d'une autre dérive : la dérive ontologique de la métaphysique. S'il juge capital de reprendre de façon radicale la question du sens de l'être, c'est parce que, même si ce sont bien les Grecs qui l'ont posée, même si des auteurs comme Platon[2] ou Aristote ont cher-

1. F. Dastur, *op. cit.*, p. 17.
2. Ainsi Platon, dans le *Sophiste* (242 c), montre-t-il que la philosophie commence lorsqu'on cesse de « raconter des histoires » et donc d'expliquer l'étant par le recours à un autre étant, comme c'est le cas des doctrines présocratiques, qui

ché à questionner le sens à donner à l'étant, *to on* — ce qui constitue indéniablement un pas en direction de la compréhension du problème de l'être —, ils ont continué à penser l'étant du point de vue de son essence et n'ont donc constitué qu'une nouvelle science de l'étantité (*GA*, 31, p. 50). Ils ne se sont donc pas déployés dans la dimension de « la différence ontologique » fondamentale : « l'être n'est pas quelque chose de tel que l'étant[1] ». La tâche à accomplir doit donc être d'abord de « destruction de l'histoire de l'ontologie » (*ET*, p. 36).

Si l'on s'abstient pour l'heure de tout jugement sur le diagnostic, il convient de noter que Heidegger n'est pas le premier à avoir refusé la réduction de la métaphysique à l'ontologie, du moins à une ontologie non critiquée. Le projet kantien de critique de la métaphysique, comme le voit d'ailleurs bien Heidegger, est sans conteste un effort en ce sens.

La critique kantienne de la métaphysique

Dans une lettre à Marcus Herz, Kant fait observer que l'on ne « peut déterminer la nature et les limites de la métaphysique » sans « connaître les sources de la connaissance intellectuelle » . Tel est assurément l'apport majeur de la réflexion kantienne sur la métaphysique. Pourquoi la critique s'impose-t-elle et

---

continuent d'expliquer l'être à partir de déterminations ontiques (ce qui est le propre du mythe et de la théologie, dans la mesure où celle-ci a recours à un Dieu conçu comme un étant suprême pour rendre compte de l'étant en totalité).

1. *L'Être et le Temps* (*ET*), Gallimard, 1964.

quel est son sens ? Dans la préface à la première édition de la *Critique de la raison pure* (1781), Kant part
du constat que la métaphysique, jadis appelée
« reine des sciences », est repoussée et délaissée de
tous.

Comment expliquer cet échec de la métaphysique,
et son échec surtout — alors que d'autres sciences
telles la physique ou les mathématiques y sont par-
venues — à se constituer comme science[1] ? Car le
but de la critique n'est pas de garantir la positivité
des sciences exactes en ruinant la métaphysique,
mais plutôt de « détourner la métaphysique d'une
tâche qui n'est pas la sienne » de manière à examiner
les droits de la métaphysique au titre de science. Et
c'est en raison de l'existence problématique de
« cette chose qu'on appelle métaphysique », dont
personne ne semble pourtant être en mesure de se
passer, que va être lancée l'enquête sur l'envergure
de la raison humaine[2].

En effet, l'histoire des désaccords des métaphysiciens n'a jamais, jusqu'à Kant, été vue « comme le
symptôme d'une maladie de la raison », aussi
continue-t-on de dogmatiser comme si l'on détenait
par miracle l'étalon des jugements en métaphysique.
Cet échec a consisté pour l'essentiel dans le fait que
les métaphysiciens classiques ont voulu réduire la
métaphysique à une ontologie, c'est-à-dire à une
science des objets. Or l'illusion métaphysique par

---

1. Voir *CRP*, intr., VI, et *Prolégomènes*, 4 : « S'il y avait réellement une métaphysique qui pût se maintenir comme
science, on pourrait dire : voici la métaphysique, vous n'avez
qu'à l'apprendre, et elle vous convaincra de la vérité d'une
façon irrésistible et invariable », etc.
2. G. Lebrun, *Kant et la fin de la métaphysique*, A. Colin,
1970, p. 17.

excellence est celle-là : on ne peut pas connaître le suprasensible, Dieu, l'âme, la liberté, à titre d'objets. Il faut donc dénoncer les prétentions dogmatiques à vouloir prouver l'âme ou Dieu par des méthodes analogues à celles des sciences[1].

Pour Kant, l'histoire de la métaphysique est scandée par deux moments essentiels : le premier, celui du *progrès* théorique dogmatique (qui remonterait à Platon et Aristote, et engloberait Leibniz et « l'illustre » Wolff (*Progrès*, p. 13 et p. 37 *sq.*)), le second, celui du *repos* sceptique (*ibid.*). L'enjeu de cette présentation est clair : il s'agit de montrer que les seuls progrès réels accomplis en métaphysique ont dû attendre le troisième stade : le moment kantien, celui du « criticisme de la raison pure » (p.15). Le premier moment en effet revient à une réduction de la métaphysique à l'ontologie ; or, cette science qui est « celle des choses en général », c'est-à-dire de la possibilité de notre connaissance des choses *a priori*, ou encore, « indépendamment de l'expérience », est certes utile : elle est même la propédeutique, « comme l'entrée ou le vestibule de la métaphysique proprement dite », mais à condition de se souvenir « qu'elle ne peut rien nous apprendre des choses en elles-mêmes ; elle peut seulement nous instruire des conditions *a priori* sous lesquelles nous pouvons connaître les choses de l'expérience en général, c'est-à-dire les principes de la possibilité de l'expérience[2] ». Si elle s'en tient donc « au titre modeste d'une simple analytique de l'entendement pur », l'ontologie est non seulement souhaitable,

---

1. Voir F. Alquié, *La Critique kantienne de la métaphysique*, PUF, 1968, chap. i, p. 7.
2. Réponse à Eberhard, I, p. 33, note I ; Nachlass, 5936, cité in *Progrès*, p. 120, note 6.

mais nécessaire : en revanche, elle doit renoncer
« au titre pompeux d'une ontologie qui prétend donner des choses en général une connaissance synthétique *a priori* dans une doctrine systématique (par
exemple le principe de causalité) » (*CRP*, « Architectonique », p. 565 ; « Anal. des principes », chap. 3,
p. 222). Or c'est ce à quoi, selon Kant, ont succombé
les métaphysiciens dogmatiques, croyant pouvoir
passer, sans intuition aucune, et par le seul usage de
leurs concepts, du sensible au suprasensible : la
métaphysique est bien « la science qui permet de
passer grâce à la raison de la connaissance du sensible à celle du suprasensible », mais le suprasensible « ne comporte proprement aucun domaine
pour la connaissance théorique ». L'ontologie s'illu-
sionne donc lorsqu'elle croit y toucher, ce qui est
« pourtant la fin ultime de la métaphysique « (*Progrès*, p. 10). La seconde démarche — sceptique — de
la métaphysique, « presque aussi ancienne que
l'autre » (*Progrès*, p. 14), fut au contraire un « retour
en arrière », « proclamant nuls tous les projets ulté-
rieurs », toutes les « intentions et prétentions de
conquêtes dans le champ du suprasensible où il
s'agit de la totalité absolue de la nature qu'aucun
sens n'appréhende, ainsi que de Dieu, de la liberté et
de l'immortalité » (*ibid.*). Sans doute « l'extension de
la doctrine du doute aux principes mêmes de la
connaissance du sensible et à l'expérience elle-
même » a-t-elle présenté l'avantage de « sommer les
dogmatiques de prouver les principes *a priori* sur
lesquels repose la possibilité même de l'expérience »
et « devant leur impuissance à y parvenir », « à leur
représenter cette dernière comme douteuse également » (affrontement des sceptiques et des dogmatiques, préfigurant ceux de Hume et des rationalistes

modernes), mais cette doctrine « ne peut raisonnablement être tenue pour une opinion sérieuse » (*Progrès*, p. 15).

On connaît la solution kantienne à cette interprétation de l'histoire de la métaphysique : l'ontologie non critiquée comme le scepticisme sont insuffi-
sants, parce que ce qui doit « décider de la destinée »
de la métaphysique, « c'est la critique de la raison
pure elle-même, touchant son pouvoir d'étendre *a
priori* la connaissance humaine en général tant dans
le domaine du sensible que dans celui du suprasensible » (*ibid.*). Tel est donc le « troisième stade »,
jugé par Kant au demeurant, *définitif* : « Passés les
deux premiers stades, en effet, l'état de la métaphysique peut demeurer chancelant pendant des siècles, passant d'une confiance illimitée de la raison en
elle-même à une défiance sans bornes et vice versa.
Mais une critique de son pouvoir lui-même lui aura
permis d'acquérir une stabilité tant au-dehors qu'au-
dedans, soit qu'elle n'ait désormais besoin ni d'extension ni de restriction, soit même qu'elle ne s'y prête
plus » (*ibid.*).

En quoi consiste donc l'illusion métaphysique ?
Dans le fait, pour la raison humaine, de s'imaginer
qu'elle peut atteindre l'Être, Dieu, l'âme, le monde.
Sur toutes ces réalités la métaphysique classique
n'a forgé que des pseudo-connaissances, des
« apparences transcendantales[1] », lesquelles nous
induisent en erreur en ce qu'elles nous font considérer comme objectif le principe subjectif des jugements. Nous croyons atteindre des êtres situés au-
delà de toute expérience, ces êtres inconditionnés,

---

1. Leur dénonciation fait l'objet de la « dialectique transcendantale »

absolus, distincts des phénomènes que sont l'âme ou
Dieu, hors de toute intuition (nous ne possédons pas
en effet d'intuition intellectuelle), par les concepts de
l'entendement. Cette extension se produit sous
l'influence de principes qui « repoussent les bornes
de l'expérience et commandent même de les franchir », des principes « transcendants » qui, agissant
sur l'entendement, l'amènent à faire un usage transcendantal de ses propres règles et conduisent à des
concepts dont l'objet ne peut être donné dans
aucune expérience. Les pseudo-objets métaphysiques résultent de notre raison. En effet, l'usage
expérimental de l'entendement « ne remplit pas
toute la destination propre de la raison » (*Pro..*,
40). C'est du reste la raison pour laquelle, alors que
l'illusion logique des sophismes se dissipe une fois
découverte, l'illusion transcendantale reste inévitable et tenace, même une fois dénoncée. Les
besoins de la raison semblent créer là où l'entendement et la sensibilité s'arrêtent, mais ils créent dans
l'illusion ; ils engendrent l'apparence transcendantale[1]. Ce sont donc par ces concepts de la raison
pure, ou idées transcendantales — différentes des
concepts ou catégories de l'entendement, dont
l'usage est scientifique, parce que pouvant se réaliser
dans l'expérience, là où les concepts de la raison
pure ne peuvent être renfermés dans les limites de
l'expérience —, que nous désignons (ou croyons
désigner) des êtres en fait inaccessibles. Quel sera le
rôle de ces idées[2] ? Certes pas *constituant* : elles sont

1. Voir F. Alquié, *op. cit.*, p. 31.
2. L'idée représente la totalité des conditions du conditionné, c'est-à-dire l'inconditionné ; elle est le concept de
l'inconditionné en tant qu'il sert de principe à la synthèse du
conditionné. Mais l'inconditionné posé par la raison dépasse

construites par la raison et ne sauraient avoir le pouvoir de déterminer la nature ; elles n'ont dans le domaine spéculatif qu'un rôle régulateur : les principes de la raison ne sont pas des règles pour le monde, même phénoménalement défini ; ce sont des règles pour l'esprit, auquel ils indiquent la voie dans laquelle les objets de l'expérience pourront être ramenés à la plus grande unité possible[1]. Si, sur le plan moral, elles auront un rôle effectif à jouer comme moteur de nos actions, elles ne conservent une fonction théorique légitime qu'à titre d'*idéal de systématisation à réaliser*. Kant dresse la liste de ces idées transcendantales en partant de l'usage logique ou syllogistique de la raison : la fonction dont use la raison dans le syllogisme catégorique tendant à un sujet absolu, nous conduira au moi substance ; le syllogisme hypothétique à une série de phénomènes dépendant les uns des autres, mais formant une totalité et donc à l'idée du monde comme chose en soi. La forme du syllogisme disjonctif, poursuivant l'agrégat complet des membres de la division, demandera la synthèse totale des parties d'un système, et nous élèvera à l'idée du fondement un et commun de toutes les existences, à savoir Dieu (*DT*, livre I, 3e section)[2].

Kant retrouve de la sorte les divisions classiques de la métaphysique : *psychologia rationalis, cosmo-*

---

le monde de l'expérience et conduit à des idées proprement métaphysiques.

1. Voir F. Alquié, *op. cit.*, p. 35-36.

2. Aux trois idées transcendantales vont répondre trois espèces de raisonnements dialectiques : le premier est le paralogisme transcendantal, qui conclut à l'unité et à la réalité du sujet. Le second conduit à l'affirmation du monde comme chose en soi (antinomie), le troisième, « idéal de la raison pure », prétend démontrer l'existence de Dieu.

logia rationalis, theologia transcendentalis, mais en les déduisant *a priori* de l'activité nécessaire de la raison, non en les constatant.

Il est donc impossible de connaître l'être de notre âme, non plus que celui du monde et celui de Dieu ; dans aucun de ces cas nous ne disposons des conditions minimales pour qu'il y ait connaissance objective. Il ne faut donc pas confondre « le développement logique de la pensée en général » et la « détermination métaphysique de l'objet » (*DT*, livre II, chap. I).

À la différence de l'esprit divin en qui il y a identité entre intuition et entendement, l'esprit humain est double, séparé, constitué d'une réceptivité et d'une spontanéité hétérogènes. Celles-ci ne coïncident que sur le plan de la connaissance phénoménale. « La métaphysique, dit Alquié, est le fruit de ce qui en l'homme, est l'analogue de l'*Intellectus archetypus* en Dieu, à savoir la raison, mais en l'homme la raison crée son objet à vide : elle ne peut le faire être, elle ne peut donc atteindre l'Être, puisque atteindre l'Être serait le poser, et que la raison humaine n'est pas créatrice. C'est pourquoi de l'échec d'une métaphysique de type leibnizien, d'une métaphysique dont les raisonnements *a priori* prétendent atteindre la substance du moi et de Dieu, Kant conclut à l'échec de toute métaphysique possible [1].

1. Voir F. Alquié, *op. cit.*, p. 107-108. Aussi peut-on estimer qu'en la preuve ontologique se résume toute la critique kantienne de la métaphysique (*ibid.*, p. 117) : l'affirmation de l'existence ne peut être tenue pour une connaissance que si elle porte sur un objet physique, « enfermé dans le contexte de toute l'expérience » et lié par des lois aux autres objets du monde. En tout autre cas, nous sommes devant un pur concept.

La science n'est donc pas l'ontologie, l'objet n'est pas l'être, toute connaissance est relative au sujet, l'idée de Dieu « ne fait que nous indiquer une certaine perfection inaccessible » et « sert à limiter l'entendement plutôt qu'à l'étendre à de nouveaux objets » (« Idéal de la raison pure », début de la 4e section) : telles sont les leçons de la critique. Kant paraît ainsi en arriver à nier tout rapport théorique entre pensée et être en dehors de celui que l'on trouve dans l'expérience : l'objet ne peut répondre au concept qu'à condition d'être construit dans l'intuition sensible, lorsque la règle fournie par le concept peut en faire un objet d'expérience. Aucune connaissance n'est sans cela possible. Le moi substance et Dieu ne pouvant être objets d'expérience, ne sont donc pas connaissables ; aussi la métaphysique ontologique se voit-elle frappée dans sa prétention même : ses principes régulateurs ne peuvent devenir constitutifs d'aucune expérience.

En aucun cas, la constitution de l'objectivité à partir de la subjectivité n'est donc absolue. La « Dialectique » démontre que nous ne pouvons atteindre l'objet comme chose en soi. « Les objets doivent se régler sur notre connaissance » et « nous ne connaissons *a priori* des choses que ce que nous y mettons nous-mêmes » : l'objet est bien soumis au sujet, mais la connaissance elle-même est relative au seul phénomène. « La métaphysique, de laquelle mon destin est d'être amoureux », écrivait Kant dans les *Rêves d'un visionnaire* (IIe partie, chap. II), cet absolu véritable, reste dès lors inaccessible à la raison.

La *Critique* constitue donc moins un jugement sur la métaphysique réelle, une connaissance des choses, qu'un éclaircissement de la faculté naturelle de la métaphysique, un registre de la raison. Le système « ne pose comme fondement aucune donnée sinon la raison même » (*Prolég.*).

Mais c'est la *Critique du jugement*, dont le but explicite est désormais d'articuler la critique théorique à la critique pratique, qui en inventoriant les formes de notre relation au suprasensible, va mieux déterminer ce qui aurait dû être depuis toujours le thème de la métaphysique, si elle ne s'était prise pour une discipline théorique[1] : la *Critique du jugement* va préciser les contours de la finité *par rapport au suprasensible* et dire en quoi le non-savoir peut être autre chose qu'une ignorance théorique ou une interdiction d'aller au-delà : la finité se dessine à travers « l'homme transcendantal » qui remplace désormais le sujet anonyme de la *Critique de la raison pure*. Dans ce nouveau cadre, l'autocritique de la métaphysique se mue en *anthropologie*, la démonstration de la finité coïncidant avec la description de régions de l'existence et de l'expérience. C'est en effet la description du vécu qui, avec Kant, commence à se substituer à la pure et simple analyse catégoriale, et la métaphysique spéciale qui se voit transférée dans le champ d'une anthropologie investie d'une nouvelle dignité. Ainsi voit-on Kant invoquer (dans une lettre à Erhard du 25 octobre 1792) « l'intérêt de l'homme total » comme critère des vérités philosophiques, et accepter l'idée d'une lecture de la *Critique de la raison pure* d'où il ressortirait que « la philosophie n'est pas une science des représentations, des concepts et des Idées, ou une science de toutes les sciences, ou quelque chose de semblable : mais une science de l'homme, de sa représentation, de sa pensée et de son action » (« Conflit des facultés »).

1. G. Lebrun, *op. cit.*, p. 501.

Signe, comme le note Lebrun, que « si le kantisme rendait impossibles désormais, dans les manuels de métaphysique, les chapitres *De miraculis* et *De revelatione*, en un mot la théologie, il rendait possible, par contre, l'intrusion d'un être empirique, "l'homme", dans le champ de la raison pure[1] ».

Heidegger et l'ontologie fondamentale du Dasein

C'est en tout cas l'un des enseignements que retire Heidegger de Kant : il est celui qui non seulement a pressenti la connexion intime entre l'être et le temps, mais qui a, à travers la *Critique de la raison pure*, « instauré le fondement de la métaphysique », car il a compris que « ce qui rend possible le rapport à l'étant (connaissance ontique) est la compréhension préalable de la constitution de l'être, la connaissance ontologique, laquelle est dépendante de cette compréhension » (*KPM*, p. 16). L'intention de la *Critique de la raison pure* est fondamentalement méconnue si on l'explique comme une « théorie de l'expérience », ou une « théorie des sciences empiriques » : elle n'a rien à voir avec une « théorie de la connaissance », si ce n'est de la connaissance ontologique (*KPM*, p. 75). En posant le problème de la transcendance, Kant ne remplace pas la métaphysique par une « théorie de la connaissance », mais s'interroge sur la possibilité intrinsèque de l'ontologie (*KPM*, p. 77). La *Critique* fonde et amène pour la première fois à elle-même l'ontologie de la *metaphysica specialis* (connaissance de l'étant divin,

1. *Ibid.*, p. 502.

humain ou physique) à la connaissance de l'être de
l'étant en général, parce que Kant voit bien que « la
metaphysica generalis est la pièce maîtresse de la
métaphysique, que la question de l'essence de la
métaphysique est la question plus générale de la possibilité intrinsèque de rendre manifeste l'étant
comme tel, qui est à son tour ramenée à la question
de l'unité des facultés fondamentales de l'« esprit
humain » : l'instauration kantienne du fondement
fait découvrir que fonder la métaphysique est une
interrogation sur l'homme, est anthropologie (*KPM*,
p. 262). La tentative kantienne a donc pour résultat
« la découverte du lien interne qui unit le problème
de la possibilité de la synthèse ontologique et le
dévoilement de la finitude dans l'homme. Ainsi se
trouve mise en lumière la nécessité d'une réflexion
s'interrogeant sur la manière dont une métaphysique du *Dasein* peut concrètement se réaliser »
(*KPM*, p. 287).

Or telle est justement la voie qu'Heidegger juge
nécessaire au dépassement de la métaphysique : surmonter la métaphysique ne consiste pas à éliminer
celle-ci, mais à penser la vérité de l'être, en pensant
l'être dans sa vérité (*Andenken an das Sein selbst*), à
savoir dans sa dimension temporelle : c'est pourquoi
l'élaboration concrète de la question de l'être, au
début de *L'Être et le Temps*, rejoint celle du temps, de
la facticité et de l'historialité : « ma question du
temps a été déterminée à partir de la question de
l'être[1] ». Poser correctement la question du sens de
l'être, c'est d'abord renoncer à réduire la métaphysique à la seule ontologie, à n'être qu'une science de
l'étant ; c'est montrer ensuite que le fondement de la

---

1. Q. IV, p. 194, cité par F. Dastur, *op. cit.*, p. 26.

métaphysique ne peut être métaphysique, sans quoi la métaphysique se fonderait elle-même, ce qui est impossible. Le dépassement de la métaphysique doit donc se faire de l'extérieur. Mais d'où ? Heidegger choisit de partir de l'étant qui comprend l'être, de celui pour qui seul « il y a » de l'être, à savoir l'homme lui-même, dont l' exemplarité réside en ceci qu'il se distingue des autres étants par le fait qu'il entretient un rapport à son propre être et qu'ainsi la compréhension de l'être lui appartient. L'homme est un étant ontologique ou pré-ontologique, non pas conscience ou sujet clos sur lui-même, mais *Dasein*. Le *Dasein* est non pas le simple fait d'être pour un quelconque étant, mais le fait d'être hors de soi, d'avoir une structure *ekstatique*; cette ouverture essentielle de l'être de l'homme, que Heidegger nomme « souci », tient au fait que le *Dasein* est un être en vue de la mort. Déployer en effet pleinement la question directrice du sens de l'être exige de s'interroger sur la structure formelle de toute question et sur le mode d'être de l'étant qui questionne (*ET*, §2). L'homme n'est donc pas un étant parmi d'autres : il devient la question fondamentale pour une pensée qui s'interroge sur le fondement de la possibilité de la compréhension de l'être. Le temps, en tant qu'il est un tel fondement, est donc à la fois ce qui rend possible ce qui est questionné (l'être), et ce qui questionne (l'homme). La question de l'essence de l'homme devient dès lors incontournable, car toujours comprise dans celle de l'être. Celle-ci n'advient qu'avec l'ouverture de l'existence humaine : avec ce que Heidegger appelle l'ontologie fondamentale, ou l'analytique du *Dasein*. C'est cette compréhension pré-ontologique — qui n'est pas un savoir de l'être — du *Dasein* qui sera la condition de possibilité de toute ontologie thématique, qui servira de sol à toutes les ontologies régionales dont la tâche est d'élucider le mode d'être des autres étants qui relèvent par exemple de la région « nature », « vie », ou « espace ». Toutes nos connaissances empiriques et ontiques, toutes nos activités, tout notre comportement (*Verhalten*) ne sont donc ce qu'ils sont que sur fond de notre saisie de l'être, saisie qui est la définition de l'étant que nous sommes. L'ontologie fondamentale qui se trouve à la base de la métaphysique est plus particulièrement une métaphysique de l'existence humaine. « Nous appelons ontologie fondamentale l'analytique de l'essence finie de l'homme en tant qu'elle prépare le fondement d'une métaphysique conforme à la nature de l'homme. » L'ontologie fondamentale n'est autre que la métaphysique du *Dasein* humain, telle qu'elle est nécessaire pour rendre la métaphysique possible (*KPM*, p. 57).

Or l'élaboration de la question de l'être dans le cadre de l'analytique du *Dasein* révèle que réaliser une réalité humaine (*Da-sein*) signifie : se trouver retenu à l'intérieur du Néant (*QM*, p. 62). Sans la manifestation originelle du Néant, il n'y aurait ni être personnel ni liberté. Le Néant, qui se révèle dans l'expérience de l'angoisse (*QM*, p. 57)[1], devient dès lors la condition qui rend possible la révélation de l'existant comme tel pour la réalité humaine (*QM*, p. 63). Ainsi, s'il est vrai que « l'interrogation sur

1. « Dans la nuit claire du Néant de l'angoisse, se montre enfin la manifestation originelle de l'existant comme tel : à savoir qu'il y ait de l'existant — et non pas Rien... L'essence de ce Néant qui néantit dès l'origine réside en ce qu'il met tout d'abord la réalité humaine devant l'existant comme tel » (*QM*, p. 62).

l'être en tant qu'être soit la question compréhensive de la métaphysique, la question du Néant s'avère d'une nature telle qu'elle circonscrit l'ensemble de la Métaphysique » (*DM*, p. 69).

Même surmontée, avec Heidegger, la métaphysique ne disparaît donc point (*DM*, p. 82). Elle fait partie de la nature de l'homme, animal métaphysique. C'est une fatalité. Mais elle est bien en un sens achevée : elle devient « technique », appellation qui englobe « tous les domaines de l'étant, la nature objectivée, la culture maintenue en mouvement, la politique dirigée, les idéaux surhaussés » (*DM*, p. 92) et base même d'un mode de pensée « planétaire » (*DM*, p. 95), anthropologie. En ce sens, elle « est devenue une proie pour la physique au sens le plus large, qui embrasse la physique de la vie et de l'homme, la biologie et la psychologie. Devenue anthropologie, la philosophie elle-même périt du fait de la métaphysique » (*DM*, p. 99-100). Mais « la fin de la philosophie n'est pas la fin de la pensée, laquelle passe à un autre commencement » (*DM*, p. 95-96). Cet autre commencement suppose une pensée qui pense non pas la vérité de l'Être, mais l'Être dans sa vérité, c'est-à-dire en tant que décèlement ; il suppose une pensée « qui se fasse plus pensante » (*QM*, p. 31), enfin attentive à l'oubli de l'Être pour éprouver et insérer cette épreuve dans la relation de l'Être à l'homme et l'y garder. « Mettre la pensée sur un chemin qui lui permette de parvenir à la relation de la vérité de l'Être à l'essence de l'homme, ouvrir à la pensée un sentier, afin qu'elle pense expressément l'Être lui-même dans sa vérité, c'est le but vers lequel la pensée qui s'essaie dans *Sein und Zeit* est "en chemin" » (*QM*, p. 31-32).

IV. LA MÉTAPHYSIQUE N'EST-ELLE
EN DÉFINITIVE QUE L'EXPRESSION
D'UN SENTIMENT DE LA VIE ?

Les critiques kantienne et heideggérienne de la métaphysique, en dépit de leurs différences, mettent en lumière un point apparemment décisif : la métaphysique ne peut plus être pensée dans le cadre de la raison théorique ou spéculative ; il faut l'envisager sur un autre mode.

Chez Kant, le mode le plus clairement indiqué est celui de l'expression de cette « disposition de la nature » au sein de la raison pratique. « Le but essentiel de Kant, fait observer Alquié, quand il examine la métaphysique, est de fonder la morale, et de rendre à la raison sa véritable fonction[1] ».

Certes, des principes régulateurs ne peuvent devenir constitutifs, mais ils peuvent demeurer objets de croyance (l'âme et Dieu). Dans cette mesure, ils peuvent être *pensés* : « Quoique nous ne puissions pas connaître (*erkennen*) ces objets comme choses en soi, il faut bien que nous puissions au moins les penser (*denken*) » (*CRP*; préface à la 2ᵉ éd.). Le propre de l'illusion métaphysique est de persister après réfutation. Les *Prolégomènes* reprennent l'affirmation de la *Critique* : « L'apparence métaphysique est inévitable, quoiqu'il soit parfaitement possible d'éviter qu'elle ne fasse illusion. » Aussi la critique kantienne a-t-elle moins pour but de ruiner les affirmations sur l'âme, la liberté ou Dieu, que de

1. *Op. cit.*, p. 35.

les maintenir en leur ordre; notamment, « si la métaphysique ne peut pas être fondement de la religion, elle doit cependant en rester toujours comme le rempart » (*CRP*, 6ᵉ section). Il faut donc repérer le fondement de l'illusion, en neutralisant son aspect illusoire; après quoi, il devient possible de redonner leur légitimité à nos dispositions métaphysiques, non plus du côté de la raison spéculative, à laquelle est désormais interdite toute possibilité de s'avancer dans le champ du suprasensible, mais du côté de la raison pratique et de la religion. « Je dus abolir le savoir... afin d'obtenir une place pour la croyance. » L'orgueil de la raison est jugulé, et la pureté du cœur, voie royale vers la morale et Dieu, d'autant mieux préservée.

Dans le cas de Heidegger, le rejet de la métaphysique hors de la raison théorique appelé par l'« expropriation » nécessaire de l'étant en vue du décèlement de l'être est encore plus radical. Il suppose que l'on renonce au « geste supérieur » de la science, que « la science ex-siste de la métaphysique » (*QM*, p. 70) et que peut-être d'abord et avant tout l'on cesse d'admettre le « règne de la Logique ». Si en effet c'est le Néant qui est à l'origine de la négation, et non l'inverse (*QM*, p. 65), cela revient à limiter la « puissance de l'entendement » : « c'est également le destin du règne de la "Logique" à l'intérieur de la philosophie qui se trouve décidé. L'idée même de la "Logique" *se dissout* dans le tourbillon d'une interrogation plus originelle » (*QM*, p. 65). S'il est vrai que « la question du Néant traverse tout l'ensemble de la Métaphysique pour autant qu'elle nous contraint au problème de l'*origine de la négation*, c'est-à-dire pour autant qu'elle nous amène au fond, à décider de la souveraineté de la "Logique" en

Métaphysique » (*QM*, p. 69), il faut refuser cette souveraineté.

Il n'est dès lors pas étonnant que les attaques les
plus vives qu'ait eu à subir Heidegger soient venues
des positivistes logiques, qui voyaient au contraire
en l'accent mis sur la logique et les sciences la condition même de toute *pensée douée de sens*. Dans son
fameux article de 1933, « Le dépassement de la
métaphysique par l'analyse logique du langage »[1],
Carnap le dit sans détour : « Grâce au développement de la logique moderne, il est devenu possible
d'apporter une réponse nouvelle et plus précise à la
question de la validité et de la légitimité de la métaphysique ». Pourquoi ? C'est que les recherches
menées en logique appliquée ou en théorie de la
connaissance dont le but avait été de clarifier par
l'analyse logique le contenu cognitif des énoncés
scientifiques ont permis d'établir un critère de
démarcation entre les domaines : positivement, on a
pu clarifier dans le domaine de la science empirique
les concepts particuliers aux diverses branches de la
science et décrire leurs connexions au point de vue
de la logique formelle et de la théorie de la connaissance. En revanche, « dans le domaine de la métaphysique (y compris les philosophies des valeurs et
sciences des normes), l'analyse logique aboutit à un
résultat négatif : *les soi-disant énoncés dans ce
domaine sont totalement dépourvus de sens* ». On en
arrive donc, conclut Carnap, à « un dépassement
radical de la métaphysique que les antimétaphysi-
ciens d'autrefois ne pouvaient pas envisager

1. D'abord paru dans la revue *Erkenntnis* (II (en 1933),
repris et traduit en français in *Manifeste du Cercle de Vienne et
autres écrits*, sous la dir. d'Antonia Soulez, PUF, 1985, p. 155-
179.

encore ». Ce leur était impossible en effet, car en dépit des résultats permis notamment par les efforts des nominalistes, il fallait attendre que la logique fût devenue un outil de précision suffisante (p. 156). Carnap prend directement à partie Heidegger dont il dénonce, à travers les divers énoncés qu'il en donne, l'analyse du Néant : ces énoncés, soutient Carnap, n'en sont pas, ce sont des simili-énoncés, ou des pseudo-énoncés, dépourvus de sens, « au sens strict », insiste-t-il, et pas seulement au sens de « stériles » ou de « faux » (des énoncés relevant de ces deux dernières catégories pouvant en effet avoir un sens) : si les énoncés métaphysiques sont dits dépourvus de sens, c'est parce qu'ils se révèlent à la lumière de l'analyse logique être des « pseudo-énoncés », c'est-à-dire des énoncés qui paraissent à première vue être des énoncés mais qui se révèlent n'en être pas en fait. Si l'on considère qu'une langue se compose d'un vocabulaire et d'une syntaxe, en d'autres termes d'un stock de mots ayant une signification, et de règles de formation des phrases, deux types de simili-énoncés peuvent se présenter : soit il s'y trouve un mot, dont on a admis par simple erreur qu'il a une signification, soit les mots qui y figurent ont vraiment une signification mais ils forment un assemblage contraire à la syntaxe qui leur retire tout sens. Carnap considère que « la métaphysique dans sa totalité consiste en pareils pseudo-énoncés ».

Quelles sont en effet les conditions requises par un énoncé pour qu'il ait un sens ? La première est qu'en soit fixée la syntaxe, « les modalités de son occurrence dans la forme propositionnelle la plus simple où il puisse entrer » : c'est l' « énoncé élémentaire » qui lui est associé. Ainsi pour le mot « pierre », la forme propositionnelle est par exemple

« X est une pierre ». La seconde condition est qu'il doit être possible de donner une réponse à un énoncé élémentaire S du mot correspondant selon l'une ou l'autre des formulations suivantes :

« 1) De quel énoncé S est-il déductible et quels énoncés sont déductibles de S ?

2) À quelles conditions S doit-il être *vrai*, à quelles conditions faux ?

3) Comment doit-il être *vérifié* ?

4) Quel sens a S ?

(1) est la formulation correcte ; (2) correspond à la manière de parler en logique ; (3) à la manière de parler dans la théorie de la connaissance ; (4) à celle de la philosophie (phénoménologie). »

Pour la plupart des mots usités dans les sciences, on peut donner leur signification par réduction à d'autres mots (« constitution », définition). Par exemple les « arthropodes » sont « des animaux possédant un corps articulé, des membres articulés et une peau recouverte de chitine ». Ainsi, pour la forme propositionnelle « la chose X est un arthropode », on a la réponse à la question posée plus haut. Par là est établi qu'un énoncé de cette forme doit être déductible des prémisses de la forme « X est un animal », « X a un corps articulé », « X a des membres articulés », « X a une peau en chitine », et inversement, que chacun de ces énoncés doit être déductible de l'énoncé en question. De la sorte, « les conditions de déductibilité — en d'autres termes : le critère de vérité, la méthode de vérification, le sens — de l'énoncé élémentaire associé au mot "arthropode" étant ainsi déterminées, la signification du mot "arthropode" est fixée ». C'est pourquoi Carnap considère que « chaque mot du langage est réduit à d'autres mots et finalement aux mots figurant dans

les énoncés dits "d'observation" ou "énoncés protocolaires" », le mot recevant ainsi sa signification de
cette procédure de réduction.

La signification d'un mot est donc déterminée par
son critère (autrement dit, par les relations de
déduction de son énoncé élémentaire, par ses conditions de vérité, par la méthode de vérification). De ce
fait, on n'a plus la liberté, une fois le critère établi,
de décider encore ce que l'on « veut dire » par ce
mot. « On ne doit pas en dire moins que le critère,
qui confère au mot une signification précise ; on ne
doit pas non plus en dire plus que le critère, par
lequel tout ce qui s'ensuit est déterminé. » « Le critère contient la signification à l'état implicite : il ne
reste qu'à l'en dégager explicitement. » Ainsi, supposons que quelqu'un forge un mot nouveau, « babu »,
et qu'il affirme qu'il y a des choses qui sont babues et
d'autres qui ne sauraient l'être. S'il n'est pas en
mesure de donner le critère, en l'occurrence le critère empirique de la « babitude », on considère qu'il
n'a pas le droit d'employer ce mot. Il aura beau
maintenir qu'il y a des choses babues et des choses
non babues, que ce n'est un mystère éternel que
pour le misérable entendement fini des hommes que
telles choses soient babues et telles autres non, ce ne
seront là que « paroles creuses ».

Voudra-t-il nous assurer que par ce mot « babu » il
veut dire quelque chose, ce cas ne nous renseignera
que sur le « fait psychologique » suivant : « il associe
au mot des représentations et des sentiments, mais
le mot n'en reçoit pas pour autant de signification ».
En résumé, soit a un mot quelconque et $E(a)$
l'énoncé élémentaire dans lequel il figure, « la condition nécessaire et suffisante pour que a ait une signification peut s'énoncer dans chacune des formules
suivantes, qui disent au fond la même chose :

1) Les critères empiriques de *a* sont connus.

2) Il est établi de quels énoncés protocolaires E(*a*) est déductible.

3) Les *conditions de vérité* de E(*a*) sont établies.

4) La procédure de vérification de E(*a*) est connue ».

Fort de cette condition, Carnap n'a aucun mal à conclure que beaucoup (sinon la totalité) des mots métaphysiques ne la remplissent pas, et sont donc sans signification. Tel est le cas par exemple des mots « principe » (au sens de « principe de l'être », et non au sens de principe de connaissance ou axiome). Ainsi, « divers métaphysiciens, à la question de savoir "quel est le principe (suprême) du monde" (ou bien "des choses", "de l'être", "de l'étant"), répondent par exemple que c'est l'Eau, le Nombre, la Forme, le Mouvement, la Vie, l'Esprit, l'Idée, l'Inconscient, l'Action, le Bien, etc. Or, si l'on demande au métaphysicien à quelles conditions un énoncé de la forme "*x* est le principe de *y*" est vrai, et à quelles conditions faux, bref, quelles sont les marques distinctives (*kennzeichen*) ou la définition du mot "principe", il répondra par des mots ambigus et indéterminés : "*x* est le principe de *y*" doit signifier "*y* procède de *x*" ou "l'être de *x* repose sur l'être de *y*". Certes, le plus souvent, ces mots ont une signification claire : par exemple, nous disons d'une chose ou d'un processus *y* qu'il "procède de *x*" quand nous observons que les choses ou les processus de l'espèce de *x* sont souvent ou toujours suivis de l'espèce *y* (relation causale au sens d'une succession soumise à une loi) ». Mais, poursuit Carnap, le métaphysicien n'entend pas cela au sens de relations empiriquement constatables, faute de quoi ses thèses seraient de simples « énoncés d'expérience de la même espèce que ceux de la physique » ; mais pas davantage il ne donne de critère pour une autre signification : « par suite, la signification soi-disant "métaphysique" que le mot doit avoir ici, par opposition à la signification empirique dont on vient de parler, n'existe absolument pas ». On n'a fait qu'ôter au mot sa signification antérieure sans lui en donner une nouvelle; « il n'est plus qu'une coque vide[1] ».

Les énoncés de la métaphysique étant des pseudo-énoncés ne sauraient donc être exprimés dans une langue construite d'une façon logiquement correcte. Au demeurant, il est facile de voir que la plupart des problèmes rencontrés en métaphysique reposent sur les fautes logiques commises dans des simili-énoncés où l'on fait une confusion sur l'emploi du verbe « être » (tantôt pris comme copule, tantôt comme expression de l'existence).

Il ne fait aucun doute que d'un point de vue heideggerien, les arguments de Carnap sont sans effet, puisqu'ils reposent sur des postulats (primauté de la logique et de la science) qui sont précisément rejetés par Heidegger. Sans doute y a-t-il lieu, en outre, de tempérer le verdict de non-sens dont Carnap frappe les énoncés métaphysiques : pour ce faire, en effet, on sait qu'il s'appuie sur un critère de démarcation entre science et métaphysique, entre logique et métaphysique souvent remis en cause depuis, aussi bien par la contestation du principe positiviste de vérifiabilité que par celle (venue de Quine) de la douteuse distinction entre l'analytique et le synthétique, ou enfin que par le statut ambigu des énoncés de

---

1. Carnap applique la même démonstration au mot « Dieu » et aux énoncés de Heidegger sur le Néant.

base observationnels sur lesquels repose le critère de signification. En outre, si Carnap a souligné la vanité des énoncés métaphysiques, on se plaît souvent à dire que son ouvrage majeur, *Der logische Aufbau der Welt* (1928), n'est pas sans ressembler à bien des égards à ce que l'on a coutume d'appeler un ouvrage de métaphysique.

Quel que soit pourtant le bien-fondé ou non des arguments de Carnap, il paraît difficile de ne pas être frappé par le brouillard qui finit par envelopper l'être heideggerien. Comme le note Gilson, Heidegger reproche à la métaphysique de ne pas s'occuper de l'être, mais on ne parvient pas à trouver un sens précis de ce mot chez lui[1] : on voit mieux ce qu'il entend par *Zeit* que par *Sein*. Mais n'est-ce pas inévitable ? « Le philosophe décide de s'évader des limites de l'étant, c'est-à-dire de l'essentialité de l'essence, pour s'engager courageusement sur le chemin déserté de l'être. On s'aperçoit que l'effort requis pour penser l'être s'accompagne d'une sorte de vertige métaphysique et nous aheurte à l'indicible. Dès qu'on pose l'être à partir de l'essence, il devient inexprimable[2]. » Toutes les réponses de Heidegger sont des métaphores.

En un sens, on pourrait considérer que tel est le destin véritable de la métaphysique : d'être en définitive une expression de la poésie, ou peut-être du vécu, un *Lebensgefühl*. C'est ce que pensent Carnap ou Moritz Schlick[3] : la métaphysique possède bien un contenu, dit Carnap, mais c'est un contenu qui n'est nullement théorique. « On n'attend pas des

1. E. Gilson, *L'Être et l'essence, op. cit.*, p. 373.
2. *Ibid.*, p. 373-374.
3. Voir par exemple « Le vécu, la connaissance, la métaphysique », in *Manifeste de Vienne..., op. cit.*, p. 183-197.

simili-énoncés de la métaphysique qu'ils présentent des états de choses (*Darstellungen von Sachverhalten*) existants (car il s'agirait alors d'énoncés vrais) ou non existants (auquel cas ces énoncés seraient au moins faux) mais qu'ils *expriment le sentiment de la vie (Lebensgefühl)*[1]. » Le problème est que, le plus souvent, les métaphysiciens ont eu l'ambition de définir la métaphysique comme une connaissance et, qui plus est, comme une connaissance du transcendant.

Or, quel est le propre de la connaissance? « La connaissance, écrit Schlick, est le communicable[2] », et est communicable « ce qui peut être formulé d'une manière ou d'une autre, c'est-à-dire exprimé au moyen de symboles quels qu'ils soient, mots du langage ou autres signes. Mais toute connaissance consiste en ce qu'un objet, l'objet à connaître, est ramené à d'autres objets, aux objets au moyen desquels il est connu; et cela s'exprime par le fait que l'objet connu est désigné à l'aide des mêmes concepts qui ont déjà été coordonnés à ces autres objets. Est donc caractéristique de l'essence de la connaissance précisément cette relation symbolique de désignation, de coordination, laquelle est toujours d'emblée expression, représentation symbolique ».

Or un trait marquant de la plupart des questions métaphysiques, c'est de porter sur un contenu non communicable; la plupart des métaphysiciens (voir Descartes) s'accordent à reconnaître qu'« elles ne sont reconnues comme telles qu'à travers une expé-

1. *Ibid.*, p. 175.
2. *Ibid.*, p. 183.

rience vécue immédiate[1] ». Or « ce qu'est proprement l'existence, ou le réel, ne se laisse pas formuler
conceptuellement ni exprimer avec des mots ». On
retrouvera une inspiration voisine chez Wittgenstein : ce qui relève de la connaissance doit pouvoir se
dire : le reste ne peut qu'être *montré*. Mais l'erreur
des métaphysiciens a souvent consisté à prendre à
tort « ce qui ne peut être que le contenu d'une appréhension (*kennen*) pour le contenu possible d'une
connaissance (*Erkenntnis*)[2] ». Or, comme le note B.
Russell, « toute proposition ayant un sens communicable doit valoir pour les deux mondes ou pour
aucun : la seule différence doit résider dans cette
essence de l'individuel qui échappe aux mots et défie

1. *Ibid.*, p. 183.
2. Schlick considère que Kant est victime de cette confusion : « À coup sûr, seuls les objets immanents peuvent être
appréhendés (*kennbar*) (= vécus [*erlebbar*]), les objets transcendants ne le peuvent pas. Mais cette différence n'est pour la
connaissance ni intéressante ni concevable. Kant en est venu à
sa doctrine de l'inconnaissabilité des choses par une confusion
entre appréhender (k *ennen*) et connaître (*erkennen*) » (*op. cit.*,
p. 190). La différence entre les deux points de vue (le phénomène immanent) et la chose en soi (objet transcendant) ne
renvoie donc qu'à de l'inexprimable, et ne peut donc elle-
même être formulée. Du fait qu'il n'y a pas de différence assignable entre les deux conceptions, Schlick conclut au demeurant qu'une authentique connaissance du monde transcendant
est parfaitement possible, et que c'est même « ce qu'il y a de
plus facile au monde », « car tous les énoncés que nous pouvons émettre ont un sens qui outrepasse ce qui est immédiatement donné, vécu, et ils ont donc, selon notre terminologie,
une signification transcendante ». Mais alors, « toute science
serait métaphysique, et tout enfant produirait sans cesse des
énoncés métaphysiques ». Ce qui montre que la définition de
la métaphysique comme science du transcendant ne peut
absolument pas convenir, et qu'il faut en chercher la spécificité ailleurs (*ibid.*, p. 190-191).

la description, et qui, pour cette raison même, ne relève pas de la science[1] ».

Si l'on admet que, d'un côté, on a « l'expérience immédiate, le purement donné, connu », et que de l'autre, tout le reste est transcendant, alors, que l'on comprenne la transcendance comme « le dépassement des limites imposées à la science, par sa nature même », ou « déjà comme le dépassement des limites dans lesquelles elle est fermée à tel moment par l'état contingent de la recherche »[2], la définition de la métaphysique comme connaissance du transcendant est, souligne Schlick, un non-sens. En réalité, on s'aperçoit que le terme de « métaphysique » n'a pas été employé simplement pour désigner la connaissance du transcendant en général, mais seulement pour désigner « la soi-disant connaissance intuitive du transcendant ». La métaphysique dis-

1. B. Russell, *Introduction to Mathematical Philosophy*, Londres, Allen & Unwin, 1919, 2e éd., p. 61.

2. M. Schlick, *op. cit.*. Ce qui est sa définition chez les avocats de la « métaphysique inductive », qui croient la connaissance du monde transcendant possible par les mêmes méthodes qui rendent possible la science du monde empirique — bien que, selon leur opinion, la métaphysique se laisse délimiter comme une science particulière distincte des autres (*ibid.*, p. 191). Dans ce cas, en effet, « toute extension de la connaissance inductive qui cherche à sortir des sciences demeure cependant nécessairement à l'intérieur des sciences et ne conduit jamais à quelque chose de totalement nouveau, ni d'une autre nature, donc jamais à une autre métaphysique ». « Si l'induction s'étend hors des limites autorisées, une telle extrapolation ne conduit jamais qu'à des propositions générales, qui ont par nature un caractère scientifique. Elles peuvent tout au plus être fausses, mais elles ne peuvent pas être métaphysiques, c'est-à-dire appartenir à un domaine qui s'étend par principe au-delà de la science. Nous voyons donc que la connaissance inductive d'un "transcendant", dans le sens du mot critiqué ici, est impossible. »

poserait d'un mode de connaissance particulier, l'intuition. Soit. Mais en quoi consiste celle-ci en métaphysique ? Il ne s'agit ni d'une « anticipation d'un résultat cognitif qui dans toutes les grandes découvertes précède communément sa dérivation par la pensée », ni non plus de « cette divination des connexions cachées qui n'appartient qu'au chercheur de génie et peut à bon droit être appelée "connaissance intuitive" au sens empirique ». En réalité, « elle n'est rien d'autre que l'occurrence d'un contenu de conscience, une simple présence antérieure à tout travail de l'esprit, à toute connaissance, bref, elle est simplement l'expérience vécue ». Ainsi voit-on bien que « le métaphysicien ne veut pas du tout connaître les choses mais les vivre ». Il veut « connaître les objets en les transformant en contenu de conscience » (c'est pourquoi l'idéalisme est la forme la plus répandue en métaphysique). Mais « si l'intuition est expérience vécue, et si le contenu d'une expérience vécue est simplement un contenu de conscience, et donc par définition, quelque chose d'immanent, il s'ensuit que "la connaissance intuitive du transcendant" est un non-sens, une combinaison de termes contradictoires : l'intuition est, par essence, limitée à l'immanent (et il n'y a pas de connaissance de l'immanent). La réalité transcendante ne peut être vécue car elle n'est transcendante que pour autant et aussi longtemps qu'elle n'est pas vécue, c'est sa définition même ». À supposer pourtant que l'impossible soit devenu possible et que le métaphysicien ait vu l'invisible, et croie pouvoir désormais représenter son vécu dans des mots et des concepts, bref, souhaite exprimer ce qui est par principe inexprimable, il perdra ce qui était spécifique au vécu et ne conservera que les seules relations formelles, seules susceptibles d'être lues à travers les symboles ; mais alors, il aurait pu aussi bien les obtenir sans cette expérience vécue, sans intuition, puisque ces relations du transcendant peuvent déjà être totalement atteintes par la connaissance discursive ordinaire dans les sciences empiriques : « Toute connaissance de l'étant peut par principe être obtenue par la méthode des sciences particulières ; toute autre ontologie débite des sornettes. »

La métaphysique « est donc impossible », conclut Schlick, « parce qu'elle demande ce qui est contradictoire. Si le métaphysicien n'aspirait qu'à l'expérience vécue, sa demande pourrait être satisfaite par la poésie, ou l'art, ou la vie elle-même, qui de leurs stimuli, augmentent la richesse des contenus de conscience, de l'immanent. Mais en voulant vivre l'expérience du transcendant, il confond vivre et connaître, et pris dans cette double contradiction, il pourchasse des ombres creuses ». Les systèmes métaphysiques devraient dès lors se lire comme des « poèmes conceptuels », qui « jouent en fait dans la culture un rôle comparable à celui de la poésie, qui contribue à enrichir la vie, non la connaissance. Il faut leur donner la valeur d'œuvres d'art, non de vérités ». En définitive, « les systèmes des métaphysiciens contiennent parfois de la science, parfois de la poésie, ils ne contiennent jamais de métaphysique ».

La métaphysique serait donc simplement, comme le note Carnap, « un substitut de la théologie au niveau de la pensée conceptuelle et systématique[1] », une manière de « porter le sentiment de la vie à l'expression, qu'il s'agisse de l'attitude que l'homme

1. *Op. cit.*, p. 176.

adopte dans la vie, de la disposition émotionnelle et volontaire qui est la sienne vis-à-vis du monde environnant et de ses semblables, lorsqu'il affronte les tâches auxquelles il se consacre activement ou qu'il subit les coups du destin ».

Le malheur est que, sur ce terrain, les métaphysiciens sont concurrencés par les vrais artistes, et que force est d'admettre que « l'art est le moyen d'expresssion adéquat et la métaphysique un moyen inadéquat, pour rendre le sentiment de la vie ». Faut-il pourtant conclure qu'il ne reste plus aux métaphysiciens que d'être ou bien des savants ratés, des charlatans confinés dans le royaume de l'incertain, des hypothèses les plus générales[1], ou bien « des musiciens sans talent musical[2] » ?

V. LA MÉTAPHYSIQUE PEUT-ELLE ENCORE ÊTRE UNE SCIENCE ?

Sans doute « le fait même de se demander si une science est possible présuppose-t-il que l'on doute de sa réalité », admettait Kant dans les *Prolégomènes*. Pourtant, comme thème d'interrogation, la métaphysique garde une quasi-présence. Elle « existe », au moins sous deux modes, à titre de « disposition »

---

1. E. Schlick, *op. cit.*, p. 193. Puisque « le terme "métaphysique" comme "science du transcendant" ne signifie plus une discipline fondamentalement démarquée des sciences particulières, ni même nettement séparée d'elles; "métaphysique" représenterait seulement l'ensemble des hypothèses les plus générales qui sont fondées, il est vrai, sur des vécus d'expérience (*Erfahrungserlebnis*) mais dont la science doit en même temps se retenir d'énoncer la justesse » (*ibid.*).

2. Carnap, *op. cit.*, p. 177.

inscrite dans notre nature, mais aussi comme *science éventuelle* dont on scrute la possibilité[1].

Kant voyait en l'impossibilité de renoncer aux recherches métaphysiques plus qu'un « simple désir de savoir » : un pressant besoin, une disposition naturelle de la raison (*Prolég.*, p. 160). C'est pourquoi, écrivait-il, « la dialectique inévitable de la raison pure dans une métaphysique considérée comme une disposition naturelle, doit être expliquée non seulement comme une illusion qui a besoin d'être dissipée, mais aussi comme une *institution de la nature* par sa fin », du moins, ajoutait-il, « si on le peut, bien que cette tâche comme surérogatoire ne puisse être exigée, à juste titre, de la métaphysique proprement dite » (*Prolég.*, p. 155). Kant reconnaissait donc simultanément que « l'utilité pratique que peut avoir une science simplement spéculative se trouve en dehors des limites de cette science et peut donc être considérée comme une simple scolie qui, comme toutes les scolies, ne forme pas une partie de la science elle-même », et que « néanmoins, ce rapport se trouve tout au moins à l'intérieur des limites de la philosophie, notamment de celle qui puise aux sources pures de la raison où l'usage spéculatif de la raison en métaphysique doit, de toute nécessité, former une unité avec son usage pratique en morale » (*ibid.*). Pour Kant, une manière d' « expliquer » cette « disposition naturelle » à la métaphysique serait donc celle-là : « les idées transcendantales servent, sinon à nous instruire positivement, tout au moins à éliminer les assertions audacieuses du *matérialisme,* du *naturalisme* et du *fatalisme* qui restreignent le domaine de la raison et à faire par là aux idées

1. G. Lebrun, *op. cit.*, p. 24.

morales une place en dehors du champ de la spéculation » (*Prolég.*, p. 154). Faut-il pourtant se satisfaire d'une telle « explication » ? Considérer que
cette « disposition naturelle de notre raison qui a
donné naissance à la métaphysique, son enfant
chéri, dont la procréation, comme toute autre dans
le monde, ne doit pas être attribuée à un hasard
quelconque, mais à un germe primitif, organisé
sagement pour d'importantes fins » (*Prolég.*, p. 141),
ait été « établie en nous par la nature même » à seule
fin de nous « montrer les limites véritables de l'usage
pur de la raison » et « la manière de les déterminer[1] », et de satisfaire au pressant besoin de la raison — que ne peut assouvir le monde des sens — en
« solutions définitives » ou « achevées », bref de donner à la raison « l'espoir de voir un jour satisfait son
désir d'arriver à l'intégralité dans le progrès du
conditionné à ses conditions » (*Prolég.*, p. 142)?

On peut certes accorder à Kant que, ce faisant, il a
moins refusé tout accès de la métaphysique à la
science ou à la raison, qu'il n'a enfin dévoilé l'envergure du mot « science », pressentant ainsi qu'il existe
bien « une science, qui n'est qu'homonyme aux
autres, non pas plus générale que les autres, mais
foncièrement hétérogène à elles[2] » On peut donc
accorder à Kant qu'il a entrevu « l'abîme entre le
théorique et le rationnel[3] ». Toutefois, la difficulté
demeure : pourquoi continuer à parler de *Wissens-
chaft*, alors que le sens traditionnel, théorétique, du
mot n'a plus cours[4]? Si la métaphysique ne nous

1. Dans la mesure où les idées transcendantales sont, par
définition, telles qu'« on ne peut les éluder et que néanmoins
on ne peut jamais les réaliser » (*ibid.*).
2. G. Lebrun, *op. cit.*, p. 500.
3. *Ibid.*
4. *Ibid.*, p. 37.

dévoile pas de vérités objectives (supraobjectives), quel est son rapport à la vérité — et même de quelle vérité s'agit-il encore ? On veut bien admettre que si « cette science est tombée dans le discrédit général », c'est « parce qu'on commença à attendre d'elle plus qu'on ne peut raisonnablement en exiger » (*KRV*, B 548), et que, s'il doit donc y avoir une métaphysique scientifique, celle-ci ne coïncidera pas avec un système « scolastique » de nos connaissances rationnelles[1]. De ce dernier point de vue, toutes les parties du système n'ont plus la même importance : si indispensable que soit une métaphysique de la nature (entendue à la fois comme théorie de la nature en général (philosophie transcendantale) et théorie générale de la nature empirique donnée (physiologie

---

1. Il y a bien pour Kant deux sens de la métaphysique : la métaphysique au sens strict (B 540), comme système qui enveloppe la philosophie transcendantale, et la physiologie rationnelle ou théorie de la nature telle qu'elle peut être connue *a priori*, soit « d'après sa fin propre [...] d'après la fin qu'on se propose d'atteindre par le moyen de cette science en vue d'un nouvel usage » (*Premiers principes métaphysiques de la science de la nature (PPMSN)*, Vrin, 1971, p. 21) : connaissance de Dieu, de la liberté et de l'immortalité de l'âme. Si l'on veut en effet rendre possible le passage à une métaphysique positive de la nature et des mœurs, il faut que, si l'on fait abstraction de la partie morale de la philosophie, la métaphysique spéculative « se compose de la *philosophie transcendantale*, et de la *physiologie* de la raison pure. La première considère seulement l'entendement et la raison même dans un système de tous les concepts et principes, qui se rapportent à des objets en général, sans admettre des objets qui *seraient donnés* (*ontologia*) ; la seconde considère la *Nature*, c'est-à-dire l'ensemble des objets *donnés* (ils peuvent d'ailleurs être donnés aux sens, ou si l'on veut, à une autre sorte d'intuition), et elle est par conséquent une *physiologie* (bien que *rationalis*) » (*Kr*, 541, A 848) ; voir J. Vuillemin, *Physique et métaphysique kantiennes*, PUF, 1955, p. 23 *sq*.

immanente) (*PPMSN*, préface, p.10-11), Kant se féli-
cite lorsqu'il traite à part de ses principes, d'avoir
« libéré la métaphysique d'un rejeton, issu à dire vrai
de sa racine, mais qui ne peut que la gêner dans sa
croissance régulière » (*ibid.*, p. 21), si sa tâche essentielle est la localisation de ce qui est au-delà de
l'expérience.

Mais comment en ce cas envisager que la métaphysique spéculative puisse encore être traitée de
science, comment éviter de la reléguer plus ou
moins parmi les « sagesses » ou les herméneutiques
sans rigueur ? Suffit-il pour avoir le nom de science
de reconnaître des limites, et non, comme les autres
sciences, des vérités ? Et n'est-ce pas forcer le sens
des mots ?

Prenons le risque d' « écarter » pour l'instant le
moment critique. Ne pourrait-on envisager un autre
espace possible pour la métaphysique, qui ne se
limiterait ni à la morale, ni à l'expérience vécue, ni à
la simple fatalité de l'*animal metaphysicum*, et qui
éviterait pourtant les pièges du dogmatisme dans
lesquels Kant et Heidegger notamment ont su montrer qu'elle avait pu tomber, à trop être tentée par la
logique, l'ontologie, la physique, ou la théologie ? En
un mot, essayons de fixer les conditions de possibilité et les limites de la métaphysique. Tâchons de
voir ce qu'il lui faudrait éviter, en fonction des
impasses où elle a pu errer.

Partons de la forte idée avicennienne et scotiste :
l'indépendance de la métaphysique est garantie par
la reconnaissance du fait que l'étant est le principe le
plus connu. Mais s'il l'est, c'est à mesure de son indétermination foncière. Peut-on penser jusqu'au bout
l'irréductibilité, voire la scientificité de la métaphysique dans les termes de cette indétermination ?

Toute la difficulté d'un projet métaphysique bien conduit vient, on l'a vu, de là : si on veut le mener à bien, il faut sortir de l'étant dans son indétermination et dire quelque chose sur l'être. Comment à la fois éviter l'indicible, l'inexprimable sans réduire l'être ? Toute l'histoire de la métaphysique peut se lire comme ce pari — dont Heidegger considère qu'il n'a pas été tenu : affirmer que l'on peut atteindre la vérité de l'être moins en le montrant, en le dévoilant, en le décelant qu'en disant quelque chose sur lui. C'est à ce pari qu'Aristote s'essaie en permanence et auquel, en définitive, il réussit fort bien à se tenir.

Il y parvient d'abord en montrant qu'il n'y a pas de métaphysique sans onto-*logie*, c'est-à-dire sans discours sur l'être, que la question « qu'est-ce que l'être » se ramène à cette autre : que signifions-nous lorsque nous parlons de l'être ? La recherche sur l'être, comme le souligne Aristote, est, par opposition à la recherche physique des éléments, une recherche sur les significations de l'être. On ne doit pas rechercher les éléments des êtres avant de distinguer les significations de ce dernier (*Méta.*, A, 9, 992 b 18). Platon a eu le tort en ce sens de multiplier les principes hors de l'être (se condamnant ainsi à admettre l'être de ce qui n'est pas l'être) sans voir qu'il aurait pu s'épargner cette contradiction en distinguant les significations de l'être. À cet égard, il ne peut donc y avoir de métaphysique sans langage. Comme le rappelle Wittgenstein dans le *Tractatus logico-philosophicus*, « les limites de notre langage sont les limites de notre monde ». Et l'on peut se demander si les erreurs commises en métaphysique ne l'ont pas souvent été parce que l'on a cru possible de transcender le langage, en recourant notamment à l'intuition métaphysique, comme seule justifica-

tion. Certes, l'intuition est invoquée par les grands
métaphysiciens, et elle l'est aussi par Aristote. Mais
en quel sens ? Essentiellement en tant que l'intuition
est ce qui garantit le *fondement* de la science. La
question devant laquelle on ne doit donc pas reculer
est celle-ci : est-il nécessaire de continuer à penser la
métaphysique dans une perspective fondationna-
liste ? Peut-il y avoir des métaphysiques qui ne
seraient pas des métaphysiques du fondement[1] ?

Le problème des multiples significations de l'être
se ramène chez Aristote au problème des significations de l'un : une même chose peut à la fois être une
ou non une, si ce n'est pas dans le même sens. C'est
sur la copule que portent finalement les modalités
de la signification, que se fait la distinction entre
prédication essentielle et accidentelle, etc. Pour Aristote, le discours doit en permanence éviter deux
pièges, la tautologie et la contradiction : signifier
quelque chose, c'est n'être pas tautologique ; signifier, c'est n'être pas contradictoire. Signifier quelque
chose suppose donc un langage et un système de
catégories qui permettra de dérouler les différentes
déterminations de l'être en en fixant l'ordre d'importance. À cet égard, on peut considérer que la première condition de possibilité de la métaphysique
réside dans l'attention portée au langage de l'être et
dans l'aptitude à constituer un système catégoriel
adéquat.

1. Telle est à l'évidence la position que soutient le grand
métaphysicien américain C.S. Peirce (1839-1914), qui considère que la première tâche qui incombe à celui qui veut faire
de la métaphysique consiste à renoncer à une perspective fon-
dationnaliste, laquelle suppose que l'on succombe à l'illusion
de la possibilité d'une pensée qui se déroulerait en dehors du
langage et des signes.

Le reproche souvent adressé à Aristote est justement d'avoir contaminé l'un par l'autre : les catégories ontologiques restant trop tributaires des catégories de la langue grecque, qui expliquent en partie la place première qu'occupera dans l'aristotélisme la catégorie de substance. Sans doute. Mais la métaphysique peut retenir certaines leçons d'Aristote sans se faire aristotélicienne. L'histoire de la métaphysique a montré que l'on peut repenser la place même des catégories, en introduire de nouvelles, sans que soit remis en question le principe même de la nécessité d'une table. On peut envisager une métaphysique qui mette en premier l'accent non plus sur la substance, mais sur la relation, ou sur la qualité, ou sur l'événement, ou encore sur des propriétés, des états de choses, des propositions abstraites, des mondes possibles (S. Kripke, D. Wiggins), des relations en intension, des essences individuelles (R. Chisholm), voire des situations (Barwise et Perry). On a aussi reproché à Aristote le caractère rhapsodique et peu systématique de sa table. On ne peut y remédier, dira Kant, qu'à condition de cesser de voir dans les catégories l'expression de la structure même de la réalité : celles-ci sont l'expression de la structure de la pensée, aussi faut-il procéder à leur déduction en partant des formes logiques du jugement lui-même. Mais on peut aussi estimer que l'inachèvement de la liste catégorielle (à laquelle Porphyre essaiera de remédier dans son *Isagogé,* par l'adjonction de nouvelles catégories) est déjà riche d'enseignements par ses insuffisances mêmes : car cet inachèvement met en avant le fait que les modes de prédication, s'ils contribuent bien à fixer les déterminations de l'être, ne peuvent constituer une totalité achevée : l'être par accident a beau se voir exclu

de l'être, la substance n'en a jamais fini avec ses accidents eux-mêmes. La métaphysique commence dès
que l'on s'interroge sur les significations multiples
de l'être, dès que l'on refuse de se laisser enfermer
dans le dilemme parménidien. Toute pensée de l'être
sera parole sur l'être. Certes, si on laisse l'être dans
son indétermination, il sera trop vague et pourra
prêter le flanc aux équivoques. L'avertissement des
positivistes logiques doit ici être retenu. Il
n'empêche : si l'être doit avoir une signification,
celle-ci doit rester en partie ouverte[1], mais en partie
seulement, car il ne suffit pas en effet d'éviter la tautologie, il faut aussi éviter de se contredire. Aussi
l'être et la non-contradiction vont-ils de pair. Il ne
saurait donc y avoir de métaphysique sans logique.
C'est du reste ce qu'ont dit pour la plupart — à
l'exception peut-être de Heidegger — les métaphysiciens, d'Aristote à Husserl, en passant par Descartes,
Duns Scot, Kant ou Leibniz. Que la métaphysique
soit à l'écoute de la logique signifie aussi qu'elle
doive tenir compte des progrès qui se réalisent en
son sein : comment envisager, après Frege, Russell,
Gödel ou Tarski, de parler des catégories ontologico-
logiques de l'être sans prendre acte des distances qui
séparent nécessairement un logicien contemporain
d'un logicien encore aux prises avec la syllogistique ?
Il suffit d'observer les études minutieuses menées
sur les classes, les ensembles, les relations, mais
aussi en logique modale, et leurs incidences sur les
traitements de concepts clés tels que la possibilité ou

1. Ici encore, renvoyons à Peirce, qui tout en soulignant la
nécessité d'un critère de signification de nos énoncés, proche à
bien des égards du principe de vérifiabilité des positivistes,
souligne le vague irréductible qui va de pair avec la notion
même de signification.

la modalité, pour prendre la mesure de l'exigence à laquelle doit répondre tout métaphysicien désireux de donner à son titre un authentique contenu[1]. Aristote ne conçoit pas qu'il puisse y avoir une dissociation radicale entre le logique et l'ontologique. Si l'être vrai ne fait pas partie de l'enquête sur l'être, c'est parce qu'il a en un sens la même extension que lui[2] : aussi le respect du principe de non-contradiction est-il le premier principe de la science de l'être en tant qu'être, principe aussi bien ontologique que logique, sans qu'il y ait pour autant réduction du premier au second.

Sans doute a-t-on raison de refuser la réduction de la métaphysique à la logique comme à l'ontologie : mais s'il faut par là entendre, avec Heidegger, que l'ontologie fut exclusivement vouée au culte de l'étant, au détriment de l'être, c'est sûrement inexact : une telle coupure est difficile à penser, ne serait-ce que si l'on songe à la conception de la subs-

---

1. Ce pourquoi on voit mal comment on pourrait ne pas prendre les choses par leur commencement, lire B. Russell, G. Frege, K. Gödel, puis poursuivre par exemple par les travaux de David Kaplan, R. Montague, S. Kripke ou R. Carnap, ainsi que par les réflexions de Tarski sur la définition sémantique de la vérité.

2. Voir P. Aubenque, *op. cit.*, p. 167. En ce sens, les lectures que font aussi bien Heidegger que Brentano de la conception de la vérité chez Aristote sont aussi infidèles l'une que l'autre. Le vrai n'est ni dévoilement ni pure et simple attribution logique. Parler d'une vérité des choses, c'est simplement signifier que la vérité du discours humain est toujours préfigurée ou plutôt prédonnée dans les choses, même si elle ne se dévoile qu'à l'occasion du discours que nous tenons sur elle. « Ce n'est pas parce que nous pensons avec vérité que tu es blanc que tu es blanc, mais c'est parce que tu es blanc, qu'en disant que tu l'es, nous sommes dans la vérité » (*Mét.*, Θ, 10, 1051 b 6; *Catég.*, 12, 14 b 6).

tance qui est celle d'Aristote (et qui reste aussi l'une des définitions de la science de l'être en tant qu'être), et elle est franchement inadaptée si par là on estime que les métaphysiciens n'ont porté qu'une attention mineure à l'exister : saint Thomas en apporte un démenti cinglant. En vérité, Heidegger et Kant les premiers retiennent la nécessité de l'ontologie, comme préambule à la métaphysique. Tel est le sens de l'analytique du *Dasein*, conçue comme « ontologie fondamentale », et de l'ontologie conservée par Kant comme première partie du système de la métaphysique de la nature (et comprise comme le système de tous ces concepts et principes de la raison se rattachant aux objets en général). Mais il n'est pas sûr pour autant qu'il faille réduire l'ontologie elle-même à une analytique du *Dasein*, auquel cas, en effet, seule la phénoménologie serait la méthode de l'ontologie [1], ni rejeter d'emblée toute ontologie qui ne présupposerait pas la méthode ou la propédeutique de la critique de la raison pure, pour ne retenir qu'une ontologie réformée, uniquement concernée par les objets accessibles à la connaissance humaine

---

1. Notons toutefois que c'est une tendance que l'on peut constater chez certains auteurs qui paraissent acquis à la lecture heideggérienne de la métaphysique. Ainsi voit-on Jean-Luc Marion, affirmer dans l'avant-propos du recueil *Phénoménologie et métaphysique*, que la phénoménologie est l'héritière privilégiée de la philosophie, à l'ère de la métaphysique achevée : « À l'évidence, depuis que la métaphysique a trouvé sa fin, soit comme un achèvement avec Hegel, soit comme un crépuscule avec Nietzsche, la philosophie n'a pu se poursuivre authentiquement que sous la figure de la phénoménologie » (*Phénoménologie et métaphysique*, sous la dir. de J.-L. Marion et G. Planty-Bonjour, PUF, 1984, p. 7). Dans *Réduction et donation*, J.-L. Marion n'hésite pas à dire que l'on a du même coup basculé « vers une pensée peut-être déjà post-métaphysicienne » (*ibid.*, p. 7).

(en un mot, une ontologie de la pensée immanente) et reposant sur les principes de la connaissance développés dans l'analytique. Certes des tentatives fructueuses ont été menées en ce sens. C'est par exemple le cas de P. Strawson, qui en 1959, dans un ouvrage intitulé *Les Individus*[1], élabore le projet d'une métaphysique « descriptive » : restant fidèle à la perspective kantienne et transcendantale, mais prenant aussi en compte les enseignements effectifs de la philosophie du langage et de la logique contemporaine, Strawson essaie de penser la tâche de cette métaphysique comme « consistant à expliquer quels sont les concepts et les catégories les plus généraux que nous employons en organisant notre expérience et notre pensée, [...] quels sont les rapports que ces concepts ont entre eux, les rôles respectifs qu'ils jouent dans la structure totale de notre pensée[2] ». « Ce faisant, remarque Strawson, nous ne manquerons pas d'expliquer, de plus, notre conception générale de la réalité, de ce qui existe, donc d'expliquer la nature de notre ontologie de base effective », et notamment « les relations entre les membres de ce trio départemental supposé : ontologie, logique, épistémologie ». Il ne s'agit donc pas pour lui de critiquer de part en part les projets de la métaphysique dite « de révision » (du genre de celle pratiquée par Leibniz, Descartes ou Berkeley), mais, en se situant plutôt du côté des partisans de la description (Kant et Aristote), de faire plus attention qu'on ne l'a fait jusqu'alors à l'univers et à l'usage des mots, et à ce qu'il faut considérer comme étant vrai du monde si l'on veut que les mots remplissent de

1. Le Seuil, 1973.
2. *Analyse et métaphysique*, Vrin, 1985, p. 49.

manière effective la fonction qu'il sont censés remplir[1].

C'est aussi, dans un autre registre, le projet de constitution par Husserl d'une ontologie formelle, conçue comme théorie universelle de la science, directement ancrée sur une logique transcendantale qui trouve les fondements des structures catégorielles déterminant les formes logiques de la logique pure dans une subjectivité transcendantale[2].

En vérité, on peut envisager plusieurs axes possibles autour desquels une ontologie pourrait se constituer et apporter son concours à la métaphysique, sans pour autant se ramener à une forme dogmatique ou logiciste de l'ontologie — comme celle que Kant pensait voir dans la *Philosophia prima sive ontologia* de Wolff (1730), où l'ontologie concernait bien l'être en général, mais se consacrait surtout aux premiers principes et notions utilisés dans le raisonnement, par une méthode conforme à celle des

---

1. L'une des conclusions que Strawson tire de son analyse est que le monde est constitué de particuliers fondamentaux, localisés dans un cadre spatio-temporel objectif. (Ces particuliers sont, soutient-il, des objets matériels et des personnes, ces dernières étant des particuliers unitaires auxquels peuvent s'appliquer des prédicats d'objets matériels et des prédicats-P (en gros des prédicats mentalistes).

2. Voir par exemple *Logique formelle et transcendantale*, § 75-78. Partant de la déduction transcendantale de la table kantienne des jugements, Husserl donne des versions subjectives des lois et règles de la logique (principe de non-contradiction, principe du tiers exclu) et soutient que ce n'est que dans de telles versions subjectives que l'on peut trouver les structures *a priori* permettant de fonder l'objectivité de ces règles et lois (ce qui, en raison notamment de l'idéal de complétude du système, a été jugé incompatible avec certains résultats de logique mathématique, et notamment avec le théorème d'incomplétude de Gödel).

mathématiques : un axe comme celui que définit Alexis Meinong dans son ouvrage de 1914, *Gegenstandtheorie*, où l'ontologie est conçue comme une science *a priori*, ou une théorie des objets ayant trait à l'ensemble de ce qui est donné alors que la métaphysique ne considère ce dernier qu'*a posteriori*[1].

Un second axe, en partie héritier de Meinong (mais aussi de Johannes von Kries), est celui que suit Husserl aussi bien dans les *Recherches logiques* (1900-1901) que dans ses *Ideen* (1913) : l'ontologie est alors vue comme une doctrine de l'objet au sens le plus large, comprenant les objets « réels » aussi bien qu'abstraits, mentaux ou idéaux, mais capable de maintenir une distinction entre les jugements ontologiques (concernant les *Gebilde* ou structures de la réalité) et les jugements nomologiques (portant sur les relations entre réalités). Reprenant cette terminologie de von Kries (*Prinzipien der Wahrscheinlichkeitsrechnung*, 1886), Husserl fait une distinction dans les *Recherches* entre les sciences ontologiques (ou concrètes) et les sciences nomologiques (ou abstraites) ; définissant en 1913 l'ontologie comme la science éidétique de l'objet en général (ontologie formelle) et des objets régionaux (ontologies matérielles ou régionales) (*Rech. log.*, III, § 11). L'ontologie formelle ainsi conçue résulte donc d'une combinaison entre la méthode intuitive et informelle de l'ontologie classique et la méthode mathématique de la logique symbolique moderne, lesquelles

1. Ainsi se trouve maintenue par Meinong la distinction entre les objets existants et les objets subsistants (*bestehend*) ou idéaux, tels que l'identité, la diversité ou le nombre. L'existence et la subsistance sont les deux formes de l'être, alors que l'« objet pur » considéré dans la théorie des objets est au-delà de l'être et du non-être.

n'apparaissent finalement que comme l'envers et l'endroit d'une seule et même science. En d'autres termes, la méthode de l'ontologie est l'étude intuitive des propriétés, modes et aspects fondamentaux de l'être, et la méthode de la logique symbolique moderne, la construction rigoureuse de systèmes formels et axiomatiques, mais l'ontologie formelle essaie de combiner ces deux méthodes en développant de façon axiomatique systématique et formelle la logique de toutes les formes et modes de l'être. En tant que telle, elle apparaît comme une science antérieure à toutes les autres dans laquelle sont étudiés les formes, modes ou sortes d'être[1].

Kant considérait que quiconque se mettrait en peine, soit de « juger » la métaphysique, soit d'en « rédiger » une, ne pourrait s'offrir le luxe de simplement « écarter » le moment critique : il lui faudrait ou bien « accepter [sa] solution » ou bien lui en substituer une autre, mais alors en la « réfutant à

---

1. Le propre de l'ontologie formelle de Husserl est justement de concevoir la logique de telle manière que le contenu formel ou non descriptif du système (la théorie de la forme logique ou grammaire logique pure), bien qu'indépendant de l'existence des individus physiques réellement existants ou des propriétés et relations naturelles que pourraient avoir ces individus dans la nature, n'est pas indépendant des différents modes d'être de telles entités, et en fait les présuppose dans leur articulation même. La logique a donc pour Husserl un aspect apophantique (assertif) (apophantique formelle, théorie de la forme logique) et un aspect ontologique qu'Husserl nomme l'ontologie formelle. On passe selon une « loi d'équivalence dénominative » de l'un à l'autre, en sorte que les « objectivités catégoriales » ou « corrélats » qui naissent de ces « réductions dénominatives » (ou nominalisations) sont censées constituer le matériau conceptuel fondamental de l'ontologie formelle (voir *Recherches logiques*, vol. I, § 67-68 ; *Ideen*, § 119, et *Logique formelle et transcendantale*, chap. II, § 25).

fond » (*Prolég.*, introd., p. 18). Acceptons-en l'enjeu. Comment cela pourrait-il être un préalable à une métaphysique désormais capable de se présenter comme science, et sur quels points faudrait-il soit compléter, soit amender l'analyse kantienne ?

Kant a incontestablement mis en avant plusieurs aspects fondamentaux : la métaphysique doit sinon commencer par — comme il le pense —, du moins comprendre un examen des limites de la raison et de la connaissance. Mais ce n'est pas dire que « toute véritable métaphysique est tirée de l'essence même de la faculté de penser ». L'apport du kantisme est d'avoir attiré l'attention sur les limites de la connaissance humaine en raison d'une question de fait : la constitution de l'esprit humain. C'est aussi à un autre fait relatif à la constitution de l'esprit humain, une « disposition naturelle », que Kant attribue le besoin irrépressible de la métaphysique. La troisième idée à retenir est que « le schéma nécessaire pour un système métaphysique intégral, qu'il s'agisse de la nature en général ou de la nature corporelle en particulier, est le tableau des catégories » (*PPMSN*, p. 16). En d'autres termes, « sans une déduction des catégories tout à fait claire et satisfaisante, le système de la *Critique de la raison pure* fléchit sur sa base » (*ibid.*, p. 16, note 1). Les catégories sont les déterminations de notre conscience empruntées aux fonctions logiques dans les jugements en général ; de là Kant tire que « la déduction [...] suffit déjà pour fonder tout le système de la critique avec une entière sûreté ». La possibilité de la métaphysique comme science, dans le cadre du kantisme, suppose donc que l'on accepte, à tout le moins, la distinction de l'analytique et du synthétique (or elle est remise en cause), la possibilité de jugements synthétiques *a priori* et, sans doute plus encore, le principe d'une déduction des catégories à partir des fonctions logiques du jugement, ainsi que l'idéalisme transcendantal, à savoir la reconnaissance d'une nécessaire distinction entre phénomènes et choses en soi, connaissance et pensée.

Ce qui résiste sans doute le mieux, c'est le principe de la déduction catégorielle : mais celle-ci doit-elle uniquement se concevoir à partir des formes logiques du jugement ? Strawson en conserve le principe mais pense qu'il faut aussi étendre cette déduction aux formes logiques du langage. Soit : c'est en effet reconnaître la nécessité d'une détermination des limites de la connaissance ainsi que des critères minimaux de signification de nos énoncés (comme les positivistes logiques l'avaient souligné).

Mais si l'on admet que la métaphysique relève d'une disposition naturelle, ne peut-on envisager d'y voir autre chose que l'expression d'une aspiration morale ou d'un idéal de systématisation ? En vérité, d'autres voies déductives sont possibles, et Kant au demeurant en propose plusieurs :

« Il n'y a que deux manières de concevoir un accord nécessaire de l'expérience avec les concepts de ses objets : ou l'expérience rend possibles ces concepts, ou ces concepts, l'expérience. La première explication ne peut pas s'admettre par rapport aux catégories (ni même par rapport à l'intuition sensible pure) ; car les catégories sont des concepts *a priori*, indépendants par suite de l'expérience (l'affirmation d'une origine empirique serait une espèce de *generatio aequivoca*). En conséquence, il ne reste que la seconde (qu'on pourrait nommer un système de l'épigenèse de la raison pure), à savoir que les catégories, du côté de l'entendement, renferment les principes de la possibilité de toute expérience en général... »

Mais Kant ajoute :

« Que si quelqu'un voulait encore se frayer un chemin intermédiaire entre les deux seules voies que j'ai indiquées, en prétendant que les catégories ne sont ni des premiers principes *a priori*, spontanément conçus, de notre connaissance, ni des principes tirés de l'expérience, mais des dispositions subjectives à penser (*Anlagen zum Denken*) qui sont mises en nous en même temps que notre existence et que notre créateur a réglées de telle sorte que leur usage concorde exactement avec les lois de la nature suivant lesquelles se déroule l'expérience (ce qui est une sorte de *système de préformation* de la raison pure)... »

Toutefois, Kant écarte cette troisième voie, parce que, soutient-il, « ce qui serait décisif contre ce prétendu chemin intermédiaire, c'est qu'en pareil cas manquerait aux catégories la *nécessité* qui appartient essentiellement à leur concept » (*CRP*, p. 144-145).

Cette appréciation est parfaitement conforme aux réserves qu'il manifeste par ailleurs à l'égard de ceux qui voudraient recourir en métaphysique au sens commun (voir fin des *Prolég.*). Mais faut-il d'emblée rejeter celui-ci ? C'est par exemple ce que refuse un auteur comme Alvin Goldman[1]. Il propose au contraire d'envisager la métaphysique comme une manière d'examiner les sortes d'entités et de propriétés qui forment l'arrière-plan de nos croyances communes et de notre langage, en un mot de suivre les

---

1. « Metaphysics », in *Philosophical applications of cognitive science*, Westview Press, 1993, p. 99-124.

croyances qui nous viennent de notre psychologie ordinaire ; comme celle qui fait que l'on soit spontanément porté à croire en la continuité des objets dans le temps et l'espace, en l'existence de « possibilités », en certains critères d'identité des objets, etc. Sans doute devrons-nous en permanence nous tenir prêts à réviser ces croyances, associer notre sens commun à une perspective critique, au contact notamment des leçons de la science, mais pourquoi faudrait-il au départ les tenir globalement et nécessairement pour fausses ? Pourquoi ne pas considérer aussi que la psychologie puisse nous instruire sur les catégories fondamentales de la cognition ? Et notamment la psychologie de la perception (des couleurs, des sons), mais aussi la linguistique ? Enfin, pourquoi ne pas envisager que la science puisse nous aider à identifier des essences individuelles, des espèces naturelles, leurs propriétés essentielles, etc. ? Avons-nous affaire à une simple projection des dispositions de notre système cognitif à imposer sur les choses une certaine unité ? Ou s'agit-il d'un fait totalement indépendant de l'esprit concernant cette chose[1] ? On retrouve ici une autre difficulté du kantisme : l'idéalisme transcendantal et la distinction entre noumènes et phénomènes sur laquelle il repose. La question est ici de savoir si la seule voie d'accès à l'objectivité et au réel est l'idéalisme transcendantal et le réalisme empirique avec lequel il va de pair. Il est clair que les sciences positives n'utilisent pas la méthode transcendantale et parviennent néanmoins à une connaissance véridique du monde

---

1. Là-dessus, Saul Kripke soutient par exemple une forme d'essentialisme individuel. Voir *Naming and Necessity*, 1972, trad. fr. *La Logique des noms propres*, Minuit, 1984.

matériel. Une réflexion sur les facteurs subjectifs dans notre connaissance est possible et même nécessaire, mais cette réflexion n'est pas une condition qui détermine intrinsèquement notre savoir : on peut fort bien supposer que tous les étants sont connaissables et qu'il y a une harmonie entre les facultés cognitives de l'homme d'une part et les étants d'autre part. En d'autres termes, on peut fort bien admettre que la métaphysique s'inscrive encore dans une perspective réaliste (laquelle ne sera pas nécessairement platonicienne, mais éventuellement thomiste, scotiste, ou putnamienne[1]), mais en un sens sûrement plus subtil et complexe du réalisme que celui critiqué ou adopté (le réalisme empirique) par Kant.

Cela pose le problème de la relation de la métaphysique à la physique. Là où Kant considérait que l'illusion cosmologique est sans doute l'illusion la plus grave dans laquelle sombre la raison[2], Aristote

---

1. H. Putnam est, parmi les philosophes contemporains, celui qui a essayé de rester au plus près de Kant : répudiant ce qu'il appelle le « réalisme métaphysique », en faveur d'un « réalisme interne », il soutient que le monde n'existe que comme quelque chose de déjà structuré par un schème conceptuel, et que la vérité ne consiste pas en une « correspondance » d'objets indépendants de propositions et du langage, mais en l'« acceptabilité rationnelle garantie ». C'est une reprise de la forme de réalisme défendue au début du siècle par le philosophe pragmatiste C.S. Peirce, qui avait lui-même été très influencé par le réalisme de Duns Scot.

2. Dans l'antinomie, ce qui est condamné, c'est la métaphysique issue de la science, c'est la prétention issue de la science à se constituer en métaphysique (voir F. Alquié, *op. cit.*, p. 103) ; c'est pourquoi la réfutation prend un tour beaucoup plus radical : « Rien (appendice de la *DT*) ne nous empêche d'admettre les idées transcendantales comme objectives et comme hypostatiques ; à l'exception seulement de l'idée cosmologique où la raison se heurte à une antinomie en

disait que « s'il n'y avait pas d'autre substance que celles qui sont constituées par la nature, la Physique serait science première ». Le philosophe Quine en est aujourd'hui convaincu. Sans doute convient-il pourtant de rester prudent et de ne pas réduire la métaphysique à la seule physique — comme Averroès l'avait fait en son temps — en construisant des métaphysiques de la nature. Si la physique a

─────────────

voulant la réaliser. » Dès le début, Kant rappelle le lien de l'idée de monde comme chose en soi et du syllogisme hypothétique, et dans la septième section de la Dialectique transcendantale », il dénonce l' « argument sophistique » qui, du fait que « les objets des sens nous sont donnés comme conditionnés », conclut que « la série tout entière des conditions est aussi donnée ». Le monde est en réalité conclu et non donné. Mais nous cherchons à poursuivre la synthèse « jusqu'à l'inconditionné absolu, qui seul rend le conditionné possible » (*DT*, livre II, chap. II, 1ʳᵉ section). Nous érigeons ainsi la série en totalité, c'est-à-dire en Monde. De la sorte, si la cosmologie rationnelle est proche, par sa méthode, de la psychologie et de la théologie rationnelles, elle s'en distingue moins par le caractère sophistique de l'inférence que par les conséquences qu'elle entraîne : elle pose le monde comme réalité : le concept de monde diffère en effet des concepts de l'âme et de Dieu en ce qu'il tend « uniquement à la synthèse des phénomènes, et, par suite, à la synthèse empirique » (*ibid.*) ; affirmant qu'un phénomène aura lieu si sa condition est donnée, la conclusion du syllogisme hypothétique exprime une vérité d'ordre scientifique. La cosmologie rationnelle, loin de constituer une métaphysique de la transcendance, se présente ainsi comme une métaphysique de la nature (voir F. Alquié, *op. cit.*, p. 69). D'où son caractère contradictoire ou antinomique : une fois critiquées, les idées d'âme et de Dieu continueront à désigner des êtres *possibles*. L'idée de monde comme chose en soi, elle, se trouve par la critique kantienne définitivement ruinée. Toutefois, l'idée cosmologique garde une fonction comme « principe régulateur » « de l'unité systématique du divers de la connaissance empirique en général ». Le concept de l'explication dernière apparaît ainsi comme une sorte d'idéal qui s'impose à la science, et devient l'aiguillon nécessaire de son progrès.

renoncé aux causes, cela ne signifie pas qu'elle ait clarifié pour autant la nature du concept de loi, ni que l'on doive renoncer par exemple au bien-fondé d'une analyse des raisons qui peuvent justifier l'adoption d'une attitude instrumentaliste plutôt que réaliste dans les sciences. La question du nominalisme et du réalisme, du statut des lois et des théories physiques reste encore irrésolue, et relève d'une interrogation extérieure à la science : c'est même en vérité l'un des problèmes les plus profonds de la métaphysique : celui de la nature réelle ou nominale des universaux. Pas plus qu'une autre science, la physique ne peut ici trancher. Il n'empêche : dans ce domaine encore, une métaphysique qui ne tiendrait pas compte des acquis de la science serait bien peu crédible. Elle a, au contraire, tout à y gagner. Les raisons du rejet par Kant de la troisième voie de déduction sont ici instructives : pour lui la science est un système achevé, apodictique, nécessaire[1]. Mais une telle conception de la science est-elle encore recevable ? Si l'on veut examiner la possibilité

---

1. « À proprement parler, on ne peut appeler science que celle dont la certitude est apodictique ; une connaissance qui n'offre qu'une certitude empirique n'est appelée qu'improprement *savoir* » *(PPMSN,* p. 8). « La totalité de la connaissance qui est systématique peut déjà, pour cette raison, être appelée *science* et même science rationnelle, si la liaison de la connaissance dans ce système constitue un enchaînement de raisons et de conséquences. Mais si finalement ces raisons ou ces principes sont, comme dans la chimie par exemple simplement empiriques, et si les lois, en vertu desquelles on explique par raison les faits donnés, ne sont que des lois d'expérience, ils ne comportent pas dans ce cas la conscience de leur *nécessité* (et ne sont pas certains apodictiquement) et au sens strict la totalité ne mérite pas le nom de science ; c'est pourquoi la chimie devrait s'appeler art systématique plutôt que science » *(ibid.,* p. 8-9).

d'une métaphysique comme science, c'est peut-être aussi cet idéal de scientificité qu'il faut redéfinir. Dans son livre intitulé *Probabilistic Metaphysics*, Patrick Suppes s'y essaie. Il tente de penser la nature de l'être, mais aussi de l'espace, et du temps à la lumière des acquis de la science contemporaine, et notamment du caractère fondamentalement probabiliste des phénomènes, lequel paraît aussi omniprésent que leur caractère spatial ou temporel. Suppes souligne notamment : 1) que les lois fondamentales des phénomènes naturels sont d'une nature essentiellement probabiliste, comme l'ont montré les principales théories fondamentales de la matière et de l'énergie au xxe siècle, à savoir la mécanique quantique et la théorie quantique des champs ; 2) que notre conception de la matière doit contenir un élément probabiliste intrinsèque ; 3) que la causalité, classiquement pensée selon un schéma déterministe, est en fait essentiellement probabiliste (comme le manifestent des phénomènes physiques tels que la désintégration radioactive d'une substance telle que le radium ou l'uranium ; 4) qu'en vérité, seule une analyse en termes probabilistes des causes permet de rendre compte de phénomènes intrinsèquement complexes ; 5) que, contrairement à la définition classique, l'enseignement majeur de la science est de révéler le presque impossible accès à des connaissances certaines. Les concepts d'intuition, de premières données immédiates, tenus pendant des siècles pour des principes fondateurs de la connaissance, ont été mis à mal ; notamment par les théories de la perception qui ont été avancées. Pour ce qui est de la connaissance scientifique acquise par expérimentation et procédures de mesure, le rôle central de la variabilité dans les phénomènes et des

erreurs dans les procédures de mesure a rendu quasiment inaccessible la certitude des résultats. Aussi
faut-il voir en l'analyse probabiliste la méthodologie
naturelle en de telles circonstances, laquelle reçoit
par ailleurs le soutien de résultats théoriques aussi
fondamentaux que le principe d'incertitude d'Hei-
senberg en mécanique quantique. 6) Enfin, la tendance des théories scientifiques dans leur ensemble
n'est pas la convergence vers un résultat fixé qui
nous donnerait à la limite une connaissance
complète de l'univers. La science n'est pas l'approximation incessante vers un ensemble de vérités éternelles toujours déjà là et universelles. Cette conception aristotélicienne, présente chez Descartes
comme chez Kant, est désormais très peu conforme
à la conception de la science que l'on peut trouver
chez des savants tels que Peirce, Dewey ou Popper —
qui furent aussi de grands métaphysiciens — comme
d'une recherche procédant par essais et erreurs, et
par résolution constante de nouveaux problèmes. Le
but de l'enquête est d'établir un problème particulier, non de fournir des vérités absolues. La
complexité des phénomènes et leur caractère irréductible au calcul semblent donner raison à une telle
conception du savoir. Notre connaissance de tels
phénomènes doit rester incomplète. La métaphysique probabiliste est censée rendre compte d'une
incomplétude et d'une incertitude de ce type. Ainsi
la marque de la science serait-elle sa pluralité et son
incomplétude. Mais si tel est le cas, l'une des leçons
de la physique serait conforme au point de départ
d'Avicenne : l'indétermination ne serait pas le fruit
d'une vague intuition, ou d'une spéculation vide sur
l'être de l'étant ; ce serait une indétermination réelle,
repérable à tous les niveaux de l'étant. Tout porterait

alors à croire que, loin d'être finie, achevée ou dépassée, et à condition d'être à l'écoute de toutes les sciences, la métaphysique a encore de belles heures devant elle.

Claudine Tiercelin

BIBLIOGRAPHIE

TEXTES DE RÉFÉRENCE

Aristote, *Métaphysique* ; *Organon* ; *Physique*.

Avicenne, *Métaphysique*, cf. Avicenna latinus, *Liber de Philosophia prima, sive Scientia divina* (S. Van Riet éd.), Louvain-Leyde, 1977 et 1980 (2 vol.).

R. Carnap, « Le dépassement de la métaphysique par l'analyse logique du langage », in *Manifeste du Cercle de Vienne et autres écrits* (A. Soulez éd.), PUF, 1989, p. 155-179.

Descartes, *Méditations métaphysiques* ; *Principes de philosophie*.

Duns Scot, *Ordinatio*, in *Sur la connaissance de Dieu et l'univocité de l'étant*, introd., trad. et commentaires O. Boulnois, PUF, 1988.

F. Hegel, *Phénoménologie de l'esprit*.

M. Heidegger, *Kant et le problème de la métaphysique*, Gallimard, 1953 ; « Qu'est-ce que la métaphysique », in *Questions I*, Gallimard, 1968 ; « Dépassement de la métaphysique », in *Essais et conférences*, Gallimard, 1958.

E. Husserl, *Recherches logiques*, Paris, PUF, 1969.

E. Kant, *Critique de la raison pure* ; *Prolégomènes à toute métaphysique future qui pourra se présenter comme science* ; *Premiers principes métaphysiques de la science de la nature* ; *Recherche sur l'évidence des principes de la théologie naturelle et de la morale* ; *Les Progrès de la métaphysique en Allemagne depuis Leibniz et Wolff*.

G. W. Leibniz, *Monadologie*; *Discours de métaphysique*; *Correspondance avec Arnauld*.

Parménide, *Poème*.

C.S. Peirce, *Scientific Metaphysics*, vol. VI de *Collected Papers of C.S. Peirce*, C. Hartshorne, P. Weiss, et A. Burks éd., Harvard University Press, Cambridge, Mass. (8 vol.), 1931-1958.

Platon, *République*; *Parménide*; *Théétète*; *Sophiste*.

Porphyre, *Isagogé*, trad. fr. J. Tricot, Vrin, 1947.

W. V. Quine, *Relativité de l'ontologie et autres essais*, Aubier, 1977.

M. Schlick, « Le vécu, la connaissance, la métaphysique », in *Manifeste du Cercle de Vienne et autres écrits, op. cit.*, p. 183-197.

Spinoza, *Éthique*.

P. F. Strawson, *Les Individus* (essai de métaphysique descriptive), Le Seuil, 1973 ; *Analyse et métaphysique*, Vrin, 1985.

F. Suarez, *Disputationes Metaphysicae*, in *Opera omnia* (C. Berton éd.), 28 vol., vol. 25 et 26, Vivès, 1856-1878.

Thomas d'Aquin, *L'Être et l'Essence*, trad. fr., Vrin, 1985.

Wittgenstein, *Tractatus logico-philosophicus*, introd. et trad. G. G. Granger, Gallimard, 1993; *Philosophical Investigations*, trad. fr. P. Klossowski, Gallimard, 1961.

Ch. Wolff, *Philosophia prima sive Ontologia*, Francfort-Leipzig, 1736. (*Gesammelte Werke*, Hildesheim, New York, Olms, 1962, II-3.)

LECTURES COMPLÉMENTAIRES

F. Alquié, *La Critique kantienne de la métaphysique*, PUF, 1968.

P. Aubenque, *Le Problème de l'être chez Aristote*, PUF, 1972.

J. Barwise et J. Perry, *Situations and Attitudes*, Cambridge, Mass., MIT Press, 1983.

R. Brague, *Aristote et la question du monde*, PUF, 1988.

F. Brentano, *De la diversité des acceptions de l'être d'après Aristote*, Vrin, 1992.

H. Burkhardt et B. Smith, éd., *Handbook of Metaphysics and Ontology*, Munich, Philosophia Verlag (2 vol.), 1991.

R. Chisholm, *Person and Object*, La Salle, Ill, Open Court, 1976.

J.-F. Courtine, *Suarez et le système de la métaphysique*, Vrin, 1990.

F. Dastur, *Heidegger et la question du temps*, PUF, 1991.

J. Ecole, *Introduction à l' « Opus Metaphysicum » de Christian Wolff*, Vrin (reprise), 1985.

L. J. Elders, *La Métaphysique de saint Thomas d'Aquin dans une perspective historique*, Vrin, 1994.

E. Gilson, *L'Être et l'Essence*, Vrin, 1948, 2ᵉ éd., 1972 ; *Avicenne et le point de départ de Duns Scot*, Vrin (reprise), 1986.

A. I. Goldman, *Philosophical Applications of Cognitive Science*, Westview Press, 1993 (chap. IV : « Metaphysics »).

N. Goodman et W. V. O. Quine, « Steps towards a constructive nominalism », *Journal of Symbolic Logic*, n° 12, 1947, p. 105-122.

Peter van Inwagen, *Metaphysics*, Oxford University Press, 1993.

D. Janicaud, *Le Tournant théologique de la phénoménologie française*, Combas, éd. de l'Eclat, 1991.

S. Kripke, *La Logique des noms propres*, éd. de Minuit, 1985.

G. Lebrun, *Kant et la fin de la métaphysique*, A. Colin, 1970.

D. Lewis, *On The Plurality of Worlds*, Oxford, Blackwell, 1986.

A. de Libéra, *La Philosophie médiévale*, PUF, 1993.

B. Longuenesse, *Kant et le pouvoir de juger*, PUF, 1993.

J.-L. Marion, *Réduction et donation*, PUF, 1989.

J.-L. Marion et G. Planty-Bonjour, éd., *Phénoménologie et métaphysique*, PUF, 1984,

H. Putnam, *Le Réalisme à visage humain*, Le Seuil, 1994.

P. Suppes, *Probabilistic Metaphysics*, Oxford, B. Blackwell, 1984.

D. Wiggins, *Sameness and Substance*, Oxford, B. Blackwell, 1980.

D. Zaslawski, *Analyse de l'être*, éd. de Minuit, 1982.

LA SUBJECTIVITÉ

Il n'est guère de notion qui ait été autant décriée que la subjectivité. La « mort de l'homme » annoncée à grand fracas dans les années soixante fut d'abord celle de trois ou quatre siècles de philosophie du sujet et, dès le xixe siècle, la plupart des grandes pensées se sont orientées dans le sens d'une critique systématique de la subjectivité, entendue comme instance en première personne déterminée par son pouvoir d'initiative, et capable de représenter en elle-même un « commencement » — cognitif, politique, moral ou métaphysique. On a remis en question le libre accès à soi, *a fortiori* la libre détermination de soi de ce qu'il faut appeler un sujet, libertés qui semblaient le définir dans son être. Dans ce contexte, seules la phénoménologie et dans une certaine mesure la psychanalyse ont paru faire exception. Encore faut-il remarquer que toute la phénoménologie n'est pas phénoménologie du sujet — son versant heideggérien s'est développé sur la base d'une critique explicite de la subjectivité — et que la psychanalyse ne nous propose en guise de « sujet » qu'un sujet divisé et qui se mesure plus à ses dépendances qu'à ses pouvoirs[1], ayant perdu cette transparence à lui-même qui, semble-t-il, avait pu le définir. En ce sens, le xxᵉ siècle, dans l'exacerbation même d'une veine « existentielle » qui le traverse comme le remords de ce qui pourrait être le sujet, n'est certainement pas celui de la philosophie du sujet.

Reste pourtant l'évidence phénoménologique relative de la notion, qui continue d'être employée sans que les révolutions philosophiques paraissent bouleverser beaucoup l'ordonnancement du langage ordinaire. Pour la conscience commune, nous vivons toujours à l'heure du « subjectif » et de l'« objectif » : celui-ci se définit par rapport à celui-là, dans leur corrélation forcée. Les analyses kantiennes de la *Critique de la faculté de juger*, quel que soit leur bien-fondé interprétatif, semblent rester descriptivement valables : il semble qu'il y ait du « subjectif », qui se manifeste par la propriété qu'ont certains énoncés de ne pas prétendre à l'universalité, là où l'« objectif » s'attesterait dans l'exigence inconditionnelle d'assentiment que portent d'autres énoncés. La question reste au demeurant ouverte de savoir si, comme Kant l'entend, il reste une place, sur le terrain même du « subjectif », pour un niveau d'accord intersubjectif qui constituerait la forme, alors problématique, de ce qu'on appellera une « universalité subjective ». De toute façon le partage entre le « subjectif » et l'« objectif » subsiste comme l'une des structures les plus prégnantes de notre expérience du monde et de notre langage. Il y a ce qui est com-

---

1. Voir Freud, « Le moi et le ça », in *Essais de psychanalyse*, nouvelle traduction, Petite Bibliothèque Payot, 1984, p. 262, « Les relations de dépendance du moi ».

mun, exposé au vu et au su de tous, ou en tout cas supposé tel : l'« objectif », qui est tel envers et contre les ignorances ou illusions de fait qui peuvent être celles de tel ou tel sujet particulier. Et il y a ce qui serait censé m'être propre au sens où son partage ne va pas de soi et est même implicitement présenté comme à ne pas risquer, chacun tenant à sa subjectivité comme à ce qui serait précisément hors d'atteinte et soustrait à l'espace public (la subjectivité aurait en cela quelque chose à voir avec le privé, catégorie par excellence de notre époque).

À quoi est propre ce « subjectif » lorsqu'on dit qu'il est propre à soi ? Tel est le grand mystère dans lequel se tient la notion, dont on use comme d'un principe qui ne trouve d'autre témoignage que dans ses effets et que pourtant chaque « sujet » en particulier serait bien en peine d'exhiber en lui-même, mais auquel il a constamment recours pour déterminer ces mêmes effets — et les soustraire à la détermination que l'on voudrait, de l'extérieur, en donner. Tout le monde paraît sûr de sa « subjectivité » et notamment de la subjectivité de ce qu'il dit ; mais personne ne saurait en donner une délimitation qui dépasse celle, purement négative, qui tient dans l'adage remis à l'honneur par Kant précisément pour en rendre compte : *De gustibus et coloribus non disputandum* (« Des goûts et des couleurs, on ne dispute pas »). Plutôt qu'un principe évident, dont la présence dans le discours (sous la figure du « je ») lui permettrait d'y être assigné et présenté comme tel, le « sujet » se manifeste comme une borne mise à l'explication langagière par ce qui se présente lui-même comme tel : là, il n'y a plus à discuter, au sens

où il n'y a plus rien dont on pourrait discuter[1]. Tout
à la fois nous sommes sûrs d'*avoir un « sujet »*, car
cette « subjectivité » qui est la nôtre, loin de se
réduire à un simple effet de discours, semble au
regard de la conscience acquérir une telle consistance que l'évidence de son existence tend à s'imposer comme celle d'un « avoir », et en même temps
nous ne savons pas quoi en dire et il nous arrive
même de penser qu'il ne soit pas possible d'en dire
quelque chose, la « subjectivité » alléguée d'un discours servant souvent paradoxalement d'« argument » en ce sens, c'est-à-dire en fait de déni mettant
fin à toute argumentation. C'est dans cette tension et
cette contradiction que se tient le concept de « subjectivité » tel qu'il semble aujourd'hui si profondément enraciné dans notre discours.

Et pourtant ce concept n'a rien d'évident ou
d'immédiat. Comme tout concept, il est historiquement constitué, et il n'est vrai ni que le discours se
soit toujours auto-interprété en termes de « subjectivité » et selon l'opposition solidaire du « subjectif »
et de l'« objectif », ni que cette subjectivité ait toujours été si arrogante (dans ses prétentions à mettre
fin à l'échange) et en même temps si modeste (par
rapport à la possibilité pour elle d'être dite et profé-
rée comme ce qui, de soi, est le mieux connaissable
et le plus directement accessible). Il y a une histoire
de la subjectivité, et il est indispensable de l'esquis-
ser à grands traits si l'on veut rendre au concept
toute sa profondeur problématique et faire justice
des paradoxes qui y sont attachés aujourd'hui, et qui
eux-mêmes ne sont pas anhistoriques.

1. Pour une critique de la subjectivité à partir de là, voir
Jacques Bouveresse, *Le Mythe de l'intériorité*, éd. de Minuit,
1976.

Il faut tout d'abord rappeler que le terme lui-même n'est pas très ancien. *Le* sujet, au sens où il faut l'entendre ainsi, au singulier défini, est une invention qui ne remonte guère au-delà du xviiie siè-cle, contrairement à ce que pourrait faire croire la rumeur qui en attribue la paternité à Descartes. Ce ne sont pas seulement les Grecs qui ne disposaient pas de cette notion ou du moins de ce terme de « sujet », mais les classiques eux-mêmes. Souvent on fait remonter cet emploi à Leibniz. Mais même chez lui l'usage du terme n'est pas clair et il n'est pas sûr qu'on puisse vraiment l'interpréter au sens, moderne, de « subjectivité ». Dans une lettre à de Volder souvent citée et censée introduire la notion actuelle de « subjectivité », il est malaisé de séparer ce qui relève à proprement parler d'elle et ce qu'il faut rendre au sens logique de « sujet de prédicats » — ce qu'est essentiellement la substance individuelle selon Leibniz, du reste : *Subjecti enim est praeter presentem involvere et futuras cogitationes praeteritasque* (« Il appartient au sujet d'envelopper outre sa pensée présente également ses pensées futures et pas-sées »)[1]. S'agit-il bien là du nom — propre — *du* sujet, ou bien du « subjectif » au sens de ce qui est rapporté à un *subjectum*, qui se trouve ici être *aussi* un « sujet » au sens moderne du terme, c'est-à-dire précisément le sujet de la pensée ? La « subjectivité » en son sens littéral est d'abord une détermination logique associée à la forme prédicative, dérivée de l'*hypokeimenon* grec, et le moment où elle se met à signifier pour elle-même au sens d'un être « sub-jectif », qui au fond ne se définira en propre que par

---

1. Lettre à de Volder du 20 juin 1703, *Die philosophischen Schriften*, Gerhardt éd., t. II, p. 249.

opposition à l'« objectif », est assurément très tardif, sans doute plus que toutes les modernes « philosophies du sujet » ou du moins supposées telles.

Il nous semble qu'au-delà de Leibniz (même si c'est dans sa tradition) ce moment n'intervient qu'avec Baumgarten et les premiers pas d'une « esthétique » philosophique. À notre connaissance, Baumgarten est en effet le premier à utiliser thématiquement « subjectif » et « objectif ». « La représentation de choses objectivement vraies dans une âme donnée peut être dite vérité subjective », écrit-il dans son *Esthétique*[1]. Vérité qu'il nomme aussi « vérité esthétique », dans une conjugaison originaire de la subjectivité et de la sensibilité que nous ne devrons pas perdre de vue. Tout se passe comme si la sensibilité était la donnée nécessaire pour relester de contenu ce qui jusque-là n'était essentiellement qu'une fonction logique (celle du « sujet » au sens logico-grammatical).

Encore cette occurrence tardive — et qui se banalise en quelques années entre Baumgarten et Kant dans la langue philosophique allemande — n'est-elle pas si remarquable qu'elle puisse être aisément remarquée d'une langue à une autre, puisqu'il n'est pas rare en France encore au XIXᵉ siècle de voir l'introduction du terme de « subjectivité » imputée à la philosophie kantienne elle-même, où il joue assurément un rôle stratégique.

On admettra donc qu'une certaine obscurité entoure la genèse de la notion moderne de « subjectivité », qui n'a rien d'immédiat ni d'anhistorique, et qui n'est pas nécessairement associée aux « philosophies de la subjectivité », le paradoxe le plus

1. Alexander Gottlieb Baumgarten, *Esthétique*, trad. fr. Jean-Yves Pranchère, L'Herne, 1988, § 423.

piquant étant sans doute que le terme devient pleinement reçu (avec Kant, nous verrons comment et
pourquoi) dans la pensée seule qui ouvre la voie de
ses critiques.

Il n'en reste pas moins que ce que l'on appelle subjectivité paraît gagner une certaine existence et
consistance théorique à partir de ce qui est habituellement tenu pour le tournant cartésien, non sans
plonger ses racines dans un passé plus éloigné (ainsi
peut-être dans la théorie de la représentation des
stoïciens, seuls anciens pour qui l'indépendance
d'un « intérieur » par rapport à un « extérieur »
semble avoir un sens)[1]. On notera que Descartes
n'emploie jamais « sujet » au sens moderne, mais
toujours au sens du sujet logique ou du sujet du
livre, du « thème ». On lui attribue pourtant couramment la « découverte métaphysique » de la subjectivité, comme cette propriété que l'homme a d'être soi
et de porter avec lui l'épaisseur et la consistance d'un
Soi. Cette propriété, qui s'exprime dans le *cogito*,
serait au fondement de ce que, après Descartes, on
retrouvera sous le nom de « subjectivité » : partout
où il y a « subjectivité », il y a comme un *cogito*,
même si celui-ci paradoxalement n'est plus d'abord
pensée, voire ne s'exprime plus nécessairement en
première personne — du reste, chez Descartes lui-
même il ne passe pas par le « Je pense » dans toutes
ses formules[2]. Ainsi Kant qui, quant à lui, thématise

---

1. Pour les stoïciens, seules mes représentations sont en
mon pouvoir, le réel « extérieur » étant hors d'atteinte (Épictète). Ce pouvoir sur ses propres représentations constitue le
lieu d'une « intériorité » (Marc Aurèle) qui pourrait représenter la première forme de ce que l'on nommera plus tard « subjectivité ».

2. *IIe Méditation* : *Ego sum, ego existo*, Adam et Tannery éd.
(AT), Vrin, t. VII, p. 25.

explicitement la subjectivité ne le fait que dans la mesure où d'une certaine façon il renoue avec cette intuition cartésienne du *cogito*. Il n'empêche que c'est aussi d'un autre côté pour la détruire... Alors qu'en est-il ? Qu'est-ce qui est réellement posé sous le titre de « subjectivité » ? Que dit effectivement ce terme et que veut-il dire ? Il est possible qu'ici l'intention et la signification ne se recouvrent pas.

I. LA MÉTAPHYSIQUE
DE LA SUBJECTIVITÉ

Il faudra commencer l'enquête par le *cogito* cartésien : qu'est-ce qui est conquis par là, pour qu'on y fasse ordinairement remonter l'odyssée contemporaine du sujet ? Qu'est-ce qui se joue dans ce moment d'exception qu'est supposé être le *cogito*, comme pur retour sur soi d'une pensée suspendue dans la fiction de son doute ?

Il y a le *cogito* et il y a sa légende. Le *cogito* recouvre la réalité d'une expérience phénoménologique, inaugurée par Descartes, qui comporte un tel degré de présence et d'évidence qu'aucune remise en question n'a vraiment pu la refermer et qu'elle nourrit encore aujourd'hui tout un pan de l'interrogation philosophique ; mais il fait souvent aussi office de thèse métaphysique, dans laquelle le sujet est convoqué à tenir le rôle du fondement.

Que le *cogito*, pure apparition de la subjectivité à elle-même, intervienne dans le contexte d'un projet de refondation métaphysique de la connaissance, ce n'est pas douteux : « Il y a déjà quelques temps que je me suis aperçu que, dès mes premières années, j'avais reçu quantité de fausses opinions pour véritables, et que ce que j'ai depuis fondé sur des principes si mal assurés (*quaecumque istis postea super-extruxi*), ne pouvait être que fort douteux et incertain ; de façon qu'il me fallait entreprendre sérieusement une fois en ma vie de me défaire de toutes les opinions que j'avais reçues jusques alors en ma créance, et commencer de nouveau dès les fondements (*a primis fundamentis denuo inchoan-dum*), si je voulais établir quelque chose de ferme et de constant dans les sciences[1]. »

C'est le besoin du fondement qui conduit au doute radical, mise en doute systématique de tout ce qui peut l'être sans exception. Or cette entreprise mène à sa propre limite : la rencontre d'un indubitable qui produit par le doute même, y résiste comme son présupposé inaliénable. Dans l'effondrement général et méthodiquement orchestré des certitudes, c'est une « vérité certaine » qui est trouvée : « Je me suis persuadé qu'il n'y avait rien du tout dans le monde, qu'il n'y avait aucun ciel, aucune terre, aucun esprit, ni aucun corps ; ne me suis-je donc pas persuadé que je n'étais point ? Non certes, j'étais sans doute, si je me suis persuadé, ou seulement si j'ai pensé quelque chose[2]. »

Je suis, et cette évidence tient dans le simple fait de penser quelque chose, qui recèle en lui ce fait qui est celui de la pensée. L'*existo* s'expérimente d'abord sous la figure d'un *cogito*, arc-bouté dans et contre le doute, comme sa limite intrinsèque. Dans l'expérience qui consiste à me déprendre du monde, ce que Husserl nommera la *Weltvernichtung* (anéan-

1. *Ire Méditation*, AT IX, 13 — AT VII, 17 pour le texte latin.
2. *IIe Méditation*, AT IX, 19.

tissement du monde) dans la voie cartésienne de sa pensée[1], je me découvre moi-même comme ce qui résiste au néant parce que présupposé par sa position, en d'autres termes comme un subsistant, comme un reste tout à la fois phénoménologique et métaphysique, le résidu inaliénable de la destruction qui a été entreprise. L'ego est ce reste, et dans la plupart des pensées de la subjectivité à dominante égologique (déterminant la subjectivité par son identité à ce moi que *je* suis) il aura ce statut : celui de ce qui subsiste en dernier appel, par-delà toutes les destructions que l'on peut tenter. C'est précisément aussi contre cette illusion du « reste » parce que également du sens qu'il y a à envisager une telle « suspension » métaphysique de l'ensemble du monde que se focaliseront les critiques de la subjectivité métaphysique[2].

Pour Descartes, ce « reste » qu'est le sujet, en vertu de son seul statut de « reste », se voit pourvu d'une évidence particulière, que révèle la « réduction » préalable du monde : « De sorte qu'après y avoir bien pensé, et avoir soigneusement examiné toutes choses, enfin il faut conclure, et tenir pour constant que cette proposition : *Je suis, j'existe*, est nécessairement vraie, toutes les fois que je la prononce, ou que je la conçois en mon esprit[3]. »

Le sujet est plus évident que le monde (son évi-

1. Husserl, *Idées directrices pour une phénoménologie*, trad. fr. Paul Ricœur, Gallimard, 1950, § 49, p. 160.
2. Voir Hume, *Enquête sur l'entendement humain*, section XII, et Charles Sanders Peirce, *Textes anticartésiens*, trad. fr. Joseph Chenu, Aubier, p. 195-196 sur l'impossibilité du doute radical et p. 185 sur le caractère inférentiel de ce prétendu « reste ».
3. *IIe Méditation*, AT IX, 19.

dence se manifeste dans la mise en suspens même de ce dernier) et ce surcroît d'évidence, lié à une supposée « immédiateté » du sujet à lui-même[1], s'exprime dans un énoncé dont la valeur quasi performative a donné lieu à une ample discussion : le « je » est quasiment donné par le « Je suis », non pas au sens où il serait simplement l'objet de cet énoncé, mais au sens où le « Je suis » exprime une condition du discours lui-même, à savoir la subjectivité de celui qui parle, subjectivité qui n'est pas extrinsèque à la parole, mais détermine le statut de cette parole même. « À chaque fois que je la prononce », cette proposition est vraie, là où aucun de mes énoncés sur le monde ne bénéficie de cette immédiateté, qui est celle de la profération de la parole (même supposée mentale)[2].

Ce qui est supposé, sur un mode ou sur un autre (celui du discours ou de l'intuition intellectuelle, ce n'est pas clair chez Descartes), c'est l'*évidence phénoménologique* de la subjectivité, au sens où, parce qu'elle est un moi, elle serait supposée être *donnée en personne à elle-même*. C'est ce qu'on retrouvera chez Husserl au titre d'un champ de présence absolu du moi, l'« ego pur » obtenu sous réduction, par la mise en suspens des choses du monde auxquelles est retirée toute position d'existence.

1. Immédiateté qui est celle de la *conscience*, qui caractérise la pensée telle que l'entend Descartes : « Par le nom de pensée, je comprends tout ce qui est tellement en nous, que nous en sommes immédiatement connaissants (*conscii*) » (*Réponses aux secondes objections*, AT IX, 124 — texte latin AT VII, 160).

2. D'autres diraient de la « voix », en laquelle le locuteur est présent à lui-même, qui pourrait bien constituer le fond de tout *cogito*, dans son essence « phonologique » : voir Jacques Derrida, *La Voix et le phénomène*, PUF, 1967.

Mais qu'est-ce qui est obtenu par là ? Qu'est-ce qui est « donné » dans cette expérience phénoménologique insigne qu'est le *cogito* ? « Mais qu'est-ce donc que je suis ? Une chose qui pense. Qu'est-ce qu'une chose qui pense ? C'est-à-dire une chose qui doute, qui conçoit, qui affirme, qui nie, qui veut, qui ne veut pas, qui imagine aussi, et qui sent[1]. »

Ainsi Descartes décline-t-il le contenu d'expérience du *cogito*, en déployant toute la palette des données concrètes dans lesquelles il prend une teneur déterminée. Il n'y a pas de *cogitatio* séparable de ces divers *modi cogitandi*, de ces modes du penser qui déploient les formes concrètes de sa possibilité. Palette qui dépasse largement le seul registre de la pensée d'entendement, selon lequel le *cogito* est souvent interprété, dans une compréhension de la pensée qui n'est pas cartésienne mais kantienne (fondée sur l'opposition de la sensibilité et de l'entendement, loin de toute prise en compte globale du phénomène de la *cogitatio*).

Cette extrême richesse de phénomènes est le legs positif que Descartes nous a fait au titre de la constitution du « sujet » et il n'est pas de pensée de la subjectivité qui n'ait à revenir régulièrement à cette intuition cartésienne (celle d'une sphère de propriété dans laquelle est comprise toute la diversité des phénomènes concernés)[2] pour combattre telle ou telle exclusion ou telle ou telle mutilation qui pourrait nous empêcher de gagner, dans sa plénitude, le sens de ce qu'est un « sujet ». De ce point de vue, on peut dire que *descriptivement*, l'analytique cartésienne de

---

1. *IIe Méditation*, AT IX, 22. Repris au début de la *IIIe Méditation*, AT IX, 27.

2. Comme le fait exemplairement Michel Henry, *Généalogie de la psychanalyse*, PUF, 1985, chap. I et II.

la subjectivité est libre de préjugés : si elle est fondée sur la mise en suspens du monde qui fait de l'ego une certaine forme d'absolu phénoménologique et dont elle inaugure le geste, elle rassemble bien sous le titre de cette « subjectivité » qu'est l'ego toute la variété de déterminations que l'on peut y trouver, sans décision métaphysique qui le restreigne à telle ou telle de ses faces. Ce qu'attestera le travail du *Traité des passions*, où se joue d'une certaine façon la réincarnation de cette « subjectivité » dans ses diverses modalités concrètes.

Reste qu'évidemment pour Descartes l'absolutisation phénoménologique de l'ego, qui en fait une sphère indépendante au moins dans son apparaître[1] et pleine en soi, ne va pas sans conséquences métaphysiques, plus difficiles à assumer, sur lesquelles se concentreront tout à la fois les critiques de la subjectivité, qui se présentent souvent comme des critiques du cartésianisme, et les déplacements des pensées de la subjectivité elles-mêmes par rapport à l'héritage cartésien.

L'analyse cartésienne du *cogito* menée dans la IIe *Méditation* aboutit en effet, on le sait, à la position d'une *res cogitans*, chose pensante, qui est déterminée comme *substance*. C'est ici que vont pleuvoir les critiques. Pourquoi le simple énoncé du *cogito*, si riche existentiellement soit-il, donnerait-il lieu de

1. Mais pas dans son être, l'ego cartésien se trouvant placé sous le signe d'une finitude qu'il porte au fond de lui-même comme sa détermination propre, puisque l'être qui est dans le *cogito* manifesté à lui comme le sien ne l'est qu'en tant que prélevé à un infini dont l'idée précède son idée propre. Voir *IIIe Méditation*, AT IX, 36 : « J'ai en quelque façon premièrement en moi la notion de l'infini, que du fini, c'est-à-dire de Dieu, que de moi-même. »

poser l'existence d'une *res cogitans* ? Ce qui est en jeu
là, ce n'est pas l'existence, et peut-être même pas la
richesse phénoménologique des caractères qu'on lui
attribue, mais la détermination ontologique qui en
est proposée, celle de la « chose pensante ». « Je suis
certain que je suis une chose qui pense[1]. » Mais cette
certitude est porteuse d'une interprétation qui ne va
assurément pas de soi : pourquoi la pensée relève-
rait-elle de la catégorie de la « chose », avec le
modèle matériel que cela comporte, même si c'est
pour le démentir dans l'opposition alléguée du spirituel et du matériel (de la substance pensante et de la
substance étendue), à laquelle la « réduction » qui
isole la chose pensante doit servir ?

Ce problème est aggravé par la mobilisation par
Descartes d'une des catégories ontologiques les plus
lourdes qui soient, même si c'est tardivement dans le
cours des *Méditations*[2], pour penser la détermination de ce qui est en propre le sujet : à savoir celle de
la *substance*. Ce faisant, il va chercher un terme
métaphysique qui surcharge objectivement la teneur
du *cogito* de toute une série de déterminations historiquement acquises, au fil conducteur de l'analyse de
la chose matérielle, qui a fourni son paradigme historique à l'idée de substance, de provenance aristotélicienne. D'où l'affirmation déconcertante de Heidegger, qui minimise l'importance du tournant
cartésien en direction d'une pensée de la subjectivité
et l'accuse d'une façon apparemment étonnante de

1. AT IX, 27.
2. Au moment même où Descartes remonte vers la découverte de la finitude de cette substance, dans son incapacité à
tout constituer, mais par là même en mesure aussi bien la
positivité d'être, qui la fait substance : *ego autem substantia*
(*IIIe Méditation*, AT VII, 35).

ne pas encore disposer du concept de sujet : « On attendrait [...] que désormais le mode d'être du sujet devienne un problème ontologique. Ce n'est justement pas ce qui arrive [...]. Non seulement Descartes — celui qui accomplit le renversement [...] en direction du sujet — ne pose pas la question de l'être de ce sujet, mais il va jusqu'à l'interpréter en prenant pour fil conducteur le concept d'être et les catégories ontologiques qui ont été élaborées par la philosophie anticomédiévale[1]. »

L'interprétation du sujet en termes de « substance » induirait le nivellement de la subjectivité de ce sujet, ravalé au rang de la chose en général. Or le sujet n'est pas une chose — c'est l'intuition fondamentale de Heidegger et des pensées de l'existence mais aussi déjà d'une certaine façon de Husserl, de Kant et des philosophies de la conscience (de tradition cartésienne mais qui critiquent Descartes à ce propos).

Encore faut-il remarquer que la substantialisation de la subjectivité, loin de reconduire une catégorie ontologique ancienne dans sa pureté, ne va pas, chez Descartes, sans nouveauté fondatrice, qui précisément ouvre la possibilité des « philosophies de la conscience », dans leur détour même par rapport à la « voie cartésienne ».

D'une part, l'emploi du terme de *substantia*, voire déjà du grec *ousia*, pour désigner ce que nous appelons le sujet n'est pas nouveau et n'a assurément pas attendu la « découverte métaphysique » cartésienne de la subjectivité. L'« âme », qualifiée d'*ousia* par

1. Heidegger, *Les Problèmes fondamentaux de la phénoménologie*, trad. fr. Jean-François Courtine, Gallimard, 1985, p. 155-156.

Plotin, Porphyre et Némésius, est nommée *substantia* par saint Augustin et depuis très couramment dans la tradition latine.

Et pourtant Descartes est très conscient de ce qu'il y a de révolutionnaire dans sa revendication de la substantialité de l'âme, et c'est même là pour lui que réside la percée du *cogito*. Lorsqu'on lui écrit que le *cogito* se trouve dans saint Augustin, il argue de l'originalité non de l'argument mais du résultat obtenu : à l'encontre de la tradition, il s'agit pour lui de « faire connaître que ce moi, qui pense, est une substance immatérielle [1] ». Propos en lui-même surprenant, car la substantialité de l'âme n'est pas vraiment une thèse bouleversante, pas plus que son immatérialité, même si cette dernière est évidemment censée contrecarrer une vision aristotélicienne des choses pour laquelle l'âme est la forme du corps [2]. Mais ce qui est original ici, et ce que Descartes vise en propre avec cette attitude de défi qui lui est coutumière, c'est le lien particulier entre les deux propriétés : immatérialité et substantialité. Ici l'une est fondée dans l'autre. C'est la nature même de la substantialité de cette substance très particulière — et effectivement en un sens inédit — qu'est l'âme qui fonde son immatérialité, au sens de son indépendance intrinsèque vis-à-vis du corps. C'est la pointe de l'argument des *Méditations*, et ce dont Descartes est si fier.

C'est dire que la substantialité a ici quelque chose

1. Descartes, lettre à Colvius, 14 novembre 1640, *Œuvres philosophiques*, Alquié éd., Bordas, 1992, t. II, p. 282 (destinataire non identifié par AT III, 247-248).
2. C'est la théorie exposée par Aristote dans le *Traité de l'âme* : l'âme est la forme du corps, c'est-à-dire l'instance métaphysique qui unifie la matière qui est la sienne et, lui confé-

à voir avec la subjectivité : sa nature particulière s'enracine dans la subjectivité dont elle est l'expression, en opposition avec la substantialité des choses du monde telle que l'entendait la tradition. De l'une à l'autre, il y a le *cogito*, qui vient non pas remplir une case que la tradition philosophique a léguée, celle de la substance, suivant le modèle préconçu de la « chose », mais qui transforme le sens même de cette notion de substance, dans la mesure où celle-ci est désormais interprétée dans l'horizon original de la subjectivité comme rapport immédiat à soi, indépendant de toute autre donnée La force du *cogito* est de révéler une substance « immédiatement », dans son autonomie par rapport aux autres (en l'occurrence son « immatérialité » qui métaphysiquement est séparabilité par rapport aux corps), modalité d'apparaître dans laquelle se joue le sens de la « substance » en général, en tant que catégorie métaphysique appelée à jouer un rôle déterminant dans la pensée cartésienne. D'une certaine façon, est substance (c'est-à-dire existe par soi, ou du moins se manifeste comme existant par soi) ce qui est sur le modèle de l'ego saisi dans le *cogito*, même s'il est vrai qu'en dernier ressort, comme le souligneront les *Principes de la philosophie*, c'est à Dieu que revient au mieux la dénomination de « substance », puisque Dieu seul est absolument par soi. Il y a chez Descartes, qui de ce point de vue ne fait qu'inaugurer une tradition métaphysique que l'on retrouvera notamment chez Leibniz et qui est caractéristique de l'idéalisme moderne, un tournant en direction de ce que l'on a appelé une « déduction égologique de la

---

rant une structure déterminée, lui permet de fonctionner, autrement dit de vivre.

substance[1] », la notion de substance se conformant
à l'usage qu'en prescrit l'ego.

La pensée cartésienne est recherche de l'être,
remontée vers la positivité de ce qui est, celle-ci
étant entendue en dernier ressort comme être
absolu, pure *aséité* (être par soi) dont Dieu constitue
le modèle. Pour Descartes, la substance est la forme
de cette aséité : est pleinement substance ce qui est
par soi, sans avoir besoin d'autre chose pour être. Le
cogito, expérience pure de l'ego dans l'immédiateté à
soi de sa pensée, est une première expérience de la
substantialité, comme un premier éclat arraché à
l'être dans son absoluité. La démarche dubitative des
Méditations, marquée par la hantise savamment
orchestrée de ne plus savoir exactement ce qui est ni
même s'il y a quelque chose qui soit, assigne bien
son sens à cette expérience limite du doute qu'est le
cogito : en elle nous est donné ce qui, de l'être, ne
peut pas nous être retiré. Ce qui reste quand même,
avons-nous dit. Sur ce reste le projet métaphysique
de connaissance de l'être peut faire fond. Que l'ego
ne soit pas le fondement ultime, adossé qu'il est à
l'infini qu'il n'est pas, est chez Descartes chose assurée. Il n'en reste pas moins qu'il gagne, par l'« immédiateté » et l'autonomie de sa substantialité, la
valeur de fondement ou du moins de principe dans
l'édifice de la connaissance. Il est ce dont on doit
partir si l'on veut trouver le fondement, le fini substantiel auquel se mesure l'idée d'infini dans la
mesure où elle s'exprime tout de même dans cette
substantialité qui est celle de ce fini. La caractérisa-

---

1. Voir Jean-Luc Marion, *Sur le prisme métaphysique de
Descartes*, PUF, 1986, p. 161 *sq*. Nietzsche déjà avait vu dans la
substantialisation des choses une projection de l'idée de notre
moi.

tion de l'ego comme substance, inaugurale des modernes pensées de la subjectivité, a donc bien conféré un statut métaphysique au sujet, point de départ de la connaissance, et première brique métaphysique d'un être assuré, parce qu'immédiat dans son mode de donnée sur lequel on peut construire.

II. LOGIQUE ET SUBJECTIVITÉ

Or il ne va pas de soi que quoi ce soit de réel soit recouvert par cette immédiateté alléguée. Toutes les grandes critiques de la subjectivité, que cela soit celles de Nietzsche, Peirce, Wittgenstein ou déjà Kant, mettront en question cette immédiateté. On contestera son intuitivité au *cogito*, c'est-à-dire précisément sa donnée immédiate, et on mettra en évidence son caractère inférentiel. Dans sa forme la plus critique, l'argument consistera en fait à mettre en évidence la solidarité objective, et masquée par la position métaphysique de la subjectivité comme un en soi premier-donné, de cette dite subjectivité et de la structure logique du discours qui la produit. Par là même on rend toute sa puissance à l'étymologie, qui assigne un lieu discursif, celui d'une fonction grammaticale, au sujet.

Nietzsche décèle ainsi dans le *cogito* un « *cogito* sur parole », qui est lié au « piège de la grammaire ». Nous croyons être essentiellement un « sujet », mais il n'y a de sujet qu'en vertu de la fonction grammaticale du sujet, qui nous conduit à en poser un. Comme si le fait que nos propositions énoncées en première personne doivent toujours avoir un sujet nous autorisait à poser quelque chose de tel comme une entité réelle. La subjectivité serait le fruit d'une monstrueuse confusion entre les mots et les choses[1].

D'une certaine façon, Kant n'avait déjà pas dit autre chose. À défaut d'admettre une détermination purement linguistique, donc relative, de la subjectivité[2], il avait mis en lumière, dans la *Critique de la raison pure*, le caractère logique (donc absolu mais vide) de la fonction sujet, en menant ce qu'il faudra reconnaître pour une critique des philosophies du sujet. Avec le criticisme kantien, la subjectivité cartésienne s'exténue et se vide de ses propriétés : le paradoxe étant que la pensée qui est le lieu de la popularisation du terme soit aussi celui de cette dévastation[3]. La subjectivité kantienne, telle tout au moins que la première *Critique* en renvoie l'image, est pauvre en contenu « subjectif », c'est-à-dire en phénomènes dans lesquels elle pourrait s'illustrer. Mais c'est aussi qu'elle n'est *que* subjectivité. La subjectivité est en effet ici reconduite à la provenance logique de ce terme : être-sujet (par opposition aux prédicats).

Tout l'effort de Kant est de dissocier cette fonction

1. Voir *La Volonté de puissance*, Livre de Poche, 1991, § 260, p. 287.

2. Le différend entre Nietzsche et Kant portera en effet sur le point de conférer ou non une portée « logique » à la grammaire en la matière (ce qui impliquera le maintien ou non de la subjectivité, dans son exténuement même) : voir Michel Haar, *Nietzsche et la métaphysique*, Gallimard, 1993, p. 129 *sq.*, sur la critique nietzschéenne du sujet comme critique de la logique.

3. En ce sens, contrairement à un cliché trop courant et à la filiation cartésienne attendue, la philosophie kantienne *n'est pas une philosophie du sujet*. Chez Kant en effet, la philosophie du sujet « est simplement un moyen pour la philosophie de l'objet » (Pierre Lachièze-Rey, *L'Idéalisme kantien*, Alcan, 1931, p. 58).

sujet de la détermination de « substance » qu'elle semble comporter. C'est dans la mesure où la subjectivité kantienne n'est pas une substance qu'elle voit s'évanouir la richesse de contenu égologique qui appartenait en propre à la détermination cartésienne du sujet. Car dire que le sujet n'est pas donné à lui-même comme substance, qu'il n'y a là qu'une illusion transcendantale, c'est aussi bien évacuer ce qui paraissait faire la teneur spécifique de la notion de sujet : celle d'une substance à elle-même donnée, dont la substantialité se manifeste précisément dans l'immédiateté de sa donnée.

Ce n'est pas que Kant récuse l'emploi de la notion de substance pour décrire ce que l'on nomme d'habitude la subjectivité, ni qu'il exclue à proprement parler un discours sur cette « subjectivité ». La critique kantienne du sujet ne revient pas, contrairement à bien des critiques modernes, à rejeter purement et simplement la notion. Mais il faut circonscrire le sujet comme objet de connaissance, astreint par là même aux lois qui sont celles de la connaissance en général. Le concept de subjectivité gardera donc une pertinence gnoséologique, en vue d'organiser certains phénomènes, qui sont l'objet d'une connaissance déterminée. L'« âme », dans laquelle chez Descartes était censé reposer le sens du « sujet » ou tout au moins de l'ego, n'est pas du tout un concept proscrit par Kant, mais ne signifie pour lui qu'exactement ce dont s'occupe la psychologie. Elle devient donc un concept empirique, qui caractérise un aspect de l'expérience sensible et se voit dépouillé de toute portée métaphysique, du moins sur le terrain de la théorie.

Ce que conteste Kant, c'est que la simple idée du sujet, telle qu'elle serait censée par exemple tenir

dans le *cogito*, puisse en elle-même fournir le sujet
comme un objet de connaissance, qui n'aurait pas
alors besoin d'être empiriquement déterminé par
telle ou telle expérience qui le restituerait dans le
tout légalement ordonné du monde. En d'autres
termes, il n'y a pas de connaissance *a priori* du sujet,
là où la subjectivité semblait pourtant se définir
essentiellement par l'a priorité de son mode de donnée, l'immédiateté de la voie d'accès à elle, qui
devrait être donnée « à même » la pensée elle-même,
donc purement *a priori*. La discussion porte précisément sur le sens à conférer à l'inclusion du *sum* (je
suis) dans le *cogito* (je pense).

Le simple fait du « Je pense » appelle un « Je
suis ». *Cogito* peut toujours se gloser *sum cogitans*,
« je suis pensant », et la forme verbale appelle un
sujet qui est assigné comme le support de son
action. Mais par là, contrairement à ce que semblait
croire Descartes (mais Descartes pensait en termes
d'intuition intellectuelle, et non de raisonnement
formel), quoi que ce soit est-il *donné* comme sujet ?
Kant s'insurge contre l'identification de cette fonction logique à une entité métaphysique, supposée
donnée. Ce n'est pas parce que, de tout ce que je fais,
je peux dire que *je* le fais, que le moi est pour autant
quoi que ce soit qui existe « à part » ou pour lui-
même. De la référence constamment « subjective »
de notre discours, qui se conforme à la forme sujet,
faut-il conclure à l'existence de quelque chose
comme une « subjectivité » ? Telle est la question
très actuelle que nous pose Kant, déjouant la fausse
évidence de l'*immédiateté* de la subjectivité comme
quelque chose d'immédiatement donné.

Pour Kant, loin de fournir quelque contenu métaphysique propre, la subjectivité qui est impliquée

dans le « Je pense » se réduit à cette forme logique qui est celle du rapport sujet-prédicat et ne représente comme telle « rien de plus qu'un sujet transcendantal des pensées = X^1 », qui pourrait aussi bien se dire comme telle dans la forme d'un « Il » ou d'un « Cela ». « Cela pense », « il y a de la pensée », voilà ce qui est dit en propre dans le *cogito* et il n'y a rien là qui permette de donner sa spécificité métaphysique à un « je » censé s'y manifester. Le « je » invoqué comme sujet (logique) de la pensée est « une représentation vide de contenu », qui avec elle ne véhicule rien d'autre que la nécessité (logique) dans laquelle la pensée se trouve d'avoir un sujet. « Pris isolément, nous ne pouvons jamais en avoir le moindre concept. »

Reste qu'au-delà des mésinterprétations historiques qui sont monnaie courante, on ne comprendrait vraiment pas comment Kant peut si fréquemment passer aujourd'hui pour un des instigateurs de la pensée de la subjectivité, au point d'en porter souvent autant et plus que Descartes les soupçons et les critiques, si sa leçon se réduisait à cette pure et simple réduction de la subjectivité au statut logique du sujet. En fait, d'une part sans doute les terrains pratique et esthétique compensent-ils ce déficit de subjectivité dont semble marquée la théorie kantienne de la connaissance ; d'autre part, il est certain que la première *Critique*, dans ses dénégations mêmes, présente quelque chose comme une analytique de la subjectivité, au titre d'une analyse du *Gemüt* (l'esprit humain) et d'une véritable économie

1. Kant, *Critique de la raison pure*, trad. fr. Alexandre J.-L. Delamarre et François Marty, Gallimard, coll. Folio, 1990, p. 356.

des facultés, présupposées par la démarche critique — les trois *Critiques* faisant système selon cette économie des facultés[1]. Mais surtout, outre cette évidente contribution doctrinale de Kant à une théorie du sujet, il est bien vrai que la première *Critique* est le lieu d'une redétermination de la notion même de sujet, à la faveur de son devenir « transcendantal », qui lui permet de prendre son sens moderne.

Qualifier le sujet de « transcendantal », ce n'est pas seulement l'évacuer en tant qu'entité métaphysique, mais lui prêter un pouvoir, dans lequel se joue sa requalification de « sujet ». Si le sujet transcendantal est un sujet logique, son être « transcendantal » pointant la réduction de sa subjectivité à son être logique de sujet, *il n'est pas un sujet logique comme un autre*, et c'est toute l'ambiguïté de la notion qui, dans le dépassement avoué même des métaphysiques de la subjectivité (Descartes ou Berkeley tels que Kant les lit), libère toute la puissance d'exception de ce qui est dès lors désigné comme *le* sujet au défini singulier, dans son irréductibilité à la forme du sujet logique en général. Le sujet transcendantal n'est qu'un sujet logique. Mais tout « sujet logique » (d'un énoncé prédicatif) n'est pas le sujet transcendantal, c'est-à-dire *le* sujet, au singulier défini, c'est-à-dire le sujet au sens moderne, *notre* sujet. Si la subjectivité a quelque chose à voir avec la forme logique sujet-prédicat, elle possède avec elle un rapport principiel, qui excède toute application « régionale » de cette forme à l'étant « homme ». C'est cette reconquête de la subjectivité non pas seulement comme produit de la logique mais comme

---

1. Voir Gilles Deleuze, *La Philosophie critique de Kant. Doctrine des facultés*, PUF, 1963.

fondement de cette même logique, qui est l'enjeu de la rencontre ambiguë du thème du « sujet transcendantal » et de celui de l'« aperception (ou conscience) transcendantale » dans le texte de la première *Critique*.

Le sujet, c'est-à-dire le sujet qui ne se dit qu'en première personne, n'est pas un sujet comme les autres au sens de la forme générale sujet-prédicat, telle est l'intuition qui est filée par Kant plus loin que par aucun autre avant lui et qui peut à bon droit le faire nommer l'inventeur de l'usage moderne du terme. Thèse paradoxale sous la plume de celui qui en même temps nie l'originalité de l'expérience phénoménologique mise par Descartes sous le nom de *cogito*, comme voie d'accès privilégiée à un « sujet » ! Il y a pourtant, comme on n'a pas manqué de le souligner, un *cogito* kantien, et c'est bien lui aussi qui donne accès à ce que pour Kant l'on pourra appeler un « sujet », la différence étant que celui-ci ne pourra rien être qui serait à connaître, mais *le présupposé même de la connaissance, ou d'une certaine façon le présupposé de la « logique »*, comme articulation logique du discours.

« Le sujet » n'est pas un « sujet » comme un autre. Le concept de « sujet » pris en général, c'est-à-dire comme forme logique, est constitutif de la discursivité même de l'entendement humain en tant que celle-ci, suivant un présupposé aristotélicien reconduit par Kant, s'accomplit dans la forme prédicative. La question est dès lors de savoir si l'on peut absolutiser cette forme en posant quelque chose comme un « sujet absolu », qui serait « sujet ultime », sujet qui supporterait l'ensemble des formes prédicatives. Y a-t-il un « sujet universel » ? C'est la question que soulève le passage d'un usage

simplement logique et formel de la notion de
« sujet » à son usage moderne, qui ne rompt pas
vraiment avec le premier, mais bien plutôt le généra-
lise et l'ontologise, prétendant simplement en absolutiser la fonction dans la position d'un « sujet
ultime ». C'est ce qu'on trouve déjà dans les premiers
énoncés qui assurent le passage d'un sens à l'autre
du mot, dans le contexte de la monadologie de la
Renaissance à la suite de Nicolas de Cues ou à plus
forte raison chez Leibniz : avec ce qui ne se nomme
pas encore « le sujet », il s'agit de *subjectum unum,
individuum, singulare hoc aliquid quod cunctis prae-
dicatis subest* [1], ce « sujet un, cet individu, ce quelque
chose singulier qui est le support de tous les prédicats ». Ce qui fait de ce « sujet » qu'est l'individu
humain *le* sujet, Kant est le premier à en tirer toutes
les conséquences, c'est sa subjectivité *universelle*, au
sens de sa capacité à être le sujet logique de tout ce
qu'il connaît (donc, au moins en droit, tout) en tant
que prédicats. En cela même « *le* sujet » se définirait
logiquement comme « le sujet dernier [2] », celui dont
tout est prédiqué et qui ne peut plus lui-même être
prédicat.

L'illusion commence là où l'on fait de cette universalité d'une fonction logique, dont la logique à elle
seule ne peut assurément rendre compte, un principe ontologique qui constituerait la détermination *a
priori* d'un étant. Cette formule qui fait du sujet le
« sujet ultime » (sa « subjectivité » s'y détermine)
semble en effet correspondre exactement à la définition, proposée déjà par Aristote et reprise par Kant,

　　1. Charles de Bovelles, *Ars oppositorum*, chap. XVII, Pierre
Magnard éd., Vrin, 1984, p. 160.
　　2. Kant, *Prolégomènes à toute métaphysique future*, trad. fr.
J. Gibelin, Vrin, 1968, § 46, p. 114.

de la catégorie de la substance : « ce qui n'est pas prédicat d'un sujet, mais ce dont tout le reste est prédicat[1] ». Mais, pour Kant, si on écarte « la détermination sensible de la permanence [...], je ne puis rien faire de cette représentation, puisqu'elle ne m'indique pas quelles déterminations a la chose, qui doit valoir comme telle à titre de premier sujet[2] ». Et ce n'est pas parce que le sujet est formellement une substance au carré, la substance de la substance, puisque ce dont *tout* peut être prédiqué en tant qu'objet de connaissance alors que lui-même ne peut jamais être prédicat, que cette contrainte disparaît : bien au contraire cette « absoluité » du sujet en tant que « sujet radical », radical logique absolu de la forme sujet, vide de sens sa substantialité tout comme toute détermination ontologique qu'on pourrait formuler à son propos, puisqu'elle le retire précisément à toute détermination qu'on pourrait en donner dans la forme prédicative, horizon exclusif de la connaissance. L'« universalité » du sujet en tant que sujet logique universel exclut que puisse en être formulée aucune connaissance déterminée, lui-même étant présupposé par toute connaissance. Il est le « sujet » de toute propriété en tant qu'elle est connue et donc rapportée comme prédicat à l'unité d'une connaissance, mais, en cela même, il n'y a rien de réellement consistant qui puisse être son « sujet » et par rapport à quoi il puisse être déterminé. L'universalité logique de la subjectivité en son sens éminent, loin de constituer un privilège par rapport à l'être-sujet en son sens ordinairement logique, délimite

---

1. Aristote, *Métaphysique*, Z, 3, 1029 a 7-8. Voir Kant, *Critique de la raison pure, op. cit.*, p. 157 et 197.
2. *Critique de la raison pure, op. cit.*, p. 197.

bien plutôt une carence du point de vue épistémologique : le sujet est d'autant plus inconsistant et vide qu'il est pure universalité.

Cette universalité n'en demeure pas moins et prescrit un horizon d'exigence inaliénable, inscrite au cœur même de la pensée, qui est celle de la subjectivité. Toute la pensée est assignée à l'identité d'un sujet : c'est ce qui subsiste du *cogito* cartésien au sein même de la critique kantienne des métaphysiques de la subjectivité, lors même que ce sujet est posé comme inconnaissable. Il n'en est pas moins maintenu comme exigence portée par la pensée elle-même, pure idée de son identité. Tout le connu peut être rapporté comme prédicat à un sujet, voilà ce qui reste dès lors de subjectivité, le concept ayant été passé au crible de l'analyse du discours, qui l'a mis en évidence comme condition logique de la pensée, condition que la logique elle-même (idée d'une prédicabilité universelle) constitue pour la pensée. Le sujet se réduit alors à l'idée de sa propre identité, sans être aucun sujet « donné », loin de la certitude et de l'immédiateté illusoires habituellement charriées par l'idée de subjectivité, la subjectivité ayant été reconduite à la détermination logique et discursive à laquelle elle a emprunté son nom. Il est non plus un donné (à plus forte raison une « chose »)[1], mais un « principe régulateur[2] », suivant la formule kantienne qui ratifie la déconstruction du sujet métaphysique, c'est-à-dire de la supposée expérience métaphysique de la subjectivité.

---

1. Voir en écho Wittgenstein, *Tractatus logico-philosophicus*, 5.632 : « Le sujet n'appartient pas au monde, mais il constitue une limite du monde. »
2. *Prolégomènes à toute métaphysique future, op. cit.*, p. 115.

III. LES TÂCHES DU SUJET

Ce qui reste là où le contenu qui pouvait passer pour un sujet est plus ou moins abandonné — et de façon notable l'apparition et la popularisation du terme « sujet » sont contemporaines de cet abandon —, ce sont toujours au fond des *tâches* du sujet. Le sujet est réassigné dans l'injonction de ce qu'il a à faire, et c'est ce qui le maintient comme tel, y compris jusque dans les pensées qui, au bout de ce mouvement, laisseront de côté cette fois jusqu'au terme « sujet ». Tout se passe comme si la disparition ou la relativisation du sujet comme « contenu » libérait l'« appel » constitutif de la subjectivité, d'abord déterminée non pas comme celle qui *est* telle ou telle chose, mais comme celle qui *a à* faire telle ou telle chose, sans que ce « faire » prenne nécessairement un sens d'abord ni exclusivement pratique. Le sujet est celui qui « a à », il se définit d'abord par sa fonction, dans sa capacité de s'y vouer et d'y être convoqué. Kant nous en a donné un exemple dans l'ordre théorique : le sujet qui pour la première *Critique* est celui de la connaissance ne s'y définit justement que par sa vocation ; il est ce qui a à connaître, ce qui est appelé par la connaissance comme son principe d'identité logique, et rien d'autre que cela. À plus forte raison retrouvera-t-on dans la deuxième *Critique* cet « avoir à » sur le terrain pratique, avec la mise en évidence du devoir comme horizon éthique de la subjectivité, dans lequel celle-ci se manifeste comme liberté. Il y a là une structure commune à toutes les pensées

modernes de la subjectivité, caractérisées par la
mise en jeu d'une identité qui n'est jamais simplement une identité logique (celle, invariante, d'une
essence ou d'une pure forme) mais une identité qui
précisément ne se définit que dans sa mise en jeu,
dans le fait d'être appelée, convoquée, *présupposée*
comme telle. La présupposition est la forme constitutive du sujet, mais cette forme est bel et bien
constitutive, et non pas simplement extrinsèque
(une mise en forme logique extérieure à la subjectivité du sujet), dans la mesure où il est caractéristique du sujet que d'entretenir un rapport avec sa
propre présupposition d'« exister » sa présupposition, pourrait-on dire en utilisant le jargon des
modernes philosophies de l'existence. Il faut qu'il y
ait un sujet, celui-ci est appelé comme identité fondatrice nécessaire à l'exercice d'une tâche ou d'une
autre (la connaissance, la pratique, la responsabilité
politique — n'oublions pas le sujet de droit, et cette
figure moderne de la subjectivité politique : le
citoyen) mais *cette « nécessité » ou cet « appel » ne
sont rien d'annexe au sujet même ; ils sont cette subjectivité elle-même.*

C'est le but auquel semble conduire la radicalisation de l'interrogation en direction de la subjectivité
du sujet ouverte par Kant et qui s'accomplit avec
Heidegger et Foucault : définir le sujet par ses
tâches, dans la mesure prise de la « transcendance »,
de la capacité de sortie de soi et d'implication au
monde qui est la sienne. Le sujet n'a d'autre demeure
que ce rapport, dans son assignation au monde
constitutive, où se détermine son sens d'être
« sujet ». On est toujours sujet *pour* quelque chose,
telle est l'intuition que recèle la détermination fondamentale du sujet comme celui *qui* fait telle ou telle

chose. C'est ce « qui » qu'il faut interroger si l'on veut éclaircir le sens qu'il y a à poser un sujet. Or le « qui » est toujours celui de qui « a à », de qui est impliqué dans le fait de faire quelque chose.

Cette « mise au travail » du sujet, dont Fichte représentera sans doute le paroxysme avec le pathos de l'effort[1], est déjà sensible dans la façon que le sujet a de reprendre une consistance dans son évidement et son dépouillement même dans la première *Critique*, à travers sa redécouverte comme *aperception transcendantale*, c'est-à-dire fonction d'unité de la connaissance sur le fond de laquelle l'unité logique des jugements en général est possible — par là même gardienne de la prédication[2].

Dans la connaissance se constitue une identité originale, non réductible à une simple identité logique posée de l'extérieur, qui est celle de ce qui a à assumer la connaissance, de ce qui est présupposé par elle. C'est ce que Kant nomme « aperception transcendantale » en reprenant un terme leibnizien qui signifie « conscience ». Cette aperception est « le principe suprême de tout usage de l'entendement ». Comme telle, en tant que présupposé requis, et qui n'est donc pas immédiatement (analytiquement) donné, elle fait l'objet d'une synthèse. C'est-à-dire qu'en elle quelque chose est posé qui n'était pas évidemment donné (à savoir le fait qu'il y ait une conscience, présupposé absolu de la connaissance). Mais le paradoxe de la subjectivité est que cette syn-

1. Pour Fichte, le sujet (moi) est essentiellement activité, laquelle a pour but de transformer ce qui n'est pas lui (le non-moi) et qui s'éprouve dans l'effort déployé à cette fin.
2. La copule « est » « désigne la relation des représentations [du jugement] à l'aperception originaire » (*Critique de la raison pure, op. cit.*, p. 166).

thèse, qualifiée par Kant d'« originaire », et qui est celle en vertu de laquelle notre conscience s'ouvre toujours déjà pour une connaissance possible, *ne donne aucun objet*, ne produit aucun contenu thématique que l'on pourrait porter pour lui-même, indépendamment du mouvement même de la synthèse, devant le regard de la conscience. Le produit de l'opération de la conscience que Kant nomme une synthèse (c'est-à-dire la liaison de représentations par l'imagination, en dernier ressort sous le contrôle de l'entendement), c'est normalement l'objet. Or, ce que nous appellerons en termes non kantiens « la synthèse de la synthèse », qui fonde ce que Kant nomme l'« unité originaire de la conscience », et sur fond de laquelle les synthèses en général se produisent, serait, à lire Kant, une synthèse sans produit, dans laquelle s'articulerait la simple *forme* de l'objet, et réellement aucun objet.

Telle est l'intuition de Kant en matière de pensée de la subjectivité, vouée à une abondante postérité : le niveau du sujet est celui d'une identité qui n'est celle d'aucun objet. C'est cette détermination du sujet que nous nommerons « ipséité », par opposition à l'identité « objective », qu'il faudra maintenant explorer.

De ce point de vue, le lieu de la « subjectivité » dans la première *Critique*, comme « ipséité », est ce que Kant appelle la « synthèse transcendantale » en tant que *synthèse de l'identité de la synthèse*, en vertu de laquelle le fait d'attribuer une identité à quoi que ce soit en général se voit rendu possible.

L'unité de l'aperception, qui est la « conscience », par laquelle s'appréhende un « sujet », n'est rien d'autre que l'idée de l'unité préalable nécessaire à l'unification de quoi que ce soit comme « connu » et par rapport à laquelle cette dernière seulement peut avoir lieu. Le sujet n'est donc pas en dehors de la connaissance ou antérieur à elle ; il est sa condition même, qui ne se manifeste que dans sa mise en œuvre, qui est celle de la synthèse.

L'erreur commune était de se demander : « comment se donner le "moi" ? », comme si celui-ci existait « à part » et pouvait en lui-même faire l'objet de donation, ou même au-delà : « comment constituer le moi comme un identique ? », comme si là encore il s'agissait d'un « identique » isolable et descriptible pour lui-même, identifiable par les constantes que l'on pourrait établir dans la variation des « représentations » dont il serait censé être fait[1]. Alors qu'en fait le moi n'est certainement pas une chose, ni même ce fantôme de la chose que serait la simple idée de l'identité d'une chose, mais bien plutôt ce qui advient dans la constitution même de la chose en général, entendue comme « objet », comme identité du rapport même à l'objet. C'est dans le rapport à l'objet même qu'a sens quelque chose comme un « sujet », identité de ce rapport, et non en retrait ou en attente de lui. Par là même, ce qui est découvert, c'est qu'on ne peut pas mettre en suspens le monde ou l'objet. Le sujet est « dehors », « dans le monde », là où est l'objet. À celui qui me dira que mon moi est dans mon cerveau, car je pense avec mon cerveau, je pourrai répondre à bon droit qu'il se trouve tout aussi bien dans mon encrier, selon un argument de Peirce récemment repris par Vincent Descombes[2].

1. Ce dont Hume avait déjà dénoncé l'aporie : *Traité de la nature humaine*, livre I, trad. fr. Philippe Baranger et Philippe Saltel, GF-Flammarion, 1995, p. 343 *sq.*
2. Charles Sanders Peirce, *Collected Papers*, 7.364. Voir Vincent Descombes, *La Denrée mentale*, éd. de Minuit, 1995, p. 103-104. Le nerf de l'argument est que serait constitutif de

Le sujet est là où est son œuvre, dans la tâche à laquelle est assignée son identité — il n'a d'autre sens que d'être l'identité de cette tâche même, identité conquise qui est toujours celle du retour à soi de l'extériorité et non celle d'aucune « intériorité » *a priori* donnée. Le sujet est dans le dehors de ce qu'il a à faire, et n'existe que d'avoir à le porter, le sujet de la connaissance tel que l'a analysé Kant est là pour en témoigner.

Il semble néanmoins que cette idée de la subjectivité comme tâche, ou de la définition du sujet par les tâches auxquelles il est mobilisé, ne s'accomplira pleinement que sur le terrain pratique et conduit tôt ou tard à recentrer ainsi la notion étudiée. C'est assurément ce qui se produit aussi chez Kant, dans le privilège avoué de la seconde *Critique*, et sans doute ce qui explique que Fichte précisément ait pu saluer en lui dans une lettre célèbre l'inventeur de la subjectivité[1].

Chez Kant, on sait que la raison pratique bénéficie d'une « suprématie » absolue sur son double théorique[2]. Ce déplacement n'est pas sans rapport avec

l'intégrité de ma pensée ce qu'on ne peut me retirer sans dommage pour elle. Ce qui, indubitablement, est le cas de mon encrier ou de mon ordinateur... L'enjeu est la récusation de tout le « mentalisme » (thèse de l'existence d'une sphère mentale à part, pour elle-même) auquel a trop souvent donné lieu — et encore aujourd'hui, les sciences cognitives critiquées par Descombes sont là pour le prouver — la métaphysique de la subjectivité.

1. « La grande découverte de Kant, c'est la subjectivité » (Fichte à Reinhold, le 28 avril 1795, *Briefwechsel*, Hans Schultz éd., Leipzig, 1925, Bd. I, p. 458).

2. Voir *Critique de la raison pratique*, « De la suprématie de la raison pure pratique dans sa liaison avec la raison pure spéculative », *in* Kant, *Œuvres*, Gallimard, Bibliothèque de la Pléiade, t. II, p. 754 *sq.*

la découverte de ce que nous nommerons l'essence « laborieuse » du sujet, avec l'intuition que celui-ci, qui chez Kant se définit encore toujours par la raison (puisqu'il demeure d'abord un principe logique, y compris sur le terrain de la pratique), n'existe que dans la tâche et la mise en jeu pratique qui est la sienne, exercice de sa liberté, y compris lorsque celle-ci est utilisée pour connaître[1]. « Le concept de la liberté, en tant que la réalité en est prouvée par une loi apodictique de la raison pratique, forme la *clef de voûte* de tout l'édifice d'un système de la raison pure, y compris de la raison spéculative[2]. » En fait c'est au-delà du *Bewußtsein* (de la conscience en son sens théorique, comme conscience d'objet), dans le *Gewissen* (ce que nous appelons en français la « conscience morale »), qu'il faut chercher le vrai sens du sujet en tant que « soi-même », en tant que cette ipséité qui est en jeu dans chacun de ses actes et qui a à répondre de ce qui est accompli. Ce que prouve la réapparition plus déterminée du concept de « Soi » (*Selbst*) dans ce contexte d'une justification morale de l'action, alors que cette formule (traduisant le *Self* critiqué par Hume) demeurait un des points aveugles de l'édifice critique sur le terrain de la théorie de la connaissance, là même où il qualifiait l'unité synthétique de l'aperception[3]. C'est par la loi morale seulement que l'homme « en tant qu'intelligence est le Soi authentique (*das eigentliche Selbst*), tandis que comme homme (*Mensch*) il n'est que le phénomène de lui-même[4] ». Le sens fort de la notion

1. Ce thème était en germe dans la première *Critique*, à travers le motif de l'« usage de la raison », qui y est déterminant.
2. *Critique de la raison pratique, op. cit.*, t. II, p. 610.
3. *Critique de la raison pure, op. cit.*, entre autres p. 161.
4. *Fondements de la métaphysique des mœurs*, Pléiade, t. II, p. 330.

de Soi, par opposition au « moi » impropre, cet objet du monde avec lequel on pourrait le confondre, et qui devient ici le « cher moi[1] », se révèle à l'épreuve de l'injonction éthique, de la loi morale qui semble constituer son horizon ultime. Le sujet se détermine d'abord et essentiellement en ce qu'il doit faire, le devoir mesurant sa subjectivité comme exigence de responsabilité.

Reste qu'au-delà de l'évidence de l'enracinement pratique de la subjectivité et de la question du caractère peut-être d'abord éthique de la notion, il n'est pas sûr qu'elle puisse ainsi se réduire à la seule dimension du pratique, l'examen de la première *Critique* nous l'a assez montré. De toute façon, dans les passages des écrits moraux de Kant cités comme dans la première *Critique*, c'est sans doute une structure plus générale qui est en cause, transversale à ce partage du pratique et du théorique et qui peut-être remet même en question leur opposition. La subjectivité semble correspondre à une structure formelle plus radicale, celle de l'« avoir à » et, de façon concomitante, de l'« avoir à répondre de » (la structure même de la « tâche », du devoir fichtéen — *Aufgabe* — dans lequel se joue l'assignation du sujet à être lui-même) qui, si elle s'illustre à merveille au niveau de la conscience éthique, n'est pas forcément ni surtout immédiatement « éthique ». Cette « responsabilité » du sujet se rencontre aussi bien sur le terrain de la théorie de la connaissance elle-même (responsabilité alors pour la « synthèse » pourrait-on dire dans le vocabulaire kantien) et est ce qui le définit en son fond.

---

1. « On se heurte partout au cher moi, qui toujours finit par ressortir », *Fondements de la métaphysique des mœurs, ibid.*, p. 268.

L'identité fondamentale du sujet alors en question, c'est celle de la *personne* (celle du « qui »), sans donner à ce terme un sens trop exclusivement éthique. Le sujet est *celui qui* est impliqué à telle ou telle chose, et toute son identité est tout entière comprise dans ce « qui ». Il faut renoncer à savoir *ce qu'*est le sujet, à en faire un objet de connaissance, pour mesurer ce que signifie pour lui que de pouvoir l'être, la capacité qu'il a d'être tel ou tel.

Cette démarche, en fait déjà largement engagée par Kant, est au fond celle de Heidegger, dont la pensée, au moins dans *Être et Temps*, se présente comme une radicalisation de la question « qui[1] ? » et en ce sens, loin d'abandonner la subjectivité, veut en extraire l'essentiel. C'est d'ailleurs exactement ce que dit Heidegger lorsqu'il reproche à ses prédécesseurs (Descartes, Kant) d'avoir laissé ininterrogée la subjectivité du sujet comme tel. De ce point de vue la véritable pensée du sujet serait celle qui, au-delà de la mythologie logico-métaphysique du sujet encore trop présente chez Kant, se serait consacrée jusqu'au bout à la mise en lumière de l'*ipséité* (l'être-soi) qui constitue le fond de ce qu'on ne peut alors plus appeler un sujet, avec les échos logico-métaphysiques que cela comporte, à savoir l'« analytique existentiale du *Dasein* ». Le problème de la première partie d'*Être et Temps* — seule publiée — c'est l'ipséité : que veut dire être soi ?

---

1. Le propre de la démarche d'*Être et Temps* est de déplacer la question de l'homme de la formule : « Qu'est-ce que l'homme ? » à la formule « Qui est l'homme ? », ce qui n'indique rien d'autre si ce n'est que l'essence de l'homme tient précisément dans sa « subjectivité », qu'on ne peut interroger comme une propriété particulière de cette essence, mais qui est ce depuis quoi seulement cette dernière prend sens.

Le § 25 du livre développe en conséquence une critique radicale de la notion de sujet, c'est-à-dire en fait une critique pour mieux la radicaliser. Cela n'a pas de sens que de partir à la recherche de « cela qui, à travers la variation des comportements et des vécus, se maintient comme identique et reste par là en rapport avec cette multiplicité[1] ». L'illusion à combattre — celle-là même de la subjectivité, au sens logico-métaphysique précédemment analysé — est que « la réponse au "qui ?" se tire du "je" lui-même, du "sujet", du "Soi"[2] », comme si celui-ci préexistait comme précisément ce qui remplit la forme sujet. Il n'y a pas une subjectivité qui précéderait la question « qui ? » et dont l'exhibition avec évidence y répondrait, mais bien plutôt la subjectivité n'a-t-elle d'autre sens que de répondre à cette même question, et la dimension du sujet est-elle comprise dans cette question elle-même. Dans son fond le sujet (ou plutôt faudra-t-il dire le *Dasein*, ce qui « est le là », comme Heidegger nous invite lui-même à le traduire, voulant sans doute marquer par là le dépassement de toute illusion substantialiste), est ce qui est mis à la question du « qui ? », n'est rien d'autre que ce à quoi il en est appelé lorsqu'on pose la question « qui ? ». Le sujet est cet appel lui-même, et c'est ce qui reste inaliénable de son être de sujet, au-delà de la destruction de toutes les propriétés métaphysiques ou phénoménologiques qui semblaient évidemment lui incomber. L'*ipse* heideggérien, dépassement et radicalisation de la subjectivité, est essentiellement *responsable*. Il a à répondre, mais

1. *Être et Temps*, trad. fr. François Vezin, Gallimard, 1986, p. 156. De toute évidence, c'est le Husserl des *Ideen* qui est ici visé.
2. *Ibid.*

en un sens qui n'est pas nécessairement moral, et qui se veut plus général que celui de l'injonction éthique. On touche ici ce qui serait censé être la structure la plus générale, la plus élémentaire de la subjectivité, en tant que niveau de l'« exister », cette propriété sous le signe de laquelle le sujet avait été placé d'entrée de jeu lors de sa découverte cartésienne, dans l'*ego sum, ego existo*. Avant que d'avoir à répondre à sa conscience, à Dieu ou au prochain (mais peut-être ne sont-ce que des formes dérivées d'une interpellation plus fondamentale)[1], le sujet, ou ce qu'il faudra appeler le *Dasein* (qui est son double, avec lequel il est insisté sur cet « être » qui le caractérise en tant qu'« exister »), a à répondre de cet être pour lequel il est. Car il est l'étant pour lequel il y a des choses qui sont, le seul qui puisse se rapporter à ce qui est en tant que cela est et éventuellement (sans doute d'abord) en parler, le seul qui puisse aussi bien dire le mot « être ». C'est ce qui le définit dans son essence de *Dasein*, dans la reprise du modèle de la *conscience* au-delà de tous les préjugés qu'il semblait comporter — et notamment de la précompréhension théoriciste du rapport au monde de l'homme qui grevait ce dernier terme[2]. On ne peut

1. C'est ce que refusera notamment Emmanuel Lévinas dans sa lecture de Heidegger, qui rétablit le sujet contre le *Dasein* en marquant la différence entre la responsabilité vis-à-vis d'autres hommes, ce qui définit le sujet comme « personne », avec le répondre anonyme d'un *Dasein* qui n'est affronté qu'à l'être en général pour lequel il est. Voir *Autrement qu'être. Au-delà de l'essence*, Livre de Poche, 1990, p. 212 *sq.*

2. La conscience a, depuis Descartes, été habituellement conçue comme un regard, un pur « voir » tenu à distance des choses qu'il recueille comme s'il en restait libre : voir le privilège de la vision et, corrélativement, de la connaissance entendue comme « perception » au sens le plus large, qui est introduit sous le label husserlien de la conscience, dans l'analyse

même pas dire que le sujet est celui « à qui » l'étant apparaît — cela maintiendrait précisément le cadre étroit de ce modèle théoriciste, dans l'illusion d'un « voir » du sujet qui recueillerait l'étant comme ce qui est en face de lui — mais plus radicalement il est celui qui n'est que dans la mesure où l'être en général se manifeste, qui n'est que dans la mesure où cela a pour lui un sens que tout ce qui est en général soit. D'une certaine façon, dans le dépassement même de l'idéalisme moderne, hautement proclamé, Heidegger ne fait qu'approfondir ce fait qui veut que les choses ne « soient » que pour quelqu'un. Mais en même temps, l'interprétation qu'il en propose modifie profondément la portée de cet énoncé et dans cette mesure même le sens de la « subjectivité », qui s'y joue. Le déplacement d'accentuation est le suivant : *l'être n'est pas « pour » nous, mais nous sommes « pour » l'être*. Notre « ipséité », c'est-à-dire ce qui au fond de nous-mêmes, au-delà de toute figuration imparfaitement substantialiste, nous fait « sujet », tient à cela et en est indissociable. Il n'y a d'*ipse*, de « soi-même », qu'autant que l'on répond à la vocation de l'être, qu'autant que le sujet est ouvert à la manifestation de ce qui est et assume le fait d'y être ouvert. C'est dans cette assomption (ce que Heidegger nomme « résolution », sans qu'il faille nécessairement y entendre les connotations morales attachées au terme d'habitude), que se noue son identité, son « être soi-même » en vertu duquel il est sujet. C'est dans mon ouverture au monde, dans ma façon de recevoir les choses (les « prendre » en main étant toujours aussi une façon de m'y situer, de m'y

_____

transcendantale qu'en proposent les *Idées directrices pour une phénoménologie*.

trouver déjà pris), que je puise les ressources qui me permettent d'être un sujet. Dans cet « être-au-monde » exclusivement se détermine une identité : le « qui » est toujours celui d'un qui est dans le monde et, lorsque je pose la question « qui ? », je m'enquiers toujours d'un mode d'exister, c'est-à-dire de rapport au monde.

Tout cela n'est pas si éloigné de la position du sujet transcendantal kantien, se découvrant en dernier ressort comme aperception transcendantale (conscience), pure ouverture au monde, qui n'est que pour autant que les choses sont, dans leur décèlement qu'il opère ou dont plutôt il est censé « supporter » et unifier l'opération, sans la précéder. Il est vrai que nous ne nous situons plus dans la seule perspective théorique, pas plus d'ailleurs qu'au niveau de quelque *praxis* originaire qui serait censée précéder la théorie[1], mais à un niveau de radicalité qui devrait préexister à ce partage lui-même, et par là même le déplacer, le remettre en question[2] : l'« exister », qui caractérise fondamentalement cet avatar du sujet qu'est le *Dasein*, n'est ni pratique ni théorique, il est ce rapport au monde (cette façon de

1. Ce qui, contrairement à ce qu'on croit trop souvent, n'est pas le point de vue de Heidegger, même si sa prise en compte de l'« existence » doit certainement, c'est maintenant historiquement prouvé, autant à la relecture de la philosophie pratique d'Aristote qu'à Kierkegaard ou aux « philosophies de l'existence ».

2. Contre toute forme de kantisme : Heidegger, de façon révélatrice, a commencé par s'en prendre à la « philosophie de la valeur » (Rickert), qui déplaçait avec Kant du côté moral le centre de gravité du sujet, en faisant fond sur cette opposition du pratique et du théorique qui, même pour le critiquer et donner la palme à son concurrent obligé, voit d'abord les choses du point de vue du théorique, pour lequel seul ce partage a un sens.

l'« habiter ») sur le fond duquel il peut y avoir des attitudes pratiques ou théoriques, qui n'en sont que des déclinaisons, et le présupposent. Forme ultime de cette « présupposition » qui semble être la structure intime de la subjectivité ?

Ce niveau de l'« exister », couche basale de ce que la tradition métaphysique a nommé la « subjectivité », se définit comme pur « avoir à », face à une tâche qui est la sienne. Exister est un métier (*Beruf*) pour autant qu'on y répond toujours déjà à un appel (*Ruf*). Cet appel, à son plus haut niveau d'indétermination et de généralité, c'est l'appel de l'être, « pour » lequel nous sommes puisque, dans la mesure où nous sommes, il se manifeste, dans l'apparition des étants auxquels nous nous rapportons, notre existence n'ayant d'autre sens que ce rapport. Nous avons à être et c'est ce qui constitue notre être. Nous avons à être pour l'être, qui, à travers nous, est, auquel notre existence permet de se manifester. Notre existence est le lieu (*Da*, là) de cette manifestation. Elle a immédiatement une signification ontologique et c'est dans cette immédiateté, somme toute fort cartésienne, que s'atteste un sujet. Mais cette immédiateté est celle d'une tâche, d'une mission qui est ou non assumée. C'est l'immédiateté d'être saisi par l'être, qui nous met toujours déjà à la hauteur d'un défi. L'être nous demande toujours déjà *qui* nous sommes, nous provoque et nous dévoile toujours déjà dans notre subjectivité, puisqu'il se manifeste comme ce par rapport à quoi nous devons prendre des décisions, ce qu'il faut assumer. Ici comme ailleurs, c'est dans cette *assomption* qu'il semble qu'il faille reconnaître le sens de ce qu'on appelle un « sujet ». On n'en a pas fini de décliner les formes de la responsabilité. Que Heidegger ait ou non repéré celle qui est pertinente pour la fondation ultime de la « subjectivité » (dont quant à lui il récuse jusqu'au nom, trop entaché de logique et de métaphysique) demeure une question ouverte, et autour de laquelle nombre de phénoménologues aujourd'hui s'affairent. Reste qu'il semble toujours y aller d'une « responsabilité ». L'identité du sujet est à ce prix.

IV. LE JEU DU SUJET

Mais la subjectivité est-elle d'abord et exclusivement question d'identité ? Le croire, n'est-ce pas sacrifier, dans la critique même de la logique ou de la « raison » (éventuellement pratique, alors comme siège de l'imputabilité morale), au mythe du pôle d'identité logique que celles-ci sont censées requérir ? Même si cette identité est ici découverte comme celle d'un rapport à la mort supposé originaire, qui dévoile l'insubstituabilité absolue du sujet (personne ne peut mourir à ma place), ou plus généralement d'un rapport de l'existant au temps qui est le sien. Les expériences de non-substitution ne manquent pas, de celle du doute se résolvant en *cogito* — personne ne peut le faire à ma place, la pensée est supposée strictement « personnelle » — à celle de l'attente de la mort qui me fait être « moi ». Le sujet serait le non-substituable, ce que l'on ne peut me retirer — ou plutôt ce en quoi on ne peut me retirer à moi-même (c'est ce qui me fait être moi) — y compris là où, avec Kant d'une certaine façon et surtout Heidegger, cela cesse d'être un « contenu » qui me serait métaphysiquement attribuable, la

« chose » que je serais. Il y a toujours de l'irréductible et qui serait censé être irréductiblement *un*,
l'unique — ainsi se pose le sujet — requérant toujours une certaine unité. N'étant plus aucun
contenu, lui reste l'unité pour se singulariser : celle
de cette vie qui basculera dans la mort un jour et qui
comme telle est unitairement irremplaçable comme
celle de cette connaissance qui est tout entière ras-
semblée dans l'idée d'un moi, à défaut qu'il y ait là
quoi que ce soit de donné à connaître.

Un texte de Kant illustre bien cette liaison intrinsèque de la subjectivité et de l'identité dans une certaine vision de la subjectivité, dominante dans l'histoire de la philosophie, celle-ci étant il est vrai
assurée ici à un niveau purement logique, développement du présupposé de la logique même, comme
condition de la connaissance :

« Il n'y a qu'*une* expérience, où toutes les perceptions sont représentées comme dans un enchaînement complet et soumis à des lois : de même qu'il n'y
a qu'*un* espace et qu'*un* temps, où ont lieu toutes les
formes du phénomène et tout ce qui est rapport de
l'être et du non-être. Quand on parle de différentes
expériences, il ne s'agit alors que d'autant de perceptions, en tant qu'elles appartiennent à une seule et
même expérience générale. L'unité complète et synthétique des perceptions constitue, en effet, précisément la forme de l'expérience, et elle n'est rien
d'autre que l'unité synthétique des phénomènes
d'après des concepts. [...] La possibilité et même la
nécessité [des concepts fondamentaux qui servent à
penser des objets en général pour les phénomènes,
les catégories,] reposent sur le rapport que toute la
sensibilité et avec elle aussi tous les phénomènes
possibles, ont avec l'aperception originaire, dans

laquelle tout doit être nécessairement conforme aux conditions de l'unité complète de la conscience de soi, c'est-à-dire être soumis aux fonctions générales de la synthèse, je veux dire la synthèse d'après des concepts, *celle où seulement l'aperception peut prouver sa complète et nécessaire identité* a priori[1]. »

L'expérience est essentiellement une. Cette unité est celle de la synthèse, du rassemblement que nous opérons toujours déjà par rapport à tout ce qui est expérimenté, le ressaisissant précisément dans la totalité d'*une* expérience. Or cette unité ne devient possible qu'en rapport avec l'« aperception originaire », c'est-à-dire la conscience, dans laquelle elle est assumée. La « subjectivité » de l'expérience — *id est* le fait pour elle d'être rapportée à un sujet — se manifeste ici comme une fonction d'unité, comme l'assignation à soi d'une identité. Celle-ci passe en l'occurrence par le concept et l'identité ici désignée est celle des lois logiques de la pensée à elles-mêmes. L'unité est toujours celle d'un « Je pense » et la supposée identité du sujet se réfléchit dans la légalité du tout légal de l'expérience, l'universalité de cette dernière répondant à l'unité de la première mais l'illustrant aussi et lui donnant conscience de soi. Il n'y aurait pas de conscience de soi et existence comme « sujet » sans conscience du monde et il n'est d'autre terrain pour l'existence du soi que cette conscience du monde elle-même, telle est l'intuition présente chez Kant au titre de l'aperception transcendantale, même si elle est chez lui exclusivement subordonnée à la détermination logique de ce monde. Il y va d'une identité, pour Kant, celle de la logique elle-même, comme « pensée ».

1. Kant, *Critique de la raison pure, op. cit.*, p. 720-721.

Mais d'autres « synthèses » et d'autres « déductions » sont possibles, qui éventuellement essaient de contourner la fonction logique du sujet, pour lui attribuer une identité plus essentielle et d'autant plus ouverte sur le monde. Il n'en reste pas moins qu'il y va toujours d'une identité. Le sujet, thème rencontré et élaboré par la philosophie de la conscience puis par ses doubles, dans la critique même, paraît toujours être le gardien — ou tout au moins le résultat — d'une identité. Comme s'il allait de soi que le Soi dût être identique à soi ou qu'il s'accomplît spécialement dans les situations où il le devient[1].

Or force est de constater que l'expérience de la subjectivité *stricto sensu* (dans la mesure où l'adjectif « subjectif » se met à signifier quelque chose) est d'abord celle d'un *écart* et d'un défaut d'identité. Écart par rapport à autrui bien sûr (ce qui est subjectif est le non-universel, ce en quoi tel ou tel diffère insubstituablement d'autrui), mais aussi par rapport à moi-même, dans l'affirmation d'une particularité irrécupérable qui est déni d'identité, logique ou ontologique, du moi.

C'est l'usage du terme tel que Kant nous l'a légué. « Que la chambre soit chaude, le sucre doux, l'absinthe désagréable, ce sont là des jugements d'une valeur simplement subjective. Je ne prétends pas qu'en tout temps, moi-même ou tout autre doive sentir ainsi ; ces jugements n'expriment qu'un rapport de deux sensations au même sujet moi-même, et de plus seulement dans la disposition actuelle de

---

1. Voir le thème de l'« entièreté » du *Dasein* rassemblé dans son rapport à la mort dans *Être et Temps, op. cit.*, § 46.

ma perception et ne doivent pas non plus valoir pour l'objet [1]. »

La subjectivité, paradoxalement, n'est jamais simplement subjectivité par rapport à autrui, mais aussi et d'abord subjectivité par rapport à soi. Il n'est pas nécessaire que « moi-même en tout temps » je sente ainsi. Mais peut-on même rapporter cette variabilité des sensations à leur relation à un « même sujet moi-même », comme le fait Kant ? N'est-ce pas perdre le bénéfice d'une découverte pourtant à l'instant même énoncée ? C'est-à-dire qu'il se pourrait bien que le « sujet » à proprement parler ne soit rien qui existe à part, de préalable, et certainement pas l'identité postulée de ce « moi-même » ici posé, mais se réduise précisément au « subjectif » de la variabilité. Le sujet se définit en deçà de ses tâches et de l'identité qu'elles induisent, dans le pur jeu des contenus qui y sont convoqués. La subjectivité n'est rien d'autre que le divers pur, en deçà de toute identité, telle est la thèse que nous voudrions défendre pour terminer.

Le « subjectif » est l'affirmation d'une variabilité et d'une indétermination. Est subjectif ce qui est à la marge d'une identité, non rigoureusement assignable en elle — sinon cela serait objet de concept et cela serait déjà objectivé. En même temps il ne faut pas croire que la subjectivité ait quoi que ce soit de mystique : elle n'intervient qu'à la limite de la détermination comme sa frontière, la part de résistance au concept que comporte toute conceptualisation. Elle est l'opacité irréductible du sensible, dans laquelle se manifeste l'effort d'y voir clair, ce qui

1. Kant, *Prolégomènes à toute métaphysique future*, *op. cit.*, § 19, p. 68.

reste à la marge du travail de clarification de la conscience mais pour en témoigner. Dans toutes nos œuvres et nos vertus, de la connaissance à la mort, il y a une part de subjectivité comme ce qui n'est pas éclairci d'elles, ce qui ne s'y résout pas absolument mais est nécessaire à leur existence. Encore faut-il un *milieu* à la connaissance, au devoir ou à l'amour pour se déployer. L'ensemble des hésitations de la subjectivité (des hésitations qu'elle est) constitue ce milieu.

On ne peut définir autrement la subjectivité que par ces intermittences que Kant nomme « sentiments » là où il en décrit le « jeu », dans la *Critique de la faculté de juger*[1]. Le « sentiment » contient uniquement « la relation de la représentation au sujet », mais bien plutôt faudrait-il dire que le sujet est cette relation elle-même. Ce qui caractérise le « subjectif » du sujet, la « subjectivité », c'est cette incapacité de s'arrêter elle-même dans l'assignation de son identité, c'est cet être purement relationnel qui la fait être toujours déjà en relation avec elle-même, n'être pas en dehors de cette relation, et donc être toujours en déplacement par rapport à elle-même. La subjectivité est l'histoire de ses affections, c'est-à-dire des déplacements de son être-à-elle-même, dans la mesure même où elle n'est rien que l'on pourrait

1. Ce qui est fondamental alors, c'est que la « subjectivité » attribuée par Kant au sentiment se manifeste par son excès par rapport à la règle, par l'*écart* essentiel qu'il constitue. Dans sa pureté de sentiment esthétique — c'est en effet le terrain sur lequel on peut approfondir le sens de sa « subjectivité » constitutive — il ne se manifeste qu'au cœur du « libre jeu » des facultés (*Critique de la faculté de juger*, § 9), précisément dans la mesure où ce jeu est « libre », c'est-à-dire marqué par un flottement essentiel qui échappe à la régularité absolue qui serait celle du concept.

« avoir » comme une propriété déterminée. Par là même elle est cette existence fragile qui n'est celle d'aucun objet mais des différents « jeux » selon lesquels apparaissent les objets[1]. La subjectivité est dans le fait que les objets m'apparaissent comme tels ou tels, mais qu'ils peuvent m'apparaître autrement et t'apparaissent nécessairement autrement à toi aussi[2]. En cela elle ne peut être déterminée conceptuellement (on ne peut en « disputer »), mais elle est éminemment objet de *discussion*, ce qui est en jeu dans le jeu du débat, où s'exprime la pluralité des points de vue[3]. Il y a subjectivité partout il y a lieu de discussion, parce que les choses ne sont pas gagnées d'avance (« conceptuellement », ou au prisme d'une

1. Ce que Kant présente comme des jeux de « représentations », plus radicalement comme des jeux entre les différentes modalités de la représentation : entendement, imagination, raison.

2. C'est dans ce « bougé » qui en est constitutif, dans la « liberté », soulignée maintes fois par Kant, de son rapport aux représentations, qu'il faut chercher le sens de « jeu » de la subjectivité, en tant qu'il détermine son mode d'apparaître même. Ce faisant, nous étendons l'usage d'un terme parfois utilisé par Kant dans un contexte précis : celui de l'analyse du sentiment du beau, où, selon lui, la « vie » du sujet se manifeste dans sa liberté, ou, pour mieux dire, *comme* sa liberté, liberté de rapport entre les différentes facultés dont l'âme humaine est pourvue. Sur la troisième *Critique* comme lieu de l'expérience d'un « dérèglement de tous les sens », c'est-à-dire du « bougé » des phénomènes (les apparaîtres sensibles) par rapport à la « règle » d'un rapport entre eux qui serait exclusivement déterminé par le concept, voir l'article de Gilles Deleuze, « Sur quatre formules poétiques qui pourraient résumer la philosophie kantienne », dans la revue *Philosophie*, n° 9, 1986, p. 29-34.

3. Voir ce que Kant dit de l'antinomie du jugement de goût, pour lui lieu par excellence de manifestation de la « subjectivité », *Critique de la faculté de juger, op. cit.*, § 56.

identité ou d'une autre qui serait au départ posée ou téléologiquement à construire — ce qui reviendrait au même) et que d'une certaine façon on laisse sa « vie » au sujet, ce « flottement » qui est constitutif de sa paradoxale identité. La discussion n'a pas d'objet, elle ne se résout en aucune vérité (que ce soit de l'être ou bien celle du jugement moral, de la justification recherchée) : elle est le pur jeu qui est le mode d'existence des sujets, en tant que ceux-ci se trouvent et se perdent dans ce surplus qu'ouvre toujours le discours par rapport à l'objectivité de ce qui est dit — surplus qui n'est concevable du reste qu'à partir du moment où ce discours n'est plus représenté comme celui d'une conscience solitaire, en rapport absolu de vérité avec elle-même. La subjectivité n'existe que dans cette pluralité des paroles où se joue notre sujet, dans cette ouverture au monde qui n'est jamais simplement ouverture mais toujours aussi perpétuel « entretien », mise en discussion et jeu infini d'un sujet. En tant que sujets, nous sommes là où nous sommes discutés et où nous discutons aussi bien (car discuter, c'est toujours aussi se mettre en discussion), dans cette perpétuelle déclinaison des questions qui nous sont posées. Il ne préexiste pas aux questions que nous pose le monde et ne se réduit pas plus à une structure formelle générale de la question, comme s'il était « ce qui est mis en question par le monde[1] » et que ceci pût exister comme une structure générale. Le sujet est en débat dans le monde, mais par là

---

1. Risque d'une analytique existentiale qui ferait du sujet une instance métaphysique pour elle-même en le mettant à la hauteur exclusive de la question de l'être, rehaussement à la faveur duquel il perdrait de façon révélatrice son sens et son nom même de « sujet ».

même les occurrences de son débat sont toujours déterminées, localisées : il n'y a de subjectivité que contextualisée. Son « indétermination » même est la mesure de tout ce qu'il y a à déterminer dans le monde, surgit au lieu de telle ou telle question que nous posons au monde. C'est là même que le sujet est mis en question, dans les questions qui inversement sont posées au monde — dans l'affleurement alors du débat même à propos du monde, et non pas dans quelque question générale du sujet.

Est-ce à dire que le sujet soit purement question de langage, « effet de sens » à la marge du discours, brouhaha inéliminable de la discussion sur le fond duquel peuvent avoir lieu nos « disputes » et peut surgir la vérité (théorique, mais aussi éthique et politique éventuellement) ? S'il est vrai par exemple que la politique ne se fait pas avec des idées mais avec des mots, du moins en démocratie, et que c'est à cela que tient sa « subjectivité » (qui dans les démocraties modernes recouvre aussi bien un certain sens du « privé » comme ce qui doit comme tel être pris en compte et préservé), il n'est pas sûr pour autant que toute subjectivité soit langagière et ait besoin de cette reconnaissance de l'irréductibilité de la parole comme telle (à la vérité ou au devoir) pour exister. Il y a bien d'autres interstices de notre rapport au monde, aux hommes et aux choses par où la subjectivité puisse s'infiltrer. Elle est dans les intermittences mêmes de ces rapports, dans l'espace de jeu que crée leur liberté, la possibilité de les décliner qui s'enracine dans le « milieu » humain dans lequel ils apparaissent, milieu auquel le langage prête la fluidité de son bavardage — ce qu'il reste toujours en lui sur la vérité dans la soustraction constante que fait la connaissance ou l'éthique — mais qui ne s'y

réduit certainement pas, s'enracinant probablement
au niveau gestuel de cette corporéité première dans
laquelle se délimite toujours déjà pour nous la possibilité d'un certain jeu par rapport au monde, une
multiplicité gratuite de façons de l'aborder. Le langage est un thème tout à la fois trop exclusif et trop
général pour que la subjectivité y soit mesurée. Si
l'on veut une structure formelle qui restitue cet
ancrage mondain du sujet qui est aussi liberté pour
lui de changer, de se transformer au monde dans le
constant aménagement des questions à celui-ci
posées, sans doute faut-il penser d'abord aux « commerces » de Montaigne[1]. Nous sommes toujours
déjà non pas en commerce général avec le monde
(dans notre « rapport au monde », dont le langage ne
serait qu'une variante ou une interprétation), mais
pris dans une pluralité de commerces qui dessinent
les différents registres, les différents jeux de notre
existence. Le passage de l'un à l'autre s'appelle « subjectivité ».

Chez Montaigne, au départ, il y a le projet de
peindre, pour la première fois à l'orée de cet âge
moderne de la pensée qui y donne naissance, l'apparition de quelque chose comme un « sujet ». « Les
autres forment l'homme ; je le récite[2]. » Mais
qu'est-ce qui apparaît sous ce titre ? Essentiellement
des atermoiements et des distorsions qui sont
celles-là mêmes du monde :

1. *Essais*, III, 3, « De trois commerces », Albert Thibaudet
et Maurice Rat éd., Gallimard, Bibliothèque de la Pléiade,
1962, p. 796 *sq.*
2. *Essais*, II, 2, *op. cit.*, p. 782. Contrairement à ce qu'on
trouve dans de nombreuses éditions, « forment » n'a jamais
voulu dire ici « éduquent », mais bel et bien « fabriquent »,
« inventent ».

« Les traits de ma peinture ne fourvoient point, quoi qu'ils se changent et diversifient. Le monde n'est qu'un branloire perenne. [...] Je ne puis assurer mon objet. Il va trouble et chancelant, d'une ivresse naturelle. Je le prends en ce point, comme il est, en l'instant que je m'amuse à lui. Je ne peins pas l'être. Je peins le passage : non un passage d'âge en autre, ou, comme dit le peuple, de sept en sept ans, mais de jour en jour, de minute en minute. Il faut accommoder mon histoire à l'heure. Je pourrai tantôt changer, non de formule seulement, mais aussi d'intention. C'est un contrerolle de divers et muables accidents et d'imaginations irrésolues et, quand il échoit, contraires ; soit que je sois autre moi-même, soit que je saisisse les sujets par autres circonstances et considérations[1]. »

Il faut se peindre et la revendication d'authenticité par rapport à cette peinture est maintes fois formulée : il y a ce qu'on dit sur l'homme et il y a l'homme réel ; Montaigne peint le second, tel qu'il le voit, avec « sincérité ». Mais il voit d'abord une instabilité. Et cette instabilité, dans laquelle le sujet se trouve essentiellement pris — il est le sens même de cette instabilité — est celle-là même du monde et aucune autre. C'est dans les flottements du monde que s'enracine le sens du sujet.

Ce « sujet » est le sujet singulier, Michel de Montaigne, dont la singularité est ici affirmée avec force, comme une découverte philosophique et méthodologique fondamentale sur l'essence du sujet et sur la façon de le décrire : « Les auteurs se communiquent au peuple par quelque marque particulière et étrangère ; moi, le premier, par mon être universel,

1. *Ibid.*

comme Michel de Montaigne, non comme grammairien ou poète, ou jurisconsulte. Si le monde se plaint de quoi je parle trop de moi, je me plains de quoi il ne pense seulement pas à soi[1]. »

Mais où se tient cet « être universel » paradoxalement allégué ici, par opposition à la particularité de telle ou telle tâche du sujet ? Où est Michel de Montaigne ? Nulle part ailleurs que dans les différents *commerces* par rapport auxquels peuvent prendre sens ces tâches qui lui donnent tel ou tel caractère « particulier ». « Je suis tout au dehors et en évidence, né à la société et à l'amitié[2]. » Mais cette extériorité n'est pas indéterminée : elle s'organise suivant un certain nombre de registres, que déclinent de façon empirique et non limitative les trois « commerces » (en l'occurrence l'amitié, les femmes et les livres). Chacun d'entre nous est défini par un certain nombre de commerces qui le mettent en jeu, son « jeu » propre, qui est le lieu de son « sujet », se situant *entre* ces commerces, dans les intermittences de la subjectivité. « Plié » dans différents commerces, le sujet se plie et se déplie, se noue dans le passage de l'un à l'autre. Il n'est rien d'autre que le nœud de cet écheveau de relations qui mesure notre inclusion au monde. Dans le retrait de l'une à l'autre se mesure, dans le plissement de ce qu'il faudra appeler un processus de subjectivation[3], que décrit fort bien Montaigne, notre teneur, infiniment fragile et sans identité assignable, de « sujet ». Mais cette fragilité est insuppressible. Elle tient à ce que la subjectivité réside entre les différents « lieux », d'espace

1. *Ibid.*, p. 782-783.
2. *Ibid.*, III, 3, p. 801.
3. Sur cette notion, voir le *Foucault* de Deleuze, éd. de Minuit, 1986.

ou de sens, qui sont ceux du monde et est en elle-même incapable d'en constituer un propre. Cependant elle se maintient, comme la possibilité, par rapport à laquelle aussi bien se « localisent » ces lieux divers, de passer de l'un à l'autre. Ces passages sont l'existence de notre « sujet », qui, dans son incapacité structurelle à constituer quelque capital d'éternité que ce soit et son adhérence irrémissible aux flux et reflux de sa propre histoire, ne se constitue qu'en reprise de cette dernière.

Notre principale « suffisance », ce en quoi nous nous « suffisons » à nous-mêmes et sommes nous-mêmes, « c'est savoir s'appliquer à divers usages ». Notre être tient dans l'usage, nous l'avons vu (c'est une autre figure de la « responsabilité » que de savoir *qui* en use), et nous pouvons le dire maintenant, notre « subjectivité » quant à elle tient dans la *pluralité* des usages : elle habite les plis et les replis de cette pluralité, comme ce que peut un corps (*notre* corps) se mesure dans la diversité de ce qu'on peut en faire. « Il n'est aucune si bonne façon où je voulusse être fiché pour ne m'en savoir déprendre. La vie est un mouvement inégal, irrégulier et multiforme. Ce n'est pas être ami de soi et moins encore maître, c'est en être esclave, de se suivre incessamment et être si pris à ses inclinations qu'on n'en puisse fourvoyer, qu'on ne les puisse tordre[1]. »

Torsion, déprise, glissement souvent infime par lequel on passe d'un jeu à un autre et à ce moment même (dans ce « passage ») on se retrouve, on se « reconnaît » pourtant dans celui-là même que l'on vient de quitter : là est le sujet, cette pâle transition qui donne sa couleur aux différents gestes de notre

---

1. *Essais, op. cit.*, III, 3, p. 796.

vie. C'est d'un commerce à un autre que le sujet se
retrouve en soi, non comme quoi que ce soit qui
pourrait exister en dehors de tout commerce, mais
comme ce déplacement par lequel un commerce
apparaît, déplacement dans lequel se manifeste cette
« affection », cet être-affecté dans lequel Kant bien
plus tard fera tenir le sens du sujet, comme « sentiment ». La sortie du jeu (pour passer à un autre) le
révèle comme jeu ; reste alors ce qu'on appelle
l'« affection du sujet », l'affection étant la mesure du
jeu comme tel, de l'implication du sujet en tant que
ce qui peut se désimpliquer et se réimpliquer dans
autre chose. C'est dans le nœud de cette distorsion,
de ce déplacement, que se constitue seulement un
sujet : « La solitude que j'aime et que je prêche, ce
n'est principalement que ramener à moi mes affections et mes pensées, restreindre et resserrer non
mes pas, ains mes désirs et mon souci, résignant la
sollicitude étrangère et fuyant mortellement la servitude et l'obligation, et non tant la foule des hommes
que la foule des affaires[1]. »

La solitude, figure obligée de l'accès à l'ego, n'est
ici qu'à demi solitude : elle ne retire pas à la relation
sociale, si elle déjoue (de son « jeu » précisément) sa
réification en tel ou tel code figé. Surtout, dans la
culture de l'affection et des pensées, dont l'expérience constitue la teneur du retour à soi, il ne faut
voir que le ressac du monde, le retour à soi étant
retour du monde à soi, non pas dans la clôture de ses
jeux, mais dans le passage toujours de nouveau possible d'un de ses jeux à un autre. La « solitude » où je
« me » trouve me reconduit vers les autres, vers
l'expérience d'autres formes de la relation sociale, en

---

1. *Ibid.*, p. 801.

dehors des codes établis. Le moi se noue et se dénoue, d'un code à un autre. L'échelle de ces variations est la subjectivité.

La subjectivité n'est ni essentiellement pratique ni théorique ; elle ne s'assigne à l'exigence unique d'aucune tâche privilégiée. Elle est ce motif omniprésent qui se manifeste partout où est la relation sociale, dans la variation infinie de ses jeux. Si elle conserve une pertinence philosophique, c'est pour décrire cette pluralité, celle de ce dont on peut discuter, cette réalité si familière et insaisissable qui est celle de notre existence de fait, sur le fond de laquelle seulement l'une ou l'autre des grandes tâches « officielles » de la conscience peut se déployer, réalité dont une assignation trop exclusive de la pensée occidentale à l'être, à la vérité et au Bien, a souvent barré pour la philosophie l'accès.

D'où l'ambiguïté fondamentale de la notion. Un axe de force traverse la philosophie moderne, de Descartes à Heidegger, qui a conduit le thème moderne du « sujet » jusqu'au bout de ses possibilités. Celles-ci, selon l'étymologie du terme, reviennent essentiellement à « supporter ». Le sujet est d'abord entré dans l'histoire de la pensée comme support logique, avec une fâcheuse tendance, la jonction de cette forme logique que la tradition offrait et de la moderne métaphysique de la représentation ayant été opérée, à se transformer en fondement métaphysique. Heidegger parvient au bout de la destruction de cet absolu forgé par la pensée. Pourtant, Heidegger échappe-t-il lui-même vraiment à ce qu'il y a là d'essentiel ?

On a vu que le sujet demeure pour lui d'une certaine façon sous la figure de celui qui est concerné, comme si l'homme concerné (mais l'homme l'est par nature) trouvait une sorte d'élection qui le rend à lui-même, le libérant en ce qu'il est, en sa manière d'être concerné. Ici s'accomplit cette dimension de la subjectivité qui s'exprimait sous le titre même du « sujet » tel que la tradition moderne des métaphysiques de la subjectivité (*via* l'idéalisme allemand : Fichte, Schelling, Hegel) en a institué l'emploi philosophique, avec l'article défini et en majesté. Au-delà du rôle de fondement ontologique, le « sujet » chez Heidegger « supporte » pourtant encore la finitude, c'est-à-dire l'absence de fondement ! Mais par là même il continue de supporter.

La « responsabilité » alléguée (comme s'il y avait quelqu'un à qui tout cela — que le monde soit, qu'il arrive ceci ou cela... — fût adressé) continue en réciproque de faire le *Dasein* à sa manière « sujet ». On n'en finit pas ainsi avec l'orgueil du sujet, fût-il celui de mourir.

Reste à se demander si dans le thème classique de la subjectivité il n'y a pas autre chose que cette « responsabilité », et qui résiste mieux à la perte du sens qu'il y a aujourd'hui à parler de « sujet ». Il me semble que, trop longtemps — tout l'effort de cette pensée moderne qui s'accomplit et se retourne tout à la fois avec Heidegger en porte la marque — ont été confondus la *personne* et le sujet, la recherche du second débouchant alors immanquablement sur l'apothéose de la première, dans ses versions éthiques ou dans leurs doubles cognitifs (l'« aperception transcendantale », personne intellectuelle, par exemple) ou autres. La *personne* est lieu d'attribution, d'imputation et d'identification à soi, autrement dit de constitution de ce que l'on appellera une « ipséité » (un être soi-même). Par opposition nous ne reconnaîtrons au titre de la « subjectivité » (que peut-être il faudrait seule conserver, comme propriété de tout ce qui se manifeste comme « subjectif » ou de ce qu'il y a de « subjectif » au cœur de toute manifestation de réalité — corrélativement, on abandonnerait le terme, massif, de « sujet ») que le chatoiement même de la vie sensible, cette façon qu'elle a de s'orienter et éventuellement de se perdre entre ses différents lieux et moments, qui sont toujours lieux et moments de sa subjectivation même. Il n'y a pas de subjectivité en dehors des intermittences de la subjectivité, c'est ce que devrait nous réapprendre aujourd'hui, une fois nos certitudes métaphysiques enfuies, la lecture de Montaigne. Il y a quatre siècles, il déployait la carte de cette subjectivité moderne, en déclinant la diversité de ses « commerces » et, contre toute certitude métaphysique de soi, en l'éparpillant dans la pluralité de ses rencontres, lieux d'« expériences » qui sont autant de points où le Soi prend une couleur au lieu de se contenter d'être-soi, et qui, comme telles, ne se réduisent certainement pas au contenu d'énoncés protocolaires.

Si le terme de « sujet » conserve un objet, au lieu de rester une pure fonction vide, il renvoie alors d'abord aux expériences elles-mêmes dont est faite une vie (et c'est ce dont il faudrait rendre compte aujourd'hui au titre d'une « philosophie de la subjectivité »), plutôt qu'à l'assignation formelle de quelque identité, qui peut certes suffire à former une « ipséité », mais ne peut pour autant fournir la matière à un sujet — sauf à l'hypostasier dans un étant qui porterait cette fonction comme sa raison d'être, mais ce serait revenir à la métaphysique de la subjectivité... Or, dans l'histoire de la pensée, les retours à l'identique sont impossibles. D'une certaine façon, on ne pourra commencer à penser la subjectivité — c'est-à-dire essentiellement à décrire la réalité de son « jeu » — que lorsqu'on aura tiré le deuil du « Sujet », c'est-à-dire au moins de sa majuscule. Il faut fermement le réinscrire dans le monde, sur et entre les chemins duquel il est. Mais consacrer des discours généraux à la façon qu'il a d'être en un monde, est sans doute lui faire encore trop d'honneur — et par là même encore manquer ce qu'il est.

Jocelyn Benoist

BIBLIOGRAPHIE

Jacques Bouveresse, *Le Mythe de l'intériorité*, éd. de Minuit, 1976. Exposé magistral de la critique wittgensteinienne de la subjectivité.

Gilles Deleuze, *Foucault*, éd. de Minuit, 1986, notamment le chapitre « Subjectivation ». Le meilleur commentaire de Foucault, pour un retour non moralisateur du sujet.

Vincent Descombes, *La Denrée mentale*, éd. de Minuit, 1995. Critique décisive du mentalisme et du mythe de l'intériorité dans sa variante « cognitiviste », dans la plus pure filiation wittgensteinienne.

Luc Ferry, *Homo aestheticus*, Grasset, 1990. Une histoire de la naissance de la problématique philosophique d'une esthétique, et corrélativement du concept de sujet, en tout point utile, claire et convaincante.

Michel Foucault, *Les Mots et les choses*, Gallimard, 1966. Sur l'émergence de la question de l'homme à l'âge moderne de la pensée, mais la question du « sujet » y est liée.

— *Histoire de la sexualité*, t. II. *L'usage des plaisirs*, Gallimard,

1984. Foucault y réinvente le sujet, mais relativisé, privé de ses privilèges, *via* la notion de « substance éthique ».

MICHEL HENRY, *Généalogie de la psychanalyse*, PUF, 1985. La subjectivité comme affectivité et passivité essentielles. Un livre clé dans la phénoménologie contemporaine et une relecture risquée mais géniale du *cogito* cartésien.

EMMANUEL LÉVINAS, *De l'existence à l'existant*, Vrin, 1947. Lévinas y découvre l'« hypostase » du sujet, maintient celui-ci contre Heidegger et propose à sa façon une lecture fort originale du *cogito*.

— *Totalité et infini*, Nijhoff, 1961 ; éd. Livre de Poche, 1990. L'anti-*Sein und Zeit*, où Lévinas avance sa propre analytique de ce qui pour lui reste la subjectivité, concurrente à celle du *Dasein*.

— *Autrement qu'être, ou au-delà de l'essence*, Nijhoff, 1974 ; éd. Livre de Poche, 1990. La subjectivité s'y voit chargée du poids de la « responsabilité » qui la constitue comme telle, dans une pensée qui fait de l'éthique la philosophie première. Fondamental pour comprendre le sens d'un certain « retour au sujet » dans les années soixante-dix.

JEAN-LUC MARION, *Réduction et donation*, PUF, 1989. Notamment la fin, où la discussion avec Heidegger permet d'entrevoir les fondements d'une réhabilitation de la subjectivité, au fil conducteur de la problématique de l'« appel ».

PAUL RICŒUR, *Soi-même comme un autre*, Le Seuil, 1990. Met au clair le statut herméneutique de la subjectivité, comme interprétante / interprétée, dans une discussion serrée avec Lévinas.

JEAN-PAUL SARTRE, *La Transcendance de l'ego*, Paris, 1936, réédité par Sylvie Le Bon, Vrin, 1965. Reste la meilleure introduction aux critiques contemporaines de la subjectivité.

Enfin et surtout :

EMMANUEL KANT, *Critique de la faculté de juger* (par exemple dans l'édition Folio). Le meilleur livre sur le sujet qu'on ait jamais écrit.

L'IDENTITÉ

L'identité est une notion si primitive qu'il serait vain et de plus impossible de tenter de la définir[1]. Toute définition présuppose la compréhension de ce qu'est l'identité de deux choses entre elles ou d'une chose avec elle-même. Le célèbre principe d'identité que l'on exprime ordinairement par la formule A = A n'enseigne rien que l'on ne sache déjà, ne serait-ce que pour comprendre ce qu'il signifie : une chose ne peut dans le même temps être à la fois elle-même et une autre. Le signe d'égalité (=) ne doit pas être pris à la lettre car deux choses distinctes peuvent être égales, mais une seule et même chose est dite identique plutôt qu'égale avec elle-même. En toute rigueur (de langage plus que de pensée), on ne devrait même pas parler de deux choses identiques mais seulement, comme pour le cas des gouttes d'eau, de similitude très grande car il n'y a pas d'identité totale ou absolue entre *deux* choses qui sont au moins numériquement distinctes. L'une et l'autre font deux alors que l'identité d'une chose

---

1. Voir Husserl : « L'identité est absolument indéfinissable » (*Recherches logiques*, PUF, t. II, Ire partie, 2e recherche, § 3, p. 137).

implique qu'elle est toujours une en nombre et la même en qualité. L'identité implique donc la continuité et la permanence d'une chose dans le temps : une chose n'en devient pas une autre comme par un tour de magie — dont un des effets les plus notables est justement la transgression du principe de l'identité. La magie conteste l'idée que les choses ont une nature par laquelle elles sont ce qu'elles sont et le demeurent en opposant une résistance au changement et à son altération. L'identité absolue que l'on postule entre une chose et elle-même ne requiert donc pas l'invariance absolue de chacune de ses parties, car à ce compte rien dans le monde ne pourrait être considéré comme même, terme qu'il faudrait partout proscrire comme nous incitent à le faire, selon Platon, les partisans du mobilisme universel. Ce n'est sans doute jamais la même eau qui coule dans le même fleuve et pourtant nous pensons que le fleuve est le même et que l'eau qui y coule est à la fois toujours la même et toujours une autre. Cela ne veut pas dire que la nature des choses soit capricieuse mais que les perceptions que nous en avons sont irréductiblement multiples et diverses. Le problème fondamental et constant de la perception n'est-il pas celui de l'identité des choses perçues et par conséquent de leur reconnaissance dans des contextes et des temps différents ? Les changements partiels d'une chose n'empêchent pas, du moins jusqu'à un certain point, son maintien et sa permanence en tant que chose. Le plan de ce qui change et le plan de ce qui reste composent inséparablement l'idée de la chose qui ne se réduit pourtant pas à un simple équilibre entre les deux mais possède une identité bien à elle, si l'on peut dire.

Pour une chose, en effet, être la même c'est, de

prime abord, être différente de toute autre, être en un sens unique en son genre ou constituer un genre à soi tout seul. Leibniz voulait voir en toute individualité véritable une « espèce dernière » (*species infima*), aucune n'étant pour lui le simple exemplaire en tous points identique d'une espèce ou d'un genre commun. Tout ce qui a de l'être a aussi une identité qui lui est propre. Mais cette identité peut être cherchée à différents étages.

La phrase « ceci est un chêne » constitue un jugement d'identité, mais il s'agit d'une identité spécifique qui ne retient que les propriétés communes de cet individu — arbre avec ceux de son espèce. C'est une identité d'appartenance ou d'inclusion et non une identité propre, celle de cet arbre-ci, être singulier ou individuel. Certes, pour nous un arbre est un chêne ou un cerisier, et ce savoir en général nous suffit : notre perception de l'arbre s'attache à ce qui fait de lui un échantillon d'une espèce. Mais il n'empêche que cet arbre est en lui-même et pour lui-même (si l'on peut dire) un arbre unique, non pas unique en tant qu'arbre, mais unique en tant qu'individu. On peut le concevoir comme une chose distincte de toute autre et l'appeler, dans le langage philosophique d'autrefois, une *substance*. En quoi consiste donc son identité propre, quelle est la marque qui le distingue de tout ce qui est, fut et sera dans le monde ? Il serait bien difficile de le dire, surtout pour « un » arbre... Pour quelques individus dont la singularité est marquante, combien d'individus interchangeables, identiques, à quelques infimes détails près ? Il semble que nous ne puissions dire autre chose si ce n'est que l'unicité de cet arbre n'a d'autres marques que sa position dans l'espace et dans le temps. Effectivement l'arbre qui est ici en ce moment ne peut être un autre, sa localité fait son identité. Mais cela revient à dire que c'est le lieu et non l'arbre qui est identique ; l'arbre n'est qu'indirectement identique, il ne l'est pas par lui-même. Ne revient-on pas à l'identité d'appartenance (celle de l'arbre à l'espèce chêne) ? De même que c'est l'espèce chêne qui communique à l'individu arbre son identité, ainsi c'est ce lieu (permanent, immobile et donc toujours identique à soi-même) qui fait de cet arbre un arbre singulier, unique (aucun autre arbre, aucune autre chose ne peut être en ce lieu pendant que l'arbre s'y trouve).

Ce résultat semble un peu paradoxal. Ne serions-nous pas près de conclure que ce qui fait l'identité des êtres singuliers (et tous les êtres le sont[1]) n'est rien de ce qui appartient en propre à chacun d'eux mais réside dans des abstractions comme le genre ou l'espèce, le lieu, etc., un ordre idéal, immatériel, immuable, inaltérable ? L'espèce chêne n'est pas déracinable, l'ensemble des lieux n'est pas délogeable. N'est-ce pas donner raison au « platonisme », soutenir la réalité des essences et la caducité, voire l'inexistence des individus sensibles ? Ce que les choses sont, leur identité donc, elles le doivent aux Idées et aux Genres desquels elles participent. Mais alors, si aucune des choses que nous percevons ne possède d'identité propre, peut-on encore parler de choses ? Si elles ne sont pas en elles-mêmes distinctes, ne ressemblent-elles pas à des ombres plutôt qu'à de vraies choses, ombres fugaces qui se remplacent indéfiniment les unes les autres, sortes d'abeilles ouvrières de la reine espèce ? On ne peut

---

1. Voir la célèbre formule de Leibniz : « Un *être*, c'est *un* être. »

s'empêcher alors de jeter un regard plein de vanité sur cet univers de « choses » sans identité véritable, éphémères et sensibles ombres d'Idées. Comme le dit bien la célèbre formule : *No entity without identity*, il n'y a pas d'êtres véritables qui n'aient une identité qui leur soit propre. Sans identité, les choses se résorbent dans les grands genres, et l'espace, considéré comme ensemble des lieux, en est un, celui de toutes les relations possibles entre les différents lieux ou points de l'univers (l'ordre des coexistants, pour parler comme Leibniz). Aristote avait raison de dire que « la puissance du lieu est considérable[1] » : lui seul demeure, invisible et immuable réceptacle des choses qui ne font, comme l'on dit si bien, que l'occuper. Toutes les choses de ce monde sont en ce sens des locataires, elles ne possèdent rien en propre. Certes, une chose déplacée d'un endroit à un autre, un arbre déraciné et transplanté ailleurs ne sont pas devenus autres pour avoir changé de place : les choses sont indépendantes ou distinctes (au moins idéalement) de leurs lieux, mais ce sera toujours et seulement par la place qu'elles occupent qu'elles seront singularisées ou identifiées. D'ailleurs, y a-t-il de plus sûrs critères de l'identité d'une chose matérielle que le nombre, le poids et la mesure ? Ce sont des critères universels, détachés des sujets auxquels ils s'appliquent. Plus on multiplie les coordonnées et moins on risque de confondre une chose avec une autre. Si les hommes n'avaient pas inventé les systèmes de mesure et de numération, le Même aurait étendu sur toutes choses son empire, comme la mer en tous points identique recouvre les différentes terres. Ce sont les

---

1. Aristote, *Physique*, 4, 208 b.

hommes qui mettent de la distinction dans le monde
naturel, ils la conquièrent sur la confusion comme
ils ont conquis les polders sur la mer.

Plusieurs philosophes (Schopenhauer, par
exemple)[1] ont pensé que la nature n'avait aucune
« considération » pour les individus et qu'elle
n'accordait de l'importance qu'aux espèces. Ce gros-
sier finalisme contient pourtant en creux une vérité,
à savoir que le problème et le souci de l'individu
comme tel, pour lui-même, constituent l'apport
propre de l'homme. Même en ce qui concerne les
choses matérielles, nous ne sommes pas satisfaits de
l'idée qu'elles ne diffèrent les unes des autres que par
des critères extérieurs à chacune d'elles, comme, par
exemple, ceux du lieu et du temps. Nous voudrions
qu'une marque propre à chaque chose constitue
autrement que d'une façon purement numérique son
identité. Comme la différence quantitative n'en est
pas une, nous recherchons une différence qualitative
qui indiquerait avec certitude que chaque chose est
unique et, en généralisant cette constatation, que la
nature ne se répète jamais, qu'elle ne fait jamais
deux fois la même chose. L'un des grands principes
défendus par Leibniz serait ainsi sauvé, le principe
de l'indiscernabilité des identiques, improprement
nommé « principe des indiscernables ». Leibniz en
donne cette illustration : dans un grand parc jonché
de feuilles mortes, vous ne trouverez pas deux
feuilles en tous points identiques, deux feuilles qui
seraient deux selon le nombre et indiscernables l'une
de l'autre, c'est-à-dire une seule substance. L'identité

1. *Le Monde comme volonté et représentation*, trad. fr.
A. Burdeau, PUF, p. 1293. Voir aussi Buffon, références in
J. Gayon, *L'Individualité de l'espèce*, « Buffon 88 », Actes du
colloque international, Vrin, 1992, p. 479 *sq.*

absolue ne convient qu'à l'unicité : A ne peut être identique qu'à lui-même. Chaque chose ou individu constitue une espèce à soi tout seul, aucun être n'est pour ainsi dire superposable à un autre comme dans les cas d'égalité (ou de congruence) des figures géométriques. Que les noms des choses leur soient communs ne doit pas masquer la différence interne et qualitative de chacune des choses avec toutes celles passées, présentes et à venir qui composent l'univers. Dire que cet arbre est un chêne n'est vrai que globalement et pour parler vite. La seule formule convenable en toute rigueur serait : cet être est lui-même et rien d'autre. « Arbre », « chêne » sont des dénominations conventionnelles inventées par les hommes et indispensables surtout pour des raisons de commodité (imaginons, si nous le pouvons, un monde où chaque chose posséderait un nom propre et non partageable. Parler, c'est-à-dire attribuer une chose à une autre ou identifier une chose comme telle chose, y serait impossible), mais elles sont totalement extérieures à l'être ou à la chose individuelle qu'elles identifient en la rangeant dans une case, elle-même partie d'un ensemble plus vaste, etc.

De ce point de vue, identifier une chose c'est toujours peu ou prou l'enfermer dans un genre commun, laisser de côté les « détails » qui la singularisent et ne retenir que ce par quoi elle ressemble à d'autres choses avec lesquelles elle pourra former un groupe de choses similaires. La constitution de l'identité n'est pas seulement la tâche de nombreux savoirs, peut-être même de toute connaissance, c'est aussi un acte éminemment social : exister socialement c'est recevoir une identité, être inscrit sous cette identité dans des registres et, en droit tout au moins, être susceptible d'être reconnu partout et tout au long de son existence comme le même individu. Il y a une fonction sociale, pratique de l'identité qu'il ne faut jamais méconnaître, même si cette fonction d'ordre et de classement ne fait pas toute la signification, ni la signification essentielle, de la notion d'identité.

À la différence de l'identité-classement ou emboîtement (ceci est un arbre, cet arbre est un chêne, etc.) qui consiste à inscrire un individu dans une classe — ce qui n'accroît pas tellement sa connaissance mais facilite son identification —, l'identité que nous disons être essentielle est celle d'une chose *dans le temps* : comment rendre compte de la manifeste permanence d'une chose à travers des changements tout autant sensibles ? L'identité, ici, n'est pas celle d'un nom qui permet de ranger une chose dans l'une des multiples catégories, mais celle d'une chose tout au long du segment de temps dont son existence et sa disparition forment les deux extrémités. Le terme d'identité s'entend alors en deux sens bien distincts : l'identité-identification dont la fonction essentielle est d'ordonner ou de classer les choses ou plutôt les signes qui les désignent; l'identité-permanence qui s'exprime par la thèse selon laquelle tout être persévère dans son être, ou une chose demeure la même chose tout en étant modifiée, altérée, changée au cours du temps de son existence. La première sorte d'identité relève de la sphère du langage plus que de celle de la philosophie première ou métaphysique à laquelle ressortit la question de l'identité-permanence qui est aussi celle de la substance, un des problèmes primordiaux de la pensée philosophique d'Aristote à Kant.

Énoncé dans le langage traditionnel de la philosophie, le problème de l'identité d'une chose à travers le temps devient celui de la « substance » et des « accidents ». Par « substance » on entend généralement d'une part l'être ou l'essence de la chose, ce qui fait d'elle ce qu'elle est, mais aussi et d'autre part le sujet (entendu au sens de *sub-jectum* : ce qui se tient sous, ce qui soutient) auquel on attribue telle ou telle propriété, modification, ou encore tel ou tel « accident ». Disons, dans le but de simplifier les choses, que l'accident désigne ce qui modifie l'aspect d'un sujet, donc ce qui n'existe que rapporté à un sujet mais que le sujet, lui, est ce qui subsiste (d'où le nom de substance) à travers les modifications qui l'affectent, ou encore ce qui demeure identique à soi et perdure « sous » les changements (de configuration, de matière, de qualités notamment). C'est pourquoi la proposition selon laquelle la substance d'une chose est et reste la même substance (tant qu'elle existe) se ramène à une tautologie puisque par le terme de « substance » on entend à la fois la permanence et l'identité de chaque chose, ce qui ne saurait lui faire défaut sans qu'elle cesse du même coup d'être elle-même (ipséité) ou d'être la même chose (simple identité).

Cette question va bien au-delà de son apparence académique. À tout moment nous reconnaissons des choses, nous supposons et nous disons que ce sont les mêmes choses; sans cette croyance profonde, inaltérable en l'identité des choses nous ne pourrions plus nous orienter dans le monde. Il n'y aurait sans doute plus de monde, c'est-à-dire le même monde, mais un conte de fées où les citrouilles deviennent des carrosses. La certitude d'une existence continue des choses en dépit des changements qui les modifient, certitude primordiale et constante,

doit être préalablement analysée si nous voulons
voir plus clair dans cette question de l'identité avant
de la rapporter à l'homme, non pas considéré
comme une chose parmi d'autres mais comme un
être qui a rapport à soi.

I

Identité et diversité

Leibniz rappelle très souvent que tout dans la
nature se fait par changements insensibles, transitions graduées, transformations progressives. La
nature ne fait pas de saut. Le jour s'achève, le jour
se lève sans qu'aucune rupture nette soit percep-
tible. La limite entre les choses est le plus souvent
instituée par les hommes (qui instituent à cette fin
le langage), qui n'ont ni la patience ni le loisir de
suivre et d'accompagner la métamorphose des
choses naturelles. Vue sous cet angle, l'identité
semble être une notion inadéquate aux êtres naturels et issue des besoins pratiques des hommes.
Pourtant Leibniz soutient avec autant de constance
l'idée que chaque chose dans la nature possède en
elle-même une identité qui lui est propre et qui la
distingue de toutes les autres. Pour celui qui
observe attentivement ou raisonne d'une façon
rigoureuse et approfondie, il n'y a pas de similitude
parfaite, d'identité entre deux choses. Elles ne sont
deux que si elles ne le sont pas seulement numériquement. On peut substituer des êtres abstraits
les uns aux autres et faire de cette opération la défi-

nition de l'identité[1]. Mais la différence entre des abstractions (comme les nombres et les figures, les collections, les agrégats comme un troupeau de moutons, un tas de sable ou de cailloux) et des êtres réels (un grain de sable, un mouton) tient justement à ce que ces derniers sont, comme on l'a dit, uniques et par conséquent insubstituables en toute rigueur les uns aux autres. L'identité d'une chose, ce qui fait d'elle une substance, ne consiste donc pas dans l'apparence qu'elle peut présenter et qui, elle, peut changer et change sans cesse en vérité pour des yeux attentifs au changement.

Prenons une fleur. Elle est seulement un moment de la fructification durant la fécondation du germe, c'est un état passager du processus, ce n'est pas une chose substantielle, elle ne peut pas être conçue comme un être autonome, si ce n'est au titre de chose perçue. En elle-même la fleur n'est rien, elle n'a pas de « soi-même », si l'on peut ainsi parler. La fleur est une sorte de modulation ou de modification du processus de fécondation qui semble être la véritable substance ou chose, invisible mais seule réelle. Mais ce que l'on dit de la fleur, de quel être naturel ne peut-on aussi le dire ? En poussant ce raisonnement on finirait immanquablement par ne trouver dans la nature qu'une seule substance, la nature elle-même. Il n'est pas nécessaire d'aller jusque-là et de couper la conception ou le concept de ces choses de la perception que nous en avons ; il suffit de reconnaître également que l'on voit bien que la nuit est tombée et que les fruits ont bien passé la pro-

1. Voir la célèbre définition de Leibniz : « *Eadem sunt quorum unum potest substitui alteri salva veritate* » (« Deux choses sont les mêmes lorsque l'une peut être substituée à l'autre, la vérité étant respectée »).

messe des fleurs, et que l'on perçoit aussi l'individualité absolue des arbres, des fourmis et de chaque grain de sable. Toutes ces choses ont une existence séparée et ne peuvent être considérées autrement que d'une façon purement spéculative et sans rapport aucun avec les donnés perceptives, comme des moments transitoires dans un processus continu. Nous pouvons dire d'elles que ce sont des substances et concevoir toutes ces choses comme des pôles identiques ou permanents de variations et de changements successifs. Les concepts de chose (ou de substance) et d'identité sont donc tout à fait indissociables ; la seule différence que nous pouvons établir entre ces deux concepts est que l'idée de chose signifie plutôt l'*unité*, alors que celle d'identité désigne plutôt la permanence ou la constance dans le temps. Par conséquent l'identité signifie la résistance au changement : une chose peut changer d'aspect, une substance peut recevoir une diversité changeante d'accidents, sans que la chose ou la substance change elle-même et devienne une autre chose. L'identité est la limite du changement. Tous les constituants d'une chose peuvent changer, l'identité ne change jamais — ce n'est pas là une question empirique mais logique et transcendantale, car si l'identité était sujette au changement, qu'est-ce qui changerait ? Kant l'a montré avec toute la clarté souhaitable : l'idée de changement suppose celle de permanence, tout changement implique la permanence de ce qui change[1]. Nous verrons plus loin qu'une

1. Voir Kant, *Critique de la raison pure*, la première analogie de l'expérience intitulée : « Principe de la permanence » (PUF, p. 177 *sq.*). Voir également l'ouvrage d'E. Meyerson, *Identité et réalité* (1908, rééd. Vrin, 1951). Contre la thèse de la permanence et le « substantialisme », voir Bergson : « Il y a des changements, mais il n'y a pas, sous le changement, des

seule critique de cette thèse est possible, celle qui nie l'idée même de chose au sens de substance. Mais si l'on tient à conserver cette idée autrement que de manière toute nominale, il faut accorder que l'idée d'une identité non sujette à changer constitue le sol ferme de la réalité, par opposition à l'imaginaire où l'on se donne librement la possibilité de changer et d'échanger les identités des choses.

On relate depuis l'Antiquité grecque l'histoire ou l'énigme du bateau de Thésée dont toutes les pièces ont été successivement remplacées, et l'on pose la question : est-ce encore le même bateau alors que tout ce qui compose le bateau originel a changé ? Ce qui gêne dans cette question, c'est sa simplicité. Il semble que si l'on gardait la possibilité de distinguer des significations, nous ne serions pas condamnés à l'aporie caractéristique de la question de l'identité. Nous pourrions par exemple distinguer la forme du vaisseau de sa matière et avancer l'idée que c'est l'identité de la forme qui fait l'identité de la chose, bien plus que la matière qui ne constitue que le « remplissement » de cette forme. L'eau d'un fleuve s'écoule continuellement mais le fleuve demeure le même, les cellules de notre corps se sont plusieurs fois et en totalité renouvelées mais notre corps (qui a changé et changera encore) est le même que celui que nous avions enfant. Comment dire et penser autrement ? Une autre réponse toutefois, plus psychologique que la première, serait qu'un changement continu vaut pour identité : si l'on avait détruit

choses qui changent : le changement n'a pas besoin d'un support » (*La Perception du changement*, 1911, in *Œuvres*, PUF p. 1381-1382).

d'un seul coup le bateau et que l'on en avait
construit un autre qui en fût l'exacte réplique, il ne
viendrait à l'esprit de personne de dire que l'ancien
et le nouveau bateau n'en font qu'un, tout identiques
(c'est-à-dire ici semblables) qu'ils soient. Mais
lorsque l'on change une à une les pièces d'un
ensemble constitué (bateau ou bâtiment), il semble
que la *chose* continûment réparée devienne le réceptacle permanent des changements et qu'elle se dissocie de l'*assemblage* des pièces qui la composent. Tout
se passe comme si le fait, pour l'esprit, d'avoir
accompagné les changements successifs de la chose
avait conféré à celle-ci la forme ou la trame de son
existence permanente, de sa substantialité. Il ne faut
en effet pas oublier que la question de l'identité
d'une chose avec elle-même est posée par un être
auquel cette question s'applique au premier chef,
que les deux identités (celle de celui qui constate et
celle de ce qu'il constate) sont donc relatives l'une à
l'autre, l'une comme l'autre étant des jugements et
non des « faits », et que c'est toujours depuis un
point de vue que nous déterminons l'identité d'une
chose ou d'une personne.

C'est pourquoi le problème de l'identité est aussi
celui de la limite et de la continuité, et ce recoupe-
ment, au moins partiel, accroît le caractère problématique, voire aporétique, de cette notion. À partir
de quoi ou de quand une chose n'est plus elle-même
mais une autre ?

Les choses sont plus simples dans l'institution
humaine : des panneaux indiquent le début et la fin
d'une ville, un poste frontière marque le passage
d'un pays à un autre. L'arbitraire de la décision met
celle-ci à l'abri de toute contestation. Paradoxalement, les créations humaines dépendent moins que

les autres d'un point de vue : elles sont ce qu'elles disent être. Il n'y a pas de sens à contester une définition de nom. Mais la conversion de l'unité en pluralité et réciproquement fait dépendre l'identité d'une chose du point de vue auquel on se place. Ainsi, Pascal fait remarquer qu'une ville de loin est une ville, mais que cette unité-identité disparaît sous l'aspect d'une pluralité de choses différentes au fur et à mesure que l'on se rapproche de la ville et qu'on y pénètre : ce sont des maisons, des rues... À celui qui demanderait où se trouve la ville elle-même, on ne pourrait que montrer ces rues et ces maisons qui pourtant ne sont pas la ville mais des rues et des maisons (celles-ci cachent la ville comme les arbres la forêt...). Elles *sont* la ville d'un autre point de vue que celui qui les identifie comme rues et maisons. Une chose n'a pas la même identité lorsqu'elle est prise comme un tout ou comme une partie d'un tout plus grand qu'elle. Considérée en elle-même c'est une substance, mais rapportée à un tout lui-même substantiel elle devient un mode : par exemple, une main peut être conçue comme une chose à part entière et aussi comme une partie ou un mode du corps tout entier. Sans qu'elle ait matériellement changé et tout en demeurant numériquement une, elle est pourtant devenue une autre ou, pour nous exprimer plus exactement, une nouvelle identité a pris la place de l'ancienne (qui passe alors à l'arrière-plan et devient latente ; elle n'est pas supprimée pour autant). À chaque identité correspond du côté de la conscience qui l'appréhende une modification intentionnelle appropriée. En regardant les rues et les maisons d'une certaine façon j'aperçois la ville, je me les représente d'une manière telle qu'ils expriment la ville, son style, sa « personnalité », plutôt qu'eux-

mêmes. Je mets ainsi et pour un temps entre parenthèses leur signification de rue et de maison (mais,
répétons-le, cette extinction provisoire du sens
propre n'en est ni la négation ni le « dépassement »).
Aussi bien je peux regarder le bateau rénové comme
le même ou comme un autre. Les choses ne portent
pas sur leur front une identité, pas plus que les mar-
chandises, selon le mot de Marx, leur valeur.

Ces deux façons de parler d'une chose ne
s'annulent pas parce que l'une n'affirme pas ce que
l'autre nie. En disant que le bateau est le même, je
veux dire que le remplacement des pièces s'inscrit
dans une configuration unique, alors qu'en disant
que c'est un autre bateau je veux signifier l'égalité
entre le tout et la somme des parties. On voit par là
que l'identité est une question de *plan* : lorsqu'une
détermination passe au premier plan, une autre
recule à l'arrière-plan ; je ne peux réunir dans une
seule et même représentation le point de vue sous
lequel une chose paraît une et celui sous lequel elle
paraît multiple. De Pascal encore, et extraite du
même texte, cette remarque qui pourrait résumer ce
qui précède : « un homme est un suppôt, mais si on
l'anatomise que sera-ce ? la tête, le cœur, l'estomac,
les veines, chaque veine, chaque portion de veine, le
sang, chaque humeur de sang[1] ».

Le premier point de vue correspond à celui de la
synthèse, le second à celui de l'analyse. Or ces deux
points de vue non seulement ne sont pas contradictoires (ils le seraient si c'étaient des propositions
dogmatiques et non des points de vue ou des représentations), mais ils sont inséparables et complé-
mentaires l'un de l'autre.

1. Pascal, *Pensées*, 65 (éd. Brunschvicg, 115).

Considérer l'homme comme un « suppôt » (c'est-à-dire le substrat identique de diverses propriétés), c'est percevoir son unité avant sa diversité, mais c'est aussi bien voir la diversité comme unité. Ces termes ou ces représentations ne se conçoivent qu'en relation l'un avec l'autre : l'unité est la figure que la diversité peut prendre et inversement. Mieux vaut alors se représenter la diversité comme l'envers de l'unité, parce que ainsi on ne sera pas tenté de les considérer comme des choses concevables séparément et exclusives l'une de l'autre. D'un côté — faudrait-il dire — l'homme est un ensemble, une unité, *un* homme ; d'un autre côté, il est multiple, divers, fragmentable à l'infini à la manière d'une collection ouverte d'éléments hétérogènes. La figure de l'objet est fonction de la distance à laquelle l'observe le spectateur. La figure est l'un des termes du rapport complexe entre l'objet et le sujet, et non une chose concevable par soi, c'est-à-dire une substance.

Il devient alors manifeste qu'à toute identité on peut faire correspondre une autre identité opposée ou contraire. Mais le paradoxe tient à ce que c'est toujours la même et unique chose qui se voit attribuer l'une ou l'autre de ces identités. Dans la phrase de Pascal, le même homme est dit suppôt unique et ensemble décomposable à l'infini d'éléments divers. Le même homme est *une* chose et aussi un tas de choses. La référence (le plus souvent implicite) au même ou à un sujet identique précède et régit les deux thèses contraires, celle qui affirme l'unité de la chose et celle qui en fait valoir la diversité. C'est une chose numériquement une qui peut tour à tour être considérée comme la même chose et comme une autre chose que celle qui l'a précédée. Le même suit l'autre comme son ombre. Le bateau dont on dit qu'il est devenu autre parce que toutes ses pièces ont changé est donc le même bateau que celui dont on dit qu'il est demeuré le même parce que *seules* ses pièces, ses matériaux ont changé. Il n'y a là aucun paradoxe, car un bateau neuf n'est pas sorti du bateau ancien, mais deux conceptions de l'identité s'affrontent au sujet de la même chose. Dans un cas, l'identité est attachée à la forme (à la structure, à la fonction), dans l'autre, à la matière; dans un cas, la ressemblance de la forme l'emporte sur la différence des matériaux; dans l'autre cas, c'est plutôt l'inverse. Lorsque le semblable l'emporte sur le dissemblable, on parle d'identité; si c'est l'inverse, on parle de différence. Le rôle du jugement dans la détermination de l'identité (et de la différence) est donc fondamental, mais il ne consiste pas ici à inclure un élément particulier dans une classe ou un genre (par exemple : ceci est un stylo); la fonction du jugement est d'assujettir les perceptions différentes d'une chose à l'idée d'une même chose. La célèbre analyse du morceau de cire menée par Descartes dans la deuxième *Méditation métaphysique* parvient à ce résultat, contre l'empirisme sensualiste qui s'évertue toujours à dissoudre l'unité et l'identité d'une chose en une pluralité et diversité de sensations.

*Jugement et perception : l'exemple
du morceau de cire*

Dans ce passage, Descartes ne cherche pas tant à enseigner en quoi consiste l'identité d'une chose (mais cette demande a-t-elle un sens[1]) qu'à mettre

1. Wittgenstein écrit justement : « Dire d'*une* chose qu'elle serait identique à elle-même, c'est ne rien dire du tout » (*Trac-*

en évidence la seule condition présupposée par ce jugement d'identité : *un esprit humain*, et non la sensibilité ou l'imagination considérées comme des « facultés » différentes de l'entendement. Descartes se demande pourquoi l'on croit que les choses corporelles sont plus (et plus immédiatement) connues que l'esprit qui nous est pourtant si proche et constitue notre être même. À quoi devons-nous de connaître les choses qui nous entourent et que nous nommons communément des choses sensibles ? Il faut donc chercher à clarifier l'acte de la connaissance, ce qu'implique le fait de connaître, et pour cela il suffit de s'arrêter au fait le plus ordinaire qui soit. Il ne s'agit nullement de faire état d'un savoir particulier et encore moins d'une science, mais seulement de mettre en évidence ce qu'implique le simple fait de reconnaître une chose en dépit de la multitude variée des aspects qu'elle peut revêtir.

Descartes décrit dans ce passage ce qu'il arrive à un morceau de cire que l'on vient à peine de tirer de la ruche et que l'on approche du feu. Toutes les propriétés de la cire observées avant qu'elle ne soit rapprochée du feu sont alors transformées : elle n'a plus de saveur ni d'odeur, sa couleur, sa figure, sa consistance sont sensiblement changées. Le témoignage de chacun des cinq sens n'est plus du tout le même. Et pourtant personne ne doute qu'avant comme après un si notable changement, c'est bien *la même cire* (*eadem cera*, écrit Descartes) qui demeure. Sur quoi se fonde cette connaissance de ce corps comme même corps si, comme on le croit ordinairement, une telle connaissance se fait par les sens ? Écartons

tatus logico-philosophicus, 5-5303, trad. fr. P. Klossowski, Gallimard).

donc de la cire elle-même (*ipsa*) tout ce qu'on a cru y remarquer à l'aide des sens, et voyons ce qui reste et qui pourrait à ce titre (c'est-à-dire au titre d'une propriété permanente) constituer la véritable identité de ce morceau de cire : « quelque chose d'étendu, de flexible et de muable ». Le caractère volontairement indéterminé de cette formule contraste avec la précision des détails perçus par « les sens » au commencement de cette expérience. Raison de plus pour dénier aux sens, et même à l'imagination, la prétention d'être des facultés porteuses d'une connaissance aussi générale et pourtant beaucoup moins confuse que ladite connaissance sensible. On ne peut pas faire dépendre des capacités limitées de notre imagination la conception très vaste, quasiment illimitée, que nous avons des formes et des figures que ce morceau de cire pourrait revêtir — sans qu'il cesse d'être, du début à la fin, ce même corps. Cela veut dire qu'aucune des formes particulières que peut prendre la cire (ou tout autre corps matériel) n'est essentielle à la substance de la cire, même si, bien sûr, celle-ci ne peut se manifester que sous des formes toujours particulières. Mais la connaissance que nous en avons ne dépend pas de ces formes changeantes ou, dans le langage philosophique scolastique, de ces « accidents ». Elle consiste en « une inspection de l'esprit » et non, comme on le croit avant de philosopher, en une expérience sensible à laquelle concourt chaque sens selon sa compétence propre. Que la chose connue soit sensible ou pas, la connaissance que chacun en a est d'ordre intellectuel. Par conséquent, l'identité, qui ne fait qu'un avec la connaissance d'une chose, est une fonction du jugement et non une marque ou un ensemble de marques que l'on devrait relever comme à tâtons à la surface des choses.

Descartes se demande une fois encore, comme s'il assistait en spectateur surpris et admiratif à la découverte d'une vérité si simple qu'elle était jusque-là passée inaperçue, si ce n'est pas plutôt par « une vision de l'œil » que par une inspection de l'esprit que la cire « elle-même » nous est connue. Le contre-exemple qu'il apporte aussitôt va lui permettre de donner à toute cette analyse une conclusion bien solidement fondée.

En me penchant à ma fenêtre, je dis que je vois des hommes (*ipsos*, les hommes mêmes). Or, que voit *l'œil* en tant que tel ? Autrement dit, quelles sont les images visuelles qui parviennent à l'œil ? Des chapeaux, des vêtements qui dissimulent peut-être des automates. Mais je ne pense jamais cela lorsque je vois de ma fenêtre des hommes emmitouflés passer dans la rue. C'est donc que je les vois avec mon esprit, esprit humain ou chose qui pense, et pas seulement ni même essentiellement avec mes yeux (considérés comme des organes sensoriels). Descartes sait déjà qu'il est une chose qui pense, il l'a établi dès le début de cette deuxième *Méditation*. Mais cet exemple lui a appris que tout ce qu'il voit, sent ou touche, il le voit, sent et touche en tant qu'esprit humain ou chose pensante, et non comme pourrait le faire un animal. La connaissance que l'entendement (présent dans toute opération de la pensée) a des choses extérieures, ou, pour parler comme Descartes, la puissance de juger qui est en moi, se reconnaît à cette distinction faite par l'entendement le plus ordinaire (répétons-le, il ne s'agit pas de science) entre *la cire* et *ses formes extérieures*, comme si, selon l'image éloquente que Descartes emploie ici, l'entendement avait retiré à la cire ses vêtements et la considérait *nue*.

Les philosophes qui ont lu les *Méditations* ont reproché à Descartes l'insuffisance de cette explication. Que reste-t-il de la cire, objecte Gassendi par exemple, lorsqu'on lui a retiré ses vêtements ? Comment la substance de la cire pourrait-elle encore être connue si on l'abstrait de ses « accidents » ? Comment la distinguer de ses « formes extérieures » ? Ce point est crucial car il touche le plus directement possible la question de l'identité de la chose, entendue à la fois au sens de ce qui fait que la chose demeure la même « sous » ses diverses modifications, et au sens de ce qui la distingue de toutes les autres choses et constitue son caractère propre. Descartes ne s'est pas préoccupé de ce deuxième sens et, si c'en était ici le lieu, nous pourrions montrer qu'une telle recherche est dénuée de signification dans une philosophie où seule l'étendue (en longueur, largeur et profondeur) constitue l'essence des choses matérielles, les seules différences concevables entre les corps étant des différences de grandeur, des différences quantitatives et non qualitatives. Reste le premier sens de l'identité. Sur quoi Descartes se fonde-t-il pour dire que la cire est la même (et non pas : que c'est toujours de la cire et pas un autre corps physique ou chimique en lequel la cire se serait transformée), que c'est toujours le même morceau de cire (et non un autre, un nouveau comme dans l'exemple du bateau de Thésée) ?

Si la substance de la cire est manifestée par ses accidents (voilà ce que j'ai voulu montrer, dit Descartes en réponse à Gassendi), ce qui implique qu'elle soit autre qu'eux, elle ne peut être rendue manifeste que par ses accidents, c'est-à-dire ses changements. Si bien que le changement ne peut être manifeste en tant que changement sans rendre aussi manifeste la permanence ou la continuité de la chose qui change. Mais c'est à l'esprit, à l'esprit seul, qu'elle se manifeste de la sorte. Il n'est alors pas surprenant que ceux qui veulent toucher des doigts l'identité d'une chose, ceux qui n'accordent l'être comme le dit Platon qu'à ce qu'ils peuvent à pleines mains étreindre[1], s'empêtrent dans des paradoxes et des apories artificiels. Ni les planches dont sa coque est faite ni quoi que ce soit de particulier ne fait l'identité du bateau de Thésée ni d'une chose en général. Seul le fait de *comprendre* quelque chose comme une seule chose constitue l'identité de la chose, c'est-à-dire ce qui la signifie à notre entendement comme la même. Les formes ou les figures de la cire sont innombrables, mais elles seront toujours celles de la même cire et au même titre les unes que les autres : aucune propriété particulière ne pouvant se prévaloir ici du titre de représentant accrédité de l'identité de la cire. Le seul « contenu » que Descartes semble donner à cette identité, c'est la capacité illimitée du morceau de cire à changer de forme et de figure. Être le même, c'est l'être sous de multiples formes. Il n'y a rien de défini ni de définissable dans l'identité dont le concept pourrait trouver dans l'image de la nudité une assez bonne illustration.

La seule conclusion que Descartes tire de son analyse ne porte pas le moins du monde sur la nature de la cire ou sur celle des choses matérielles en général, mais sur la nature de l'esprit humain, plus connu que toute autre chose puisque c'est lui seul (Descartes croit l'avoir suffisamment montré dans ce passage) qui connaît toute chose. Or Descartes reconnaît la présence et la marque propre de l'esprit

----

1. *Théétète*, 155e; voir aussi le *Sophiste*, 246a et 247c.

humain (*mens humana*) à cette distinction de la cire
d'avec ses formes extérieures, ou bien à la possibilité
de la percevoir nue, comme si ses vêtements avaient
été enlevés. Mais qu'en conclut Descartes ? Que cette
perception atteint l'essence même de la chose ? Non,
pas du tout, puisqu'il ajoute aussitôt qu'il peut y
avoir de l'erreur dans son jugement (par exemple,
que ce ne soit pas vraiment de la cire, ou qu'il rêve).
Le seul résultat auquel parvient Descartes, le seul
recherché par lui, se résume à ceci : une telle perception dénote un esprit humain.

Mais que reste-t-il de la cire ainsi distinguée des
formes extérieures, c'est-à-dire de tout ce qui a été
recensé comme lui appartenant ? En un sens, rien :
la substance n'est connue que par ses accidents ;
donc, pas de double fond, pas de cire « essentielle »
cachée par la cire apparente. « La cire est nue », cela
veut aussi dire qu'il n'y a rien de caché en elle. En un
autre sens, il reste la cire elle-même, ce qui ne
désigne rien d'autre que cette idée par laquelle je la
comprends comme la même cire tout au long de
cette expérience. L'identité d'une chose est l'œuvre
de l'esprit qui la conçoit. Cette œuvre ou cet ouvrage
de l'esprit constitue comme une invisible ossature
ou charpente en chaque chose qui possède en elle,
du seul fait d'être conçue ou comprise comme une
seule et même chose, un caractère intellectuel ou
« noématique » (Husserl). Dire : « une chose » ou
dire : « une même chose », c'est dire la même chose.
On ne peut donc pas dériver la notion d'identité
d'une autre qui la précéderait et la contiendrait au
moins en partie, par exemple de notions soi-disant
moins intellectuelles ou abstraites comme celle de
ressemblance ou de similitude. La similitude définie
comme   quasi-identité   ou   comme   identité

incomplète dépend bien plutôt de cette idée absolument première, et doit même être plus complexe qu'elle parce qu'elle comprend également l'idée d'une différence entre deux choses. Et d'ailleurs, le fait de trouver entre deux ou plusieurs choses une parfaite similitude, comme entre deux gouttes d'eau ou entre les exemplaires d'un même livre (ou de quelque objet technique fabriqué en série), n'atteste-t-il pas qu'un lien essentiel unit l'idée d'identité avec celle d'originalité ou d'unicité, alors qu'en parlant de choses identiques, nous entendons le plus souvent des copies semblables d'un modèle qui, lui, est simplement conçu par l'esprit? Certes, le morceau de cire que Descartes a sous les yeux, ou les hommes qu'il voit passer de sa fenêtre, ne sont pas les exemplaires d'archétypes idéaux, ce sont des choses de ce monde qui n'ont nul besoin d'être rapportées à un monde « intelligible » pour être comprises. Mais, du seul fait qu'elles le sont (fait que l'analyse cartésienne présuppose constamment), on peut conclure que l'esprit ne les aperçoit pas par les images sensibles qu'il en aurait eues, images discordantes dans le cas de la cire changeant de forme, images lointaines et incertaines dans le cas des hommes à chapeau et manteau. Car, comme le dit Descartes dans un autre texte, « c'est l'âme qui voit, et non pas l'œil[1] ». En appliquant cette formule remarquable au problème qui nous occupe ici, nous dirions que si la ressemblance (ou la dissemblance, comme dans le cas des images différentes de la même cire) est vue ou sentie, l'identité ne peut être que conçue par

---

1. *Dioptrique*, discours VI, Adam et Tannery éd., t. VI, p. 141 ; Alquié éd., Garnier, t. I, p. 710. Une formule analogue dans le discours IV du même ouvrage : « On sait déjà assez que c'est l'âme qui sent, et non le corps. »

l'entendement. Dans le langage cartésien : c'est une
« intellection » et non pas une imagination. D'où
(remarquons-le une fois pour toutes) la confusion
fréquente faite par l'esprit peu attentif entre une
analogie et une véritable identité : la première parle
à l'imagination, la seconde ne lui dit rien. Si la vision
était celle de l'œil, on peut présumer qu'aucune
chose ne serait vue comme chose et même chose, et
que la perception distincte ferait place à un chaos ou
à une rhapsodie de sensations ou d'images visuelles.
Descartes pourrait sans doute dire aussi que lorsqu'il
voit, avec son esprit, passer des hommes dans la rue,
il les distingue de leurs vêtements et de leurs chapeaux, qu'il les perçoit « nus », tout habillés qu'ils
sont. Car de « vrais hommes » (et non des automates, des fantômes), cela signifie : les hommes eux-
mêmes, en chair et en os, et la « cire nue » désigne la
cire elle-même et non pas ses aspects changeants qui
obnubilent les sens.

Retenons cette remarque essentielle pour la suite :
pour percevoir l'homme même, le vrai homme, il
faut l'avoir distingué de ses formes extérieures.
L'identité humaine est elle aussi, et même au plus
haut point, une œuvre intellectuelle. Mais, avant de
nous engager dans cette direction, un dernier regard
sur le fameux exemple cartésien suggère une hypothèse. Descartes n'a-t-il pas mis en scène le morceau
de cire et l'esprit comme s'il s'agissait d'une épreuve
de force — de force intellectuelle — entre une chose
qui se transforme, se dissimule, se déguise presque,
une chose recouverte d'un masque et, face à elle, un
esprit qui éprouve sa force dans le fait même de ne
pas se laisser abuser par le pittoresque de ce spectacle : il sait qu'il y a toujours *une chose* derrière les
apparences, ou plutôt tout au long des changements

qui ne font que dérouler pour ainsi dire les divers aspects sous lesquels une chose se manifeste elle-même. L'esprit retourne ainsi la situation à son avantage, car tout ce qu'il voit de la cire s'ajoute à la connaissance qu'il en a, et ce qu'il n'en voit pas, il sait qu'il pourra toujours le voir, puisqu'une chose est au moins autant ce qu'elle est que ce qu'elle est capable d'être, non pas bien sûr par une action de soi sur soi, mais par le jeu des innombrables modifications causées par les corps qui l'environnent. Ainsi, parler de substance à propos d'une chose revient à garantir son identité dans le temps, c'est-à-dire à travers les différents changements qu'elle peut subir et qui la modifient mais ne la font pas devenir une autre. Par là se trouve donc confirmée, nous semble-t-il, l'idée initiale de cet exposé d'après laquelle être identique c'est, en termes statiques, demeurer, ou bien, en termes dynamiques, résister.

Il serait toutefois injuste de clore cette première partie sans avoir évoqué la critique empiriste de la notion de substance appliquée à la chose matérielle[1]. Berkeley, par exemple, s'évertue à montrer que le mot de substance dans ce contexte est vide de sens, inutile et de plus dangereux (il nous fait croire à l'existence de choses matérielles extérieures à l'esprit). Berkeley ne cherche pas à réfuter l'existence de la substance, mais il demande plutôt à chacun de regarder attentivement dans son esprit et de dire s'il y trouve une telle idée. Car, pour sa part, il ne comprend pas ce mot de substance, il n'y voit juste-ment qu'un mot. Prenons au hasard deux exemples dans les écrits du philosophe irlandais.

1. Nous y reviendrons plus en détail à propos de l'identité personnelle et de la critique du « moi ».

1) Voici une proposition : « Un dé est dur, étendu et carré[1]. » Les philosophes disent généralement que le dé désigne un sujet ou une substance distincte de la dureté, de la figure, etc. qui en sont les prédicats. Rien de tel pour Berkeley : le dé n'est pas distinct de ses accidents. « Dé » pour lui ne désigne pas une chose, « dé » est un mot qui signifie quelque chose de dur, d'étendu et de carré. L'unité de la chose est en fait celle de son nom ; de même pour l'identité.

2) Voici maintenant une cerise : je la vois, je la touche, je la goûte. Enlevez ces sensations, vous enlevez la cerise qui n'est pas, dit Berkeley, un être distinct des sensations mais « rien qu'un conglomérat d'impressions sensibles » que l'esprit unit en une seule chose, ou plutôt qu'il enveloppe sous « un seul nom[2] ». Dès lors qu'une cerise (ou toute autre chose) n'est rien d'autre que la série des impressions sensibles associées à ce mot, c'est le mot et lui seul qui constitue ce que l'on appelle l'identité de la chose. Pour un philosophe empiriste, l'inspection de l'esprit dont parle Descartes se résout dans la compréhension d'un signe linguistique dont la fonction est de rappeler à l'esprit les expériences passées qui lui ont été associées. L'identité apparaît comme le fait majeur du langage. N'est-elle pas uniquement cela ?

La considération de l'homme dont l'identité n'est pas seulement ni principalement celle d'une chose mais surtout celle d'un être qui a conscience de lui-même permettra peut-être de concilier ce qui se présente ici inévitablement avec les traits d'une proposition alternative.

1. *Principes de la connaissance humaine*, § 49, in *Œuvres*, PUF, 1985, t. I, p. 344.
2. *Trois dialogues entre Hylas et Philonous*, IIIe dialogue, in *Œuvres*, PUF, 1987, t. II, p. 131.

II

Par un côté l'identité de l'homme est seulement un cas particulier de l'identité d'une chose en général, par un autre côté ces deux questions diffèrent considérablement. Si l'on se demande seulement ce qui fait qu'un homme (forme commune à d'innombrables individus) est bien le même homme dans des contextes différents, dans des temps éloignés et en dépit de changements manifestes, le problème est celui de l'identification du même ou du permanent, et il se pose à propos de toute chose du point de vue d'un observateur extérieur. Mais l'homme est aussi un être qui a conscience de lui-même et qui a de ce fait un rapport à soi fondamentalement différent du rapport qu'il peut avoir avec des choses extérieures, et même avec des autres hommes, ses semblables comme l'on dit. Il importe donc en premier lieu, avant de s'engager dans des questions que leur nature rend nécessairement conflictuélles, de délimiter le phénomène de l'identité proprement humaine et d'en dégager, ne fût-ce que « par provision », les traits les plus saillants. Cette question traditionnellement dénommée la question de l'identité personnelle a été débattue principalement par les philosophes de langue anglaise depuis sa formulation (la première, au moins sous cette forme conceptuelle) par Locke dans son *Essai concernant l'entendement humain*[1]. Nous allons essayer de préciser

---

1. *Essais concernant l'entendement humain* (1689), trad. fr. Coste, Vrin, Livre II, ch. XXVII.

cette question sans attacher de signification particulière au terme de personne, tenu ici pour synonyme d'individu humain.

L'identité de l'homme

La question de l'identité pour un homme se pose
de deux façons distinctes même s'il n'est pas possible
de les séparer, ni complètement, ni même en fait. Un
individu humain peut donc se demander ce qui fait
de lui un homme comme les autres hommes avec
qui il partage l'humanité dont il est pour ainsi dire
un ressortissant à l'égal des individus de son espèce.
La recherche de cette identité spécifique peut être
profonde, on le verra, mais le plus souvent elle
donne lieu à des questions oiseuses ou à des élu-
cubrations. La deuxième façon se présente formellement comme l'inverse de la première car l'individu
se demande ce qui fait de lui l'homme ou l'être singulier qu'il est, différent (et pas seulement en
nombre) de tous les autres. L'identité qu'il recherche
est la sienne propre, celle de son *moi* qui ne peut évidemment pas être celui d'autrui. La signification de
« même » change avec cette référence au moi : ce
n'est pas l'unité de la chose qui est en question ici.
L'identité du moi ne pose pas de problème analogue
à celui du bateau de Thésée ou du morceau de cire.
Les changements du moi sont surtout internes et
n'ont pas d'autre témoin que le moi lui-même.
Quand bien même serait-il parvenu à s'installer à la
place d'un spectateur impartial, il n'aurait pas en
face de lui l'équivalent d'une chose perçue, d'une
chose qu'en droit au moins un autre homme pourrait aussi voir et regarder. Nous avons sans doute

trop rapidement affirmé un peu plus haut que par son caractère de permanence le moi n'est pas appréhendé autrement que comme une chose corporelle qui change d'aspect tout en restant la même. Car le moi n'étant radicalement pas pour lui-même de l'ordre d'une chose perçue, il ne peut voir un autre homme tout à fait comme une chose, sauf à neutraliser son regard dans l'intention d'observer un corps, par exemple comme un médecin ou un artiste qui mettent entre parenthèses la signification humaine du corps afin de le regarder comme corps. Si l'homme a un corps aussi sujet que les autres corps à changer de forme et de matière, son corps et celui d'autrui ne sont pas en face de lui comme peuvent l'être des objets. Il faudrait presque parler de l'invisibilité du corps humain corrélative de l'indivisibilité que lui confère son union avec la même âme, ce que les philosophes expriment en disant que le corps d'un homme est toujours le même corps tant qu'il est « informé » par la même âme[1]. L'identité étant la propriété caractéristique du corps humain et l'identité étant invisible (ou seulement visible par les « yeux de l'âme »), c'est donc parce que le corps humain est le même corps de la naissance à la mort qu'il est invisible. Nous ne voyons que des parties du corps et des changements partiels, mais le corps lui-même, son identité, son indivisible unité ne se trouvent que dans la conscience et n'ont de sens que pour une conscience. Mon humanité est donc insé-

---

1. La question de l'animal, de son corps et de son identité exigerait une étude à part, à la mesure de son importance théorique et de son intérêt. C'est la raison pour laquelle nous n'en disons rien ici. Voir notre essai intitulé « Quelques doutes sur la différence entre l'homme et l'animal » dans la revue *Milieux*, n° 26, 1986.

parable de mon corps et fait de lui la possession inaliénable de chaque homme : mon corps ne peut être
ni un autre que moi, ni à un autre que moi. La
conscience de notre propre corps modifie considérablement la nature de ce corps que l'on ne peut pas
qualifier de matériel et moins encore d'extérieur.
Certes mon corps n'est pas moi, mais je ne suis pas
moi sans mon corps, c'est-à-dire sans la conscience
que j'ai de son unité, abstraction faite des parties qui
le composent et de leur hiérarchie supposée. Comme
les planches du bateau de Thésée, toutes les parties
de mon corps peuvent, en droit du moins, être changées sans que je cesse d'être, à mes yeux du moins, la
même personne. Le corps c'est l'idée du corps, ce
corps est mon corps tant que je me le représente
comme mien. Un corps, même amputé d'un
membre, est toujours *un* corps. Une idée est en effet
indivisible. En ce sens, la conscience de notre propre
corps est inséparable de la conscience de nous-
même. Mais nous ne savons pas quelle est la part de
l'une dans la constitution de l'autre.

On aura sans doute déjà remarqué la répétition
d'un trait commun et propre à tous ces problèmes
suscités par l'identité humaine : la non-coïncidence
des deux faces de chacun d'eux, le caractère irréductiblement dualiste (nous disons bien *dualiste* et non
équivoque), non totalisable, non clos de cette identité. Il semble qu'une fois amorcé, le processus de la
distinction des aspects du problème doive se poursuivre à l'infini, entraînant ainsi la dissolution de
cette notion. Chaque plan de l'identité se scinde en
deux au moment même où nous le dissocions d'avec
un autre. Nous cherchons ce qu'est l'identité et voilà
une constellation, un « essaim » d'identités qui vient
à nous... Pourtant, si l'on y repense avec plus d'atten-

tion, on s'aperçoit que ce caractère déroutant et même assez décourageant de l'identité humaine, qui fait qu'elle échappe toujours par un côté à la prise d'une connaissance systématique, exprime et manifeste la possibilité la plus propre et sans doute constitutive de l'être humain : la possibilité de se distinguer et même de se dissocier de ce qui est pour lui objet de pensée. Autrement dit, la possibilité de se dissocier, y compris de soi-même, en en faisant un objet de pensée, ne fait qu'un avec la possibilité de s'identifier avec tout ce qui peut se présenter avec le caractère d'une chose qui nous est propre et qui n'est pas forcément notre moi. La non-coïncidence de la conscience avec son objet n'est pas une propriété de la conscience mais la conscience même. L'identité d'un être qui peut se représenter son identité et entrer en relation avec elle sur le mode de la connaissance n'a pas la simplicité de l'identité d'une chose qui est objet de connaissance pour un autre qu'elle. Ne rêvons donc pas d'une identité qui ferait de nous des choses, d'une identité à la formation de laquelle nous n'aurions pas eu à contribuer. Par nécessité d'essence, un être qui pense ne peut être égal et identique à l'idée qu'il a de lui-même. Un être qui comprend (au sens d'intelligence) le monde dans lequel il se trouve ne peut pas être, sans plus, compris (au sens d'appartenance) par ce monde et se recroqueviller dans une identité comme dans une coquille. Pascal a remarquablement saisi et exprimé cette dualité du verbe « comprendre » qui est aussi celle de l'être humain : « Par l'espace l'univers me comprend et m'engloutit comme un point : par la pensée je le comprends[1]. »

---

1. *Pensées*, 113 (éd. Brunschvicg, 348).

Il y a bien des choses qui nous « comprennent », et dans un sentiment d'appartenance à une totalité nous pouvons aussi reconnaître notre identité personnelle. Cet autre « lieu » de l'identité diffère des précédents (celui de l'espèce et celui du moi) en ce que la substance de l'individu n'est pas celle d'une forme ou d'une essence commune à tous les autres, ni celle d'un être distinct de tous les autres, mais celle d'un être collectif ou d'une communauté : race, ethnie, peuple, nation, Église, etc. Le problème se complique si l'on accorde (mais de quel droit la lui refuser ?) à l'être humain la possibilité de se reconnaître dans une appartenance ou une origine, de faire de cette identité, appelons-la communautaire, quelque chose de bien plus personnel, de bien plus propre à son être que son identité personnelle dont la limite naturelle est celle de l'individualité.

Toutes ces questions sont liées les unes aux autres et même étroitement imbriquées. L'exposition exige toutefois qu'elles soient séparément étudiées. L'examen du problème de l'identité sera donc articulé sur les trois principales formes sous lesquelles il se présente : l'identité d'une personne, l'identité d'une communauté, et l'identité humaine (au sens générique du terme).

L'identité de la personne ou la question du moi

La question de l'identité continue, permanente d'un homme — le fait banal qu'il est le même homme — se heurte à une première objection de fond que les philosophes empiristes n'ont pas cessé de marteler : de quel droit conférer à l'existence humaine le caractère de la permanence ou d'une substance distincte de ses « accidents » (dans le cas d'une vie on dira plutôt : des événements)? Pourquoi faire passer entre les événements éparpillés dans la vie d'un homme un fil invisible par lequel on les rattache à la même personne dont l'existence, croit-on, se poursuit, identique à elle-même à travers la bigarrure des impressions sensibles? Autrement dit : avons-nous une *idée distincte* d'un être ou d'une existence continue, ou sommes-nous seulement enclins par une *croyance vive et forte* à admettre une sorte de courant ininterrompu qui traverse et relie des impressions distinctes et discontinues?

Hume, par cette critique maintes fois réitérée de l'illusion substantialiste produisant « l'idée » de chose et son symétrique : « l'idée » du moi, a semble-t-il réussi à convaincre les philosophes (et aussi les psychologues) après lui que la substance était « insauvable », et avec elle le moi ou l'âme conçue comme une substance. Si l'identité est devenue par là un problème à la fois nouveau et insoluble, il faut en faire grief ou en rendre grâce à Hume. Depuis ce philosophe, la question de l'être de l'homme, la possibilité même de considérer l'homme comme *un être*, passe par une alternance d'exaltations et de dépressions; tout se passe comme si le problème de l'identité n'avait pu apparaître et se maintenir que sur le mode de la crise (terme qui revient si souvent lorsque l'on parle de l'identité que l'on peut se demander si la crise n'est pas le régime normal de l'identité, entendue de façon psychologique...).

Hume cherche donc à expliquer, pas à détruire, la croyance en un être nommé « moi », comme on explique des illusions de la perception à ceux qui en sont les innocents spectateurs. De même que l'on « voit » un bâton brisé dans l'eau à cause de la réfraction, ainsi l'on croit « sentir » un principe d'existence ininterrompu en soi (identique à ce qu'on appelle « moi »), alors que nous avons seulement pris l'habitude d'associer des impressions semblables, et de les associer de si nombreuses fois que nous n'avons plus conscience de passer de l'une à l'autre. C'est donc la transition insensible d'une impression à une autre qui induit le mirage ou la fiction du moi. En passant facilement, c'est-à-dire aussi habituellement, d'une chose à une autre, l'esprit ne remarque même pas de passage : de là la fiction ou l'illusion de l'identité, et de tout ce qui prétend avoir une existence invariable dans le temps. Avec Hume, pourrait-on dire, ce n'est plus la substance qui change, mais le changement qui est devenu substance, et substantiel. Le temps (ou plutôt la durée) est source de toute liaison. Une succession très rapide entre deux choses ou bien, ce qui produit le même effet, l'accoutumance à glisser de l'une à l'autre : voilà ce qui suggère à l'esprit l'idée d'identité, tellement inévitablement, si universellement, que l'esprit se mire en elle et croit apercevoir son moi (*self*, écrit toujours Hume). Mais ce n'est pas une perception, seulement un effet de croyance : « nous n'avons aucune idée du moi[1] ».

Hume n'explique donc pas l'identité mais la tendance de l'esprit à forger cette fiction, inaugurant d'une certaine façon la méthode de la psychologie. Mais sans identité réelle, qu'est-ce que l'esprit

1. Hume, *Traité de la nature humaine*, trad. fr. Leroy, Aubier, L. 1, IVᵉ partie, section VI, p. 342.

ou le moi ? « Rien qu'un faisceau ou une collection de perceptions différentes qui se succèdent les unes aux autres avec une rapidité inconcevable et qui sont dans un flux et un mouvement perpétuels[1]. »

Une comparaison anachronique pourrait être faite avec le ralenti cinématographique : la succession très rapide des images nous donne l'impression d'une action, alors qu'au ralenti nous percevons plutôt une somme d'actes discontinus qui semblent ne jamais pouvoir former les articulations successives d'une seule et même action. Lorsque la succession est trop rapide ou trop coutumière (la facilité équivaut ici à la rapidité) pour qu'on l'aperçoive, on croit voir la même chose ; autrement, ce sont des perceptions distinctes au sein desquelles Hume met au défi lecteurs et philosophes d'en trouver une qui ait pour objet le moi. Hume illustre au plus haut point la tendance de l'esprit à visualiser toute chose, à chercher comme ici une image du moi lui-même qui serait, à l'en croire, distincte de toutes les images que l'on rapporte à une personne considérée comme leur sujet. À partir de là (mais c'est toute la démarche qui y conduit qui est en cause), les difficultés déjà grandes ne peuvent qu'engendrer des contradictions flagrantes avec les phénomènes, même les plus neutres[2]. Comme eût dit Berkeley, on a soulevé la poussière et on se plaint de ne plus voir clair ! Hume va chercher au loin ce qu'il a devant lui (ou mieux, en lui), mais il cherche aussi dans les « impres-

---

1. *Ibid.*, p. 344.
2. C'est Hume lui-même qui le dit dans l'Appendice du *Traité de la nature humaine* : « j'ai le sentiment que mon explication est très déficiente (*very defective*) » (Aubier, p. 760 ; Penguin Classics, p. 676).

sions » ce qui ne s'aperçoit distinctement qu'à bonne distance. Toute la question revient à savoir, comme nous l'avons déjà entrevu, si la notion d'identité (et donc aussi celle de chose) a une signification intellectuelle et ne peut être saisie que par l'entendement, ou bien si son sens et sa possibilité dépendent d'expériences particulières ou de test sur des données circonscrites, observables et même « palpables ». Mais c'est feindre de chercher ce que l'on a pris le soin de définir de telle sorte qu'on ne puisse jamais mettre la main dessus. Il va de soi que toutes les « propriétés » corporelles ou psychiques dont on fait d'une personne le sujet sont ou peuvent être changeantes. On n'est plus la même personne, dit Pascal et tout un chacun avec lui. Conclusion de l'empiriste : il n'y a donc pas de personne puisqu'on la définit comme le cadre ou le support permanent de tous les changements, puisqu'elle signifie un être identique à lui-même.

Pourtant chacun de nous (sauf trouble pathologique) a conscience d'être le même individu du début à la fin de son existence, même si ni la naissance ni la mort ne font partie du champ de conscience qui, semble-t-il, ne recouvre que l'intervalle entre les deux bornes de la vie. Sans cette conscience (différente du souvenir et même d'une mémoire du passé événementiel), de quoi pourrions-nous être sûrs ? Imaginons, si cela est possible, qu'à chaque instant nous devenions autres qu'à l'instant d'avant, autres comme le sont deux événements successifs : nous ne serions sans doute pas *conscients* de ces événements, nous *serions* chacun des événements parce que nous nous trouverions dans l'incapacité de prendre le recul nécessaire pour apercevoir une chose comme ceci ou cela, ici ou là[1]. Qu'est-ce qu'un esprit instantané, un esprit sans durée aurait de commun avec l'esprit humain? La conscience ne peut pas prendre place dans le train des événements parce qu'elle est la condition pour qu'il y ait un début et une fin au cours des choses et pour qu'entre ces deux bornes il y ait une suite continue d'événements. Si l'expérience a un fil conducteur, ce ne peut être que celui d'une conscience identique.

Faut-il pour autant parler de l'invariabilité, de l'immuabilité, de l'identité comme répétition mécanique du même à propos de la conscience ou de la personne (considérons, à la suite de Locke, ces termes comme synonymes)? Pas au sens où « immuable » serait le contraire de « changeant » appliqué à une propriété : ainsi, le triangle change de figure mais la propriété d'avoir trois angles égaux à deux droits est immuable. Ainsi, lorsque l'on dit de quelqu'un (souvent pour le déplorer) : « Il n'a pas changé! » ou « Ça c'est bien lui! ». La conscience n'est pas invariable au sens où changer et ne pas changer sont des possibilités que l'on rapporte à une même chose; demeurer elle-même ne signifie pas du tout un quelconque durcissement ou raidissement caractéristique de ce qui pourrait et quelquefois devrait changer. Cette identité fondamentale, première, métaphysiquement primordiale, n'a pas de connotation directement morale. La fidélité à soi ou l'infidélité sont des modes possibles de cette identité difficilement qualifiable de la conscience avec elle-même. L'impossibilité de ne pas être le même *je, ego*

---

1. E. Lévinas parle très justement d'une « possession à distance » pour qualifier ce qu'il nomme « l'intentionnalité de l'intention » (*De l'existence à l'existant*, Vrin, p. 72).

(plutôt que le même *soi*, qui est un terme auquel est aussi attachée une signification morale), l'impossibilité absolue d'être un autre explique que nous ne puissions chercher à devenir un autre que sur le mode de la trahison, du leurre, de l'artifice. N'est-ce pas parce que c'est contraire à notre essence que la volonté d'être autre échoue toujours sur le paraître et se révèle ainsi n'être qu'une volonté impuissante à atteindre son but ?

Hume (et toute la lignée des philosophes qui s'en réclament) semble chercher un « lien réel » (*real bond*) entre les perceptions qui soit lui-même quelque chose de perçu : mais ce lien, c'est lui ou son esprit ou sa conscience, peu importe le nom qu'on choisit de donner à cette identité première, condition pour que puisse être pensée (à d'autres niveaux) une dualité entre le permanent et le changement. Hume met pour ainsi dire l'esprit au-dehors pour mieux l'observer (son projet, ne l'oublions pas, est de faire une « anatomie de l'esprit »), alors que l'esprit est la condition pour qu'il y ait un dehors. L'observateur ne peut pas être un objet d'observation sans cesser d'être du même coup observateur, fonction qui est justement celle par laquelle il se distingue. La pensée dont nous faisons, dit Descartes, « une expérience continuelle et infaillible » n'est pas elle-même dans son champ d'observation où l'on ne trouve que des pensées particulières. La lumière n'est pas visible, elle qui rend toute chose visible.

Cette identité ou permanence du « je pense », Hume ne peut pas la nier longtemps comme le montrent les nombreuses, pour ne pas dire les constantes, volte-face qu'il est contraint de faire pour échapper aux conséquences de la négation franche, pure et simple d'un principe pensant en l'homme, noyau dur et infracassable de son identité. La comparaison (sur laquelle nous reviendrons dans cette même section) entre l'âme (*soul*) et une république ou un « commonwealth » dont les membres changent sans cesse mais aussi en perpétuent l'identité, établit en des termes auxquels tout le monde souscrirait que « la même personne peut varier son caractère et ses dispositions, aussi bien que ses impressions et ses idées, sans perdre son identité[1] ». Mais le plan phénoménal et son évidence propre sont une chose, la fondation et la justification philosophiques une autre. Revenant, dans l'Appendice de son *Traité de la nature humaine*, sur cette question « abstruse » de l'identité personnelle, Hume resserre en quelques propositions bien articulées son long et labyrinthique exposé et recentre alors le problème de l'identité autour de la notion de *substance*.

Sous l'allure d'une rétractation à mettre au crédit du scepticisme, cette reprise constitue plutôt l'assaut le plus vigoureux que Hume ait donné contre la notion de substance, pivot commun à la chose extérieure et au moi ou à l'esprit. D'entrée de jeu, en effet, il pose une égalité entre le moi (*self*) et la substance[2]; et Hume de répéter le principe responsable du déraillement de toute l'analyse de l'identité personnelle (de l'identité aussi) : nous n'avons pas d'« impression » du moi ou de la substance. Une table, une cheminée, poursuit-il, sont des perceptions distinctes; il semblerait plus adéquat de parler ici d'objets ou de choses perçues que de perceptions

1. *Traité de la nature humaine* (Aubier, p. 353-354 ; Penguin Classics, p. 309).
2. Hume écrit *self or substance* (Penguin, p. 675); pourquoi traduire par « une existence continue » (Aubier, p. 758)?

(rien d'autre qu'elles n'est présent à mon esprit, dit Hume qui attribue cette « doctrine » aux philosophes). Hume a des raisons de vouloir éviter le mot et l'idée de chose à propos de la table ou de la cheminée. Il lui faut faire accepter que l'idée d'un objet dérive des impressions ou perceptions particulières. Et pourquoi cette idée ne serait-elle pas première, et pourquoi les perceptions particulières ne sont-elles pas des idées, sinon parce que l'idée représente une chose alors que l'on peut présenter les perceptions comme des impressions fragmentaires, fugitives et surtout différentes les unes des autres ? Après que la chose aura été émiettée en poussière perceptive, il faudra faire appel à un principe de liaison qui n'est ni dans les choses mêmes, ni dans l'entendement mais qui dérive des dispositions ou des tendances psychologiques, comme on l'a déjà vu. Dès lors le tour est joué, Hume peut se pencher sur son moi (ici : *myself*) et rechercher les perceptions qui doivent précéder, parce qu'elles le composent, cet objet que l'on appelle le moi.

On pourrait lui rétorquer que, comme la table ou la cheminée, mais avec une évidence incomparablement plus forte, le moi est « là » et que sa compréhension, pas plus que celle de la table, n'a jamais dépendu d'impressions ou de perceptions fluentes. Mais ce serait admettre que ces choses sont identiques à elles-mêmes non par l'effet de « tendances » dans l'esprit mais par nature, et que ce sont les idées de ces choses qui sont premières dans l'ordre de l'intelligibilité. Ce que bien évidemment Hume refuse, et pour « la substance extérieure distincte des idées des qualités particulières », et pour l'esprit dont « nous n'avons [...] aucune notion distincte des perceptions particulières[1] ». L'ennui, concède Hume, c'est qu'il faut ensuite relier toutes les collections disparates de perceptions particulières; sinon, comment rendre compte du « sentiment » que nous avons (cela, Hume ne peut le nier) de la simplicité et de l'identité de ces choses, c'est-à-dire du sentiment que ce sont bien des choses et non des faisceaux d'impressions?

Quelle différence y a-t-il alors entre ces choses réelles (la table ou le moi), et celles qu'on dit « abstraites » ou « collectives » comme une république, si les unes et les autres ne sont que des collections sans autre unité et identité que celles des institutions pour celles-ci, et d'une tendance psychologique pour celles-là? Quel statut moral peut recevoir une personne qui n'est pas pensée comme un être existant par soi? Plus strictement : comment distinguer vraiment l'identité d'*une personne* de l'identité d'*un ensemble* si la personne est un faisceau de perceptions réunies en un tout par un lien imaginaire (« les cordes de l'imagination », dit Pascal) et dont l'identité est le produit d'une fiction? Ordinairement la comparaison se fait plutôt dans l'autre sens : on nous demande de nous représenter l'État, la Nation, le Peuple comme des personnes, souvent même comme *un corps* dont l'image suggère mieux que celle de personne le double aspect d'une structure différenciée de membres et d'une indivisible unité. À *une* personne est essentielle la conscience d'elle-même : Locke ne la définit pas autrement que par cette présence à soi qui comprend aussi pour lui le

1. *Traité de la nature humaine* (Aubier, p. 760 ; Penguin Classics, p. 677).

rassemblement du passé dans le présent, conçu comme suite de ce qui le précède plus que comme moment novateur, commencement réitérable d'un autre temps, justement nommé *à-venir*. Quel peut être l'équivalent de la conscience dans la république ou le « commonwealth » à quoi Hume trouve que la personne ressemble le plus ? Sans le nommer, Hume désigne le temps, une succession continue dans laquelle se fait le renouvellement des « matériaux » qui composent la république, un peu à la manière (qu'on nous passe la comparaison) d'un stock de produits dont le roulement est régulièrement assuré. Des individus naissent, d'autres meurent, les règlements et les institutions changent, mais comme tout cela ne se fait pas d'un coup mais partie par partie et sans qu'on s'en aperçoive, on pense que c'est la même république (*the same individual republic*). Nous retrouvons ici exactement le cas type du bateau de Thésée auquel d'ailleurs Hume se réfère seulement quelques pages avant.

Or, nous avons vu que la question de la « mêmeté » du navire n'avait de sens qu'en relation avec une conscience dont le point de vue ou l'intérêt (au sens large) commande que la chose soit perçue sous l'aspect de son identité et que soit oblitéré, ne serait-ce que momentanément, l'aspect sous lequel elle paraît différente. La célèbre figure du lapin-canard met en évidence le caractère alternatif du même et de l'autre dans les choses perçues. Rien n'est fondamentalement changé lorsque l'on considère une « chose » comme une république qui, pour n'être pas perçue, doit néanmoins susciter une représentation dans l'esprit de celui qui y pense. Même en la dotant à la façon de Rousseau d'un

« moi commun[1] », il faut la relier à des consciences pour qu'on puisse la dire identique malgré les changements. Schématiquement, c'est parce que les citoyens ont conscience de la république comme de *leur* république qu'elle demeure une et indivisible; c'est en donnant de sa personne à un être collectif que celui-ci devient singulier. Le sentiment que quelque chose est à soi peut conférer à cette chose le statut d'un soi. La personnalité ou la personnification attribuée à ce qui n'est pas naturellement un moi ne peut être comprise que par référence à une personne humaine.

Qu'advient-il alors si la personne, au lieu d'être ce qui rend imaginable une république, est ce que l'analogie avec une république permet d'imaginer? Si elle n'est pas par elle-même (comme une substance), son identité n'est pas inhérente à elle, elle n'est pas absolue mais d'une certaine manière relative aux impressions qu'un autre esprit en a. Bien que ni la personne ni la chose ne soient des choses au sens de substance, l'identité d'une personne ne diffère en rien de celle d'une chose dans l'analyse humienne. Mais c'est parce que ni l'une ni l'autre ne sont conçues comme des vraies choses que leur identité ne ressortit pas à des principes totalement différents l'un de l'autre. Inversement, si le bateau (laissons pour l'instant la république) et la personne sont par elles-mêmes des choses, on voit aussitôt qu'elles diffèrent l'une de l'autre en ce que l'une pense et l'autre pas. C'est pourquoi la distinction faite par Locke entre l'identité d'un homme (c'est-à-dire d'un être perçu comme ayant la forme ou l'allure générale

1. *Du contrat social*, *OC*, Gallimard, livre I, chap. VI; voir également livre III, chap. I.

d'un homme) et l'identité d'une personne nous
semble fondamentale en dépit des obscurités qu'elle
comporte[1].

Un homme n'est pas seulement un être raisonnable mais aussi un corps d'une certaine forme, distincte de celle des autres animaux. L'identité intérieure n'est pas dissociable de l'identité extérieure
même si ce sont des idées complètement distinctes.
Une personne n'a rien d'extérieur qui la fasse
reconnaître comme telle, le « critère » de la personnalité tient à ce que Locke appelle *consciousness* : le
fait d'être conscient de soi, de se savoir le même. Ce
sentiment de l'identité, de mêmeté ou d'ipséité
constitue la personne, plus encore qu'il ne sert de
critère de reconnaissance (dont il n'y a nul besoin,
chacun étant le seul témoin de son identité). Le sentiment d'être soi qui ne quitte jamais la pensée n'a
donc rien à voir avec le corps (du moins le corps vu
de l'extérieur). Mon corps humain atteste mon
appartenance à l'espèce humaine; la conscience que
j'ai d'être moi témoigne de ma singularité absolue.
Ce sont donc bien deux plans distincts, celui où l'on
confronte ce qui change en moi avec ce qui demeure
(mon corps, mon caractère, mes goûts, mes habitudes : tout cela change et demeure à la fois), et celui
où se tient et se maintient mon identité personnelle,
c'est-à-dire le fait d'être la même personne d'un bout
à l'autre de ma vie et quels que soient les « vêtements » que j'endosse dans le monde. Voilà pourquoi Locke dans son exposition de l'identité personnelle reprend malgré qu'il en ait l'expression par

---

1. *Essai concernant l'entendement humain*, *op. cit.*, livre II,
chap. XXVII, notamment le § 9, p. 264 *sq.* Voir la précieuse édition anglaise du texte de Locke par P. Nidditch, Oxford University Press (sur l'identité personnelle, p. 335 *sq*).

laquelle Descartes se désigne lui-même dans les *Méditations* (à partir de la deuxième) : une chose qui pense ou une chose pensante, nommant minimalement la seule réalité et la seule connaissance qui résistent au doute général. Une chose qui pense : c'est peu et ça ne dit pas grand-chose aux amateurs de vie intime et de profondeurs de l'âme. Mais cette « chose » résiste précisément du fait de son extrême simplicité, comme ces points lumineux qui ne brillent intensément qu'au plus noir de la nuit.

« Être soi » consiste à pouvoir se tenir en deçà de tout ce qui qualifie les personnes dans la sphère mondaine, de toute identité constituée ou instituée, à plus forte raison de toute identification fétichiste. Du fait de sa résistance et de sa simplicité, la pensée peut être appelée une substance, et même la substance par excellence, c'est-à-dire selon Lévinas « quelque chose qui se pose[1] ». Du fait de son non-alignement sur les identités constituées, le moi est avant tout liberté.

Bien souvent, les hommes à qui l'on pose la question de leur identité (« *Qui* êtes-vous ? »), ne sachant quoi répondre à cette demande impudique, appliquent à la lettre le « principe » d'identité et déclinent chacun son tour : « Je suis moi ! » Cet énoncé formellement identique est chaque fois singulier et original. Il n'y a ni modèle ni copie du moi. En admettant la possibilité de dupliquer parfaitement un être humain, d'en faire un ou plusieurs « clones », l'identité personnelle demeurerait si et seulement si chacun de ces êtres avait conscience

---

1. *De l'existence à l'existant, op. cit.*, p. 117. Nous faisons nôtre la volonté de Lévinas d'opposer à la notion d'existence la notion d'un être qui est une substance (voir *ibid.*, p. 138).

d'être lui-même et pas un autre, si chacun dit « je »
par soi-même, tout simplement. Et s'ils ne pouvaient
le dire, il faudrait en conclure que ce sont des automates à forme humaine et non des personnes. La
relation entre le moi et les « formes extérieures » de
sa manifestation est largement contingente. Il ne
peut s'agir d'une relation d'expression que si le moi
choisit librement (ce qui ne veut pas dire par une
délibération raisonnée) les expressions de lui-même.
En profitant d'une formule toute faite que nous
chargeons d'une signification supplémentaire plus
que différente, nous dirions qu'au terme de cette section consacrée à la question du moi ce qui s'est
révélé être essentiel au moi, c'est sa liberté d'expression.

L'identité d'une communauté
(et l'identité communautaire)

La question de l'identité rapportée à la communauté présente deux aspects bien distincts : 1) Que
signifie être identiques ou les mêmes pour des
choses qui ne sont pas des personnes, mais des
unions ou des associations de personnes ? 2) L'identité morale (mais aussi jusqu'à un certain point physique) des hommes est-elle, et pour quelle part,
constituée par leur filiation et leur appartenance ?
L'identité communautaire peut-elle être considérée
comme plus personnelle, plus intime, plus propre à
un homme que celle de sa personne comme être singulier et séparé des autres ? Ne faut-il pas renverser
les catégories ordinaires et dire que le plus concret,
ce qui est vraiment réel, ce n'est nullement la personne, une personne sans identité historique c'est-à-

dire sans passé ni racines, mais la communauté qui a façonné son être et sans l'œuvre de laquelle la personne n'est qu'une abstraction et même une fiction?

Ces questions, on le devine, n'ont pas qu'un intérêt théorique. Elles sont devenues, ou redevenues, des motifs d'affrontements plus violents et aveugles que jamais entre des hommes qui ne séparent pas l'affirmation de leur identité nationale ou ethnique et la haine sans fond envers les autres, on ose à peine écrire : les autres hommes, cette identité-là étant la première victime et la victime permanente des massacres occasionnés par les nouvelles guerres de religion.

1) L'historien E. Kantorowicz a montré dans *Les Deux Corps du roi*[1] comment juristes et théologiens médiévaux sont parvenus à forger les concepts destinés à penser, ou du moins à se représenter, la permanence, voire l'éternité, d'êtres collectifs comme la royauté ou l'empire, l'Église, le peuple, auxquels on a donné le nom de *corporations*, signifiant par là que ces êtres ne sont pas formés comme des collections, mais sont constitués sur le modèle du corps humain, à la fois un et articulé. Il fallait que l'on puisse combler les vides laissés par la mort des titulaires d'offices, par la « démise » du roi ou la disparition d'un abbé, d'un évêque, etc. On retrouve ici le problème de la conciliation entre la perpétuité du collectif et la succession des éléments qui le composent, ici des hommes individuellement considérés. Une telle formulation du problème induit immédiatement une solution où la matière changeante du corps est subordonnée à sa forme, son unité, son

1. Traduction française (Gallimard, 1989) de *The King's Two Bodies* publié en 1957 par Princeton University Press.

identité. Quel que soit le « corps » en question — l'Église comme corps mystique du Christ, l'État comme corps politique, et autres corporations —, sa permanence et sa perpétuité impliquent de forger la fiction de l'identité du prédécesseur et du successeur : lorsque le roi meurt, un autre roi lui succède sans qu'à aucun moment la place du roi se trouve vacante (l'imagination aussi a horreur du vide !). Les personnes royales naissent et meurent, le roi ne meurt jamais — et tout « chef » (c'est-à-dire : tête) d'une corporation peut prétendre à cette immortalité venue d'ailleurs que de l'horizon des choses éphémères et corruptibles. Saint Thomas d'Aquin distingue d'une façon très éclairante le corps humain, dont les membres sont présents « tous à la fois », du corps mystique constitué aussi par la présence, mais successive et non simultanée, de tous ses membres : pluralité selon le temps et non dans l'espace. En tant qu'il forme ce que l'on appelait une *universitas*, le corps invisible conserve perpétuellement son identité. C'est un seul et même corps dans lequel se succèdent d'innombrables individus se substituant les uns aux autres, se transmettant pour ainsi dire le relais de leurs offices, comme dans nos administrations modernes composées par le flux de ceux que l'on nomme significativement des fonctionnaires.

En prenant comme gardiens de l'identité des êtres que leur nature préserve de l'altération et de la destruction (parce que ce sont des institutions et non des individus en chair et en os), on la met ainsi en lieu sûr. Comment conserver l'identité d'un être qui ne fait plus partie de l'ensemble des choses visibles ? Les individus ne laissent pas plus de trace sur la terre que des cailloux à la surface de l'eau. Aussi les êtres collectifs institués par les hommes (nous ne disons pas : inventés), ces êtres pour lesquels ils forgent et reforgent des concepts, sont-ils, comme les espèces naturelles que nous évoquions au début de cette étude, les seuls porteurs stables de l'identité. En retour, les individus reçoivent quelque chose de cette identité permanente des communautés ou des « corporations » ; ainsi nous sommes français comme le furent nos ancêtres et le seront nos descendants, bien que nous ne soyons pas les mêmes personnes. Le peuple français semble devoir conserver une identité, « son » identité, en dépit des changements de population, de territoire, de constitution et même de régime politique, comme une essence idéale à l'abri des accidents empiriques. Une communauté joue donc le rôle d'un conservatoire de l'identité ; celle-ci n'étant peut-être rien d'autre que le simple fait de la conservation, de la perpétuation, et dont les formes réflechies sont celles de la remémoration et de la commémoration.

Cette fonction essentielle de la mémoire (coextensive à la conscience de soi selon Locke) semble avoir été complètement éludée dans les doctrines anciennes de la corporation, corps mystique et corps politique réunis dont la perpétuation ne semble presque pas dépendre du concours des individus réels qui s'y inscrivent « naturellement », sans l'avoir décidé, peut-être même sans s'en rendre compte. Théologiens et juristes médiévaux ont en revanche sous la main une image légendaire et parlante pour représenter l'identité continuée de ces êtres collectifs dont Kantorowicz dit, à plusieurs reprises, qu'ils vont parvenir jusqu'aux temps modernes inchangés et encore tout imprégnés de sacré[1] : il s'agit bien sûr

1. Voir *Les Deux Corps du roi, op. cit.*, p. 157 et 281.

de l'image du phénix de la mythologie gréco-latine. « Il n'y avait jamais, écrit Kantorowicz à propos de l'oiseau mythique, qu'un seul phénix vivant à la fois et, quand il arrivait à la fin de sa longue existence — cinq cents ans ou plus —, il mettait le feu à son nid, attisait le brasier avec ses ailes, et périssait dans les flammes, tandis que des braises rougeoyantes surgissait le nouveau phénix[1]. »

Cette autorégénération du phénix permet de maintenir l'identité personnelle du phénix mort et de celui qui lui succède ; elle permet surtout de se représenter la succession d'un individu à un autre dans une magistrature, ou d'une génération à une autre dans une communauté, comme une transition continue, comme un changement aussi voisin que possible de l'identité, sans avoir à confier aux seules personnes réelles qui soient, aux hommes existant comme êtres singuliers et non dans une totalité, le souci du maintien d'un être collectif. Or, si le souvenir de ces êtres « fictifs » ne se conservait pas et ne se transmettait pas de différentes façons — par le récit historique mais aussi par les formes passives de l'héritage —, pourrait-on même parler d'une même nation, d'un même peuple ou de la même république ? Le culte des morts est une façon de conserver l'identité des personnes au-delà de leur existence. En va-t-il différemment pour la conservation des œuvres des morts qui constituent la « substance » permanente et diverse d'une nation, et cette conservation ne se fait-elle pas sous les formes de la continuation, de l'appropriation et de l'actualisation par lesquelles le passé devient la matière même du présent vivant, et non une curiosité historique ou un monument funéraire ?

1. *Ibid.*, p. 281.

2) Il n'est donc pas nécessaire de sacraliser les « corporations » ou les communautés, c'est-à-dire d'abord de leur prêter une identité personnelle fantastiquement agrandie, pour se représenter leur permanence. Si, comme nous avons tenté de l'établir, l'identité de quelque chose que ce soit n'est pas séparable de la conscience et de sa visée intentionnelle, les êtres collectifs n'ont pas besoin d'être hypostasiés et figurés comme des entités supra-personnelles pour demeurer les mêmes, et, d'abord, pour être considérés comme des choses réelles et objectives. Ce n'est pas le maintien des mêmes symboles ou des mêmes ouvrages (constitutions, lois et règlements, institutions, coutumes, etc.) qui fait l'identité d'une nation, par exemple, mais c'est plutôt le fait de croire en ces choses, de croire surtout que n'est pas tarie la source où elles ont pris naissance, que cette source est assez fertile pour les renouveler et nous dispenser de veiller jalousement sur chacune d'elles, confondant ainsi intégrité avec identité. Rien n'est aussi solide et clair — solide parce que clair — que le tissu des convictions communes pour maintenir l'identité, mais surtout pour constituer l'unité indivisible d'une communauté de personnes libres.

On imagine à tort qu'une telle situation est impossible, qu'elle est « abstraite » parce qu'elle suppose un acte constituant indéfiniment recommencé par chacun. Mais les formes de conscience sont multiples et appropriées au type de choses auxquelles la conscience se rapporte, de même que la volonté a des façons d'œuvrer plus discrètes, moins cérémonieuses que le serment, le commandement ou la déclaration d'intention. Les intentionnalités pour ainsi dire latérales de la conscience, le consentement implicite et même les modes passifs du vouloir constituent, avec bien d'autres choses encore, certaines des structures les plus importantes de l'identité d'un peuple composé de personnes égales (c'est-à-dire qui sont également des personnes), et non de membres hiérarchiquement disposés. Le contrat primitif dont parle Rousseau est ce qu'il faut supposer à l'horizon commun de tous nos actes sociaux, mais il n'est nullement nécessaire de le concevoir comme un pacte explicitement conclu entre des individus (comme c'est le cas, significativement, dans les associations de malfaiteurs !). La nécessité de tout expliciter, de tout formuler, de mettre, comme l'on dit, les points sur les i, est caractéristique d'un état de crise. La modalité ordinaire du consentement est implicite et tacite, comme le sont la confiance et la croyance qui, même « ajustées au niveau de la raison », finissent toujours par retrouver le registre de l'inactuel qui leur est davantage approprié. C'est seulement parce qu'elles ne sont pas directement, explicitement, déclarativement obnubilées par l'identité de leurs communautés que les personnes n'apparaissent pas toujours comme le fondement de ces identités, ni totalement personnelles ni totalement impersonnelles.

Mais faut-il encore parler ici d'identité ? Ne sommes-nous pas à la frontière de l'unité et de l'identité et est-il nécessaire de la franchir ? Lorsque Rousseau se demande ce qui fait d'un peuple un peuple, il ne pose pas la question de l'*identité* du peuple, de sa « substance » éthique, de son « caractère » ou de son être profond. Lorsque Hobbes avant lui recherchait les conditions pour que, de la multitude caractéristique de l'état de nature, s'élève et se détache la personne une de la République figurée par l'unité de celui qui la représente, il n'y avait aucun risque de confusion entre l'identité juridique, l'état civil en quelque sorte d'un peuple ou d'un État, et l'identité personnelle des êtres qui ont rapport à eux-mêmes du fait de leur conscience, propriété singularisable entre toutes.

N'est-ce pas en revanche d'une confusion des genres que procède le transfert des catégories de la personne humaine aux êtres collectifs ou aux communautés qui ne peuvent pas constituer ce qu'on appelle le *soi*, faute d'une conscience par laquelle ils se considéreraient comme les mêmes (permanence) ou comme eux-mêmes (authenticité)? Il faudrait alors dire que la seule identité qui convienne aux êtres collectifs (notamment au « corps » politique) est leur unité : une identité dont le contraire ne serait pas le changement ou l'altération, mais la division et l'éclatement en une multitude de volontés ou de désirs qui s'affrontent. Un État est un État quand les lois y sont respectées; sinon, c'est une *autre* chose. La stricte application du principe d'identité acquiert ici une signification précise et restrictive : être lui-même pour un État, c'est d'abord et avant tout être un État, et non présenter tel ou tel caractère empirique (historique ou géographique) par lequel il se distingue d'autres États. En d'autres termes, ce qui importe le plus dans l'idée de l'État c'est son identité spécifique et non son identité individuelle (faut-il dire « personnelle »? Pour nous c'est non), purement descriptive et relative à tel ou tel État dont les particularités ne sauraient enseigner à celui qui s'en tient à elles ce qu'est l'État, c'est-à-dire ce qu'il *doit être*.

On nous dira : si le concept de l'État peut être ainsi distingué des caractères factuels qui l'accompagnent et le différencient dans l'expérience, si son identité peut être ramenée à l'essence « abstraite » d'un être dont le rapport est constitué par le respect des lois, si, à la rigueur, le contrat joue le rôle d'un régénérateur d'identité politique par le renouvellement du consentement tacite des citoyens, les hommes concrets, en chair et en os, sont faits d'une matière qui n'a rien de juridique : ils parlent des langues différentes, ce sont des hommes ou des femmes, ils sont jeunes ou vieux, blancs, noirs, jaunes, ils suivent des coutumes, rendent des cultes à des divinités ou croient en un seul Dieu, et ils vivent, de préférence et le plus souvent, avec ceux qui partagent une identité qui comprend sans doute bien d'autres choses encore, mais qui ne se résout pas en une somme ou en une collection de caractères disparates. Et, aujourd'hui moins que jamais, nous ne pouvons ignorer que des hommes s'entre-tuent comme les derniers des barbares par la médiation de symboles générateurs d'effets destructeurs : peuple, nationalité, identité nationale, intégrisme religieux.

On nous dira aussi qu'être soi, pour un homme, c'est d'abord être chez soi, parmi les siens, dans le milieu qui a modelé sa personne et l'a institué comme cet être déterminé, riche d'une multitude de caractères qui à la fois le distinguent des étrangers, des autres, et l'identifient comme membre d'une communauté. Le sentiment de cette appartenance n'est-il pas plus vif, plus fort que l'identité personnelle, et ne l'emporte-t-il pas presque toujours en définitive sur la conscience réfléchie d'un moi abstraitement coupé de son monde ? Le « nous » n'est-il pas un « moi », et le « moi » n'est-il pas un « nous » ? Pour quelques hommes qui disent vraiment « je », combien sont-ils qui pensent « nous » lorsqu'ils disent « je », et surtout « moi je » ?

Ces objections ont pourtant beau présenter l'apparence d'évidences indiscutables, elles sont privées de fondement dès lors qu'elles sont faites d'un point de vue extérieur aux hommes, comme s'ils étaient contemplés et observés de haut et par un entendement qui n'aurait rien de commun avec le leur, comme s'ils étaient des choses et non des hommes, c'est-à-dire des êtres qui ont, du fait de la conscience, rapport à eux-mêmes. Or une chose est de noter et de rassembler, à la manière d'un naturaliste, les propriétés caractéristiques d'un être humain en tant qu'être naturel (point de vue de l'anthropologie scientifique), autre chose est de considérer cet être comme il se considère lui-même, c'est-à-dire en sachant qu'il est pour lui-même un objet de réflexion. Autant il serait factice et stérile de ne retenir de l'homme que ce par quoi il est humain (et non animal — ce qui ne veut pas dire supérieur à l'animal), autant il serait trompeur et même désastreux de feindre que l'homme n'est « que » l'ensemble des propriétés qu'un regard extérieur recense.

Toute la difficulté (mais tout l'intérêt aussi) de la question de l'identité humaine vient de ce qu'elle n'est pas d'un seul tenant, d'un seul bloc, et qu'à côté d'une identité reçue, déjà là et pour une part constituée, se trouve une identité pensée, réfléchie et pour une part instituée par la volonté. On peut être quelque chose sur le plan de la nature ou de l'histoire (ici, c'est égal) et ne pas l'être (ou l'être aussi) sur le plan personnel, dans l'idée que l'on se fait de soi-même. Il faut même parler d'impersonnalité pour les caractères dont nous héritons et dont nous pourrions, au moins idéalement, changer sans devenir autres. Ainsi je peux convertir une relation d'appar tenance originaire en une simple relation d'inclusion dans une classe ou un ensemble dont les éléments sont totalement extérieurs les uns aux autres, tout comme je peux inversement rendre vivante, personnelle et propre ma relation avec ce qui pour d'autres restera extérieur à eux. Idéalement (c'est-à-dire sans tenir compte des difficultés empiriques), je peux être, par exemple, de couleur noire comme d'autres sont de couleur blanche, sans que cet attribut me qualifie en tant que personne : c'est une marque naturelle par laquelle je suis sans doute identifié dans la rue, mais quasiment à titre de chose perçue. Mais je peux aussi faire de ma « négritude » la trame même de mon existence personnelle, et investir de la sorte un caractère naturel d'une signification humaine ou interhumaine.

Aussi l'appartenance communautaire ou l'origine d'une personne n'est-elle pas un destin, ou seulement au sens où les caractères physiques constituent une identité passive. Au contraire, une personne n'existe en tant que telle que si elle peut se concevoir elle-même comme distincte de toutes les marques d'identité passive ou reçue, même si, au cas où ces marques seraient celles d'hommes opprimés ou persécutés, elle les déclare siennes par esprit de solidarité. Nous retrouvons une dernière fois ce décalage qui nous a semblé constitutif du concept de l'identité humaine : pour peu qu'il n'ait pas complètement renoncé à sa liberté, un homme ne peut pas coïncider totalement et adéquatement avec lui-même, et moins encore avec les personnages que le hasard, peut-être aussi le sens de son devoir l'amènent à assumer[1]. Ce qui peut arriver de mieux à un homme

---

1. Montaigne a dit l'essentiel dans cette formule : « Le Maire et Montaigne ont toujours été deux, d'une séparation

qui cherche son identité c'est de découvrir la liberté.
Le plus propre de chacun, nous semble-t-il, c'est ce
pas en arrière salutaire qui le retient au moment où
il allait s'enrôler dans une identité constituée, sorte
de démon de Socrate qui le remet sur les chemins,
sur la grande route (*homo viator*, l'homme est un
voyageur), au moment où il allait prendre racine
quelque part. Nous n'avons rien contre le fait de « se
sentir » français ou italien, chrétien ou juif, mais une
chose nous paraît devoir accompagner ces sentiments d'identité et les empêcher de devenir des passions haineuses et destructrices : la faculté de faire
varier dans l'espace et dans le temps les formes de
l'identité humaine, la possibilité de se concevoir
autre ou autrement que sous les formes qui sont les
nôtres. Cette libre variation, sorte de contrepoids à
la fixité de l'identité, permet d'isoler dans son être un
invariant absolu, le simple fait d'être homme, et de
partager également cette identité avec tous les autres
hommes, universellement considérés, afin de pouvoir dire comme Montaigne : « J'estime tous les
hommes mes compatriotes, et embrasse un Polonais
comme un Français, postposant cette liaison nationale à l'universelle et commune[1]. »

L'identité humaine

Ainsi, lorsque l'identité communautaire est fermée
sur elle-même et qu'elle s'affirme avec agressivité,
elle s'oppose au moins autant à l'identité personnelle

---

bien claire » (*Essais*, Bibliothèque de la Pléiade, livre III,
chap. x, p. 989), mais c'est tout ce chapitre qu'il faudrait citer
et commenter.
   1. *Ibid.*, chap. ix, p. 950.

qu'à l'identité humaine qui, elles, ne s'opposent pas l'une à l'autre mais s'épaulent et se renforcent mutuellement. Il n'y a que dans les doctrines de l'amour-propre et de l'égoïsme universel que le moi rapporte tout à lui-même et forme à lui tout seul un monde dont il est le centre. Il se peut aussi qu'à notre époque, le culte du moi (de préférence maladif) et les interminables discours dont il est l'objet l'aient rendu ennuyeux et encombrant, pour ne pas dire plus. Mais cela est révélateur d'une époque et non pas du moi en tant que tel. Les gens penseraient sans doute moins à leur moi si on leur en avait moins et mieux parlé. L'obnubilation de l'esprit pour le moi présente une troublante ressemblance avec l'obnubilation de certains pour leur groupe ou leur communauté. Ce n'est pas un mystère qu'une complicité passe entre ces formes de narcissisme. Mais la volonté d'être soi-même n'a rien à faire avec la complaisance du moi envers lui-même.

L'identité personnelle semble plutôt requérir la mise entre parenthèses des accidents seulement empiriques, anecdotiques, sans rapport avec un ensemble significatif, qui occultent ou peuvent occulter la présence de la substance de la personne elle-même. Se déprendre de soi — formule que nous empruntons à Michel Foucault —, tel nous paraît être le seul but légitime d'un travail sur soi surtout destiné à faire le tri entre l'important, les choses essentielles à la vie humaine, et ce qui importe peu ou ce qui n'apporte rien, comme ce que Pascal a décrit sous le nom de « divertissement ». Tant que le moi demeure rivé à lui-même (ce qui ne nous semble pas, redisons-le, l'attitude naturelle mais plutôt artificielle et factice), il manque d'horizon : le premier que frustre l'égoïsme, c'est l'ego lui-même. Aussi est-il nécessaire de se désencombrer de soi pour trouver l'universel en soi. La seule chose incontestablement universelle pour les hommes, c'est la raison (le « bon sens » de Descartes); son universalité est essentielle et non pas accidentelle, seulement empirique. Le fait d'avoir un corps de telle forme plutôt que d'une autre n'a rien de décisif pour l'essence de l'homme; une évolution des espèces du point de vue du corps est parfaitement concevable sans que nous ayons à changer en cours de route l'idée que nous nous faisons de l'homme, celle d'un être qui pense ou qui possède la raison. Une raison identique en chaque homme est donc la seule chose qui contraigne de reconnaître une identité humaine, et par conséquent la présence en chaque homme de l'homme tout entier. C'est l'*entendement* humain qui fait que les hommes s'*entendent* bien ou mal, mais s'entendent ou plutôt finissent par s'entendre malgré tout.

La deuxième maxime kantienne du sens commun, dite maxime de la pensée *ouverte*, est : « penser en se mettant à la place de tout autre être humain ». Mais, pour penser en se représentant d'autres sujets pensants possibles, en envisageant cette pluralité de sujets équivalents de la pensée comme constitutive de la pensée humaine, n'est-il pas nécessaire de « penser par soi-même » ? Telle est la première maxime, dite maxime de la pensée *sans préjugé*[1]. Ici donc, le plus personnel est aussi le plus universel, sans qu'il y ait fusion ou communion, toujours sur le

---

1. *Critique de la faculté de juger*, § 40. Ces maximes sont, dit ailleurs Kant, « d'immuables commandements » (*Anthropologie d'un point de vue pragmatique*, trad. fr. Foucault, Vrin, § 59, p. 91 ; *Œuvres philosophiques*, Bibliothèque de la Pléiade, t. III, p. 1046).

mode de la séparation individuelle qui seul rend possible une substitution des sujets pensants. Cela revient à reconnaître, selon le mot profond et réitéré de Marx, que « l'homme est un être générique », ce que d'une certaine façon symbolise l'histoire d'Adam, à la fois individu et genre puisque seul de son genre (comme doit l'être un véritable tout substantiel d'après Leibniz). Que l'une des premières réflexions sur l'homme ait atteint immédiatement, comme par instinct, ce qui fait son être essentiel — son unicité et son universalité (mais il ne s'agit pas de deux propriétés côte à côte, c'est la même vue de deux manières) —, cela pourrait signifier que l'homme se comprend naturellement comme homme, avant même de se connaître ou de s'identifier comme *moi*. Son identité humaine apparaît en un sens plus personnelle, mais aussi plus sûre, que son identité personnelle au sens strict et privatif du terme. Découvrir que l'humanité, comme être moral, constitue le fondement dernier de la personne distincte de chacun, c'est accéder à la *majorité*, pour reprendre la célèbre expression que Kant utilise pour définir l'*Aufklärung* ou l'esprit des Lumières. Une identité relativement impersonnelle nous semble plus adéquate à la condition de l'homme majeur. Inversement, tant qu'un homme demeure rivé à son moi ou à sa « petite personne » comme à un horizon indépassable, il demeure, quel que soit son âge, dans l'état de minorité.

L'égalité entre les hommes se remarque d'abord au fait qu'ils se reconnaissent les uns les autres également hommes. Mon identité dépend de mon égalité avec les autres. Je ne suis moi-même que si je suis traité en égal par les autres. Le statut d'inférieur détruit jusqu'à la conviction de former une unité substantielle. Un homme asservi, exploité, humilié, méprisé, ne peut se concevoir lui-même comme un être autonome, comme une substance ; il lui manque de l'être aussi pour les autres, en tout cas d'en avoir la certitude. C'est pourquoi bien souvent il aura tendance à s'identifier à un groupe, à une classe, voire à un chef, et il pourra même trouver dans cette identification un équivalent de conscience de soi. Mais l'identification ne constitue jamais une véritable identité, précisément parce qu'elle en tient lieu ; entre être par un autre et être par soi il y a solution de continuité. L'égalité de tous les hommes est la condition pour que chacun possède une identité qui lui soit propre. Seuls des êtres égaux peuvent être distincts et différents les uns des autres, et se connaître comme tels. Dans une relation d'inégalité personne n'est soi-même, ni le « dominant » parce que sa supériorité consiste dans une position seulement formelle, ni le « dominé » que sa dépendance empêche de se considérer comme substance, et donc comme soi-même. Dans la relation de domination, aucun des deux termes n'est une substance. À l'inverse, entre deux substances, la relation est d'abord d'égalité.

Nous nous sentons alors fortement tentés de conclure qu'un homme n'est jamais autant lui-même que lorsqu'il fait effort pour « penser par soi-même », pour se départir de *ses* préjugés, des modes et de l'opinion des autres auxquels son jugement est assujetti, pour s'en tenir fermement à ce que lui dicte sa raison, surtout lorsqu'elle lui impose de révoquer en doute des opinions et des croyances qu'il prend ou a pris bien à tort pour siennes, quelquefois seulement parce qu'il y trouvait un « mol oreiller ». Ceci veut dire aussi qu'il se trouve en chacun une part qui peut être grande d'altérité qui coïncide d'assez près avec ce que l'on appelle les inclinations, les partis pris, les préjugés, l'humeur aussi : toutes ces « choses » sont en moi mais elles ne sont pas moi et, pour cette raison, elles peuvent être par moments, ou même durablement, plus fortes que moi.

Une conception claire et distincte de l'identité a pour tâche de séparer à travers la diversité des attributs du moi ceux que je n'ai fait que recevoir de ma filiation, ceux dont je découvre en moi, subitement ou petit à petit, la présence archaïque, de ceux dont je suis en un sens large la cause, ne serait-ce qu'en en assurant le maintien en moi. En toute justice, nous ne devrions juger un homme que sur ce qu'il fait ou a fait de lui-même (ce qui ne veut évidemment pas dire : sur l'idée qu'il se fait de lui-même et qui ne regarde que lui). La personne n'est pas tout l'homme, mais seulement ce qui peut être regardé en lui comme son œuvre. L'identité du moi n'est pas son être même, mais plutôt ce qu'il a cherché à être : c'est dans le temps que cette identité se constitue, dans un temps toujours nouveau par rapport à celui de l'origine, de l'appartenance, de l'ancestral. En un sens le temps commence, c'est-à-dire s'écoule, avec moi. Le temps d'avant moi est d'un seul bloc, il a l'allure d'un massif profondément immobile. Existe-t-il comme temps ou bien plutôt comme histoire ? Et l'historique dans ma propre vie ne transforme-t-il pas mon identité en passivité, ne sépare-t-il pas, autrement dit, *le même* (je le suis d'un bout à l'autre de ma vie) du *moi-même* que je ne suis qu'au moment où je le dis, avec la force du présent ?

Or il n'est pas nécessaire que j'aille consulter des

« archives » pour apercevoir l'altérité de mon être, ses divers lieux de fabrique ; cette altérité, je la porte et la découvre en moi. N'est-ce pas toujours un peu comme un vestige archéologique que je découvre en moi, un goût ou une inclination immotivé, une propension à faire telle chose, un trait persistant de caractère, une « manie » ? Ces choses sont « là », en moi, et pourtant elles viennent d'ailleurs, de plus loin, beaucoup plus loin que moi. Descartes donne un excellent exemple d'archéologie personnelle. Il raconte que, lorsqu'il était enfant, il aimait une jeune fille qui louchait un peu, et que, par la suite, il se sentait plus enclin à aimer des personnes louches que d'autres, sans qu'il en eût remarqué la raison. Là où nos contemporains écriraient des romans, Descartes clôt cette histoire en une ligne : « Depuis que j'y ai fait réflexion, et que j'ai reconnu que c'était un défaut, je n'en ai plus été ému[1]. » On peut douter d'une aussi grande et instantanée efficacité de la réflexion, mais cette remarque de Descartes montre à sa manière que la découverte en soi-même de « blocs » d'altérité permet au moi de se distinguer d'eux, de ne pas se prendre pour tout ce qui se trouve en lui, en un mot de faire le vide. L'idéal, à nos yeux, serait alors de ne rien avoir à contempler de soi, de se sentir libre de soi[2]. Le lent acheminement de la pensée philosophique vers la notion de personne correspond à un resserrement progressif de son champ de signification autour de deux idées fondamentales : l'unicité et l'humanité.

---

1. Lettre à Chanut du 6 juin 1647, Adam et Tannery éd., t. V, p. 57 ; Alquié éd., t. III, p. 741-742.
2. Voir E. Lévinas : « Un être capable d'un autre destin que le sien est un être fécond » (*Totalité et infini*, éd. M. Nijhoff, p. 258).

L'unicité de la personne en tant que telle ne consiste pas dans la configuration unique de ses empreintes digitales ou dans la formule chimique de son code génétique. Ces marques (qui n'ont de sens que d'un point de vue extérieur à la personne) n'appartiennent qu'à l'être humain naturel et séparé de la conscience qu'il a de lui-même. La personne n'a besoin ni de ces marques ni d'autres pour se connaître comme une personne unique et identique à elle-même. Cette connaissance sans objet à connaître, sans objet connu, est par ce fait une connaissance unique. La personne est le seul être qu'il n'est pas possible de définir, auquel il est complètement inutile de chercher une identité, précisément parce qu'elle se connaît elle-même. Son unicité constitue le seul « objet »ou la seule matière de cette connaissance sans objet, qui n'est pas pour autant une connaissance formelle. Son ipséité se ramène à son unicité. Chacun compte pour un — telle est la grande loi de toute justice humaine ; mais chacun est unique et différent de tous les autres (« Chacun est un tout à soi-même[1] », dit Pascal), et donc la différence véritable est la différence des substances. Toute autre différence est partielle ou particulière, et abstraite. Les personnes ne diffèrent pas fondamentalement entre elles par les propriétés qui les distinguent, mais parce que ce sont des substances, c'est-à-dire des êtres qui sont et sont conçus par eux-mêmes. Mais cette séparation absolue définit aussi un mode d'existence et de rapport à soi qui leur est commun et leur confère une identité inamissible qui impose une limite infranchissable à la variation possible de chaque être. Je peux (au moins

---

1. *Pensées*, 668 (éd. Brunschwicg, 457).

en idée) changer d'identité relative, être un autre homme, mais je ne peux (même en idée) être autre chose qu'un homme. Mon identité humaine est absolue, je ne peux pas l'échanger pour une autre qui serait simplement une autre identité, égale à la première, mais je peux tout à fait en déchoir, en être indigne. Un homme est humain ou inhumain, il n'est pas non-humain : la négation a le sens de la privation. Sans cesser d'appartenir à l'espèce naturelle « homme » (ou peut-être bien parce qu'il est exclusivement rivé à sa nature), un homme peut dégénérer et ne pas être digne de son identité humaine — qui lui confère le titre de personne humaine — justement parce qu'il cherche à faire déchoir d'autres hommes de cette identité, parce qu'il ne veut pas la partager avec eux (inversement, un homme qui aspire vraiment à devenir meilleur ne peut entretenir le désir ou l'illusion d'être supérieur aux autres). Aurait-il en vue un tel but s'il ne pensait pas que le fait de traiter des hommes de façon inhumaine, dégradante, est tout autre que la décision d'excommunier des membres d'une communauté qui se retrouvent simples individus, et que son but, aussi absurde qu'obstiné, est de les priver de toute identité possible ? Tel est le sens de l'expression « traiter les hommes comme des bêtes » : elle ne signifie pas un échange d'identité, mais la négation pure et simple de l'identité humaine parce qu'il n'y a pas pour un homme d'identité de rechange. Si l'on s'acharne (comme ce fut le cas dans ce siècle) à traiter les hommes comme des bêtes, c'est aussi parce qu'il est impossible de faire d'eux des bêtes et de scinder l'humanité en deux catégories ou espèces, celle des hommes et celle des « sous-hommes » : il y a *une* espèce humaine, conclut Antelme de son expérience des camps de concentration, où le ressort de la lutte « n'aura été, écrit-il, que la revendication forcenée, et presque toujours elle-même solitaire, de rester, jusqu'au bout, des hommes[1] ». Voilà pourquoi sont vains tous les efforts des tyrans pour asservir *la liberté même* de l'homme, ou, ce qui revient au même, pour changer l'homme en autre chose, en une chose justement, ou en une bête.

Faire des hommes de simples numéros, des individus purement sériels, les rendre impersonnels, les traiter donc comme des choses, cela revient à les déshumaniser. Être humain, c'est être soi, et être reconnu comme un soi, comme une personne séparée et distincte de toute autre. Tout homme aspire à la considération ou à l'estime des autres : le respect de soi-même est inséparable de l'estime que les autres nous portent. Tout homme veut, légitimement, être distingué des autres ; l'aspiration à la distinction n'est pas une aspiration mondaine, sa source ne se trouve pas dans ce que Rousseau appelle « la fureur de se distinguer », c'est l'aspiration à la dignité humaine. Les hommes forment une classe d'êtres distincts. On ne peut jamais dire : voici un morceau d'homme comme on le dit de la cire... La difficulté est de concilier deux vérités qui, d'un point de vue seulement formel, semblent contradictoires : 1) les hommes sont les mêmes ou : il y a *une* espèce humaine ; 2) un être humain aspire à la distinction plus qu'à tout. Si le respect de soi-même est le premier de tous les biens, c'est ce soi en tant que distinct de tout autre soi qui demande à être reconnu et traité de façon humaine, comme *une* per-

1. R. Antelme, *L'Espèce humaine*, Gallimard, avant-propos, p. 11 ; voir aussi p. 228-230.

sonne singulière. C'est par le sentiment commun de leur être distinct que les hommes forment une société véritable et humaine. Le conflit et la lutte sont sans doute des formes de la reconnaissance (surtout chez les animaux, d'ailleurs), mais il y en a bien d'autres non moins essentielles à la constitution du soi, dont les plus importantes sont l'amour, l'amitié, la confiance. Se sentir l'élu d'un autre intensifie le sentiment de sa distinction. Exister comme souverain pour un autre constitue la forme la plus haute de la distinction. Se savoir unique pour un autre qui est lui-même unique apporte à la conscience une certitude de soi bien plus forte que celle qui résulterait d'une soi-disant lutte entre les consciences pour la reconnaissance. Inversement, n'exister (comme être singulier et irremplaçable) pour personne, ne compter pour rien dans la société de ses semblables constitue une forme limite de l'existence humaine.

On voit donc que le soi n'est ni un être monadique, ni un échantillon d'une classe ou un numéro dans une série. Le soi est une grandeur d'estime ; autrement dit, l'estime représente la substance morale du soi. Et comme l'estime est un processus circulaire (en m'estimant moi-même, je suis aussi estimable par les autres), la question de l'identité du soi ne se pose pas, comme celle d'une chose, en termes d'identification mais d'évaluation. Voilà pourquoi une partie de la générosité consiste, selon Descartes, à savoir pour quelles raisons on peut légitimement s'estimer soi-même[1]. Il n'est peut-être pas inutile de préciser que l'objet de l'estime ou du respect est toujours une personne singulière avec des traits qui lui

---

1. *Passions de l'âme*, art. 152 *sq.*, Adam et Tannery éd., t. XI, p. 445.

sont propres, car c'est de cette façon seulement que l'homme existe et qu'il veut être considéré : comme un soi unique et non comme simple ressortissant de l'humanité. Un respect seulement « humanitaire » peut aussi recouvrir une profonde indifférence à l'autre en tant que personne singulière dont le bien le plus précieux en tant qu'homme est de pouvoir s'estimer soi-même. Or on ne peut donner aux hommes ce pouvoir, mais seulement l'occasion de l'acquérir et de devenir par là pleinement eux-mêmes. Ce souci de soi n'a donc rien de commun avec le culte du moi ou de son image ; il ne consiste pas dans le désir d'exhiber des fétiches ou des signes socialement significatifs, mais dans la volonté d'être et de penser par soi, de se considérer comme cause libre de soi, à l'égal des autres hommes. Circonscrites par cet horizon, les différences (c'est-à-dire les autres identités) prennent sens et valeur parce qu'on peut les rapporter les unes aux autres, les comparer et alors s'instruire du spectacle de la diversité humaine.

Apprendre constitue en effet la seule façon de mettre en mouvement la relation du moi avec les autres : quelque chose de l'un passe dans l'autre, et c'est sans doute la meilleure part de nous-mêmes qui circule ainsi entre nous. Qu'importe, après tout, que nos pensées se détachent de nous et se fondent dans le courant universel de la pensée ; n'est-ce pas une façon pour l'homme de « s'immortaliser », comme l'a dit Aristote, que de faire passer quelque chose de soi dans les autres, de donner à d'autres ce que d'autres nous ont aussi donné ? Il n'est pas nécessaire pour cela de se représenter, comme Pascal le suggère[1], toute la suite des hommes comme ne for-

---

1. Voir *Préface au Traité du vide*, éd. Brunschwicg, p. 80.

mant qu'un même homme qui grandit et s'instruit toujours ; un individu ne constitue pas un fragment, une parcelle d'humanité, ou bien il ne s'agit plus d'*un* individu. Suivant plutôt l'indication platonicienne du *Banquet*[1], la relation personnelle d'engendrement nous paraît plus propre à permettre une participation du soi à l'immortalité qu'une relation anonyme de succession.

C'est pourquoi un être humain est d'abord et fondamentalement un être qui apprend et ne cesse jamais d'apprendre, il est humain principalement par cette capacité indéfinie d'apprendre. Pour cette raison aussi, la relation la plus constante et la plus constitutive de notre humanité que nous avons avec les autres hommes n'est ni le conflit, ni le désir, ni l'amour, ni la haine ; ce n'est pas une passion mais une relation d'instruction et d'apprentissage. Aristote dit souvent que l'homme vient de l'homme ; il faut comprendre par là que l'homme n'est pas seulement le géniteur de l'homme, mais qu'il en est surtout l'instituteur. Tour à tour instituant et institué : cette alternance est la plus sûre et la moins éradicable des multiples présences de l'autre dans le même.

La conclusion qui se dégage de ces dernières remarques est que le moi est essentiellement actif : c'est un pouvoir et non une idée, une représentation. Bien des apories à son sujet viennent de ce que l'on pose à son propos des questions « statiques » qui supposent que l'être humain peut recevoir en tant que soi un statut d'idée. La question « Qui suis-je ? » semble demander comme réponse l'exhibition d'un

1. *Banquet*, 207 d.

modèle, la révélation d'un original dont l'être actuel
et conscient de l'homme serait le double ou la copie
par elle-même inintelligible. On fait ainsi du soi un
portrait et de la vie humaine un tableau, l'un comme
l'autre susceptibles d'être représentés et contemplés.
Mais si aucun homme, croyons-nous, ne peut se
reconnaître dans un portrait, ce n'est pas parce que
celui-ci lui serait insuffisamment fidèle mais plutôt
parce qu'une idée ne peut pas retenir le caractère
d'un être actif sans substituer aussitôt à cette activité
l'immobilité d'une image. Comme l'a bien vu Berkeley, l'esprit n'est pas une idée ou une représentation, mais un pouvoir que l'on éprouve dans le fait
de la volonté. Aussi le pouvoir de modifier le monde
et de se modifier soi-même nous paraît-il bien plus
propre à définir l'identité humaine que tel enchaînement de faits ou d'événements, telle configuration de
traits qui figent nécessairement l'être parce qu'ils le
représentent, et en laissent l'essentiel au-dehors. Un
être humain ne se prête pas, comme le morceau de
cire de Descartes, à une « inspection de l'esprit ».
Son identité, en ce sens, lui échappe toujours. Mais
se découvrirait-il si singulier autrement ?

Pierre Guenancia

BIBLIOGRAPHIE

Outre les ouvrages cités dans les notes, on se reportera en ce
qui concerne la notion d'identité au texte de Heidegger suivant : HEIDEGGER, *Identité et différence*, in *Questions I*, trad. fr.
A. Préau, Gallimard.

En ce qui concerne plus strictement la question de l'identité personnelle, on se reportera à deux livres récents qui comportent des bibliographies détaillées sur cette question, principalement dans la littérature anglo-américaine :

S. FERRET, *Le Philosophe et son scalpel. Le problème de l'identité personnelle*, éd. de Minuit, 1993. Ce livre bref, inspiré principalement par les travaux des philosophes dits « anglo-saxons », est pour l'essentiel consacré au rapport entre l'esprit, le corps et le cerveau et s'attache à résoudre ce que les auteurs anglais appellent des *puzzling cases*.

P. RICŒUR, *Soi-même comme un autre*, Le Seuil, 1990. C'est l'ouvrage de référence pour toutes les questions évoquées dans cette étude. L'ampleur du champ couvert par Ricœur, l'extrême élaboration de sa problématique de l'ipséité dans sa différence avec l'identité, la complexité et la grande franchise de sa réflexion nous ont vivement impressionné. Nous n'avons jamais cessé de penser à ce livre en rédigeant notre étude, mais pour deux raisons nous avons préféré ne pas en faire explicitement mention : un assez grand désaccord avec le point de vue de l'identité narrative qui est l'une des idées les plus nouvelles de Ricœur; et le fait qu'une discussion même partielle de cet ouvrage demanderait une étude à part.

LES DROITS DE L'HOMME

Les droits de l'homme, comme la démocratie, ont récemment accédé au statut de norme universellement reconnue; il n'est aujourd'hui personne pour les contester en principe, comme ce fut le cas tout au long du siècle dernier et même encore durant le nôtre. On doit s'en féliciter, pour autant que cette situation traduit un « progrès dans la conscience de la liberté », comme eût dit Hegel. Mais elle a une contrepartie sur le plan théorique : faute d'adversaires déclarés, les droits de l'homme encourent le risque de n'avoir d'autre support que le sentiment de leur évidence. La thématique des droits de l'homme — cela lui fut assez reproché — est née de la philosophie, précisément de celle des Lumières. Sans la philosophie, ou plutôt sans une philosophie adéquate, elle pourrait n'être rien de plus qu'une idéologie respectable. Il convient par conséquent de faire surgir les *questions* auxquelles le discours généreux des droits de l'homme apporte le plus souvent des réponses non pensées, et par là même incertaines.

Ébauche d'une problématisation

La simple affirmation qu'il existe des « droits naturels, inaliénables et sacrés de l'homme » (DDH, Préambule)[1] suscite, pour qui l'examine philosophiquement, c'est-à-dire en suspendant la croyance qu'elle rencontre auprès de nous, un ensemble d'interrogations. On peut en évoquer trois : quel est cet « homme » dont on proclame les droits ? Qui les proclame, et au nom de quoi ? Quels sont ces droits, et disposent-ils tous d'une même force normative ? Ces questions (parmi bien d'autres) se trouvèrent posées dès que fut développée cette thématique, et reçurent des réponses fort diverses. Un rapide examen de celles-ci peut permettre de mesurer l'ampleur des problèmes que recouvre une affirmation qui paraît de sens commun.

En premier lieu, comment se représente-t-on l'homme dont on proclame les droits ? S'agit-il de l'homme « naturel », saisi selon son essence extrapolitique, ou de l'homme en tant qu'il accède au statut « civil » ou « politique » ? Au cours des discussions qui ont précédé l'adoption de la *Déclaration des droits de l'homme et du citoyen*, les hommes de 1789 fondent leurs propositions sur cette distinction majeure de la philosophie juridique et politique moderne. Rousseau avait donné à cette distinction le

1. Rials, p. 21. La Déclaration des droits de l'homme et du citoyen (citée DDH), les différents projets préparatoires, les Déclarations américaines des droits et les textes antérieurs sont cités d'après *La Déclaration des droits de l'homme et du citoyen*, présentée par S. Rials, Hachette, 1988 (cité Rials), avec le numéro qu'ils comportent dans ce recueil et la page.

caractère d'une alternative : « il faut opter entre faire un homme et faire un citoyen[1] », car éduquer à la citoyenneté, c'est substituer les vertus requises pour appartenir à une communauté bien instituée, celle du *Contrat social*, à celles de la nature. Celles-ci ont d'ailleurs elles aussi besoin d'être cultivées ou réveillées en nous dès lors que, naissant dans un monde dénaturé sans être juste, nous ne sommes ni vraiment hommes, ni vraiment citoyens. Au-delà du sens proprement rousseauiste de la distinction, les participants aux débats de 1789 insistent tantôt sur les droits de l'homme (naturel), tantôt sur ceux du citoyen (politique); ou bien encore, ils tentent de mettre en parallèle les « droits naturels de l'homme » et les « devoirs du citoyen » qui limitent l'exercice des premiers (Projet de Sinety, Rials n° 46, p. 651). Le texte définitivement adopté en août 1789 tentera, pour sa part, de concilier les deux orientations en faisant de la « conservation des droits naturels et imprescriptibles de l'homme » le « but de toute association politique » (article 2). Dès lors, la loi civile positive, conséquence de l'obligation politique, peut apparaître comme la garantie de droits conçus comme fondamentalement prépolitiques. Mais elle peut aussi, dans une autre perspective, être perçue comme une entrave potentielle à la jouissance de ces droits; c'est le cas lorsque, distinguant société et gouvernement, on professe avec Thomas Paine, héros et propagandiste de l'indépendance américaine, que « la société, quelle qu'en soit la forme, est toujours un bienfait, mais [que] le meilleur gouvernement n'est qu'un mal nécessaire[2] ». Il faudra alors,

---

1. *Émile, Œuvres complètes* (*OC*), Gallimard, t. IV, p. 248
2. *Le Sens commun* (1776), Aubier, 1983, p. 59

comme le font les Déclarations américaines, marquer strictement les limites du pouvoir du gouvernement, en lequel on verra une menace potentielle pour les droits des individus plutôt que la garantie de leur effectivité. Ainsi, la thématique des droits de l'homme peut recouvrir des philosophies sociales et politiques profondément différentes, selon que l'on adopte l'optique anti-étatiste des Pères fondateurs américains ou celle, parfois qualifiée de légicentriste, des révolutionnaires français.

La même opposition paraît se retrouver à propos de la deuxième question : qui énonce les droits de l'homme, et surtout *de qui* l'homme tient-il ses droits, ses droits « naturels » ? La Déclaration d'Indépendance américaine y répond sans ambages : « Nous tenons pour évidentes par elles-mêmes les vérités suivantes : tous les hommes sont créés égaux ; ils sont doués par le Créateur de certains droits inaliénables... » (Rials n° 7, p. 492). C'est donc, comme chez J. Locke [1], sur des prémisses théologiques que repose la détermination des droits et des devoirs fondamentaux. De là, sans doute, la place éminente qu'occupe dans les Déclarations américaines la question religieuse. Lisons par exemple celle du Massachusetts (mars 1780) ; elle proclame dès son article 2 que « c'est un droit aussi bien qu'un devoir pour tous les hommes vivants en société de rendre à des temps marqués un culte public au grand Créateur et Conservateur de l'Univers » (Rials n° 13, p. 513). La démarche des révolutionnaires français est différente, bien qu'ils partagent pour la plupart la foi et l'idéal de tolérance (pour ce qui concerne les

---

1. Voir *Le Second Traité du Gouvernement* (cité *Gouvernement*), chap. II, § 6 et chap. V, § 25.

confessions chrétiennes) professés par les Américains : même s'ils accomplissent leur œuvre « en présence et sous les auspices de l'Être suprême », c'est aux « représentants du peuple français, constitués en Assemblée nationale » qu'il incombe de « reconnaître et déclarer » les « droits de l'homme et du citoyen » (DDH, Préambule, Rials, p. 21-22). Dans leur grande majorité, les hommes de 1789 ne sont pas moins convaincus que leurs prédécesseurs américains que l'homme est une créature de Dieu, et cette circonstance contribue à déterminer, à leurs yeux aussi, ses droits et ses devoirs. Mais la proclamation des droits a d'abord pour eux un sens *politique*. Par la voix des « représentants du peuple français », c'est bien l'homme lui-même, dans son universalité, qui se déclare titulaire des droits que sa nature implique. Mais, dans cet acte de déclaration, ces droits, sans rien perdre de leur universalité, adoptent une figure particulière : ils apparaissent d'abord comme ceux du citoyen français. Il en résulte, par rapport aux Déclarations américaines, une différence manifeste quant à la place et à la valeur accordées aux questions religieuses : dans la plupart des projets, comme dans le texte adopté le 26 août 1789 (article 10), elle apparaît comme une croyance privée qu'il convient de protéger, mais à laquelle ne revient aucun rôle fondateur.

La troisième question, celle du contenu et de la hiérarchie des droits, s'est posée avec acuité au cours du XIXᵉ siècle et reste d'actualité. La réflexion philosophique sur les droits de l'homme s'est efforcée de définir un corps de droits fondamentaux conçus comme des prédicats inaliénables de l'individu humain. Pour Locke et pour la tradition libérale, il s'agit de la vie, de la liberté, de la propriété de son propre corps, ainsi que du « travail de son corps » et de l'« ouvrage de ses mains[1] ». Les droits fondamentaux de l'individu, dont la revendication fut d'abord dirigée contre les empiétements de l'État monarchique sur la sphère privée, apparaissent ainsi comme des *freedoms from*, des « droits-libertés » marquant les limites de l'action des autres individus et de l'intervention de l'État ; ce sont ces libertés fondamentales que proclament, pour l'essentiel, les premières Déclarations. En revanche, d'autres droits, dont la formulation est postérieure, mais dont le rôle n'a cessé de croître dans la représentation que notre temps se fait des droits de l'homme, ont une structure toute différente : ils ne sont plus des droits de..., mais des droits à..., non plus des libertés à l'égard de de l'État, mais des « créances » que l'individu ou certaines classes d'individus peuvent tirer sur lui, des prestations qu'on est en droit d'exiger de la collectivité, des *freedoms to*. L'opposition des deux types de droits pose avant tout un problème conceptuel : elle suppose une *hiérarchie* des droits de l'homme, donc des *principes* qui seraient susceptibles de la légitimer. Comme on le verra plus loin, la hiérarchie établie entre les deux types de droits (libertés et créances) correspond implicitement au choix de la liberté ou de l'égalité comme premier principe des droits de l'homme. Il appartient à la philosophie de fonder ce choix nécessaire, en l'absence duquel le discours des droits de l'homme pourrait être — et il l'a été — soupçonné d'incohérence.

1. *Gouvernement*, chap. v, § 28.

Une découverte moderne

L'adhésion actuelle à la thématique des droits de l'homme nous porte à juger qu'elle est pour ainsi dire naturelle à l'esprit humain. Nous sommes alors tentés de lui trouver des illustrations dans les contextes les plus divers. C'est ainsi que l'on présente souvent la *Magna Carta* anglaise de 1215, la *Petition of right* de 1628 ou le *Bill of rights* de 1689 comme des Déclarations des droits dont le statut serait comparable à celles de 1776 ou de 1789, même si la formulation en est plus rudimentaire. C'est là succomber à une illusion rétrospective et surtout commettre une erreur philosophique.

L'illusion consiste à croire que les Déclarations des droits marqueraient l'aboutissement d'un mouvement de prise de conscience dont l'histoire entière scande les étapes. Il importe au contraire de souligner leur rapport essentiel avec le type nouveau d'organisation sociale qui s'est mis en place dans l'Europe moderne. Le trait majeur de celle-ci est la constitution d'un *État* puissant et centralisé, dont la légitimité ne se fonde plus sur des motifs théologiques[1], et qui veut ignorer les solidarités tradition-

1. L'État moderne est né dans un contexte de dissentiment religieux qui appelait une sécularisation du politique. Il lui a fallu un nouveau fondement de légitimité : la doctrine du contrat social. Pourtant, c'est à l'époque moderne aussi que fut développée la doctrine du droit divin, qui légitimait l'absolutisme à partir de motifs théologiques (voir la *Politique tirée des propres paroles de l'Écriture sainte* de Bossuet ou la *Patriarcha* de Filmer, contre laquelle polémique Locke). Les deux systèmes d'arguments servaient une même cause, mais seul le premier était porteur d'un avenir, à vrai dire imprévu.

nelles qui structuraient le corps social et le divisaient
en groupes étanches définis par leurs « privilèges ».
C'est cette vision hiérarchique de la société que tra-
duisait la *Magna Carta* en fixant les libertés des
« hommes libres » du royaume, c'est-à-dire avant
tout des barons et du haut clergé (voir Rials n° 1,
p. 477). Quant au *Bill of rights*, il a un but explicite
de restauration : il veut « assurer leurs anciens droits
et libertés » aux corps distincts et hiérarchisés qui
constituent traditionnellement la nation anglaise
(Rials n° 6, p. 489). Autant cette référence à la tradition — qui jouera un rôle décisif dans la critique
qu'adresse Edmund Burke aux droits de l'homme
« abstrait » proclamés en 1789 — que la conception
non individualiste de l'ordre social qu'il illustre
opposent ce texte aux Déclarations de la fin du
XVIIIe siècle. Cette différence profonde nous invite à
méditer le fait souvent inaperçu que l'épanouissement de la thématique des droits de l'individu est le
contrecoup de l'affirmation de l'État et de son
empire sur les individus[1].

Une vision anhistorique des droits de l'homme,
ignorant ou négligeant les traits qui enracinent leur
conception dans la modernité, comporte de surcroît
une erreur philosophique. La doctrine repose sur la
conviction que l'*individu* dispose, *par nature*, de
droits *inaliénables* et *imprescriptibles*. L'individu
humain comme tel, et non pas en raison de son
appartenance à tel ou tel groupe, jouit de droits qui

---

1. Voir M. Gauchet, « Les droits de l'homme ne sont pas
une politique », *Le Débat*, n° 3, 1980, p. 16-17. Le lien paradoxal entre l'absolutisme et la philosophie des Lumières, dont
les droits de l'homme sont une des inventions majeures, est
souligné par Reinhart Koselleck dans *Le Règne de la critique*,
Éd. de Minuit, 1979 (voir notamment le chap. I, p. 13-41).

sont logiquement antérieurs aux institutions politiques et sociales (on dira qu'il en dispose même dans un « état de nature »), et il ne saurait en être privé ou s'en défaire, sauf à être privé de son humanité même, de sa « nature ». En conséquence, ces droits ont pour la « société civile » (on dirait aujourd'hui l'État ou la société tout court) un caractère impératif : ils marquent, comme le dit Locke en toute clarté[1], la limite infranchissable du pouvoir qu'elle a sur ses membres et sont aussi sa raison d'être ultime. Il n'est pas difficile de comprendre en quoi ce système de convictions, qui fait des pouvoirs juridiquement déterminés de l'individu humain tout à la fois le fondement et la norme de la communauté politique, est spécifiquement moderne : il procède de la conception du *droit naturel* bâtie par les philosophes des XVIIe et XVIIIe siècles, et dont Grotius, Hobbes, Locke, Pufendorf, Wolff et Rousseau sont les principaux représentants. Or cette conception s'est constituée de façon explicite contre les représentations médiévales, selon lesquelles tout homme est attaché à un statut ou à une condition qui détermine entièrement ce qu'il est, aussi bien que contre la conception antique d'un droit naturel exprimant l'ordre universel auquel l'homme doit conformer son agir pour être ce qu'il doit être, à savoir ni une bête ni un Dieu, mais un « animal politique[2] ». On discerne alors ce qui distingue radicalement la problématique des droits de l'homme de ses supposées préfigurations : elle repose tout entière sur cette invention de la pensée moderne qu'est l'homme en général, abstraction faite de toute détermination

1. Voir *Gouvernement*, chap. VII, § 90-91 et chap. IX, § 131.
2. Aristote, *Politique*, I. 2, 8-10.

particulière, c'est-à-dire compris comme *individu universel*[1].

On ne saurait dire que la pensée antique est tout uniment holiste, pour employer la terminologie que L. Dumont a rendue familière en France[2], c'est-à-dire considérer qu'elle accorde à la communauté une priorité absolue sur l'individu : cette priorité est incontestable, mais seulement dans le domaine capital de la vie éthico-politique. Platon et Aristote, et plus encore les philosophies de l'époque hellénistique, reconnaissent la légitimité d'une affirmation de l'individu. Mais cette affirmation, d'abord, n'affecte pas essentiellement la vie de la cité. La quête individuelle de l'excellence concerne moins la *praxis* que la *theoria*, la spéculation philosophique. Elle ne saurait, ensuite, être le fait de tous : elle est le privilège d'individus forcément rares, en vérité quasi divins[3]. Le « droit à l'excellence » que proclame la philosophie antique est tout sauf un « droit de l'homme » ; c'est pourquoi les auteurs qui se réclament des Anciens se montrent fort réservés à l'égard de cette thématique moderne, trop moderne. Leo Strauss est sur ce point très clair : « Le changement fondamental [...] se manifeste dans la substitution des "droits de l'homme" à la "loi naturelle" : la loi qui prescrit des devoirs a été remplacée par des "droits", et l'"homme" a remplacé la "nature"[4]. » La position

1. Voir sur ce point G. Haarscher, *Philosophie des droits de l'homme*, Éditions de l'université de Bruxelles, p. 19 *sq.*
2. Voir *Homo aequalis*, Gallimard, 1977, p. 12-15, et *Essais sur l'individualisme*, Le Seuil, 1983, p. 33-67.
3. « Une vie de ce genre [théorétique] sera trop élevée pour la condition humaine », car « l'intellect est quelque chose de divin » (*Éthique à Nicomaque*, X, 1177 b 26-30).
4. *La Cité et l'homme*, Agora, 1987, p. 62.

d'Hannah Arendt est plus complexe, mais il est clair qu'elle n'adhère pas sans réserves à une thématique dont le fondement philosophique (l'idée de nature humaine) lui paraît insuffisant, voire dangereux ; le « déclin des droits de l'homme » qui se prépare au XIXᵉ siècle avec la naissance du racisme « scientifique » et que parachève au XXᵉ le « système totalitaire » manifeste, selon Arendt, la précarité de droits pensés indépendamment des appartenances communautaires qui peuvent leur conférer une effectivité[1].

Hegel l'a fortement souligné : c'est le christianisme qui a imposé l'idée que « l'individu *comme tel* a une valeur *infinie*[2] », et cette idée, avec les temps modernes, est devenue « le principe effectif universel d'une nouvelle forme du monde[3] ». Il ne faut pas en conclure (Hegel ne le fait d'ailleurs pas) que la religion chrétienne serait comme telle la matrice des droits de l'homme. Mais elle a contribué à rendre possible leur conception, en soulignant l'universalité que la foi révèle en l'individu : « Il n'y a plus ni Juif ni Grec ; il n'y a plus ni esclave ni homme libre ; il n'y a plus ni homme ni femme : car vous n'êtes tous qu'une personne dans le Christ Jésus[4]. » La fin de ce passage célèbre montre cependant bien ce qui distingue la promotion chrétienne de l'individualité de

1. Voir *Les Origines du totalitarisme*, II, *L'Impérialisme*, Le Seuil, coll. Points, 1984, p. 271-292. Arendt indique elle-même (p. 286) que son analyse donne une « confirmation ironique, amère et tardive » à la critique des droits de l'homme développée par Burke dès 1790.
2. *Encyclopédie des sciences philosophiques*, trad. fr. B. Bourgeois, Vrin, 1988, § 482 Rem., III, p. 279.
3. *Principes de la Philosophie du Droit*, trad. fr. Derathé, Vrin, 1975, § 124 Rem, trad. mod.
4. Saint Paul, *Épître aux Galates*, III, 28.

l'idée moderne des droits de l'homme. L'individu auquel le christianisme paulinien reconnaît une « valeur infinie » est un « individu hors du monde », non un « individu dans le monde[1] ». L'inégalité, la privation de liberté existent ici-bas; elles peuvent être justes ou injustes, le bien suprême — le salut — n'est, en tout état de cause, pas de ce monde. Le seul « droit de l'homme » que proclame saint Paul, c'est un droit au salut; mais ce droit n'est que l'autre face d'un devoir fondamental de l'homme, quel qu'il soit, envers Dieu.

La Réforme protestante va contribuer, bien qu'indirectement, à la formation d'une doctrine des droits de l'homme. À première vue, cette affirmation a quelque chose de paradoxal : la Réforme est d'abord une réaction contre les compromissions terrestres de l'Église, et elle se propose de restituer au christianisme sa vocation originaire, extra-mondaine. Cependant, la manière dont le protestantisme a tenté d'accomplir cette restauration a modifié le statut de l'individu. Tout d'abord, en privilégiant la relation personnelle du fidèle à Dieu au détriment de l'institution ecclésiale, la Réforme confère une grande importance à la liberté de conscience, qui occupera de fait une place centrale dans les premières Déclarations des droits, sans qu'il faille forcément en faire le fondement de la doctrine[2]. En second lieu, le « recentrage » sur la foi opéré par le protestantisme a pu aboutir (pas toujours : qu'on songe à l'attitude de Luther lors de l'insurrection des

---

1. Cette distinction, qui vise à désigner le lieu où se constitue symboliquement l'identité perçue comme essentielle des individus, est à nouveau empruntée à L. Dumont ; voir *Essais sur l'individualisme, op. cit.*, p. 36.
2. C'est ce que faisait le juriste allemand G. Jellinek, selon qui la Déclaration française, étroitement inspirée par les

partisans de Thomas Münzer) à la mise en cause des pouvoirs établis et à la recherche d'un fondement négocié de l'autorité politique. Si les origines de la problématique contractualiste sont médiévales, il est patent que son essor est consécutif à la Réforme : le pacte signé par les pèlerins du *Mayflower* abordant en 1620 les côtes américaines est un des mythes fondateurs des États-Unis. Enfin, comme il est bien connu depuis la fameuse étude de Max Weber sur l'éthique protestante, le calvinisme, en raison de sa doctrine de la prédestination, a eu pour effet paradoxal de conférer une importance inédite à l'action individuelle, seul moyen pour des hommes ignorant s'ils comptent parmi les Élus de célébrer la gloire de Dieu dans le monde comme ils le doivent[1]. Sans la Réforme, et bien que tel n'ait jamais été son souci propre, on ne pourrait expliquer l'émergence, au XVIIe siècle, du thème des droits naturels de l'individu humain.

Le droit naturel et l'« individualisme » moderne

Trois caractères distinguent la doctrine moderne du droit naturel des conceptions antiques ou médié-

---

Déclarations américaines, devrait plus à l'esprit de la Réforme qu'au *Contrat social* (*La Déclaration des droits de l'homme et du citoyen*, Paris, 1902, p. 61-79). Mais il n'est pas moins inexact de minimiser l'influence de la Réforme sur la doctrine des droits de l'homme (L. Boutmy, « La *Déclaration des droits de l'homme et du citoyen* et M. Jellinek », in *Études politiques*, A. Colin, 1907, p. 167-172). Cette polémique, marquée de part et d'autre par des présuppositions qui étaient loin d'être purement théoriques, apparaît aujourd'hui désuète.

1. Voir *L'Éthique protestante et l'esprit du capitalisme*, Plon, 1967, p. 125-130 et 143-149.

vales; ils concourent à imposer la thématique à laquelle les Déclarations de la fin du XVIIIᵉ siècle donneront la valeur de principes de tout ordre politique légitime. Tous ces caractères ne sont pas présents en chacune des variantes de cette théorie désormais dominante; mais ils soulignent les points sur lesquels elle se démarque de conceptions dans le cadre desquelles penser un ou des droits de l'homme était chose impossible.

1) La philosophie moderne reprend et accentue la distinction établie par les penseurs médiévaux à partir des divisions du droit romain entre droit divin et droit naturel[1]. Elle va même jusqu'à nier que le droit entretienne un lien avec quelque hypothèse théologique que ce soit. Comme le dit Grotius : « Le droit serait ce qu'il est, même si l'on accordait qu'il n'y a point de Dieu ou, s'il y en a un, qu'il ne s'intéresse point aux choses humaines, ce qui ne se peut sans quelque crime horrible[2]. » Certes, il s'agit là d'une hypothèse d'école; mais elle montre que le droit paraît désormais pensable à l'aide des seules ressources de ce que Descartes va nommer la lumière naturelle. Ainsi, la conception moderne du droit participe, tout comme la « révolution galiléenne », d'un processus d'émancipation de la raison humaine scandé par les grandes philosophies rationalistes (Descartes, Hobbes, Spinoza...). En témoigne le déplacement significatif de l'idée fort ancienne de

1. Voir notamment Thomas d'Aquin, *Somme théologique*, Ia.IIae, questions 93-97 (loi divine, loi naturelle et loi humaine), et IIa.IIae, question 57 (droit naturel, droit des gens et droit « civil »).
2. *Droit de la guerre et de la paix* (1625) (cité *DGP*), Discours préliminaire, § XI, rééd. Caen, Centre de philosophie politique et juridique, 1984, p. 10.

droit naturel[1]. Celui-ci ne désigne plus un corpus de règles communément admises, ne renvoie plus, comme chez les stoïciens, à l'ordre immuable de l'univers[2], mais repose sur la *nature de l'homme*, traduit la dynamique contradictoire de ses passions et son pouvoir d'en maîtriser rationnellement les effets. Sans doute la plupart des constructions jusnaturalistes, c'est-à-dire fondées sur l'idée de droit naturel, admettent-elles que les lois naturelles sont d'origine divine; mais elles considèrent que « la mère du droit naturel est la nature humaine elle-même[3] ». Cette conviction ne suppose pas l'adhésion à une anthropologie particulière : on peut admettre, comme Grotius, la sociabilité naturelle ou en rejeter la notion traditionnelle avec Hobbes, cela ne change rien au primat épistémologique dont bénéficie l'investigation rationnelle de l'homme. L'idée de droit naturel est désormais incorporée au programme d'autonomie de la raison que remplit la philosophie moderne.

2) Alors que l'Antiquité voyait dans le droit l'expression d'un juste ordonnancement ou d'une proportion harmonieuse des choses, la pensée moderne, à la suite de Duns Scot et des nominalistes du XIVᵉ siècle[4], tend à le considérer avant tout

1. Elle est présente chez Aristote ; voir *Rhétorique*, 1373 b; *Éthique à Nicomaque*, V, 1134 b-1135 a.
2. Voir Cicéron, *Traité des lois*, I, 18 et 42, et II, 8-10; *De Republica*, III, 22. La *summa ratio* ou la *recta ratio* dont parlent ces textes n'est pas la raison humaine, bien que celle-ci y ait part.
3. Grotius, *DGP*, Discours préliminaire, § XVII, p. 12.
4. Voir M. Villey, *La Formation de la pensée juridique moderne*, Montchrestien, 1975, p. 176 *sq.* et notamment p. 240-262; M. Bastit, *Naissance de la loi moderne*, PUF, 1990, p. 210 *sq.* et p. 277 *sq.*

comme l'acte d'une volonté : celle de Dieu d'abord, puis celle du souverain. La formule de Hobbes : « C'est l'autorité, non la vérité qui fait la loi[1] », signifie que le caractère obligatoire de la loi positive ne tient pas à la vérité ou à la justesse de son contenu mais au fait qu'elle est posée par une volonté irrésistible. Mais la formule implique aussi que, dans l'artifice qu'est la société civile ou politique, la loi naturelle — laquelle définit les conditions intelligibles de l'autoconservation d'un individu représenté comme un égoïste rationnel — se confond avec la loi positive. Celle-ci vise à assurer, avec le concours de la force publique, la coexistence pacifique des individus ; elle n'est donc pas génériquement distincte de la loi naturelle, l'une et l'autre ayant pour destination de limiter les effets destructeurs de la liberté naturelle ou de l'état de nature[2]. On présente souvent le « volontarisme » comme l'ancêtre du positivisme juridique et du culte du législateur qui se sont développés au XIXe siècle. Ce n'est sans doute pas faux ; cependant, considérer la loi — la loi civile positive — comme acte d'une volonté dégageait aussi des possibilités inédites de contestation de cette loi. La thématique des droits de l'homme, lors de son éclosion révolutionnaire, en sera le fruit inattendu. Si le droit, en son essence, relève plus de la *voluntas* que de la *ratio*, il devient possible de l'inscrire dans la perspective d'une affirmation par l'homme de sa liberté, alors que les représentations traditionnelles soulignaient plutôt ce qui ordonne celui-ci à un ordre, à un *nomos* qui le dépasse.

1. *Léviathan* (édition latine), trad. F. Tricaud, Sirey, 1971, chap. XXVI, p. 295, note 81.
2. Voir *ibid.*, chap. XXVI, p. 285.

3) Du « volontarisme », on est conduit à la troisième caractéristique du droit naturel moderne : la promotion de l'idée de droit *subjectif*, du droit comme « qualité morale, attachée à la personne, en vertu de quoi on peut légitimement avoir ou faire certaines choses », selon la définition qu'en donne Grotius[1]. Chez le juriste néerlandais, cette conception — dont il faut rechercher les prémices dans ce qu'il est convenu de nommer la seconde scolastique espagnole, en particulier chez Francisco Suarez (1548-1617)[2] — coexiste encore avec des représentations plus traditionnelles, parmi lesquelles celle du droit en tant que « règle des actions morales qui oblige à ce qui est bon et louable[3] », autrement dit avec ce que nous appelons le droit objectif. Mais, avec lui, et sans doute déjà avec Suarez, cette signification advient au premier plan. On le voit clairement lorsque Grotius, malgré la pluralité de dimensions que conserve son concept de droit, en déduit l'existence de droits subjectifs naturels, sinon imprescriptibles : que la société existe ou non, « la vie, les membres, la liberté auraient toujours appartenu en propre à chacun[4] ». Autrement dit, les droits

1. *DGP*, livre I, chap. i, § IV.1, p. 41.
2. Voir notamment Suarez, *De legibus ac Deo legislatore*, livre I, chap. ii, § 5 (« le mot *droit* désigne à proprement parler un certain pouvoir moral, que chacun possède, soit sur une chose qui est sienne, soit en vue d'une chose qui lui est due ») et livre II, chap. xviii, § 2 (« le droit est pris ou bien au sens d'une faculté morale d'user ou de ne pas user, ou bien au sens de loi, c'est-à-dire, de règle de raison »). Voir, à propos de Suarez et des conceptions juridiques de la « seconde scolastique », M. Villey, *op. cit.*, p. 379-395 ; M. Bastit, *op. cit.*, p. 307-359 ; et surtout M.-F. Renoux-Zagamé, *Les Origines de la notion moderne de propriété*, Droz, 1987, p. 203-300.
3. *DGP*, livre I, chap. i, § IX.1, p. 47.
4. Voir *ibid.*, chap. ii, § I.6, p. 69.

subjectifs premiers ne sont fondés sur aucune convention sociale, excèdent toute institution positive. De la notion de droit subjectif, on est ainsi conduit à l'ébauche — certes bien imparfaite à nos yeux : Grotius considère par exemple que l'esclavage n'est pas contraire au droit naturel[1] — d'une doctrine des droits de l'homme. Rousseau contestera vigoureusement les arguments de Grotius « Ces mots *esclavage* et *droit* sont contradictoires ; ils s'excluent mutuellement[2]. » C'est qu'entre-temps la conviction s'est imposée que les « droits de l'humanité[3] » sont imprescriptibles et inaliénables. Il n'en reste pas moins que cette conviction a ses racines dans la pensée de l'ère absolutiste.

Hobbes, qui passe pour le théoricien d'un absolutisme extrême, est aussi le penseur qui a le premier affirmé clairement l'existence de droits *inaliénables* de l'individu, comme celui de résister à la violence et de tout faire pour préserver sa vie[4]. Le paradoxe n'est pas si grand qu'il y paraît d'abord. En effet, le propos de Hobbes n'est pas seulement d'assurer à l'État un pouvoir sans limites ; il est aussi de définir les conditions permettant aux individus de jouir de façon effective de certains droits, qui sont des droits naturels. À cette fin, il faut substituer à l'état de nature (qui, en raison de la constitution passionnelle de l'homme, ne peut être qu'un état de guerre de tous contre tous) une situation qui permette une démarcation entre ce qui est de la compétence du souverain (domaine dont la définition est à sa discrétion) et ce qui demeure du ressort des individus ·

1. Voir *ibid.*, livre II, chap. v, § XXVII *sq.*
2. *Du contrat social*, livre I, chap. IV, *OC*, III, p. 358.
3. *Op. cit.*, p. 356.
4. Voir *Léviathan*, chap. XIV, p. 131-132

désormais, c'est dans le « silence de la loi », autrement dit en dehors ou à côté de l'espace proprement politique, que réside la « liberté des sujets[1] ». La contrepartie de la subordination, c'est la protection par le souverain de ce que Rousseau nommera la liberté civile. Sans doute le pouvoir du « grand et puissant Léviathan » est-il absolu, puisqu'il ne peut comporter aucune limite prédéfinie. Mais ce pouvoir repose sur une cession volontaire par les individus de leur droit naturel au souverain qu'ils « autorisent[2] », en sorte qu'il ne peuvent transférer ce qu'ils ne peuvent pas vouloir pour eux-mêmes. C'est pourquoi, lorsque le souverain n'assure pas à ses sujets la contrepartie de leur soumission, à savoir la protection, ils sont déliés de leur devoir d'obéissance[3]. La volonté souveraine est irrésistible, au point qu'elle n'est pas tenue de respecter les lois qu'elle édicte : l'idée d'une limitation constitutionnelle du pouvoir, qui est une des conditions généralement admises du respect des droits de l'homme, n'a pas de sens pour Hobbes. Mais le souverain est assujetti aux conditions de sa propre institution. La conception artificialiste de l'ordre politique, contrepartie de la définition nouvelle du droit naturel comme droit subjectif, implique une relativisation fondamentale de cet ordre : il n'est plus la fin « naturelle » de l'existence humaine, mais le moyen grâce

1. *Ibid.*, chap. XXI, p. 224. Il s'agit, précise Hobbes, de « la liberté d'acheter, de vendre et de conclure d'autres contrats les uns avec les autres ; de choisir leur résidence, leur genre de nourriture, leur métier, d'éduquer leurs enfants comme ils le jugent convenable, et ainsi de suite » (*ibid.*).
2. La théorie de l'autorisation, fondement de la conception définitive de la souveraineté chez Hobbes, est exposée au chapitre XVI du *Léviathan* (*op. cit.*, p. 161-169).
3. *Ibid.*, chap. XXI, p. 234.

auquel l'individu peut atteindre ses fins propres. Ainsi s'ouvre l'espace où peuvent être pensés des droits de l'homme. Leur « découverte » est liée à un partage nouveau de ce qui est politique et de ce qui ne l'est pas ou ne l'est que médiatement, disons, en termes hégéliens : à la distinction de l'État et de la société civile.

Si la manière dont Hobbes considère l'individu dans son rapport au « corps politique » rend pensables les droits de l'homme, John Locke contribue de façon déterminante à la définition de la thématique et à la mise au point de son contenu spécifique. L'influence profonde qu'ont eue la *Lettre sur la tolérance* (1686) et le *Second Traité du gouvernement civil* (1690) sur les auteurs des premières Déclarations est connue. Elle explique, autant que la sociologie religieuse particulière des provinces américaines, la place accordée par ces textes aux libertés de conscience et de culte, au moins pour ceux qui appartiennent à une confession chrétienne[1]. De même, ce qu'il est convenu de nommer le constitutionnalisme de Locke, c'est-à-dire l'affirmation des limites de principe du pouvoir politique, explique, autant et plus que la lecture de Montesquieu, l'insistance de ces Déclarations sur la détermination des fins du gouvernement, sur le droit de le transformer ou de le réformer lorsqu'il s'écarte du but de son ins-

1. Voir par exemple les Déclarations de Virginie (art. 18, Rials n° 8, p. 497), de Pennsylvanie (art. 2, Rials n° 9, p. 499), de Caroline du Nord (art. 19, Rials n° 12, p. 511). Les Déclarations du Delaware (art. 3, Rials n° 10, p. 501) et du Maryland (art. 33, Rials n° 11, p. 507) restreignent ces libertés aux seules confessions chrétiennes. La Déclaration du Massachusetts affirme la liberté de conscience et de culte (art. 2), mais aussi la nécessité d'un « culte public » confié à des « ministres protestants » (art. 3, Rials n° 13, p. 513).

titution, enfin sur la séparation des pouvoirs comme moyen de cantonner l'autorité légitime dans ses limites[1]. En effet, dès lors que la fin de la société politique est, pour les individus, « la conservation de leurs propriétés[2] », c'est-à-dire de la jouissance d'un droit prépolitique, fondé en nature, il devient possible de mesurer à cette unique fin la légitimité du pouvoir institué et de définir les circonstances dans lesquelles l'insubordination, voire l'insurrection sont légitimes : lorsque l'usage de la force ou de la violence par les gouvernants, en particulier par le législateur, détruit l'ordre juridique qui est la condition de leur pouvoir et instaure entre le peuple et eux un état de guerre[3]. On sait quelle arme cette doctrine lockienne du droit de résistance a offert aux insurgés américains. Il faut noter qu'elle repose sur de tout autres fondements que celle de ses prédécesseurs qui, tels Althusius ou les Monarchomaques[4], opposaient au « tyran » les droits d'une société conçue comme conglomérat de groupes privilégiés, ou qui, tels les puritains anglais[5], affirmaient le droit de ceux que Dieu inspire à s'opposer à un monarque

1. Voir Virginie, art. 2, 3 et 5 ; Pennsylvanie, art. 3 à 6 ; Massachusetts, art. 5 à 8.

2. *Gouvernement*, chap. IX, § 124.

3. Voir *Gouvernement*, chap. XVIII, § 202 et 209, et chap. XIX, § 220-227. Voir sur ce point J. Dunn, *La Pensée politique de John Locke*, PUF, 1991, p. 173-192.

4. On désigne par ce terme tout le courant protestant d'opposition à la « tyrannie » des princes catholiques, qui se développe notamment aux Pays-Bas et en France lors des guerres de Religion. Parmi les documents provenant de cette mouvance, les plus célèbres sont les *Vindiciae contra Tyrannos* de Junius Brutus/Duplessis-Mornay (1579) et la *Franco-Gallia* de François Hotman (1573).

5. Voir à ce sujet M. Walzer, *La Révolution des Saints*, Belin, 1987.

qui viole les droits *de Dieu*. Chez Locke, les conditions d'exercice du droit de résistance sont déterminées par celles de l'instauration de la société politique (« civile »). Celle-ci vise à instituer un juge
incontestable de la conformité des actions à la loi
naturelle, et par là à conférer à l'état de nature, où
chacun est en droit et en devoir de veiller au respect
de celle-ci, la stabilité qui lui fait défaut si l'interprétation de la loi naturelle est contestée. Le souverain n'est légitime que s'il se tient à cette mission, en
d'autres termes s'il se borne à garantir le règne d'une
loi qui le dépasse[1]. Ce qui revient à dire que les
droits des individus — « la vie, la liberté, la propriété » — deviennent, pour autant que s'explicite à
travers eux la loi donnée par le Créateur aux créatures, le fondement et la borne de l'autorité politique[2]. C'est ce qu'affirme la Déclaration d'indépendance des États-Unis, dont le principal rédacteur fut
Thomas Jefferson : « Tous les hommes sont créés
égaux; ils sont dotés par le Créateur de certains
droits inaliénables; parmi ces droits se trouvent la
vie, la liberté et la recherche du bonheur. Les gouvernements sont établis parmi les hommes pour
garantir ces droits, et leur juste pouvoir émane du
consentement des gouvernés » (Rials n° 7, p. 492).
Mais la Déclaration française se situe dans la même
mouvance lorsqu'elle affirme que « le *but* de toute
association politique est la conservation des droits
naturels et imprescriptibles de l'homme » (article 2).

On le voit : l'influence lockienne s'est aussi exercée, quoique de façon plus contournée et diffuse, sur
les rédacteurs de la Déclaration de 1789. Comme le
souligne S. Rials, le texte définitif de la Déclaration

1. Voir *Gouvernement*, chap. VII, notamment § 88-89.
2. Voir *ibid.*, chap. IX, notamment § 131.

repose, malgré un « optimisme rationaliste » qui porte la marque des physiocrates et un « puissant légicentrisme » de facture incontestablement rousseauiste, sur une « formule lockienne[1] ». Le catalogue des droits que ce texte proclame « naturels et imprescriptibles » : liberté, propriété, sûreté et résistance à l'oppression, évoque irrésistiblement la problématique du *Gouvernement civil*, encore que ce puisse être par l'intermédiaire des Déclarations américaines que cette influence se soit exercée par exemple chez un Lafayette, auteur de trois projets (Rials n°s 17, 27 et 33). L'originalité du *Second Traité* tient largement à la place centrale qu'y occupe le thème de la propriété, objet d'un chapitre capital (le chap. V, « Of Property »). On a souvent vu dans cette promotion de la propriété au rang de droit naturel fondamental le signe de ce que la pensée de Locke, en rupture avec la doctrine traditionnelle du *dominium*, participe de ce nouveau mode d'intelligence du monde humain et des pratiques sociales que requérait l'essor de la société « bourgeoise », fondée sur le libre-échange et la production capitaliste[2]. Les choses sont en réalité plus complexes, comme l'ont montré des travaux récents[3]. D'une part, la propriété a chez Locke une extension bien plus vaste que la seule détention des choses extérieures[4]. La notion

---

1. Rials, p. 371, 372 et 394. S. Rials souligne en particulier combien les projets de Sieyès (Rials n°s 34 et 38, p. 591 *sq.* et 614 *sq.*) sont sous l'emprise du *Second Traité*.

2. Voir en ce sens l'ouvrage de C. B. MacPherson, *La Théorie politique de l'individualisme possessif*, Gallimard, 1971, p. 218 *sq.*

3. Voir surtout J. Tully, *Locke. Droit naturel et propriété*, PUF, 1992, en particulier chap. V, p. 141 *sq.*

4. « ... la conservation de leurs vies, de leurs libertés et de leurs biens ; choses que j'appelle, d'un nom général, *proprié-*

vient en un sens se confondre avec celle de droit,
entendu comme droit subjectif : elle désigne ce qui
est le « propre » de l'homme, ces droits auxquels il
ne peut renoncer ou dont il ne peut être privé sans
être dépossédé de son humanité même. D'autre part,
la propriété et, plus généralement, le droit naturel
s'enracinent chez Locke, comme pour les auteurs de
la tradition, dans une loi naturelle accessible à la raison, mais d'origine divine [1]. C'est ainsi que le droit de
propriété, s'il s'atteste par l'usage et le *travail*, se
fonde en dernier recours pour Locke sur le devoir
que la loi naturelle fait à chacun de protéger sa vie.
On voit par là que ceux qui, lors des débats de 1789,
militaient pour que la Déclaration porte aussi sur les
devoirs (c'était, outre celle de Sinety, déjà nommé, la
position de l'abbé Grégoire) étaient en droit, même
si leurs intentions n'étaient pas tout uniment « libé-
rales », de se réclamer de Locke pour qui la liberté,
dont le droit de propriété est la manifestation première, se fonde en dernier recours sur l'*obligation* (et
non pas, comme chez Hobbes, sur le droit) d'autoconservation.

Rousseau est, avec Locke, l'auteur le plus fréquemment cité par les constituants français.
L'article 6 de la Déclaration de 1789 l'évoque de
manière transparente en définissant la loi comme
l'« expression de la volonté générale ». De même, le
culte de la cité professé sur un mode souvent nostal-

---

tés » (*Gouvernement*, chap. IX, § 123). Voir Tully, *op. cit.*,
p. 162 *sq*.
1. Ce thème est particulièrement développé dans les *Essais
sur la loi de nature* (1663-1664), dont une traduction a été
publiée par le Centre de philosophie politique et juridique de
l'université de Caen, 1986. Voir également *Gouvernement*,
chap. V, § 31.

gique[1] par Rousseau transparaît dans la dénomination nouvelle : droits de l'homme *et du citoyen*. Mais l'incidence de cette double nature de l'homme sur le statut de ses droits, dont Rousseau avait une conscience aiguë, ne paraît guère préoccuper ses disciples avoués. La Déclaration fait du citoyen la vérité de l'homme naturel, sans que ses auteurs aient aperçu, semble-t-il, qu'il y avait ici une possible difficulté. Pour l'auteur du *Contrat social*, une tension existe entre l'homme et le citoyen. L'institution d'une société suppose en effet qu'à l'« existence physique et indépendante » de l'homme naturel soit substituée une « existence partielle et morale[2] »; c'est bien pourquoi « les bonnes institutions sociales sont celles qui savent le mieux dénaturer l'homme[3] ». En revanche, la continuité postulée par le texte de 1789 entre l'homme et le « membre du corps social » rend problématique la valorisation de la loi civile, qui chez Rousseau se justifie précisément par la nécessité de « changer, pour ainsi dire, la nature humaine[4] ». L'influence du *Contrat social* explique néanmoins le rôle éminent conféré par la Déclaration à la loi positive. Dans l'État fondé sur un « vrai contrat » et non sur un marché de dupes comme celui que propose le « riche » à ses « voisins » dans le *Discours sur l'origine de l'inégalité*, la loi est l'expression effective, encore que profondément modifiée, des droits fondamentaux; ceux-ci, de droits naturels attachés à l'homme comme tel, se trouvent ainsi convertis en droits du *citoyen*, déterminés par la loi,

1. « Ces deux mots, patrie et citoyen, doivent être effacés des langues modernes » (*Émile, OC*, IV, p. 250).
2. *Du contrat social*, livre II, chap. VII, *OC*, III, p. 381.
3. *Émile, OC*, IV, p. 249.
4. *Du contrat social*, livre II, chap. VII, *OC*, III, p. 381.

laquelle « rétablit dans le droit l'égalité naturelle entre les hommes[1] ». Seulement, le rapport complexe qu'entretiennent chez Rousseau la nature et la convention légale se trouve réduit dans la Déclaration à une continuité paisible entre l'homme et le citoyen.

On a déjà relevé la dialectique singulière qu'engage cette démarche : l'universalité des droits de l'homme ne se trouve posée qu'à travers la figure forcément particulière du citoyen, français en l'occurrence[2]. Mais, du même coup, les droits de l'homme, devenus des droits civils institués par la volonté générale, se trouvent combinés aux devoirs de ce même citoyen envers le souverain dont il est membre et envers la loi qui en énonce les volontés[3]. Ce que la Déclaration réalise est, de la sorte, une positivation du droit naturel dont les conséquences seront considérables. Car la substitution de la liberté civile à la liberté naturelle, et l'« aliénation totale de chaque associé avec tous ses droits à la communauté[4] » qu'elle suppose peut à son tour être soupçonnée d'être un marché de dupes. Rousseau a beau préciser que « chacun se donnant à tous ne se donne à personne[5] », les constructions qu'il a inspirées,

1. « Manuscrit de Genève », *OC*, III, p. 310.
2. Voir S. Goyard-Fabre, « La Déclaration des droits ou le devoir d'humanité : une philosophie de l'espérance », *Droits*, n° 8, 1988, p. 45 *sq.*
3. « Il s'agit donc de bien distinguer les droits respectifs des Citoyens et du Souverain, et les devoirs qu'ont à remplir les premiers en qualité de sujets, du droit naturel dont ils doivent jouir en qualité d'hommes » (*Du contrat social*, livre II, chap. IV, *OC*, III, p. 373). Immédiatement auparavant, Rousseau précise que « la vie et la liberté » des « personnes privées » sont « naturellement indépendantes » de l'État.
4. *Du contrat social*, livre I, chap. VI, *OC*, III, p. 360.
5. *Ibid.*, p. 361.

dont la Déclaration de 1789 est l'exemple le plus éclatant, vont rencontrer durablement la méfiance de ceux pour qui, désormais, le droit naturel et les droits de l'homme ne sont pas autre chose que l'habillage théorique de la Révolution.

La relation de la thématique des droits de l'homme avec les théories jusnaturalistes est complexe; elle l'est en raison de la diversité de ce courant[1], mais aussi de sa réception dans des contextes aussi différents que ceux des colonies américaines et de la France. Une chose est cependant certaine : si des mobiles politiques ont déterminé la proclamation des droits, l'œuvre qui en résulte, pour hésitante et confuse qu'elle puisse apparaître, est bien, comme la Révolution qui l'accomplit, « née de la philosophie[2] ».

Les droits de l'homme déclarés : l'auto-diction de la liberté

Dans la seconde moitié du XVIIIe siècle, la thématique des droits de l'homme —en ce qui concerne ceux de la « première génération », c'est-à-dire les droits-libertés — a, quant à son contenu, acquis une figure à peu près définitive. Grâce aux « Philosophes », c'est-à-dire à la vaste mouvance des

1. Un exposé qui se voudrait exhaustif devrait mentionner, à côté et peut-être même de préférence aux auteurs précités, les traités de Pufendorf et de Christian Wolff, qui ont eu la plus large audience au XVIIIe siècle, en particulier chez les juristes. Voir sur ce point M. Thomann, « Origines et sources doctrinales de la Déclaration des droits », *Droits*, n° 8, 1988, p. 55-70.

2. Voir Hegel, *Leçons sur la philosophie de l'histoire*, Vrin, 1963, p. 339.

Lumières, mais aussi grâce aux physiocrates, dont on s'accorde à considérer qu'il ont influencé les conceptions de certains des principaux auteurs de la Déclaration de 1789, comme Mirabeau et Sieyès[1], elle s'est en outre répandue jusque dans l'entourage des monarques, éclairés ou non. À cet égard, on pourrait dire que les Déclarations américaines et française ne font que diffuser, en leur conférant un statut public et officiel, un ensemble de convictions auquel la théorie moderne du droit naturel offrait de longue date un soubassement assuré. Mais cette apparente continuité est illusoire. En réalité, l'œuvre de déclaration implique une transformation du *contenu* et du *statut* des droits de l'homme.

La *déclaration* des droits confère une vocation privilégiée à la liberté. L'acte déclaratoire est le fait « constituant » d'une liberté qui s'affirme elle-même, et qui s'affirme comme le principe du droit bien que, dans la liste des droits déclarés, elle apparaisse comme un droit parmi d'autres, fût-il le premier. Elle dispose ainsi d'un double statut. Dans la Déclaration française, la liberté qui est présentée à l'article 2 comme un des droits naturels et imprescriptibles (à côté de la propriété, de la sûreté et de la résistance à l'oppression) n'est pas du même ordre que celle qui, à l'article 1, apparaît dans la célèbre formule : « Les hommes naissent et demeurent libres

---

1. Chacun, écrit Turgot en 1753, peut « réclamer les droits de l'humanité. Toute convention contraire à ces droits n'a d'autre autorité que le droit du plus fort ; c'est une vraie tyrannie » (*Œuvres*, t. I, Paris, 1913, p. 416). Sur l'influence croisée des Lumières et des physiocrates sur la Déclaration, voir J. Habermas, « Droit naturel et révolution », in *Théorie et pratique*, t. I, Payot, 1975, p. 121-129. S. Rials qualifie Mirabeau de « physiocrate inquiet » (*op. cit.*, p. 384).

et égaux en droits. » Celle-ci, ou plus exactement l'égalité dans la liberté, est moins *un* droit que la *condition génératrice* des droits de l'homme ; elle est absolument distincte de la liberté civile ou personnelle, qui est le premier de ces droits. La liberté « naturelle », notion qui peut être et qui sera bientôt dissociée de celle d'un état de nature originaire — apparaît comme le fondement métaphysique *des* droits de l'homme. Hobbes faisait déjà de la liberté le genre dont le droit naturel est une espèce[1], soulignant ainsi la place prépondérante occupée dans la conception moderne du droit par l'idée de droit subjectif, entendu comme capacité originaire des individus à agir librement. Mais c'est l'idéalisme allemand, pour la constitution duquel le spectacle de la Révolution fut décisif, qui a consciemment assumé la tâche de penser « l'unification métaphysique des droits de l'homme comme réalisation de la *liberté*[2] ». C'est presque devenu un poncif : la « révolution philosophique kantienne » est le corrélat spéculatif de la Révolution politique dont la France a été le théâtre. Plus encore que chez Kant lui-même, c'est manifeste chez ses héritiers Fichte et Hegel, qui furent des spectateurs engagés de « la Révolution des droits de l'homme », pour reprendre l'expression de M. Gauchet[3]. Au-delà des vues qui leur sont propres, et sur lesquelles il faudra revenir plus loin, leurs analyses soulignent le rôle capital qu'a dans la

1. Voir *Léviathan*, *op. cit.*, chap. xiv, p. 128.
2. B. Bourgeois, « Philosophie des droits de l'homme », in *Philosophie et droits de l'homme*, PUF, 1990, p. 13.
3. Voir *La Révolution des droits de l'homme*, Gallimard, 1989, et la discussion entre M. Gauchet et B. Barret-Kriegel sur la relation entre droits de l'homme et Révolution française dans *Le Monde* du 12 juillet 1994, p. 2.

structure des droits de l'homme la liberté en tant qu'acte, et d'abord en tant qu'acte de se dire : l'homme est libre en se proclamant libre, car en se proclamant libre il se fait libre.

La déclaration affecte non seulement le contenu des droits de l'homme, mais aussi leur forme : *de facto*, elle convertit les principes du droit *naturel* en normes *positives*. Mais ce devenir positif en bouleverse la physionomie. Des principes idéaux dont l'invocation donnait à l'autorité politique un fondement rationnel et (à l'occasion) rappelait à ses détenteurs les limites de leur pouvoir légitime se trouvent désormais appelés à fonder un ordre politique nouveau. L'inclusion de la Déclaration de 1789, destinée à exposer solennellement « le but de toute institution politique » (DDH, Préambule) dans la Constitution de 1791, illustre cette modification ; les récentes décisions du Conseil constitutionnel intégrant la Déclaration à ce qu'il est convenu de nommer le « bloc de constitutionnalité », c'est-à-dire au corps des principes intangibles de l'ordre juridico-politique, la consacrent. Les droits de l'homme ne sont plus seulement des préceptes théoriques ou des règles de jugement, mais des principes constitutionnels : les proclamer, dit Sieyès, c'est déjà « exercer le pouvoir constituant » afin de « régénérer la constitution de l'État » (Rials n°s 34 et 38, p. 592 et 615). Par là même, la thématique reçoit une dimension révolutionnaire qu'elle n'avait pas chez les philosophes jusnaturalistes, pas même chez Rousseau. De plus, la politique des droits de l'homme que la Révolution entend mener est l'expression d'une compréhension nouvelle de l'idée de révolution : il ne s'agit plus de renverser un prince ou de modifier un régime, mais d'opérer une « régénération de l'ordre naturel des choses[1] » à partir de l'idée même du droit ou, ce qui revient au même, de la liberté. Le thème de la régénération ou de la refondation de l'ordre politique est très présent dans les discussions de 1789 et, *a fortiori*, dans celles de 1793.

L'Amérique et la France

L'acte de déclaration des droits de l'homme affecte leur statut et leur contenu. Mais quel est le sens de cet acte ? Plusieurs différences apparaissent ici entre la perspective américaine et la perspective française.

La première concerne la position des droits par rapport à l'ordre politique légitime. Pour les Américains, il s'agit, par « respect dû à l'opinion de l'humanité », de formuler des vérités *self-evident* (Déclaration d'indépendance des États-Unis, Rials n° 7, p. 492). Pour les Français, il est question de fonder l'ordre politique à partir de ses vrais principes, découverts grâce au libre exercice de la raison. C'est du moins ce que proclame Sieyès : « Une *déclaration des droits du citoyen* n'est pas une suite de lois, mais une suite de principes » (Rials n° 34, p. 591). Certes, « une nation ne sort jamais de l'état de nature[2] », elle est toujours en droit et en mesure de se constituer ou de réformer sa constitution ; mais, pour ce faire, elle se fonde sur les principes intangibles que sont les droits de l'homme, sans égard à la tradition ou au régime établi. Telle est, de prime abord, la différence des perspectives dans lesquelles s'accomplissent les

1. T. Paine, *Les Droits de l'homme*, Belin, 1987, p. 171. Voir également p. 187-188.
2. Sieyès, *Qu'est-ce que le Tiers État ?*, PUF, 1982, p. 69.

Révolutions américaine et française. Alors que la première se veut, en toute rigueur, une *restauration* de principes transcendants — les *laws of nature* — bafoués par un monarque injuste, la seconde reconnaît au peuple un pouvoir illimité, « constituant », de refonder la communauté en faisant table rase des traditions et des formes politiques jusqu'alors en vigueur, dans la mesure où elles ne seraient pas conformes aux « lois éternelles de la justice et de la raison[1] ».

Une Déclaration des droits, selon Jefferson, doit déterminer « ce à quoi les hommes ont droit pour se protéger contre tout gouvernement terrestre, général ou particulier, et ce qu'aucun juste gouvernement ne doit refuser[2] ». Elle n'a pas pour but de définir *ex nihilo* les bases de l'ordre politique légitime, mais, le gouvernement étant toujours tenté d'empiéter sur la sphère de liberté des individus, de rappeler les droits essentiels de la part non politique de l'existence. Ces droits sont ceux des individus face au pouvoir, quel qu'il soit : « Je préférerais, déclare Jefferson, être exposé aux inconvénients découlant d'un excès de liberté qu'à ceux qui résulteraient d'une insuffisance de liberté[3]. » Le moyen permettant de préserver cette liberté est connu de longue date : c'est le

1. Robespierre, Discours du 24 avril 1793, *Œuvres*, t. IX, PUF, 1958, p. 463.
2. Lettre à Madison du 20 décembre 1787, citée par H. Arendt in *Essai sur la Révolution*, Gallimard, 1967, p. 208. Voir également la lettre à Francis W. Gilmer du 7 juin 1816 : la « véritable tâche [du législateur] est de n'énoncer et de ne faire respecter que nos droits et nos devoirs naturels, sans nous en retirer aucun » (T. Jefferson, *La Liberté et l'État*, Seghers, 1970, p. 105).
3. Lettre à Archibald Stuart du 23 décembre 1791, in *La Liberté et l'État*, *op. cit.*, p. 186.

régime constitutionnel ou mixte, destiné à assurer le « gouvernement des lois et non le gouvernement des hommes » (Déclaration du Massachusetts, Rials n° 13, p. 517). La pensée moderne a su lui donner une traduction institutionnelle, la séparation des pouvoirs. C'est donc sans nulle coquetterie que Jefferson affirmera que la Déclaration d'indépendance, rédigée par ses soins, « ne visait à aucune originalité de principe ou de sentiment », et qu'elle voulait seulement « être une expression de l'esprit américain[1] ».

Une autre différence entre la démarche américaine et celle des Français concerne l'interaction entre le problème des droits de l'homme et celui de l'organisation des pouvoirs. Considérée comme réglée par les principes contenus dans la Déclaration d'indépendance et les Déclarations des droits des États, la question des droits de l'homme a pour les Pères fondateurs américains une moindre urgence que celle de l'exercice du pouvoir politique. Lors de la convention qui adopte en 1787 la Constitution des États-Unis, la proposition de G. Mason, principal auteur de la Déclaration de Virginie, de faire précéder la Constitution fédérale par un *Bill of rights*, comme c'était le cas pour la plupart des États confédérés, est unanimement rejetée. Les auteurs du *Fédéraliste* et de la Constitution des États-Unis ne se soucient pas, dix ans après une révolution jugée irréversible, de proclamer des droits que nul n'estime sérieusement menacés dans la république américaine : ils considèrent que les Déclarations sont des « barrières de parchemin » qui « trouve-

---

1. Lettre à Henry Lee du 8 mai 1825, citée par H. Arendt in *Essai sur la Révolution, op. cit.*, p. 189. Voir également *La Liberté et l'État, op. cit.*, p. 41-42.

raient mieux leur place dans un traité de morale que dans la constitution d'un gouvernement[1] ». Ils tentent plutôt de définir un système de « freins et contrepoids » tel que, selon la formule de Montesquieu, le pouvoir arrête le pouvoir : ce système « consiste à suppléer par l'opposition et la rivalité des intérêts à l'absence de sentiments meilleurs », et « oppose l'ambition à l'ambition[2] ». Pour eux, la Constitution est la véritable Déclaration des droits[3], car elle ne se borne pas à rappeler des principes connus de tous, mais prévient la principale menace contre les droits de l'homme : la « tyrannie de la majorité[4] ». Cet argument, repris par Tocqueville, motive le rejet de la « pure démocratie », qui conduit forcément à une telle tyrannie, au bénéfice de la république représentative. Au lieu de chercher vainement à réduire les factions et à élever l'intérêt particulier à l'universel, celle-ci oppose méthodiquement « passions » et « intérêts » entre eux[5]. Bref, pour les fédéralistes, proclamer les droits de l'homme n'a guère de nécessité en régime républicain[6].

1. James Madison, lettre à Jefferson du 17 octobre 1788, citée par D. Lacorne in « Le débat des droits de l'homme en France et aux États-Unis », *Revue Tocqueville*, XIV-1 (1993), p. 10.
2. *Le Fédéraliste*, n° 51, Economica, 1988, p. 430.
3. *Le Fédéraliste*, n° 84, p. 718-719.
4. *Le Fédéraliste*, n° 51, p. 432.
5. *Le Fédéraliste*, n° 10, p. 71-73. Argument identique chez John Adams, successeur de Washington : « Le pouvoir doit être opposé au pouvoir, la force à la force, la puissance à la puissance, l'intérêt à l'intérêt, de même que la raison doit l'être à la raison, l'éloquence à l'éloquence, la passion à la passion. »
6. Certes, les dix premiers amendements « formant *Bill of rights* » sont intégrés dès 1789 à la Constitution ; mais cette inclusion répond à des raisons d'opportunité plus qu'à une volonté d'adopter une Déclaration en forme.

Ce sont deux démarches bien différentes que d'adjoindre à la Constitution le rappel de vérités bien connues et de la faire précéder d'une Déclaration des droits destinée à lui offrir ses principes. Dans la première perspective, adoptée par les Américains, ces droits conservent leur statut anté-politique, mais ne sont pas susceptibles d'offrir un fondement à la construction juridique de l'État; leur énonciation est celle des conditions minimales en l'absence desquelles il n'est même pas possible de parler de politique. Dans l'autre perspective, les droits naturels deviennent des « garanties constitutionnelles[1] », et jouissent ainsi d'un double statut naturel et positif. Telle est la démarche des Déclarations françaises. La problématique des droits de l'homme connaît donc aux États-Unis, par rapport aux thèmes qu'agitaient les Lumières, un déplacement significatif. Désormais, il s'agit moins de garantir les individus contre un pouvoir oppressif que d'organiser le pouvoir de telle manière que les intérêts entre lesquels se partage la société s'équilibrent, au lieu de s'opprimer. En d'autres termes — qui seront ceux de Tocqueville —, c'est la « tyrannie sociale » plus que la tyrannie politique qui menace les droits de l'homme, en tout cas dans le contexte moderne. De là vient le souci obsédant qu'ont les auteurs du *Fédéraliste* de la protection des minorités, que les Déclarations fran çaises ignorent ou du moins jugent suffisamment assurée par la souveraineté « une, indivisible, imprescriptible et inaliénable[2] » de la volonté popu laire.

1. À propos de la différence entre « droits fondamentaux et « garanties institutionnelles », voir C. Schmitt, *Théorie de la Constitution*, PUF, 1993, p. 308-312.
2. Projet de Déclaration girondin (29 mai 1793), art. 26; Déclaration des droits de l'homme et du citoyen (« monta

On parvient ainsi à ce qui distingue *philosophique-ment* les auteurs des textes américains et les consti-tuants français. Contrairement à certaines lectures hâtives, il ne suffit pas d'opposer l'individualisme américain et le holisme français (ce qui, de toute manière, supposerait une explication de cette dif-férence d'attitude éthico-politique). Car l'individua-lisme politique, cœur du droit naturel moderne, est la prémisse commune aux deux Révolutions et aux conceptions des droits de l'homme qu'elles ont géné-rées. Il vaut mieux parler d'une vision différente de l'ordre politique — pluraliste dans un cas, moniste dans l'autre — et des menaces qui pèsent sur lui. Aux yeux des révolutionnaires français, c'est l'éventuel retour de l'oppression et de la « tyrannie » qui met en péril les droits de l'homme et nécessite qu'ils soient *politiquement* garantis, comme l'indiquent les projets de Sieyès[1], la Déclaration de 1789 (DDH, article 12) et surtout les textes de la période de la Convention. Dans le projet de Condorcet (15 février 1793), la « garantie sociale » (le terme est utilisé à quatre reprises) figure parmi les « droits naturels, civils et politiques » énoncés à l'article 1 ; le projet girondin (article 24) aussi bien que la Déclara-tion finalement adoptée par la Convention monta-gnarde (article 23) font de la « souveraineté natio-nale » la base de la « garantie sociale des droits de l'homme[2] ». S'inspirant du *Contrat social*, les Décla-

gnarde ») de 1793, art. 25. Ces textes sont reproduits dans *Les Déclarations des droits de l'homme*, GF-Flammarion, 1989 (cité Jaume) ; voir n° 21, p. 264, et n° 27, p. 302.

1. « La liberté, la propriété et la sûreté des citoyens doivent reposer sur une garantie sociale, supérieure à toutes les atteintes » (Second projet, art. 11, Rials n° 38, p. 617).

2. Voir Jaume, n° 17, p. 240, n° 21, p. 264, et n° 27, p. 301-302.

rations françaises font de la *loi*, acte de la souveraineté populaire, la médiation qui permet aux droits
de l'homme de s'accomplir comme droits du citoyen.
Cette conception, tout en maintenant le caractère
naturel et individuel des droits de l'homme, veut
qu'ils soient assumés et médiatisés politiquement
pour conserver une effectivité au sein de la société
civile, précisément parce que celle-ci, lorsqu'elle est
mal « constituée », est pour eux une menace
constante. Au contraire, pour les Américains, le pouvoir est en tant que tel un danger pour les libertés
individuelles ; d'où la nécessité de prévenir ses abus
par une méthode (les *checks and balances*) qui ne
présuppose aucune bonne disposition chez les gouvernants comme chez les gouvernés.

Il ne faudrait cependant pas durcir l'opposition
entre une doctrine libérale (américaine) et une doctrine étatiste (française) des droits de l'homme,
comme si l'on avait affaire à deux camps homogènes
et aux frontières tranchées. À la vérité, une autre différence traverse, quant à elle, les deux révolutions. Il
y a d'un côté ceux qui jugent avec Robespierre, mais
également avec Jefferson et Thomas Paine, que
« toute institution qui ne suppose pas le peuple bon
et le magistrat corruptible est vicieuse[1] ». Sans
doute s'opposent-ils en ce qui concerne la nature et
l'ordre des droits fondamentaux ; mais ils s'accordent à considérer que c'est l'institution politique
en tant que telle qui est un péril pour ces droits. En
même temps, cependant, elle peut être leur sauve-

---

1. Robespierre, Discours du 24 avril 1793, *Œuvres*, t. IX,
p. 467. En ce qui concerne Jefferson, les textes cités plus haut
montrent que pour lui, comme le disait Paine, « le gouvernement, comme le vêtement, est la marque de notre innocence
perdue » (*Le Sens commun, op. cit.*, p. 59).

garde. Le gouvernement, s'il lui est rappelé que les droits de l'homme sont la « règle de ses devoirs », peut en s'autolimitant garantir la liberté individuelle et le bonheur public; il est ainsi, comme le dira Fichte, une institution de nécessité, agissant en vue de sa propre extinction. L'autre courant estime au contraire que l'organisation du pouvoir, à condition d'être exactement pensée, est la clé du respect des droits de l'homme, y compris de ses droits naturels. Dans une telle perspective, adoptée par *Le Fédéraliste* aussi bien que par Sieyès et par Condorcet, on pourrait dire qu'une dénaturation réussie est la garantie du droit naturel : « l'ordre social est comme une suite, comme un complément de l'ordre naturel » (Sieyès, Premier projet, Rials n° 34, p. 594). Ainsi, la philosophie politique des droits de l'homme est confrontée à un choix entre une orientation tendanciellement anarchiste (tout gouvernement est mauvais, même s'il est un moindre mal) et une conception qui fait de l'État (pas n'importe lequel, toutefois) la mesure de l'effectivité des droits, y compris de ceux qui ont un caractère prépolitique. Ce choix est étroitement lié à la manière dont le contenu concret des droits de l'homme est appréhendé et hiérarchisé.

Liberté, égalité, fraternité ?

Déclarer les droits de l'homme, soit. Mais que s'agit-il exactement de déclarer? Quels sont ces droits, existe-t-il entre eux une hiérarchie, et quelle incidence a-t-elle sur les fins prescrites à la communauté politique? Ces questions sont débattues, surtout en Europe, depuis la Révolution française. Dans les premières Déclarations, la liberté occupe une place privilégiée, comme on l'a noté plus haut : elle est à la fois — étroitement associée à la vie dans les textes américains, qui portent l'empreinte des formulations lockiennes[1] — le premier des droits de l'homme et, plus essentiellement, la condition métaphysique de possibilité de l'ensemble de ces droits. À la notable exception de la Déclaration américaine d'indépendance, dans laquelle le fait que les hommes « sont créés égaux » apparaît comme la raison d'être de la possession de « certains droits inaliénables », l'égalité ne vient qu'au second rang. Au demeurant, bon nombre des constituants français l'interprètent de manière nettement restrictive. C'est ainsi que Sieyès, pour justifier la distinction entre citoyen passif (bénéficiant des droits naturels et civils) et citoyen actif (titulaire des droits politiques), explique : « Tous peuvent jouir des avantages de la société ; mais ceux-là seuls qui contribuent à l'établissement public, sont comme les vrais actionnaires de l'entreprise sociale » (Rials n° 34, p. 600). Si « l'égalité des droits politiques est un principe fondamental » (*ibid.*, p. 601), il va de soi, pour l'auteur de l'*Essai sur les privilèges*, qu'elle ne saurait concerner que ceux qui y ont droit, autrement dit les « citoyens actifs » ; ceci exclut selon lui les femmes, « du moins dans l'état actuel », les enfants, les étrangers, ainsi que « ceux qui ne contribueraient en rien à l'établissement public » (*ibid.*, p. 600). Cette dernière locution peut désigner, selon le point de vue adopté, les indigents aussi bien que les habitants des colo-

---

1. Voir Déclaration d'indépendance, Rials n° 7, p. 492 ; Virginie, art. 1, Rials n° 8, p. 495 ; Pennsylvanie, art. 1, Rials n° 9, p. 499 ; Massachusetts, art. 1, Rials n° 13, p. 513.

nies, ou les membres d'une caste inférieure. Ainsı, dans la Déclaration de 1789, l'égalité des droits civils n'est qu'une conséquence de la liberté prépolitique qui est reconnue aux individus; quant à l'égalité politique, elle ne concerne que ceux qui « ont, à la chose publique, intérêt avec capacité » (Sieyès, Deuxième projet de Déclaration, art. 28, Rials n°38, p. 619). D'une manière générale, l'égalité politique est une égalité entre égaux, en sorte que son affirmation est toujours relative à un critère, explicite ou non, de discrimination des individus, selon qu'ils méritent ou non de jouir de la pleine citoyenneté[1]; elle suppose donc une définition préalable de la communauté politique, dont la fin est de « conserver » les droits ou les libertés de ses membres.

Si l'on se tourne vers les textes de 1793, le changement d'accent est frappant. Que ce soit dans le projet girondin du 29 mai 1793 (Jaume n° 21, p. 262) ou dans la Déclaration montagnarde adoptée en même temps que la Constitution de l'an I (voir Jaume n° 27, p. 299), l'égalité est nommée en premier parmi les « droits naturels et imprescriptibles » ou les « droits de l'homme en société », avant la liberté, la propriété, la sûreté et, dans le cas du projet girondin, la garantie sociale et la résistance à l'oppression. L'égalité, indique la Déclaration du 24 juin 1793, vaut « par la nature et devant la loi » (article 3, Jaume n° 27, p. 299); cette précision revient à annuler la distinction faite par Sieyès entre l'égalité des droits et l'inégalité des moyens, laquelle permettait indirectement de justifier l'inégalité des droits politiques. Cette priorité nouvelle de l'égalité sur la liberté

---

1. Voir C. Schmitt, *Parlementarisme et démocratie*, Le Seuil, 1988, p. 106-107.

explique l'introduction, dans le texte de 1793, des droits de créance (droits à...) qui, bien qu'ils aient alors été un objet de débats, sont absents de la première Déclaration française, sinon sous le chef assez vague de la sûreté : il s'agit du droit aux secours publics[1] et du droit à l'instruction (article 22). Certains projets émanant de la Montagne allaient plus loin. Ainsi, Carnot proclame dans sa « Déclaration des droits du citoyen » que « la société doit pourvoir aux besoins de ceux dont elle réclame les services » (article 16, Jaume n° 25, p. 292).

Les contributions de Robespierre à la discussion sur les droits de l'homme développent une argumentation destinée à devenir classique en faveur de l'extension de leur champ ; mais celle-ci implique à la vérité un infléchissement de leur sens. Le projet de Déclaration de la Gironde lui paraît « fait non pour les hommes, mais pour les riches », en raison de la valeur absolue qu'il confère au droit de propriété. Robespierre refuse une « liberté indéfinie[2] » qui reviendrait à oublier que le premier des droits de l'homme est « celui d'exister ». La Déclaration doit donc déterminer les limites du droit de propriété, qui « ne peut préjudicier ni à la sûreté, ni à la liberté, ni à l'existence, ni à la propriété de nos semblables », et rappeler les « devoirs de fraternité qui unissent tous les hommes et toutes les nations ». Le projet de Déclaration de Robespierre fait de la conservation

1. « Les secours publics sont une dette sacrée. La société doit la subsistance aux citoyens malheureux, soit en leur procurant du travail, soit en assurant les moyens d'exister à ceux qui sont hors d'état de travailler » (art. 21, Jaume n° 27, p. 301).

2. Robespierre, Discours sur les subsistances (2 décembre 1792), *Œuvres*, t. IX, p. 112-115

de l'existence et de la liberté les principaux droits de l'homme (article 2), affirme que « le droit de propriété est borné, comme tous les autres » (article 7) et proclame le droit à la subsistance, aux secours et à l'instruction (articles 10 à 13)[1]. Peu importe que ces propositions n'aient pas été toutes retenues, et que la Déclaration de l'an I soit restée lettre morte ; le débat qu'elles ont ouvert s'est poursuivi jusqu'à nos jours. Dans l'idée commune des droits de l'homme, la place faite aux droits sociaux (dénomination ultérieure des créances de 1789-1793) ne va désormais cesser de croître. C'est ainsi que les textes postérieurs à la Seconde Guerre mondiale, comme la Déclaration incluse dans le projet de Constitution française de 1946 ou la Déclaration universelle des droits de l'homme de 1948, leur octroient un rôle prépondérant, en considérant que la jouissance effective des « droits sociaux et économiques » est la mesure du « progrès social » (Jaume n° 33, p. 332). Par contrecoup, les droits-libertés voient leur place se restreindre, et certains d'entre eux (la propriété notamment) font l'objet de contestations. Il est vrai que ces deux types de droits ne sont pas seulement de nature différente ; ils sont aussi possiblement contradictoires : les droits sociaux appellent une intervention de l'État dans la vie des individus, alors que la proclamation des droits-libertés tend à la circonscrire, sinon à la récuser[2].

1. Discours du 24 avril 1793 *ibid.*, p. 461-469. Également Jaume n° 20, p. 254-261.
2. Voir C. Schmitt, *Théorie de la Constitution, op. cit.*, p. 306 *sq.* Le problème est repris par L. Ferry et A. Renaut dans *Philosophie politique*, III, *Des droits de l'homme à l'idée républicaine*, PUF, 1985, p. 84 *sq.* ; voir aussi l'article « Droits-libertés et droits-créances », *Droits*, n° 2, 1985, p. 75-84.

Entre la conception libérale des droits de l'homme que livre la Déclaration de 1789 et l'orientation sociale qui s'affirme à partir de 1793, il existe bien entendu une divergence politique. Elle a été fortement soulignée aussi bien par les premiers protagonistes du débat que par ceux qui l'ont poursuivie. Robespierre voit dans les partisans de l'intangibilité de la propriété des « âmes de boue, qui n'estim[ent] que l'or » sous couvert de proclamer la liberté ; il les compare à des « marchands de chair humaine[1] ». Inversement, les libéraux perçoivent dans la revendication d'égalité et de fraternité une vision animiste de la société : l'idée que les individus et les groupes défavorisés ont des créances sur elle revient à la considérer comme une personne, comme un sujet doué de volonté, alors qu'elle n'est qu'un ordre spontané et aléatoire[2]. Mais la divergence est philosophique plus encore que politique, puisqu'elle concerne les statuts respectifs de l'individu et de la communauté politique. Considère-t-on l'individu comme étant pour l'essentiel ce qu'il est indépendamment de celle-ci, il convient alors de privilégier ce qui, parmi ses propriétés, manifeste cette indépendance ; on soulignera donc, avec John Rawls, la priorité « lexicale » ou sérielle de la liberté sur l'égalité, ce qui signifie que « des atteintes aux libertés de base [...] ne peuvent pas être justifiées par des avantages sociaux et économiques plus grands[3] ». En

1. *Œuvres*, t. IX, p. 459-460 (ou Jaume n° 20, p. 254-255).
2. Voir F. A. Hayek, *Droit, législation et liberté*, t. II, *Le Mirage de la justice sociale*, PUF, 1981, notamment p. 121-127.
3. J. Rawls, *Théorie de la justice*, Le Seuil, 1987, p. 92. L'ordre lexical des principes de justice (ici : des droits de l'homme) signifie que l'on doit « satisfaire d'abord le principe classé premier avant de passer au second », ce qui « évite d'avoir à mettre en balance les principes » (*op. cit.*, p. 68).

revanche, si l'individu humain doit à la communauté
d'être ce qu'il est, il faut considérer l'homme d'abord
comme « être générique », ainsi que le dit Marx[1] : il
est alors un être essentiellement social, et cette
détermination l'emporte sur ses propriétés et ses
droits individuels. Dans cette perspective, les droits
de liberté, qui demeurent pour beaucoup des possibilités vides, faute des conditions matérielles permettant de les exercer, « ne sont rien d'autre que les
droits du membre de la société bourgeoise, séparé
de l'homme et de la société[2] ». En revanche, le souci
égalitaire est celui de l'« émancipation humaine »,
c'est-à-dire de l'advenir de l'humanité vraie en lieu et
place de l'« homme dans son existence immédiate[3] ». Le débat entre les tenants de la priorité à la
liberté et ceux pour qui l'égalité est première
débouche ainsi en toute clarté — ce qui n'était pas
encore le cas lors de la Révolution française — sur le
problème du type de société susceptible de garantir
effectivement les droits de l'homme total, droits qui
pour Marx sont irréductibles aux libertés égoïstes du
bourgeois. Étonnant renversement de la position initiale de la question : l'« appropriation réelle de
l'essence *humaine* par l'homme et pour l'homme[4] »
suppose chez Marx l'abolition de la propriété privée,
qui est au cœur de la conception libérale des droits
de l'homme.

Ne faut-il pas néanmoins tenter d'outrepasser
l'alternative, trop souvent présentée comme inéluc-
table, entre liberté et égalité, entre libertés et

---

1. Voir en particulier *Manuscrits de 1844*, Éditions sociales,
1972, p. 61 *sq.* et 90.
2. Marx, *La Question juive* (1843), UGE, 1968, p. 38-39.
3. *Op. cit.*, p. 44.
4. *Manuscrits de 1844*, op. *cit.*, p. 87.

créances, entre droits de... et droits à...? C'est peut-être possible, à condition toutefois de réviser les présupposés anthropologiques de la théorie du droit naturel, soubassement usuel de la problématique des droits de l'homme. Par nature, si par là on veut dire originellement, les hommes ne sont ni libres ni égaux : la nature, comme dit Hegel, est le règne de l'inégalité et de la servitude[1]. S'ils peuvent y échapper, c'est parce qu'ils sont, ou plutôt parce qu'ils se font des animaux politiques : sans État, pas de lois, et sans lois, pas de droits. Dans une telle perspective, les droits de l'homme ne seraient pas des propriétés qu'il s'agirait de préserver, mais des déterminations qu'il faut conquérir dans et par l'être-en-commun. Cette manière d'envisager la question des droits de l'homme confère une priorité à la liberté qui, comprise d'une manière moins étroite que dans la perspective libérale, désigne le processus même par lequel les hommes s'arrachent à leur propre « nature » en devenant membres d'une communauté politique : le premier des droits de l'homme, c'est celui d'être citoyen. L'égalité, quant à elle, apparaît comme un nécessaire principe de modulation de cette liberté fondamentalement politique. Il faut d'ailleurs s'entendre : dans une communauté organisée, y compris dans une démocratie, l'égalité est relativisée par la nature même du rapport politique, qui implique une distinction entre gouvernants et gouvernés[2]; toutefois, cette « inégalité » n'est ni naturelle ni définitive, dès lors que chaque citoyen peut prétendre accéder au statut de gouvernant. On

1. Voir *Encyclopédie des sciences philosophiques, op. cit.*, § 539 Rem., p. 314 *sq.*
2. « Le bon citoyen doit savoir et pouvoir obéir et commander » (Aristote, *Politique*, III.4, 1277 b 15).

peut de surcroît considérer, avec Hegel, que « le haut développement des États modernes produit dans l'effectivité la suprême *inégalité* concrète des individus et, par contre, grâce à la rationalité plus profonde des lois et à l'affermissement de l'état légal, réalise une liberté d'autant plus grande et plus fondée[1] » ; en effet, il semble bien que la différenciation des individus et des fonctions sociales soit un trait caractéristique des société modernes. Mais l'égalité des droits est bien autre chose qu'une simple égalité formelle, pour ne pas dire illusoire. C'est sans doute un point faible de la « critique » marxiste des droits de l'homme que d'avoir conclu, de ce que certains en jouissent dans certaines conditions mieux que d'autres, que leur proclamation est vaine ou mensongère : sans égalité formelle, il n'est pas d'égalité réelle ! L'égalité des droits, l'égalité comme droit prend tout son sens dans une société hautement différenciée, dans laquelle les individus, dépris des solidarités traditionnelles, sont portés à affirmer leur liberté sur un mode égoïste. La place occupée par les droits sociaux dans la thématique contemporaine des droits de l'homme souligne le caractère dynamique et ouvert d'une liberté qui ne s'affirme qu'au risque de se compromettre elle-même et qui, pour conserver une effectivité, a besoin d'être contestée par la revendication égalitaire. Celle-ci, du reste, pose comme on va le voir la question de l'articulation du social et du politique.

___

1. *Encyclopédie des sciences philosophiques*, *op. cit* § 539 Rem., p. 315.

Droits de l'homme, révolution et philosophie

S'il est vrai que la philosophie politique s'est toujours proposé de déterminer ce qu'est la cité juste, la *déclaration* des droits de l'homme, c'est-à-dire leur passage du statut de principes de droit naturel à celui de normes sanctionnées par un texte positif, apparaît comme la « réalisation politique de la philosophie[1] », en tout cas comme celle d'une philosophie. Elle instaure ainsi un lien inédit entre le droit naturel, la philosophie et la révolution. Nul n'en fut plus conscient que Robespierre : « La Révolution française est la première qui ait été fondée sur la théorie des droits de l'humanité et sur les principes de la justice. Les autres révolutions n'exigeaient que de l'ambition; la nôtre impose des vertus[2]. » Autrement dit, c'est parce qu'elle repose sur les droits de l'homme que la Révolution est la seule véritable, celle qui institue un nouvel ordre des choses et change la face du monde. Par là s'explique l'importance attachée par les révolutionnaires français à la détermination exacte des droits de l'homme. En 1793, au moment où la République est en grand péril et alors même que va être instauré le « gouvernement révolutionnaire », dont les méthodes ne correspondent pas précisément à

1. J. Habermas, « Droit naturel et révolution », in *Théorie et pratique*, *op. cit.*, t. I, p. 112.
2. Dernier discours (26 juillet 1794), *Œuvres*, t. X, PUF, 1967, p. 544. De son côté, Condorcet affirme que « le mot *révolutionnaire* ne s'applique qu'aux révolutions dont la liberté est le but » (*Œuvres*, t. XII, Paris, 1847, p. 615).

l'idéal des droits de l'homme, Robespierre insiste
pour que la Convention, avant de rédiger une nouvelle Constitution, établisse une Déclaration plus
complète que celle de 1789 : « Nous devons à la
nation une constitution fondée sur les droits imprescriptibles de l'homme, de l'homme dans l'état de
nature, de l'homme dans l'état de société. C'est le
seul moyen de donner un gage à la nation que nous
respecterons véritablement sa liberté[1]. » La Déclaration des droits est, en effet, bien plus qu'un catalogue de libertés fondamentales, elle est « la Constitution de tous les peuples[2] ». L'affirmation doit être
prise à la lettre. Pour Robespierre comme pour les
acteurs de 1789, les droits de l'homme ne sont pas de
simples garde-fous destinés à préserver les libertés
individuelles, mais le fondement même de la société
politique, dont ils définissent à la fois la fin — la vie,
la liberté et la recherche du bonheur, comme dit la
Déclaration d'indépendance américaine — et les
moyens, à savoir l'ensemble des méthodes de formation de la volonté collective qui caractérisent le
régime constitutionnel. Autrement dit, les droits de
l'homme sont au principe d'une *définition normative*
de l'ordre politique qu'expose en toute clarté
l'article 16 de la Déclaration de 1789 : « Toute
société dans laquelle la garantie des droits n'est pas
assurée, ni la séparation des pouvoirs déterminée,
n'a point de Constitution[3]. »

Les penseurs contre-révolutionnaires se sont rapi-

1. Discours du 15 avril 1793, *Œuvres*, t. IX, p. 435.
2. Discours sur la Constitution (10 mai 1793), *Œuvres*,
t. IX, p. 507.
3. Voir l'analyse de M. Troper, « L'interprétation de la
Déclaration des droits. L'exemple de l'article 16 », *Droits*, n° 8,
1988, p. 111-122.

dement emparés de ce thème, à vrai dire avant
même que les hommes de 1793 en développent
toutes les conséquences : ils rejettent la problématique des droits de l'homme parce qu'elle est intrinsèquement révolutionnaire, et parce qu'elle repose
sur une philosophie rationaliste qu'ils récusent.
Joseph de Maistre, doctrinaire de la contre-révolu-
tion, reproche à la Constitution de l'an III, pourtant
fort modérée, d'être, « tout comme ses aînées » de
1789 et de 1793, « faite pour l'*homme* ». Or l'homme
est une abstraction, une invention des philosophes :
« il n'y a point d'*homme* dans le monde », mais « des
Français, des Italiens, des Russes, etc. ». C'est donc
sur « une erreur de théorie » que repose toute la doctrine des droits de l'homme[1]. Cette critique rejoint
celle qu'Edmund Burke développe dès 1790 dans ses
Réflexions sur la Révolution de France : l'homme est
une abstraction, seules sont réelles et susceptibles de
fonder des droits — des droits *essentiellement* particuliers — les traditions et les histoires nationales
singulières. Dès lors, une politique se fondant sur
ces abstractions que sont l'homme et ses droits
conduit logiquement à la destruction de toutes les
traditions et à la révolution permanente.

Plus fructueuses sont pourtant les positions de
Fichte ou de Hegel, déjà rapidement évoquées, parce
qu'elles n'aboutissent pas comme les précédentes à
un pur et simple rejet des principes de 1789 et de
leur contenu éthico-politique concret, sans pour
autant sombrer dans une glorification non critique
qui serait tout aussi nocive. Certes, la doctrine des
droits de l'homme a partie liée avec le processus

---

1. *Considérations sur la France* (1796), Garnier, 1980,
p. 64-65.

révolutionnaire, et même sans doute avec ce qu'il a
eu de plus effrayant; mais elle est aussi, pour des
raisons qui ont été indiquées plus haut, l'expression
de la tendance profonde du monde moderne : l'affir
mation de la liberté des individus et la recherche des
formes politiques et sociales permettant de la garan
tir. Penser les droits de l'homme, c'est donc penser la
modernité même, sa dynamique complexe. Ainsi, le
jeune Fichte prétend donner à la Révolution et aux
droits de l'homme la philosophie qu'ils méritent. Il
s'agira d'une philosophie faisant de la liberté le fondement du droit, la liberté étant conçue telle qu'elle
doit l'être depuis Kant, à savoir comme actualisation
du pouvoir d'autodétermination (pratique) de la raison. Fichte n'hésite pas à écrire : « Mon système est
le premier système de la liberté [...]. Ainsi donc, ce
système appartient déjà dans une certaine mesure à
la nation française[1]. » Les droits de l'homme ne sont
pas mentionnés dans ce passage, mais c'est bien
l'acte solennel de leur proclamation qui, pour Fichte,
établit un lien indissoluble entre l'événement révolutionnaire et le « système de la liberté ». En 1807
encore, Fichte rappellera que la doctrine des droits
de l'homme « constitue le fondement éternel et inébranlable de tout ordre social[2] ». En revanche, il la
juge désormais impropre à être le principe d'une
politique. En effet, à la différence de l'État, qui est
une institution de contrainte destinée à dépérir au
fur et à mesure que l'éducation des individus à la
liberté portera ses fruits, la société ne peut être pensée autrement que comme une communauté d'êtres

1. Lettre à Baggesen (avril 1795). Voir X. Léon, *Fichte et
son temps*, A. Colin, 1927, t. II.2, p. 288.
2. « Sur Machiavel écrivain », in *Machiavel et autres écrits*,
Payot, 1981, p. 63.

rationnels, c'est-à-dire libres[1]. Parler des droits de l'homme n'est peut-être donc pas, comme on l'a cru en 1789, parler de politique, mais d'abord rechercher les fondements éthiques et juridiques d'une telle communauté.

Hegel aussi voit dans la promotion des droits de l'homme l'expression de l'affirmation de la liberté, qui est le propre de la modernité ; mais il émet des réserves à l'égard de la compréhension que la conscience moderne a de cette liberté. Les appréciations qu'il porte sont à première vue contradictoires. Comme le Fichte de 1806, il récuse les droits de l'homme en tant que fondement d'une politique : ce sont les « hommes à principes » — nous dirions les idéologues — et non les « hommes d'État » qui s'en réclament sans cesse, et les conséquences pratiques de ce discours peuvent être lourdes[2]. En même temps, Hegel fait gloire au manifeste de 1789 d'avoir énoncé, « comme un catéchisme élémentaire », les « bases de l'organisation de l'État[3] » ; mais, comme on va le voir, ces bases de l'institution politique sont pour ainsi dire infra-étatiques, en sorte que les droits de l'homme échappent au champ politique tel qu'il est défini et circonscrit par le monde moderne.

L'infléchissement terroriste de la politique des droits de l'homme menée lors de la Révolution répond à la manière abstraite dont a été pensé son principe, la liberté. Hegel relève lui aussi l'articulation nouvelle qui s'opère entre la proclamation des

1. Voir *Conférences sur la destination du savant*, Vrin, 1980, p. 45-49.
2. « À propos du *Reformbill* anglais », in *Écrits politiques*, Champ libre, 1977, p. 394.
3. « Actes de l'assemblée des États de Wurtemberg », *ibid.*, p. 240.

droits de l'humanité et le gouvernement révolutionnaire; mais la philosophie qui la soutient, celle des
Lumières, est pour lui une philosophie abstraite :
dans la *Phénoménologie de l'Esprit*, le passage consacré à « la liberté absolue et la terreur », qui analyse
l'évolution de la politique révolutionnaire, est immédiatement consécutif à la présentation des Lumières
et de leur « combat avec la superstition [1] ». C'est précisément parce que la problématique des droits de
l'homme se fonde sur une abstraction — « l'homme »,
en tant qu'il est « libre par nature » — qu'elle a
donné lieu, confrontée à la crise de l'Ancien
Régime et indûment chargée de lui fournir une
réponse politique, à une traduction révolutionnaire qui culmine avec la Terreur : « La pensée est
devenue violence là où elle avait face à elle le positif en tant que violence [2]. » Ainsi, la Déclaration des
droits de l'homme n'est pas un simple rappel de
philosophèmes bien connus. Elle engage une entreprise inédite de reconstruction du monde à partir de
l'idée que l'humanité éclairée a construite d'elle-
même. Telle est la grandeur d'une révolution qui
apparut à « tous les êtres pensants » comme « un
superbe lever de soleil [3] »; mais c'est aussi ce qui
conduisit à « la plus terrible tyrannie », celle de la
vertu. Plus que quiconque, en effet, Robespierre
« prit la vertu au sérieux » [4] ». Il insiste d'ailleurs lui-

1. Voir *Phénoménologie de l'Esprit*, trad. fr. Jarczyk/Labar-
rière, Gallimard, 1993, p. 482 *sq.* et 515 *sq.*
2. Hegel, *Philosophie der Weltgeschichte*, F. Meiner, 1976,
p. 924; voir *Leçons sur la philosophie de l'histoire*, *op. cit.*,
p. 339. Par « positif », Hegel entend la réalité en tant qu'elle est
figée dans une figure historique révolue et privée par là de
toute légitimation rationnelle.
3. *Op. cit.*, p. 926; trad. citée, p. 340.
4. *Op. cit.*, p. 930; trad. citée, p. 342.

même, pour justifier le « despotisme de la liberté », sur le lien qui unit la vertu républicaine et la terreur[1].

Il n'y a pas forcément contradiction entre la passion des droits de l'homme et la terreur révolutionnaire ; mais il n'existe pas non plus de connexion nécessaire entre elles. Leur point de jonction, c'est une idée abstraite de l'homme en tant que sujet absolu du droit. Il ne faut cependant pas en conclure, comme le fait la pensée contre-révolutionnaire, que la revendication des droits de l'homme conduit inéluctablement à une politique de terreur et à la dictature de la vertu. Cela ne peut se produire que lorsqu'on suppose qu'ils suffisent à déterminer le sens de l'action politique. L'erreur d'un Robespierre, philosophique autant que politique, est d'avoir cru que la vertu antique, que l'héroïsme de la liberté est le corrélat nécessaire des droits de l'homme ; la politique devient alors une *morale*. Mais si les normes morales sont nécessaires à l'action individuelle, elles sont incapables de définir à elles seules le sens et les modalités de l'être-en-commun, donc celui de la politique. D'une certaine façon, Edmund Burke a raison de considérer qu'autant les droits de l'homme sont « vrais métaphysiquement », autant ils sont « faux moralement et politiquement[2] ». Toutefois, il ne faut pas en conclure, comme il le fait lui-même, que la Révolution fran-

1. « Si le ressort du gouvernement populaire dans la paix est la vertu, le ressort du gouvernement populaire en révolution est à la fois la *vertu* et la *terreur*. La terreur [...] est donc une émanation de la vertu » (Discours du 5 février 1794, *Œuvres*, tome X, p. 357).
2. Burke, *Réflexions sur la révolution de France* (1790), Hachette, coll. Pluriel, 1989, p. 78.

çaise se trompait de vouloir promouvoir ces droits abstraits, plutôt que ce qu'il nomme « les véritables droits *des* hommes[1] », à savoir ceux qui s'enracinent dans une tradition et une histoire particulières. Hegel note, à l'encontre de tous les adversaires des idéaux de 1789 : « L'*homme vaut parce qu'il est homme*, non parce qu'il est juif, catholique, protestant, allemand, italien, etc. Cette conscience [...] est d'une importance infinie ; elle n'est déficiente que lorsqu'elle s'oppose à la vie concrète de l'État[2]. » L'universalité abstraite des droits de l'homme est, contrairement à ce que dit Burke, ce qui fait leur valeur ; mais elle leur interdit de se substituer aux exigences et aux règles particulières de la politique, espace dans lequel doit se déployer une figure plus concrète de l'universel. Il ne s'agit donc pas de relativiser, encore moins de condamner le principe auquel s'ordonnent les droits de l'homme, à savoir l'égale liberté des individus, car ce principe est au fondement de la modernité ; mais sans doute faut-il surmonter l'interprétation qu'en a donnée une certaine philosophie, celle des Lumières, interprétation qui cherchait à prolonger la théorie moderne du droit naturel (Hobbes) tout en écartant ses conséquences absolutistes.

La promotion des droits de l'homme opérée grâce aux révolutions américaine et française suppose un déplacement du cadre dans lequel ils sont pensés. Pour les théoriciens du contrat, cette question concernait l'articulation de l'état de nature et de l'artifice politique. Mais, dans le contexte d'une com-

---

1. *Ibid.*, p. 74.
2. Hegel, *Principes de la philosophie du droit, op. cit.*
§ 209 Rem (trad. mod.).

munauté humaine différenciée en strates relative‑
ment indépendantes et où la définition des espaces
d'activité ne relève plus directement de l'État, ce qui
paraît bien être le cas des sociétés où s'est dévelop‑
pée la revendication des droits de l'homme, ne faut-il
pas renoncer au schéma dualiste opposant état de
nature et société politique ? Le lieu des droits de
l'homme ne doit-il pas être cherché dans un espace
qui n'est ni naturel ni identique à un ordre politique
fondé sur la subordination, même consentie ? En
tout état de cause, il faut constater que l'essor de la
thématique des droits de l'homme accompagne
l'expansion de cette sphère structurellement dépoli‑
tisée et pour une part soumise aux régulations non
concertées de la « main invisible[1] » que Hegel
nomme société civile. Ceci conduit à soupçonner
que la signification profonde des droits de l'homme
est *sociale* plus encore que politique. Contrairement
à toute une longue tradition, pour laquelle l'identité
humaine était forcément construite ou reconstruite
politiquement, Hegel nous invite à considérer que
l'homme, au sens abstraitement général du terme,
acquiert une existence réelle[2] non pas grâce à l'État,
en tant que citoyen, mais au sein de la société civile,
en tant que « bourgeois », et qu'il doit assumer les
contradictions inhérentes à cette identité double qui
est la sienne. Le paradoxe est que la constitution
socio-économique de l'homme passe par un
ensemble de processus qui entraînent une déshuma‑

1. Cette expression a été forgée par Adam Smith pour dési
gner l'action régulatrice mais inconsciente du marché ; voir
Richesse des nations, G. Mairet éd., Gallimard, 1976, livre IV,
chap. II, p. 256.
2. Voir *Principes de la philosophie du droit, op. cit.*
§ 190 Rem. et 209 Rem.

nisation des activités humaines : le travail « abstrait » de la manufacture, l'échange marchand sont pour les individus qui les accomplissent plus aliénants que les formes traditionnelles d'activité laborieuse, parce que leur agir s'inscrit dans un système de fonctions sur lequel ils n'ont guère de prise. L'aliénation sociale suscite la revendication des droits — notamment des droits sociaux —, mais elle conditionne aussi subtilement leur satisfaction.

Peut-être est-ce mal poser le problème des droits de l'homme que de le faire sur le seul terrain politique ou étatique, alors que le monde moderne offre à l'individu des possibilités inédites de faire valoir ses intérêts, d'exercer son droit, d'affirmer sa liberté selon des modalités autres que politiques : l'autonomie, sans doute relative, conquise par l'espace social à l'égard de l'État ouvre un champ nouveau à la revendication, jusqu'alors essentiellement politique, des droits de l'humanité ; les droits politiques ne constituent qu'une part, encore qu'absolument nécessaire, de la liberté « objective » ou institutionnalisée que l'État moderne garantit à l'individu. Pour l'homme engagé dans le complexe de rapports économiques et juridiques qui structure la société civile, les notions de liberté et d'égalité civile et juridique, qui forment le noyau substantiel des droits de l'homme, ont leur plein sens [1]. Il n'en reste pas moins que c'est grâce à l'État, à qui s'adresse la revendication des droits et dont dépend pour une bonne part leur effectivité, que les hommes peuvent affirmer concrètement leur existence sociale et les droits

1. *Encyclopédie des sciences philosophiques*, *op. cit.*, § 540 Rem. Voir B. Bourgeois, « Hegel et les droits de l'homme », in *Philosophie et droits de l'homme*, *op. cit.*. p. 73-97.

qu'elle génère. Là encore, la citoyenneté, expression proprement politique de la liberté, apparaît comme la clé de voûte des droits de l'homme, bien que ceux-ci, depuis que leur revendication est née, se soient surtout affirmés contre l'État.

Marx n'a pas eu tort de souligner que les « prétendus droits de l'homme » sont ceux de l'« homme égoïste », de l'« individu séparé de la communauté[1] ». Mais cette séparation — qui est dans ses propres termes, ou plutôt dans ceux qu'il reprend à Rousseau et à Hegel, celle du « bourgeois » et du « citoyen » — est un trait constitutif de la modernité. L'idée des droits de l'homme, dans la diversité de ses figures, est le produit d'un monde scindé : l'homme et le citoyen, l'universel et le particulier, le privé et le public doivent cohabiter, parfois douloureusement, et sans qu'on puisse espérer surmonter, sinon par violence, une séparation souvent vécue comme une mutilation. L'affirmation résolue et parfois si urgente des droits de l'homme « abstrait » ou de l'homme en général ne saurait donc tenir lieu de détermination des fins des communautés humaines particulières : en effet, ils « n'érigent pas une figure de l'homme [...]. Ils ne font ni une politique ni une philosophie. Ils énoncent plutôt un degré zéro de politique et de philosophie[2] ». Dès lors, il nous faut plus de politique pour actualiser les droits de l'homme et plus de philosophie pour les penser.

Jean-François Kervégan

---

1. *La Question juive, op. cit.*, p. 39.
2. J.-L. Nancy, entretien avec T. Ferenczi, *Le Monde*, 29 mars 1994, p. 2.

BIBLIOGRAPHIE

SOURCES

La Déclaration des droits de l'homme et du citoyen, présentation de Stéphane Rials, Hachette, coll. Pluriel, 1988.

Les Déclarations des droits de l'homme, textes présentés et annotés par Lucien Jaume, GF-Flammarion, 1989.

Les Constitutions de la France depuis 1789, présentation de Jacques Godechot, GF-Flammarion, 1979.

Droits de l'homme et philosophie, présentation de Frédéric Worms, Presses-Pocket, 1993.

ANTÉCÉDENTS

Hugo Grotius, *Le Droit de la guerre et de la paix* (éd. de 1724), Caen, Centre de philosophie politique et juridique, 1984.

Thomas Hobbes, *Léviathan. Traité de la matière, de la forme et du pouvoir de la république ecclésiastique et civile*, traduit et annoté par François Tricaud, Sirey, 1971.

John Locke, *Le Second Traité du gouvernement*, traduction de J.-F. Spitz, Paris, PUF, 1994.

Jean-Jacques Rousseau, *Du contrat social*, *Œuvres complètes*, t. III, Gallimard, 1964.

DÉBATS D'HIER ET D'AUJOURD'HUI

Jeremy Bentham, *Sophismes anarchiques*, trad. fr. in *Œuvres*, t. I, Bruxelles, 1840.

Edmund Burke, *Réflexions sur la révolution de France*, Hachette, coll. Pluriel, 1989.

Alexander Hamilton, James Madison et John Jay, *Le Fédéraliste* (1787), Economica, 1988.

Friedrich A. Hayek, *Droit, législation et liberté*, II, *Le Mirage de la justice sociale*, PUF, 1981.

Georg Wilhelm Friedrich Hegel, *Principes de la philosophie du droit*, trad. Derathé, Vrin, 1975 ; *Encyclopédie des sciences philosophiques*, III, *La Philosophie de l'esprit*, trad. Bourgeois, Vrin, 1987.

Thomas Jefferson, *La Liberté et l'État* (choix de textes), Seghers, 1970.

Jacques Maritain, *Les Droits de l'homme*, Desclée de Brouwer, 1989.

Karl Marx, *La Question juive* (1843), UGE, 1968.

Thomas Paine, *Les Droits de l'homme*, Belin, 1987.

John Rawls, *Théorie de la justice*, Le Seuil, 1987.

Maximilien Robespierre, *Œuvres*, t. IX et X, PUF, 1958 et 1967.

Carl Schmitt, *Théorie de la Constitution*, PUF, 1993.

Emmanuel Sieyès, *Qu'est-ce que le Tiers État ?*, PUF, 1982.

Leo Strauss, *La Cité et l'homme*, Agora, 1987.

COMMENTAIRES

Hannah Arendt, *Essai sur la Révolution*, Gallimard, 1967 ; *Les Origines du totalitarisme*, I, *L'Impérialisme*, Le Seuil, 1984.

Blandine Barret-Kriegel, *Les Droits de l'homme et le droit naturel*, PUF, 1989.

Bertrand Binoche, *Critiques des droits de l'homme*, PUF, 1989.

Bernard Bourgeois, *Philosophie et droits de l'homme (de Kant à Marx)*, PUF, 1990.

Luc Ferry et Alain Renaut, *Philosophie politique*, III, *Des droits l'homme à l'idée républicaine*, PUF, 1985.

Marcel Gauchet, « Les droits de l'homme ne sont pas une politique », *La Démocratie contre elle-même*, Gallimard, 2002, p. 1-26 ; *La Révolution des droits de l'homme*, Gallimard, 1989.

Simone Goyard-Fabre, « La Déclaration des droits de l'homme ou le devoir d'humanité : une philosophie de l'espérance », *Droits*, n° 8, 1988, p. 41-54.

Guy Haarscher, *Philosophie des droits de l'homme*, Éditions de l'université de Bruxelles, 1987.

Jürgen Habermas, « Droit naturel et révolution », dans *Théorie et pratique*, t. I, Payot, 1977.

Lucien Jaume, *La Liberté et la loi. Les origines philosophiques du libéralisme*, Paris, Fayard, 2000.

DENIS LACORNE, « Le débat des droits de l'homme en France et
     aux États-Unis », *Revue Tocqueville*, XIV-1 (1993), p. 5-31
LIONEL PONTON, *Philosophie et droits de l'homme*, Vrin, 1990.
RICHARD A. PRIMUS, *The American language of rights*, Cam-
     bridge, Cambridge U.P., 1999.
JEAN-FABIEN SPITZ, *L'Amour de l'égalité. Essai sur la critique de
     l'égalitarisme républicain en France*, Vrin/EHESS, 2000,
     288 p.
MICHEL TROPER, « L'interprétation de la Déclaration des droits.
     L'exemple de l'article 16 », *Droits*, n° 8, 1988, p. 111-122.
MICHEL VILLEY, *Le Droit et les droits de l'homme*, PUF, 1983.

Composition Euronumérique.
Impression CPI Bussière
à Saint-Amand (Cher), le 10 octobre 2012.
Dépôt légal : octobre 2012.
1ᵉʳ dépôt légal dans la collection : novembre 1995.
Numéro d'imprimeur : 123032/4.
ISBN 978-2-07-032903-8./Imprimé en France.